D0982932

EURIPIDES

III

EURIPIDES, SKENE AND DIONYSUS.

RELIEF FROM SMYRNA IMPERIAL MUSEUM, CONSTANTINOPLE.

EURIPIDES

WITH AN ENGLISH TRANSLATION BY
ARTHUR S. WAY, D.Lit.

IN FOUR VOLUMES
III

BACCHANALS
MADNESS OF HERCULES
CHILDREN OF HERCULES
PHOENICIAN MAIDENS
SUPPLIANTS

CAMBRIDGE, MASSACHUSETTS
HARVARD UNIVERSITY PRESS
LONDON
WILLIAM HEINEMANN LTD
MCML

First printed 1912
Reprinted 1919, 1925, 1930, 1942, 1950

PRINTED IN GREAT BRITAIN

CONTENTS

BIBLIOGRAPHY.

I. *Editiones principes*:—

1. J. Lascaris (Florence, 1496); *Med.*, *Hipp.*, *Alc.*, *Andr.* 2. M. Musurus (Aldus, Venice, 1503); 17 plays, all except *Herc. Fur.* (added in a supplementary volume), and *Electra*. 3. P. Victorius; *Electra*, from Florentine Codex (1545).

II. Latest Critical Editions:—

G. Murray (Clar. Press, 1902–09); Prinz-Wecklein (Teubner, Leipzig, 1878–1902).

III. Latest Important Commentaries:—

Paley, all the plays, 3 v. (Whitaker and Bell, 1872–1880); H. Weil, *Sept Tragédies d'Euripide* (Paris, 1878).

IV. Recent Important Monographs on Euripides:—

Decharme's *Euripides and the Spirit of his Dramas* (Paris, 1896), translated by James Loeb (Macmillan, 1906); Wilamowitz-Moellendorff, *Herakles* (Berlin, 1893); W. Nestle, *Euripides der Dichter der griechischen Aufklärung* (Stuttgart, 1902); P. Masqueray, *Euripide et ses idées* (Paris, 1908); Verrall, *Euripides the Rationalist* (1895), *Four Plays of Euripides* (1905); Tyrrell, *The Bacchants of Euripides and other Essays* (1910); Thomson, *Euripides and the Attic Orators* (1898); Jones, *The Moral Standpoint of Euripides* (1906).

V. Editions of Single Plays:—

Bacchae, by J. E. Sandys (Cambridge Press, 1904), R. Y. Tyrrell (Macmillan, 1896); *Electra*, C. H. Keene (Bell, 1893); *Iph. at Aulis*, E. B. England (Macmillan, 1891); *Iph. in Tauris*, E. B. England (Macmillan, 1883); *Medea*, by A. W. Verrall (Macmillan, 1881–1883); *Orestes*, Wedd (Pitt Press, 1895); *Phoenissae*, by A. C. Pearson (Pitt Press, 1911), J. U. Powell (Constable, 1911); *Troades*, R. Y. Tyrrell (Macmillan, 1897).

THE BACCHANALS

ARGUMENT

SEMELE *the daughter of Cadmus, a mortal bride of Zeus, was persuaded by Hera to pray the God to promise her with an oath to grant her whatsoever she would. And, when he had consented, she asked that he would appear to her in all the splendour of his godhead, even as he visited Hera. Then Zeus, not of his will, but constrained by his oath, appeared to her amidst intolerable light and flashings of heaven's lightning, whereby her mortal body was consumed. But the God snatched her unborn babe from the flames, and hid him in a cleft of his thigh, till the days were accomplished wherein he should be born. And so the child Dionysus sprang from the thigh of Zeus, and was hidden from the jealous malice of Hera till he was grown. Then did he set forth in victorious march through all the earth, bestowing upon men the gift of the vine, and planting his worship everywhere. But the sisters of Semele scoffed at the story of the heavenly bridegroom, and mocked at the worship of Dionysus. And when Cadmus was now old, Pentheus his grandson reigned in his stead, and he too defied the Wine-giver, saying that he was no god, and that none in Thebes should ever worship him.*

And herein is told how Dionysus came in human guise to Thebes, and filled her women with the Bacchanal possession, and how Pentheus, essaying to withstand him, was punished by strange and awful doom.

ΤΑ ΤΟΥ ΔΡΑΜΑΤΟΣ ΠΡΟΣΩΠΑ

ΔΙΟΝΥΣΟΣ
ΧΟΡΟΣ ΒΑΚΧΩΝ
ΤΕΙΡΕΣΙΑΣ
ΚΑΔΜΟΣ
ΠΕΝΘΕΥΣ
ΘΕΡΑΠΩΝ
ΑΓΓΕΛΟΣ
ΕΤΕΡΟΣ ΑΓΓΕΛΟΣ
ΑΓΑΥΗ

DRAMATIS PERSONAE

DIONYSUS, *the Wine-god, who is called also Bacchus, and Iacchus, and Bromius, the Clamour-king.*

TEIRESIAS, *a prophet, old and blind.*

CADMUS, *formerly king of Thebes.*

PENTHEUS, *king of Thebes, grandson of Cadmus.*

SERVANT *of Pentheus.*

HERDMAN.

MESSENGER, *servant of Pentheus.*

AGAVE, *mother of Pentheus, daughter of Cadmus.*

CHORUS, *consisting of Bacchanals, Asiatic women who have followed Dionysus.*

Guards, attendants.

SCENE : before the royal palace of Thebes.

ΒΑΚΧΑΙ

ΔΙΟΝΥΣΟΣ

Ἥκω Διὸς παῖς τήνδε Θηβαίων χθόνα
Διόνυσος, ὃν τίκτει ποθ' ἡ Κάδμου κόρη
Σεμέλη λοχευθεῖσ' ἀστραπηφόρῳ πυρί·
μορφὴν δ' ἀμείψας ἐκ θεοῦ βροτησίαν
πάρειμι Δίρκης νάματ' Ἰσμηνοῦ θ' ὕδωρ.
ὁρῶ δὲ μητρὸς μνῆμα τῆς κεραυνίας
τόδ' ἐγγὺς οἴκων καὶ δόμων ἐρείπια
τυφόμενα Δίου πυρὸς ἔτι ζῶσαν φλόγα,
ἀθάνατον Ἥρας μητέρ' εἰς ἐμὴν ὕβριν.
10 αἰνῶ δὲ Κάδμον, ἄβατον ὃς πέδον τόδε
τίθησι, θυγατρὸς σηκόν· ἀμπέλου δέ νιν
πέριξ ἐγὼ 'κάλυψα βοτρυώδει χλόῃ.
λιπὼν δὲ Λυδῶν τοὺς πολυχρύσους γύας
Φρυγῶν τε, Περσῶν θ' ἡλιοβλήτους πλάκας
Βάκτριά τε τείχη τήν τε δύσχιμον χθόνα
Μήδων ἐπελθὼν Ἀραβίαν τ' εὐδαίμονα
Ἀσίαν τε πᾶσαν, ἣ παρ' ἁλμυρὰν ἅλα
κεῖται μιγάσιν Ἕλλησι βαρβάροις θ' ὁμοῦ
πλήρεις ἔχουσα καλλιπυργώτους πόλεις,
20 εἰς τήνδε πρῶτον ἦλθον Ἑλλήνων πόλιν,
τἀκεῖ χορεύσας καὶ καταστήσας ἐμὰς
τελετάς, ἵν' εἴην ἐμφανὴς δαίμων βροτοῖς.
πρώτας δὲ Θήβας τῆσδε γῆς Ἑλληνίδος

THE BACCHANALS

Enter DIONYSUS.

DIONYSUS

I to this land of Thebes have come, Zeus' Son
Dionysus, born erstwhile of Cadmus' child
Semele, brought by levin-brand to travail.
My shape from God to mortal semblance changed,
I stand by Dirce's springs, Ismenus' flood.
I see my thunder-blasted mother's tomb
Here nigh the halls : the ruins of her home
Smoulder with Zeus's flame that liveth yet—
Hera's undying outrage on my mother.
Cadmus doth well, that he ordains this close, 10
His child's grave, hallowed : with the clustering green
Of vines I, even I, embowered it round.
Leaving the gold-abounding Lydian meads
And Phrygian, o'er the Persian's sun-smit tracts,
By Bactrian strongholds, Media's storm-swept land,
Still pressing on, by Araby the Blest,
And through all Asia, by the briny sea
Lying with stately-towered cities thronged,
Peopled with Hellenes blent with aliens,
To this of Hellene cities first I come, 20
Having established in far lands my dances
And rites, to be God manifest to men.
So, of all Hellas, Thebes with my acclaim

ἀνωλόλυξα, νεβρίδ' ἐξάψας χροὸς
θύρσον τε δοὺς εἰς χεῖρα, κίσσινον βέλος·
ἐπεί μ' ἀδελφαὶ μητρός, ἃς ἥκιστ' ἐχρῆν,
Διόνυσον οὐκ ἔφασκον ἐκφῦναι Διός,
Σεμέλην δὲ νυμφευθεῖσαν ἐκ θνητοῦ τινος
εἰς Ζῆν' ἀναφέρειν τὴν ἁμαρτίαν λέχους,
30 Κάδμου σοφίσμαθ', ὧν νιν εἵνεκα κτανεῖν
Ζῆν' ἐξεκαυχῶνθ', ὅτι γάμους ἐψεύσατο.
τοιγάρ νιν αὐτὰς ἐκ δόμων ᾤστρησ' ἐγὼ
μανίαις· ὄρος δ' οἰκοῦσι παράκοποι φρενῶν·
σκευήν τ' ἔχειν ἠνάγκασ' ὀργίων ἐμῶν,
καὶ πᾶν τὸ θῆλυ σπέρμα Καδμείων ὅσαι
γυναῖκες ἦσαν ἐξέμηνα δωμάτων·
ὁμοῦ δὲ Κάδμου παισὶν ἀναμεμιγμέναι
χλωραῖς ὑπ' ἐλάταις ἀνορόφοις ἧνται πέτραις.
δεῖ γὰρ πόλιν τήνδ' ἐκμαθεῖν, κεἰ μὴ θέλει,
40 ἀτέλεστον οὖσαν τῶν ἐμῶν βακχευμάτων,
Σεμέλης τε μητρὸς ἀπολογήσασθαί μ' ὕπερ
φανέντα θνητοῖς δαίμον', ὃν τίκτει Διί.
Κάδμος μὲν οὖν γέρας τε καὶ τυραννίδα
Πενθεῖ δίδωσι θυγατρὸς ἐκπεφυκότι,
ὃς θεομαχεῖ τὰ κατ' ἐμὲ καὶ σπονδῶν ἄπο
ὠθεῖ μ', ἐν εὐχαῖς τ' οὐδαμοῦ μνείαν ἔχει.
ὧν εἵνεκ' αὐτῷ θεὸς γεγὼς ἐνδείξομαι
πᾶσίν τε Θηβαίοισιν. εἰς δ' ἄλλην χθόνα,
τἀνθένδε θέμενος εὖ, μεταστήσω πόδα,
50 δεικνὺς ἐμαυτόν· ἢν δὲ Θηβαίων πόλις
ὀργῇ σὺν ὅπλοις ἐξ ὄρους Βάκχας ἄγειν
ζητῇ, συνάψω μαινάσι στρατηλατῶν.
ὧν εἵνεκ' εἶδος θνητὸν ἀλλάξας ἔχω
μορφήν τ' ἐμὴν μετέβαλον εἰς ἀνδρὸς φύσιν.
ἀλλ', ὦ λιποῦσαι Τμῶλον ἔρυμα Λυδίας,

I first thrilled, there with fawn-skin girt her limbs,
And gave her hand the ivied thyrsus-spear,
Because my mother's sisters, to their shame,
Proclaimed Dionysus never born of Zeus;
But Semele by a man undone, said they,
Charged upon Zeus her sin of wantonness—
A subtle wile of Cadmus! Hence, they vaunted, 30
Zeus slew the liar who named him paramour.
So frenzy-stung themselves I have driven from home,
And mid the hills with soul distraught they dwell,
The vesture of my revels forced to wear;
And all the woman-seed of Cadmus' folk,
Yea all, I drave forth raving from their homes:
And there, with Cadmus' daughters mingled, these
'Neath green pines sit on crags all shelterless.
For this Thebes needs must learn, how loth soe'er,
What means it not to be in my great rites 40
Initiate, learn that I plead Semele's cause
To men God manifest, whom she bare to Zeus.
Now Cadmus gave his crown and royal estate
To Pentheus, of another daughter born,
Who wars with Heaven in me, and from libations
Thrusts, nor makes mention of me in his prayers.
Therefore to him my godhead will I prove,
And to all Thebans. To another land
Then, after triumph here, will I depart,
And manifest myself. If Thebes in wrath 50
Take arms to chase her Bacchants from the hills,
Leading my Maenads I will clash in fight.
For this cause have I taken mortal form,
And changed my shape to fashion of a man.
Ho, ye who Lydia's rock-wall, Tmolus, left,

θίασος ἐμός, γυναῖκες, ἃς ἐκ βαρβάρων
ἐκόμισα παρέδρους καὶ ξυνεμπόρους ἐμοί,
αἴρεσθε τἀπιχώρι' ἐν πόλει Φρυγῶν
τύμπανα, Ῥέας τε μητρὸς ἐμά θ' εὑρήματα,
60 βασίλειά τ' ἀμφὶ δώματ' ἐλθοῦσαι τάδε
κτυπεῖτε Πενθέως, ὡς ὁρᾷ Κάδμου πόλις.
ἐγὼ δὲ Βάκχαις, εἰς Κιθαιρῶνος πτυχὰς
ἐλθών, ἵν' εἰσί, συμμετασχήσω χορῶν.

ΧΟΡΟΣ

Ἀσίας ἀπὸ γαίας — στρ. α'
ἱερὸν Τμῶλον ἀμείψασα θοάζω
Βρομίῳ πόνον ἡδὺν κάματόν τ' εὐ-
κάματον, Βάκχιον εὐαζομένα.

τίς ὁδῷ τίς ὁδῷ; τίς — ἀντ. α'
μελάθροις ; ἔκτοπος ἔστω, στόμα τ' εὔφη-
70 μον ἅπας ἐξοσιούσθω· τὰ νομισθέν-
τα γὰρ ἀεὶ Διόνυσον ὑμνήσω.

ὦ μάκαρ, ὅστις εὐδαίμων — στρ. β'
τελετὰς θεῶν εἰδὼς
βιοτὰν ἁγιστεύει
καὶ θιασεύεται ψυχάν,
ἐν ὄρεσσι βακχεύων
ὁσίοις καθαρμοῖσιν·
τά τε ματρὸς μεγάλας ὄρ-
για Κυβέλας θεμιτεύων
80 ἀνὰ θύρσον τε τινάσσων
κισσῷ τε στεφανωθεὶς

Women, my revel-rout, from alien homes
To share my rest and my wayfaring brought
Uplift the cymbals to the Phrygian towns
Native, great Mother Rhea's device and mine,
And smite them, compassing yon royal halls 60
Of Pentheus, so that Cadmus' town may see.
I to Cithaeron's glens will go, where bide
My Bacchanals, and join the dances there. [*Exit.*

Enter CHORUS, *waving the thyrsus-wands, and clashing their timbrels.*

CHORUS

From Asian soil (*Str.* 1)
Far over the hallowed ridges of Tmolus fleeting,
To the task that I love do I speed, to my painless toil [with greeting.
For the Clamour-king, hailing the Bacchanals' God (*Ant.* 1)
Who is there in the way? [one, sealing
At his doors who is standing? Avoid!—and let each
His lips from irreverence, hallow them. Now, in the lay [pealing. 70
Dionysus ordains, will I chant him, his hymn out-

O happy to whom is the blessedness given (*Str.* 2)
To be taught in the Mysteries sent from heaven,
Who is pure in his life, through whose soul the unsleeping
Revel goes sweeping!
Made meet by the sacred purifying
For the Bacchanal rout o'er the mountains flying,
For the orgies of Cybele mystery-folden,
Of the Mother olden,
Wreathed with the ivy sprays, 80
The thyrsus on high doth he raise,

Διόνυσον θεραπεύει.
ἴτε Βάκχαι, ἴτε Βάκχαι,
Βρόμιον παῖδα θεὸν θεοῦ
Διόνυσον κατάγουσαι
Φρυγίων ἐξ ὀρέων Ἑλλάδος εἰς
εὐρυχόρους ἀγυιάς, τὸν Βρόμιον·

ὅν ποτ' ἔχουσ' ἐν ὠδίνων — ἀντ. β'
λοχίαις ἀνάγκαισι
90 πταμένας Διὸς βροντᾶς
νηδύος ἔκβολον μάτηρ
ἔτεκεν, λιποῦσ' αἰῶ-
να κεραυνίῳ πλαγᾷ·
λοχίοις δ' αὐτίκα νιν δέ-
ξατο θαλάμοις Κρονίδας Ζεύς·
κατὰ μηρῷ δὲ καλύψας
χρυσέαισιν συνερείδει
περόναις κρυπτὸν ἀφ' Ἥρας.
ἔτεκεν δ', ἁνίκα Μοῖραι
100 τέλεσαν, ταυρόκερων θεὸν
στεφάνωσέν τε δρακόντων
στεφάνοις, ἔνθεν ἄγραν θυρσοφόροι
Μαινάδες ἀμφιβάλλονται πλοκάμοις.

ὦ Σεμέλας τροφοὶ Θῆ- — στρ. γ'
βαι στεφανοῦσθε κισσῷ·
βρύετε βρύετε χλοήρει
μίλακι καλλικάρπῳ
καὶ καταβακχιοῦσθε
110 δρυὸς ἢ ἐλάτας κλάδοισι,
στικτῶν τ' ἐνδυτὰ νεβρίδων
στέφετε λευκοτρίχων πλοκάμων

Singing the Vine-god's praise—
Come, Bacchanals, come!
The Clamour-king, child of a God,
O'er the mountains of Phrygia who trod,
Unto Hellas's highways broad
Bring him home, bring him home!—
(*Ant.* 2)
The God whom his mother,—when anguish tore her
Of the travail resistless that deathward bore her
On the wings of the thunder of Zeus down-flying,— 90
Brought forth at her dying,
An untimely birth, as her spirit departed
Stricken from life by the flame down-darted:
But in birth-bowers new did Zeus Cronion
Receive his scion;
For, hid in a cleft of his thigh,
By the gold-clasps knit, did he lie
Safe hidden from Hera's eye
Till the Fates' day came:
Then a God bull-horned Zeus bare, 100
And with serpents entwined his hair:
And for this do his Maenads wear
In their tresses the same.

Thebes, nursing-town of Semele, crown (*Str.* 3)
With the ivy thy brows, and be
All bloom, embowered in the starry-flowered
Lush green of the briony,
While the oak and pine thy tresses entwine
In thy bacchanal-ecstasy. 110
And thy fawn-skin flecked, with a fringe be it decked
Of wool white-glistering

μαλλοῖς· ἀμφὶ δὲ νάρθηκας ὑβριστὰς
ὁσιοῦσθ'· αὐτίκα γᾶ πᾶσα χορεύσει,
Βρόμιος εὖτ' ἂν ἄγῃ θιάσους
εἰς ὄρος εἰς ὄρος, ἔνθα μένει
θηλυγενὴς ὄχλος
ἀφ' ἱστῶν παρὰ κερκίδων τ'
οἰστρηθεὶς Διονύσῳ.

120 ὦ θαλάμευμα Κουρή- ἀντ. γ'
των ζάθεοί τε Κρήτας
Διογενέτορες ἔναυλοι,
ἔνθα τρικόρυθες ἄντροις
βυρσότονον κύκλωμα
τόδε μοι Κορύβαντες ηὗρον·
ἀνὰ δὲ βάκχια συντόνῳ
κέρασαν ἁδυβόᾳ Φρυγίων
αὐλῶν πνεύματι, ματρός τε Ῥέας εἰς
χέρα θῆκαν, κτύπον εὐάσμασι Βακχᾶν·
130 παρὰ δὲ μαινόμενοι Σάτυροι
ματέρος ἐξανύσαντο θεᾶς,
εἰς δὲ χορεύματα
συνῆψαν τριετηρίδων,
αἷς χαίρει Διόνυσος.

ἐπῳδ.

ἡδὺς ἐν οὔρεσιν, εὖτ' ἂν
ἐκ θιάσων δρομαίων
πέσῃ πεδόσε, νεβρίδος ἔχων
ἱερὸν ἐνδυτόν, ἀγρεύων
140 αἷμα τραγοκτόνον, ὠμοφάγον χάριν,

In silvery tassels;—O Bacchus' vassals,
  High-tossed let the wild wands swing!
One dancing-band shall be all the land
  When, led by the Clamour-king,
His revel-rout fills the hills—the hills
  Where thy women abide till he come
Whom the Vine-god chasing, in frenzy racing,
  Hunted from shuttle and loom.

(*Ant.* 3)

O cavern that rang when Curetès sang, 120
  O bower of the Babe Zeus' birth, [glancing
Where the Corybants, dancing with helm-crests
  Through the dark halls under the earth,
This timbrel found whose hide-stretched round
  We smite, and its Bacchanal mirth
They blent with the cry ringing sweet and high
  From the flutes of the Phrygian land,
And its thunder, soaring o'er revel-shouts' roaring,
  They gave unto Rhea's hand;
But the gift passed on from the Mother, was won 130
  By the madding Satyr-band;
And to Semele's child gave the woodfolk wild
  The homage he holdeth dear,
When to feet white-flashing the timbrels clashing
  Are wedded in each third year.

O trance of rapture, when, reeling aside (*Epode*)
  From the Bacchanal rout o'er the mountains
    flying,
One sinks to the earth, and the fawn's flecked hide
    Covers him lying
With its sacred vesture, wherein he hath chased 140
The goat to the death for its blood—for the taste
  Of the feast raw-reeking, when over the hills

ἱέμενος εἰς ὄρεα Φρύγια, Λύδια,
ὁ δ' ἔξαρχος Βρόμιος, εὐοῖ.

ῥεῖ δὲ γάλακτι πέδον, ῥεῖ δ' οἴνῳ, ῥεῖ δὲ με-
λισσᾶν
νέκταρι, Συρίας δ' ὡς λιβάνου καπνός·
ὁ Βακχεὺς δ' ἔχων
πυρσώδη φλόγα πεύκας
ἐκ νάρθηκος ἀίσσει
δρόμῳ καὶ χοροῖς ἐρεθίζων πλανάτας
ἰαχαῖς τ' ἀναπάλλων,
150 τρυφερὸν πλόκαμον εἰς αἰθέρα ῥίπτων.
ἅμα δ' ἐπ' εὐάσμασιν ἐπιβρέμει
τοιάδ'· ὦ ἴτε Βάκχαι,
ὦ ἴτε Βάκχαι,
Τμώλου χρυσορόου χλιδά,
μέλπετε τὸν Διόνυσον
βαρυβρόμων ὑπὸ τυμπάνων,
εὔια τὸν εὔιον ἀγαλλόμεναι θεὸν
ἐν Φρυγίαισι βοαῖς ἐνοπαῖσί τε,
160 λωτὸς ὅταν εὐκέλαδος
ἱερὸς ἱερὰ παίγματα
βρέμῃ, σύνοχα φοιτάσιν
εἰς ὄρος εἰς ὄρος· ἡδομένα δ' ἄρα,
πῶλος ὅπως ἅμα ματέρι φορβάδι,
κῶλον ἄγει ταχύπουν σκιρτήμασι Βάκχα.

ΤΕΙΡΕΣΙΑΣ

170 τίς ἐν πύλαισι; Κάδμον ἐκκάλει δόμων
'Αγήνορος παῖδ', ὃς πόλιν Σιδωνίαν
λιπὼν ἐπύργωσ' ἄστυ Θηβαίων τόδε.

Of Phrygia, of Lydia, the wild feet haste, [thrills
And the Clamour-king leads, and his "Evoë!"
Our hearts replying!

Flowing with milk is the ground, and with wine is it flowing, and flowing [Araby soars;
Nectar of bees; and a smoke as of incense of
And the Bacchant, uplifting the flame of the brand of the pine ruddy-glowing,
Waveth it wide, and with shouts, from the point of the wand as it pours, [and throwing
Challengeth revellers straying, on-racing, on-dancing, 150
Loose to the breezes his curls, while clear through the chorus that roars
Cleaveth his shout,—"On, Bacchanal-rout,
On, Bacchanal maidens, ye glory of Tmolus the hill gold-welling, [thunder-knelling,
Blend the acclaim of your chant with the timbrels
Glad-pealing the glad God's praises out
With Phrygian cries and the voice of singing,
When upsoareth the sound of the melody-fountain,
Of the hallowed ringing of flutes far-flinging 160
The notes that chime with the feet that climb
The pilgrim-path to the mountain!"
And with rapture the Bacchanal onward racing,
With gambollings fleet [grazing,
As of foals round the mares in the meads that are
Speedeth her feet.

Enter TEIRESIAS.

TEIRESIAS

Gate-warder, ho! call Cadmus forth the halls, 170
Agenor's son, who came from Sidon-town,
And with towers girded this the Thebans' burg.

ἴτω τις, εἰσάγγελλε Τειρεσίας ὅτι
ζητεῖ νιν· οἶδε δ' αὐτὸς ὧν ἥκω πέρι,
ἅ τε ξυνεθέμην πρέσβυς ὢν γεραιτέρῳ,
θύρσους ἀνάπτειν καὶ νεβρῶν δορὰς ἔχειν
στεφανοῦν τε κρᾶτα κισσίνοις βλαστήμασιν.

ΚΑΔΜΟΣ

ὦ φίλταθ', ὡς σὴν γῆρυν ᾐσθόμην κλύων
σοφὴν σοφοῦ παρ' ἀνδρός, ἐν δόμοισιν ὤν·
180 ἥκω δ' ἕτοιμος τήνδ' ἔχων σκευὴν θεοῦ.
δεῖ γάρ νιν ὄντα παῖδα θυγατρὸς ἐξ ἐμῆς,
Διόνυσον ὃς πέφηνεν ἀνθρώποις θεός,
ὅσον καθ' ἡμᾶς δυνατὸν αὔξεσθαι μέγαν.
ποῖ δεῖ χορεύειν, ποῖ καθιστάναι πόδα
καὶ κρᾶτα σεῖσαι πολιόν ; ἐξηγοῦ σύ μοι
γέρων γέροντι, Τειρεσία· σὺ γὰρ σοφός.
ὡς οὐ κάμοιμ' ἂν οὔτε νύκτ' οὔθ' ἡμέραν
θύρσῳ κροτῶν γῆν· ἐπιλελήσμεθ' ἡδέως
γέροντες ὄντες.

ΤΕΙΡΕΣΙΑΣ

ταὔτ' ἐμοὶ πάσχεις ἄρα·
190 κἀγὼ γὰρ ἡβῶ κἀπιχειρήσω χοροῖς.

ΚΑΔΜΟΣ

οὐκοῦν ὄχοισιν εἰς ὄρος περάσομεν ;

ΤΕΙΡΕΣΙΑΣ

ἀλλ' οὐχ ὁμοίως ἂν ὁ θεὸς τιμὴν ἔχοι.

ΚΑΔΜΟΣ

γέρων γέροντα παιδαγωγήσω σ' ἐγώ.

ΤΕΙΡΕΣΙΑΣ

ὁ θεὸς ἀμοχθὶ κεῖσε νῷν ἡγήσεται.

ΚΑΔΜΟΣ

μόνοι δὲ πόλεως Βακχίῳ χορεύσομεν ;

Go, one; say to him that Teiresias
Seeks him—he knoweth for what cause I come,
The old man's covenant with the elder-born
To entwine the thyrsi and the fawnskin don,
And crown our heads with wreaths of ivy-sprays.

Enter CADMUS.

CADMUS

Dear friend, within mine house I heard thy voice,
And knew it, the wise utterance of the wise.
Ready I come, thus in the God's garb dight. 180
For him, who is my daughter's very son,
Dionysus, who to men hath shown his godhead,
Ought we with all our might to magnify.
Where shall we dance now, and where plant the foot,
And toss the silvered head? Instruct thou me;
Let eld guide eld, Teiresias: wise art thou.
I shall not weary, nor by night nor day,
Smiting on earth the thyrsus. We forget
In joy our age.

TEIRESIAS

Thine heart is even as mine.
I too am young, I will essay the dance. 190

CADMUS

Come, to the mountain fare we, chariot-borne.

TEIRESIAS

Nay, riding should we honour less the God.

CADMUS

Age ushering age, I will escort thee on.

TEIRESIAS

We shall not tire; the God will lead us thither.

CADMUS

Shall we alone of Thebes to Bacchus dance?

ΤΕΙΡΕΣΙΑΣ

μόνοι γὰρ εὖ φρονοῦμεν, οἱ δ' ἄλλοι κακῶς.

ΚΑΔΜΟΣ

μακρὸν τὸ μέλλειν· ἀλλ' ἐμῆς ἔχου χερός.

ΤΕΙΡΕΣΙΑΣ

ἰδού, ξύναπτε καὶ ξυνωρίζου χέρα.

ΚΑΔΜΟΣ

οὐ καταφρονῶ 'γὼ τῶν θεῶν θνητὸς γεγώς.

ΤΕΙΡΕΣΙΑΣ

200 οὐδὲν σοφιζόμεσθα τοῖσι δαίμοσι.
πατρίους παραδοχὰς ἅς θ' ὁμήλικας χρόνῳ
κεκτήμεθ', οὐδεὶς αὐτὰ καταβαλεῖ λόγος,
οὐδ' εἰ δι' ἄκρων τὸ σοφὸν ηὕρηται φρενῶν.
ἐρεῖ τις ὡς τὸ γῆρας οὐκ αἰσχύνομαι,
μέλλων χορεύειν κρᾶτα κισσώσας ἐμόν.
οὐ γὰρ διῄρηχ' ὁ θεὸς εἴτε τὸν νέον
ἐχρῆν χορεύειν εἴτε τὸν γεραίτερον,
ἀλλ' ἐξ ἁπάντων βούλεται τιμὰς ἔχειν
κοινάς, δι' ἀριθμῶν δ' οὐδὲν αὔξεσθαι θέλει.

ΚΑΔΜΟΣ

210 ἐπεὶ σὺ φέγγος, Τειρεσία, τόδ' οὐχ ὁρᾷς,
ἐγὼ προφήτης σοι λόγων γενήσομαι.
Πενθεὺς πρὸς οἴκους ὅδε διὰ σπουδῆς περᾷ,
'Εχίονος παῖς, ᾧ κράτος δίδωμι γῆς.
ὡς ἐπτόηται· τί ποτ' ἐρεῖ νεώτερον;

ΠΕΝΘΕΥΣ

ἔκδημος ὢν μὲν τῆσδ' ἐτύγχανον χθονός,
κλύω δὲ νεοχμὰ τήνδ' ἀνὰ πτόλιν κακά,
γυναῖκας ἡμῖν δώματ' ἐκλελοιπέναι
πλασταῖσι βακχείαισιν, ἐν δὲ δασκίοις
ὄρεσι θοάζειν, τὸν νεωστὶ δαίμονα
220 Διόνυσον, ὅστις ἔστι, τιμώσας χοροῖς·

TEIRESIAS

Yea, we alone are wise; the rest be fools.

CADMUS

Too long we linger. Come, grasp thou mine hand

TEIRESIAS

Lo there: clasp close the interlinking hand.

CADMUS

Not I contemn the Gods, I, mortal-born!

TEIRESIAS

'Tis not for us to reason touching Gods. 200
Traditions of our fathers, old as time,
We hold: no reasoning shall cast them down,—
No, though of subtlest wit our wisdom spring.
Haply shall one say I respect not eld,
Who ivy-crowned address me to the dance.
Nay, for distinction none the God hath made
Whether the young or stricken in years must dance:
From all alike he claims his due of honour:
By halves he cares not to be magnified.

CADMUS

Since thou, Teiresias, seest not this light, 210
I will for thee be spokesman of thy words.
Lo to these halls comes Pentheus hastily,
Echion's son, to whom I gave the throne.
How wild his mood! What strange thing will he [tell?

Enter PENTHEUS.

PENTHEUS

It chanced that, sojourning without this land,
I heard of strange misdeeds in this my town,
How from their homes our women have gone forth
Feigning a Bacchic rapture, and rove wild
O'er wooded hills, in dances honouring
Dionysus, this new God—whoe'er he be. 220

πλήρεις δὲ θιάσοις ἐν μέσοισιν ἑστάναι
κρατῆρας, ἄλλην δ' ἄλλοσ' εἰς ἐρημίαν
πτώσσουσαν εὐναῖς ἀρσένων ὑπηρετεῖν,
πρόφασιν μὲν ὡς δὴ Μαινάδας θυοσκόους,
τὴν δ' Ἀφροδίτην πρόσθ' ἄγειν τοῦ Βακχίου.
ὅσας μὲν οὖν εἴληφα, δεσμίους χέρας
σῴζουσι πανδήμοισι πρόσπολοι στέγαις·
ὅσαι δ' ἄπεισιν, ἐξ ὄρους θηράσομαι,
Ἰνώ τ' Ἀγαύην θ' ἥ μ' ἔτικτ' Ἐχίονι,
230 Ἀκταίονός τε μητέρ', Αὐτονόην λέγω.
καὶ σφᾶς σιδηραῖς ἁρμόσας ἐν ἄρκυσι
παύσω κακούργου τῆσδε βακχείας τάχα.
λέγουσι δ' ὥς τις εἰσελήλυθε ξένος
γόης ἐπῳδὸς Λυδίας ἀπὸ χθονός,
ξανθοῖσι βοστρύχοισιν εὐοσμῶν κομῶν,
οἰνωπός, ὅσσοις χάριτας Ἀφροδίτης ἔχων,
ὃς ἡμέρας τε κεὐφρόνας συγγίγνεται
τελετὰς προτείνων εὐίους νεάνισιν.
εἰ δ' αὐτὸν εἴσω τῆσδε λήψομαι στέγης,
240 παύσω κτυποῦντα θύρσον ἀνασείοντά τε
κόμας, τράχηλον σώματος χωρὶς τεμών.
ἐκεῖνος εἶναί φησι Διόνυσον θεόν,
ἐκεῖνος ἐν μηρῷ ποτ' ἐρράφθαι Διός,
ὃς ἐκπυροῦται λαμπάσιν κεραυνίαις
σὺν μητρί, Δίους ὅτι γάμους ἐψεύσατο.
ταῦτ' οὐχὶ δεινῆς ἀγχόνης ἐπάξια,
ὕβρεις ὑβρίζειν, ὅστις ἔστιν ὁ ξένος;

ἀτὰρ τόδ' ἄλλο θαῦμα, τὸν τερασκόπον
ἐν ποικίλαισι νεβρίσι Τειρεσίαν ὁρῶ
250 πατέρα τε μητρὸς τῆς ἐμῆς, πολὺν γέλων,
νάρθηκι βακχεύοντ'· ἀναίνομαι, πάτερ,

And midst each revel-rout the wine-bowls stand
Brimmed: and to lonely nooks, some here, some there,
They steal, to work with men the deed of shame,
In pretext Maenad priestesses, forsooth,
But honouring Aphrodite more than Bacchus.
As many as I have seized my servants keep
Safe in the common prison manacled.
But those yet forth, will I hunt from the hills—
Ino, Agave, who bare me to Echion,
Autonoe withal, Actaeon's mother. 230
In toils of iron trapped, full soon shall they
Cease from this pestilent Bacchic revelling.
Men say a stranger to the land hath come,
A juggling sorcerer from Lydia-land,
With essenced hair in golden tresses tossed,
Wine-flushed, Love's witching graces in his eyes,
Who with the damsels day and night consorts,
Making pretence of Evian mysteries.
If I within these walls but prison him,
Farewell to thyrsus-taboring, and to locks 240
Free-tossed; for neck from shoulders will I hew.
He saith that Dionysus is a God!
Saith, he was once sewn up in Zeus's thigh—
Who, with his mother, was by lightning-flames
Blasted, because she lied of Zeus's love.
Is not this worthy hanging's ruthless doom,
Thus to blaspheme, whoe'er the stranger be?

But lo, another marvel this—the seer
Teiresias, in dappled fawnskins clad!
Yea, and my mother's sire—O sight for laughter!— 250
Tossing the reed-wand! Father, I take shame

τὸ γῆρας ὑμῶν εἰσορῶν νοῦν οὐκ ἔχον.
οὐκ ἀποτινάξεις κισσόν; οὐκ ἐλευθέραν
θύρσου μεθήσεις χεῖρ', ἐμῆς μητρὸς πάτερ;
σὺ ταῦτ' ἔπεισας, Τειρεσία· τόνδ' αὖ θέλεις
τὸν δαίμον' ἀνθρώποισιν εἰσφέρων νέον
σκοπεῖν πτερωτοὺς κἀμπύρων μισθοὺς φέρειν·
εἰ μή σε γῆρας πολιὸν ἐξερρύετο,
καθῆσ' ἂν ἐν Βάκχαισι δέσμιος μέσαις,
260 τελετὰς πονηρὰς εἰσάγων· γυναιξὶ γὰρ
ὅπου βότρυος ἐν δαιτὶ γίγνεται γάνος,
οὐχ ὑγιὲς οὐδὲν ἔτι λέγω τῶν ὀργίων.

ΧΟΡΟΣ

τῆς δυσσεβείας. ὦ ξέν', οὐκ αἰδεῖ θεοὺς
Κάδμον τε τὸν σπείραντα γηγενῆ στάχυν;
'Εχίονος δ' ὢν παῖς καταισχύνεις γένος;

ΤΕΙΡΕΣΙΑΣ

ὅταν λάβῃ τις τῶν λόγων ἀνὴρ σοφὸς
καλὰς ἀφορμάς, οὐ μέγ' ἔργον εὖ λέγειν·
σὺ δ' εὔτροχον μὲν γλῶσσαν ὡς φρονῶν ἔχεις,
ἐν τοῖς λόγοισι δ' οὐκ ἔνεισί σοι φρένες.
270 θρασὺς δέ, δυνατὸς καὶ λέγειν οἷός τ' ἀνήρ,
κακὸς πολίτης γίγνεται νοῦν οὐκ ἔχων.
οὗτος δ' ὁ δαίμων ὁ νέος ὃν σὺ διαγελᾷς,
οὐκ ἂν δυναίμην μέγεθος ἐξειπεῖν ὅσος
καθ' Ἑλλάδ' ἔσται. δύο γάρ, ὦ νεανία,
τὰ πρῶτ' ἐν ἀνθρώποισι· Δημήτηρ θεά·
γῆ δ' ἐστίν, ὄνομα δ' ὁπότερον βούλει κάλει·
αὕτη μὲν ἐν ξηροῖσιν ἐκτρέφει βροτούς·
ὃς δ' ἦλθ' ἔπειτ', ἀντίπαλον ὁ Σεμέλης γόνος
βότρυος ὑγρὸν πῶμ' ηὗρε κεἰσηνέγκατο
280 θνητοῖς, ὃ παύει τοὺς ταλαιπώρους βροτοὺς
λύπης, ὅταν πλησθῶσιν ἀμπέλου ῥοῆς,

Beholding these grey hairs so sense-bereft.
Fling off the ivy; let the thyrsus fall,
And set thine hand free, O my mother's sire.
Thou didst, Teiresias, draw him on to this:
'Tis thou wouldst foist this new God upon men
For augury and divination's wage!
Except thine hoary hairs protected thee,
Thou shouldst amid the Bacchanals sit in chains,
For bringing in these pestilent rites; for when 260
In women's feasts the cluster's pride hath part,
No good, say I, comes of their revelry.

CHORUS

Blasphemy!—Stranger, dost not reverence heaven,
Nor Cadmus, sower of the earth-born seed?
Son of Echion, thou dost shame thy birth!

TEIRESIAS

Whene'er a wise man finds a noble theme
For speech, 'tis easy to be eloquent.
Thou—roundly runs thy tongue, as thou wert wise;
But in these words of thine sense is there none.
The rash man, armed with power and ready of speech, 270
Is a bad citizen, as void of sense.

But this new God, whom thou dost laugh to scorn,
I cannot speak the greatness whereunto
In Hellas he shall rise. Two chiefest Powers,
Prince, among men there are: divine Demeter—
Earth is she, name her by which name thou wilt;—
She upon dry food nurtureth mortal men:
Then followeth Semele's Son; to match her gift
The cluster's flowing draught he found, and gave
To mortals, which gives rest from grief to men 280
Woe-worn, soon as the vine's stream filleth them.

ὕπνον τε λήθην τῶν καθ' ἡμέραν κακῶν
δίδωσιν, οὐδ' ἔστ' ἄλλο φάρμακον πόνων.
οὗτος θεοῖσι σπένδεται θεὸς γεγώς,
ὥστε διὰ τοῦτον τἀγάθ' ἀνθρώπους ἔχειν.
καὶ καταγελᾷς νιν, ὡς ἐνερράφη Διὸς
μηρῷ; διδάξω σ' ὡς καλῶς ἔχει τόδε.
ἐπεί νιν ἥρπασ' ἐκ πυρὸς κεραυνίου
Ζεύς, εἰς δ' Ὄλυμπον βρέφος ἀνήγαγεν, θεὸν
290 Ἥρα νιν ἤθελ' ἐκβαλεῖν ἀπ' οὐρανοῦ·
Ζεὺς δ' ἀντεμηχανήσαθ' οἷα δὴ θεός.
ῥήξας μέρος τι τοῦ χθόν' ἐγκυκλουμένου
αἰθέρος, ἔθηκε τόνδ' ὅμηρον, ἐκδιδοὺς
Διόνυσον Ἥρας νεικέων· χρόνῳ δέ νιν
βροτοὶ τραφῆναί φασιν ἐν μηρῷ Διός,
ὄνομα μεταστήσαντες, ὅτι θεᾷ θεὸς
Ἥρᾳ ποθ' ὡμήρευσε, συνθέντες λόγον.
μάντις δ' ὁ δαίμων ὅδε· τὸ γὰρ βακχεύσιμον
καὶ τὸ μανιῶδες μαντικὴν πολλὴν ἔχει·
300 ὅταν γὰρ ὁ θεὸς εἰς τὸ σῶμ' ἔλθῃ πολύς,
λέγειν τὸ μέλλον τοὺς μεμηνότας ποιεῖ.
Ἄρεώς τε μοῖραν μεταλαβὼν ἔχει τινά·
στρατὸν γὰρ ἐν ὅπλοις ὄντα κἀπὶ τάξεσι
φόβος διεπτόησε πρὶν λόγχης θιγεῖν·
μανία δὲ καὶ τοῦτ' ἐστὶ Διονύσου πάρα.
ἔτ' αὐτὸν ὄψει κἀπὶ Δελφίσιν πέτραις
πηδῶντα σὺν πεύκαισι δικόρυφον πλάκα,
πάλλοντα καὶ σείοντα Βακχεῖον κλάδον,
μέγαν τ' ἀν' Ἑλλάδ'. ἀλλ' ἐμοί, Πενθεῦ, πιθοῦ·

And sleep, the oblivion of our daily ills,
He gives—there is none other balm for toils.
He is the Gods' libation, though a God,
So that through him do men obtain good things.

And dost thou mock him, as in Zeus's thigh
Sewn? I will show thee all the legend's beauty:
When Zeus had snatched him from the levin-fire,
And bare the babe to Olympus, Hera then
Fain would have cast his godhead out of heaven. 290
Zeus with a God's wit framed his counterplot.
A fragment from the earth-enfolding ether
He brake, and wrought to a hostage,[1] setting so
Dionysus safe from Hera's spite. In time
Men told how he was nursed in Zeus's thigh.
Changing the name, they wrought a myth thereof,
Because the God was hostage once to Hera.

A prophet is this God: the Bacchic frenzy
And ecstasy are full-fraught with prophecy:
For, in his fullness when he floods our frame, 300
He makes his maddened votaries tell the future.
Somewhat of Ares' dues he shares withal:
Hosts harness-clad, in ranks arrayed, sometimes
Are thrilled with panic ere a spear be touched;
This too is a frenzy Dionysus sends.
Yet shalt thou see him even on Delphi's crags
With pine-brands leaping o'er the cloven crest,
Tossing on high and waving Bacchus' bough,—
Yea, great through Hellas. Pentheus, heed thou
me:

[1] *i.e.* Gave this counterfeit Dionysus to Hera, as a hostage against his investing her rival's child with the honours of divinity. The argument is based on the similarity of *μέρος*, "fragment"; *μηρός*, "thigh"; *ὅμηρος*, "hostage."

310 μὴ τὸ κράτος αὔχει δύναμιν ἀνθρώποις ἔχειν,
μηδ', ἢν δοκῇς μέν, ἡ δὲ δόξα σου νοσῇ,
φρονεῖν δόκει τι· τὸν θεὸν δ' εἰς γῆν δέχου
καὶ σπένδε καὶ βάκχευε καὶ στέφου κάρα.
οὐχ ὁ Διόνυσος σωφρονεῖν ἀναγκάσει
γυναῖκας εἰς τὴν Κύπριν, ἀλλ' ἐν τῇ φύσει
τὸ σωφρονεῖν ἔνεστιν εἰς τὰ πάντ' ἀεί.
τοῦτο σκοπεῖν χρή· καὶ γὰρ ἐν βακχεύμασιν
οὖσ' ἥ γε σώφρων οὐ διαφθαρήσεται.
ὁρᾷς, σὺ χαίρεις, ὅταν ἐφεστῶσιν πύλαις
320 πολλοί, τὸ Πενθέως δ' ὄνομα μεγαλύνῃ πόλις·
κἀκεῖνος, οἶμαι, τέρπεται τιμώμενος.
ἐγὼ μὲν οὖν καὶ Κάδμος, ὃν σὺ διαγελᾷς,
κισσῷ τ' ἐρεψόμεσθα καὶ χορεύσομεν,
πολιὰ ξυνωρίς, ἀλλ' ὅμως χορευτέον,
κοὐ θεομαχήσω σῶν λόγων πεισθεὶς ὕπο.
μαίνει γὰρ ὡς ἄλγιστα, κοὔτε φαρμάκοις
ἄκη λάβοις ἄν, οὔτ' ἄνευ τούτων νοσεῖς.

ΧΟΡΟΣ

ὦ πρέσβυ, Φοῖβόν τ' οὐ καταισχύνεις λόγοις,
τιμῶν τε Βρόμιον σωφρονεῖς μέγαν θεόν.

ΚΑΔΜΟΣ

330 ὦ παῖ, καλῶς σοι Τειρεσίας παρῄνεσεν·
οἴκει μεθ' ἡμῶν, μὴ θύραζε τῶν νόμων.
νῦν γὰρ πέτει τε καὶ φρονῶν οὐδὲν φρονεῖς.
κεἰ μὴ γὰρ ἔστιν ὁ θεὸς οὗτος, ὡς σὺ φής,
παρὰ σοὶ λεγέσθω· καὶ καταψεύδου καλῶς
ὡς ἔστι, Σεμέλη θ' ἵνα δοκῇ θεὸν τεκεῖν,
ἡμῖν τε τιμὴ παντὶ τῷ γένει προσῇ.
ὁρᾷς τὸν Ἀκταίωνος ἄθλιον μόρον,
ὃν ὠμόσιτοι σκύλακες ἃς ἐθρέψατο
διεσπάσαντο, κρείσσον' ἐν κυναγίαις

Boast not that naked force hath power o'er men; 310
Nor, if it seem so to thy jaundiced eye,
Deem thyself wise. The God into thy land
Welcome: spill wine, be bacchant, wreathe thine head.

Dionysus upon women will not thrust
Chastity: in true womanhood inborn
Dwells temperance touching all things evermore.
This must thou heed; for in his Bacchic rites
The virtuous-hearted shall not be undone.

Lo, thou art glad when thousands throng thy gates,
And all Thebes magnifieth Pentheus' name: 320
He too, I wot, in homage taketh joy.
I, then, and Cadmus, whom thou laugh'st to scorn,
Will wreathe our heads with ivy, and will dance—
A greybeard pair, yet cannot we but dance.
Not at thy suasion will I war with Gods.
Most grievous is thy madness, and no spell
May medicine thee, though spells have made thee mad.

CHORUS

Old sire, thou sham'st not Phoebus in thy speech,
And wisely honourest Bromius, mighty God.

CADMUS

My son, well hath Teiresias counselled thee. 330
Dwell with us, not without the pale of wont.
Thou'rt now in cloudland: naught thy wisdom is:
For, though this God were no God,—as thou sayest,—
God be he called of thee: in glorious fraud
Be Semele famed as mother of a God:
So upon all our house shall honour rest.

Rememberest thou Actaeon's wretched doom,
Whom the raw-ravening hounds himself had reared
Rent limb from limb in the meads, for that high boast

340 Ἀρτέμιδος εἶναι κομπάσαντ', ἐν ὀργάσιν.
ὃ μὴ πάθῃς σύ, δεῦρό σου στέψω κάρα
κισσῷ· μεθ' ἡμῶν τῷ θεῷ τιμὴν δίδου.

ΠΕΝΘΕΥΣ

οὐ μὴ προσοίσεις χεῖρα, βακχεύσεις δ' ἰών,
μηδ' ἐξομόρξει μωρίαν τὴν σὴν ἐμοί;
τῆς σῆς δ' ἀνοίας τόνδε τὸν διδάσκαλον
δίκην μέτειμι. στειχέτω τις ὡς τάχος,
ἐλθὼν δὲ θάκους τοῦδ' ἵν' οἰωνοσκοπεῖ
μοχλοῖς τριαίνου κἀνάτρεψον ἔμπαλιν,
ἄνω κάτω τὰ πάντα συγχέας ὁμοῦ,
350 καὶ στέμματ' ἀνέμοις καὶ θυέλλαισιν μέθες.
μάλιστα γάρ νιν δήξομαι δράσας τάδε.
οἱ δ' ἀνὰ πόλιν στείχοντες ἐξιχνεύσατε
τὸν θηλύμορφον ξένον, ὃς εἰσφέρει νόσον
καινὴν γυναιξὶ καὶ λέχη λυμαίνεται.
κἄνπερ λάβητε, δέσμιον πορεύσατε
δεῦρ' αὐτόν, ὡς ἂν λευσίμου δίκης τυχὼν
θάνῃ πικρὰν βάκχευσιν ἐν Θήβαις ἰδών.

ΤΕΙΡΕΣΙΑΣ

ὦ σχέτλι', ὡς οὐκ οἶσθα ποῦ ποτ' εἶ λόγων.
μέμηνας ἤδη, καὶ πρὶν ἐξέστης φρενῶν.
360 στείχωμεν ἡμεῖς, Κάδμε, κἀξαιτώμεθα
ὑπέρ τε τούτου καίπερ ὄντος ἀγρίου
ὑπέρ τε πόλεως, τὸν θεὸν μηδὲν νέον
δρᾶν. ἀλλ' ἕπου μοι κισσίνου βάκτρου μέτα·
πειρῶ δ' ἀνορθοῦν σῶμ' ἐμόν, κἀγὼ τὸ σόν·
γέροντε δ' αἰσχρὸν δύο πεσεῖν· ἴτω δ' ὅμως·
τῷ Βακχίῳ γὰρ τῷ Διὸς δουλευτέον.
Πενθεὺς δ' ὅπως μὴ πένθος εἰσοίσει δόμοις
τοῖς σοῖσι, Κάδμε· μαντικῇ μὲν οὐ λέγω,
τοῖς πράγμασιν δέ· μῶρα γὰρ μῶρος λέγει.

That Artemis in hunting he excelled? 340
Lest such be thy fate, let me crown thine head
With ivy: honour thou with us the God.

PENTHEUS

Hence with thine hand! Go, play the Bacchant
thou,
Neither besmirch me with thy folly's stain.
This seer, thy monitor in senselessness,
Will I chastise. Let someone go with speed—
(*To an attendant*) Thou, hie thee to his seat of augury;
Upheave with levers, hurl it to the ground;
All in confusion turn it upside down;
His holy fillets fling to wind and storm: 350
For, doing so, I most shall wring his heart
Some—ye, range through the city, and track down
That girl-faced stranger, who upon our wives
Bringeth strange madness, and defiles our beds.
And if ye catch him, hale him bound with chains
Hither, that death by stoning be his meed,
And so he rue his revelry in Thebes.

TEIRESIAS

Ah wretch, thou knowest not what thou hast said!
Thou'rt stark-mad now, who erst wast sense-bereft.
Let us go, Cadmus, and make intercession 360
Both for this man, brute savage though he be,
And Thebes, that no strange vengeance of the God
Smite them. Come with me, ivy-wand in hand,
Essay to upbear my frame, as I do thine.
Shame if two greybeards fell!—nay, what of that?
For Bacchus, Son of Zeus, we needs must serve.
Cadmus, beware lest *Pentheus* bring his echo,
Repentance, to thine house:—not prophecy here
Speaks, but his deeds. A fool, he speaketh folly.

[*Exeunt.*

ΧΟΡΟΣ

370 Ὁσία πότνα θεῶν, στρ. α′
Ὁσία δ' ἃ κατὰ γᾶν
χρυσέαν πτέρυγα φέρεις,
τάδε Πενθέως ἀίεις;
ἀίεις οὐχ ὁσίαν
ὕβριν εἰς τὸν Βρόμιον,
τὸν Σεμέλας, τὸν παρὰ καλλιστεφάνοις
εὐφροσύναις δαίμονα πρῶ-
τον μακάρων; ὃς τάδ' ἔχει,
θιασεύειν τε χοροῖς
380 μετά τ' αὐλοῦ γελάσαι
ἀποπαῦσαί τε μερίμνας,
ὁπόταν βότρυος ἔλθῃ
γάνος ἐν δαιτὶ θεῶν,
κισσοφόροις δ' ἐν θαλίαις
ἀνδράσι κρατὴρ ὕπνον ἀμφιβάλλῃ.

ἀχαλίνων στομάτων ἀντ. α′
ἀνόμου τ' ἀφροσύνας
τὸ τέλος δυστυχία·
ὁ δὲ τᾶς ἡσυχίας
390 βίοτος καὶ τὸ φρονεῖν
ἀσάλευτόν τε μένει
καὶ συνέχει δώματα· πόρσω γὰρ ὅμως
αἰθέρα ναίοντες ὁρῶ-
σιν τὰ βροτῶν οὐρανίδαι.
τὸ σοφὸν δ' οὐ σοφία
τό τε μὴ θνητὰ φρονεῖν
βραχὺς αἰών· ἐπὶ τούτῳ
δέ τις ἂν μεγάλα διώκων
τὰ παρόντ' οὐχὶ φέροι.

CHORUS

O Sanctity, thou who dost bear dominion (*Str.* 1) 370
  Over Gods, yet low as this earthly ground,
Unto usward, stoopest thy golden pinion,—
  Hear'st thou the words of the king, and the sound
Of his blast of defiance, of Pentheus assailing
The Clamour-king?—hear'st thou his blasphemous railing
  On Semele's son, who is foremost found
  Of the Blest in the festival beauty-crowned?—
Who hath for his own prerogative taken
  To summon forth feet through his dances to leap,
When blent with the flutes light laughters awaken, 380
  And the children of care have forgotten to weep,
Whensoever revealed is the cluster's splendour
In the banquet that men to the high Gods tender,
  And o'er ivy-wreathed revellers drinking deep
  The wine-bowl droppeth the mantle of sleep.

Of the reinless lips that will own no master, (*Ant.* 1)
  Of the folly o'er law's pale stubborn to stray—
One is the end of them, even disaster;
  But the calm life, still as a summer day,
But the foot whose faring discretion guideth, 390
Their steadfast state unshaken abideth,
  And the home still findeth in such its stay.
  Ah, the Heavenly Ones dwell far away,
Yet look they on men from their cloudy portals.
  O, not with knowledge is Wisdom bought;
And the spirit that soareth too high for mortals
  Shall see few days: whosoever hath caught
At the things too great for a man's attaining,
Even blessings assured shall he lose in the gaining.

400 μαινομένων δ' οἵδε τρόποι
καὶ κακοβούλων παρ' ἔμοιγε φωτῶν.

ἱκοίμαν ποτὶ Κύπρον, στρ. β'
νᾶσον τᾶς Ἀφροδίτας,
ἐν ᾇ θελξίφρονες νέμον-
ται θνατοῖσιν Ἔρωτες,
χθόνα[1] θ' ἂν ἑκατόστομοι
βαρβάρου ποταμοῦ ῥοαὶ
καρπίζουσιν ἄνομβρον.
ποῦ δ' ἁ καλλιστευομένα
410 Πιερία μούσειος ἕδρα,
σεμνὰ κλιτὺς Ὀλύμπου;
ἐκεῖσ' ἄγε με, Βρόμιε Βρόμιε,
πρόβακχ' εὔιε δαῖμον.
ἐκεῖ Χάριτες, ἐκεῖ δὲ Πόθος·
ἐκεῖ δὲ Βάκχαις θέμις ὀργιάζειν.

ὁ δαίμων ὁ Διὸς παῖς ἀντ. β'
χαίρει μὲν θαλίαισιν,
φιλεῖ δ' ὀλβοδότειραν Εἰ-
420 ρήναν, κουροτρόφον θεάν.
ἴσα δ' εἴς τε τὸν ὄλβιον
τόν τε χείρονα δῶκ' ἔχειν
οἴνου τέρψιν ἄλυπον·
μισεῖ δ' ᾧ μὴ ταῦτα μέλει,
κατὰ φάος νύκτας τε φίλας
εὐαίωνα διαζῆν·
σοφὸν δ' ἀπέχειν πραπίδα φρένα τε

[1] Meineke and Nauck: for MSS. Πάφον.

Such paths as this, meseemeth, be sought 400
Of the witless folly that roves distraught.

(*Str.* 2)

O to flee hence unto where Aphrodite
Doth in Cyprus, the paradise-island, dwell,
The sea-ringed haunt of the Love-gods mighty
To weave the soul-enchanting spell,
Or the fields where untold is the harvest's gold,
Where the stream of the hundred mouths hath rolled,
Whereon rain never fell!
But O for the land that in beauty is peerless,[1]
The Pierian haunt where the Muses sing! 410
On Olympus the hallowed to stand all fearless
Thitherward lead me, O Clamour-king!
O Revel-god, guide where the Graces abide
And Desire,—where danceth, of no man denied,
The Bacchanal ring.

(*Ant.* 2)

Our God, the begotten of Zeus, hath pleasure
In the glee of the feast where his chalices shine;
And Peace doth he love, who is giver of treasure,
Who of Youth is the nursing-mother divine. 420
On the high, on the low, doth his bounty bestow
The joyance that maketh an end of woe,
The joyance of wine.
But he hateth the man that in scorn refuseth
A life that on pinions of happiness flies
Through its days and its nights, nor the good part chooseth.
Wisely shalt thou from the over-wise

[1] Macedonia; where Euripides composed this play.

περισσῶν παρὰ φωτῶν.
430 τὸ πλῆθος ὅ τι τὸ φαυλότερον
ἐνόμισε χρῆταί τε, τόδ' ἂν δεχοίμαν.

ΘΕΡΑΠΩΝ

Πενθεῦ, πάρεσμεν τήνδ' ἄγραν ἠγρευκότες
ἐφ' ἣν ἔπεμψας, οὐδ' ἄκρανθ' ὡρμήσαμεν.
ὁ θὴρ δ' ὅδ' ἡμῖν πρᾶος οὐδ' ὑπέσπασε
φυγῇ πόδ', ἀλλ' ἔδωκεν οὐκ ἄκων χέρας,
οὐδ' ὠχρός, οὐδ' ἤλλαξεν οἰνωπὸν γένυν,
γελῶν δὲ καὶ δεῖν κἀπάγειν ἐφίετο
440 ἔμενέ τε, τοὐμὸν εὐπετὲς ποιούμενος.
κἀγὼ δι' αἰδοῦς εἶπον· ὦ ξέν', οὐχ ἑκὼν
ἄγω σε, Πενθέως δ' ὅς μ' ἔπεμψ' ἐπιστολαῖς.
ἃς δ' αὖ σὺ Βάκχας εἶρξας, ἃς συνήρπασας
κἄδησας ἐν δεσμοῖσι πανδήμου στέγης,
φροῦδαί γ' ἐκεῖναι λελυμέναι πρὸς ὀργάδας
σκιρτῶσι Βρόμιον ἀνακαλούμεναι θεόν·
αὐτόματα δ' αὐταῖς δεσμὰ διελύθη πεδῶν,
κλῇδές τ' ἀνῆκαν θύρετρ' ἄνευ θνητῆς χερός.
πολλῶν δ' ὅδ' ἀνὴρ θαυμάτων ἥκει πλέως
450 εἰς τάσδε Θήβας. σοὶ δὲ τἄλλα χρὴ μέλειν.

ΠΕΝΘΕΥΣ

μαίνεσθε· χειρῶν τοῦδ' ἐν ἄρκυσιν γὰρ ὢν
οὐκ ἔστιν οὕτως ὠκὺς ὥστε μ' ἐκφυγεῖν.
ἀτὰρ τὸ μὲν σῶμ' οὐκ ἄμορφος εἶ, ξένε,
ὡς εἰς γυναῖκας, ἐφ' ὅπερ εἰς Θήβας πάρει·
πλόκαμός τε γάρ σου ταναός, οὐ πάλης ὕπο,
γένυν παρ' αὐτὴν κεχυμένος, πόθου πλέως·
λευκὴν δὲ χροιὰν ἐκ παρασκευῆς ἔχεις,
οὐχ ἡλίου βολαῖσιν, ἀλλ' ὑπὸ σκιᾶς,
τὴν Ἀφροδίτην καλλονῇ θηρώμενος.
460 πρῶτον μὲν οὖν μοι λέξον ὅστις εἶ γένος.

Hold thee apart: but the faith of the heart 430
Of the people, that lives in the works of the mart,
For me shall suffice.

Re-enter PENTHEUS. *Enter* SERVANT, *with attendants, bringing* DIONYSUS *bound.*

SERVANT

Pentheus, we come, who have run down this prey
For which thou sentest us, nor sped in vain.
This wild-beast found we tame: he darted not
In flight away, but yielded, nothing loth,
His hands, nor paled, nor changed his cheeks' rose-hue,
But smiling bade us bind and lead him thence,
And tarried, making easy this my task. 440
Then shamed I said, "Not, stranger, of my will,
But by commands of Pentheus, lead I thee."
The captured Bacchanals thou didst put in ward,
And in the common prison bind with chains,
Fled to the meadows are they, loosed from bonds,
And dance and call on Bromius the God.
The fetters from their feet self-sundered fell;
Doors, without mortal hand, unbarred themselves.
Yea, fraught with many marvels this man came
To Thebes! To thee the rest doth appertain. 450

PENTHEUS

Ye are mad! Once in the toils of these mine hands,
He is not so fleet as to escape from me.
Ha! of thy form thou art not ill-favoured, stranger,
For woman's tempting—even thy quest at Thebes.
No wrestler thou, as show thy flowing locks
Down thy cheeks floating, fraught with all desire;
And white, from heedful tendance, is thy skin,
Smit by no sun-shafts, but made wan by shade,
While thou dost hunt desire with beauty's lure.
First, tell me of what nation sprung thou art. 460

ΔΙΟΝΥΣΟΣ

οὐ κόμπος οὐδείς· ῥᾴδιον δ' εἰπεῖν τόδε.
τὸν ἀνθεμώδη Τμῶλον οἶσθά που κλύων.

ΠΕΝΘΕΥΣ

οἶδ', ὃς τὸ Σάρδεων ἄστυ περιβάλλει κύκλῳ.

ΔΙΟΝΥΣΟΣ

ἐντεῦθέν εἰμι, Λυδία δέ μοι πατρίς.

ΠΕΝΘΕΥΣ

πόθεν δὲ τελετὰς τάσδ' ἄγεις ἐς Ἑλλάδα;

ΔΙΟΝΥΣΟΣ

Διόνυσος ἡμᾶς εἰσέβησ', ὁ τοῦ Διός.

ΠΕΝΘΕΥΣ

Ζεὺς δ' ἔστ' ἐκεῖ τις, ὃς νέους τίκτει θεούς;

ΔΙΟΝΥΣΟΣ

οὔκ, ἀλλ' ὁ Σεμέλην ἐνθάδε ζεύξας γάμοις.

ΠΕΝΘΕΥΣ

πότερα δὲ νύκτωρ σ' ἢ κατ' ὄμμ' ἠνάγκασεν;

ΔΙΟΝΥΣΟΣ

470 ὁρῶν ὁρῶντα, καὶ δίδωσιν ὄργια.

ΠΕΝΘΕΥΣ

τὰ δ' ὄργι' ἐστὶ τίν' ἰδέαν ἔχοντά σοι;

ΔΙΟΝΥΣΟΣ

ἄρρητ' ἀβακχεύτοισιν εἰδέναι βροτῶν.

ΠΕΝΘΕΥΣ

ἔχει δ' ὄνησιν τοῖσι θύουσιν τίνα;

ΔΙΟΝΥΣΟΣ

οὐ θέμις ἀκοῦσαί σ', ἔστι δ' ἄξι' εἰδέναι.

ΠΕΝΘΕΥΣ

εὖ τοῦτ' ἐκιβδήλευσας, ἵν' ἀκοῦσαι θέλω.

ΔΙΟΝΥΣΟΣ

ἀσέβειαν ἀσκοῦντ' ὄργι' ἐχθαίρει θεοῦ.

DIONYSUS

No high vaunt this—'tis easy to declare:
Of flowery Tmolus haply thou hast heard.

PENTHEUS

I know: it compasseth the Sardians' town.

DIONYSUS

Thence am I: Lydia is my fatherland.

PENTHEUS

Wherefore to Hellas bringest thou these rites?

DIONYSUS

Dionysus, Zeus' son, made me initiate.

PENTHEUS

Lives a Zeus there, who doth beget new gods?

DIONYSUS

Nay, the same Zeus who wedded Semele here.

PENTHEUS

Dreaming or waking wast thou made his thrall?

DIONYSUS

Nay, eye to eye his mysteries he bestowed. 470

PENTHEUS

Ay, of what fashion be these mysteries?

DIONYSUS

'Tis secret, save to the initiate.

PENTHEUS

What profit bring they to his votaries?

DIONYSUS

Thou mayst not hear: yet are they worth thy knowing.

PENTHEUS

Shrewd counterfeiting, to whet lust to hear!

DIONYSUS

His rites loathe him that worketh godlessness.

ΠΕΝΘΕΥΣ

τὸν θεὸν ὁρᾶν γὰρ φῂς σαφῶς, ποῖός τις ἦν;

ΔΙΟΝΥΣΟΣ

ὁποῖος ἤθελ᾽· οὐκ ἐγὼ ᾽τασσον τόδε.

ΠΕΝΘΕΥΣ

τοῦτ᾽ αὖ παρωχέτευσας εὖ κοὐδὲν λέγων.

ΔΙΟΝΥΣΟΣ

480 δόξει τις ἀμαθεῖ σοφὰ λέγων οὐκ εὖ φρονεῖν.

ΠΕΝΘΕΥΣ

ἦλθες δὲ πρῶτα δεῦρ᾽ ἄγων τὸν δαίμονα ;

ΔΙΟΝΥΣΟΣ

πᾶς ἀναχορεύει βαρβάρων τάδ᾽ ὄργια.

ΠΕΝΘΕΥΣ

φρονοῦσι γὰρ κάκιον Ἑλλήνων πολύ.

ΔΙΟΝΥΣΟΣ

τάδ᾽ εὖ γε μᾶλλον· οἱ νόμοι δὲ διάφοροι.

ΠΕΝΘΕΥΣ

τά δ᾽ ἱερὰ νύκτωρ ἢ μεθ᾽ ἡμέραν τελεῖς ;

ΔΙΟΝΥΣΟΣ

νύκτωρ τὰ πολλά · σεμνότητ᾽ ἔχει σκότος.

ΠΕΝΘΕΥΣ

τοῦτ᾽ εἰς γυναῖκας δόλιόν ἐστι καὶ σαθρόν.

ΔΙΟΝΥΣΟΣ

κἀν ἡμέρᾳ τό γ᾽ αἰσχρὸν ἐξεύροι τις ἄν.

ΠΕΝΘΕΥΣ

δίκην σε δοῦναι δεῖ σοφισμάτων κακῶν.

ΔΙΟΝΥΣΟΣ

490 σὲ δ᾽ ἀμαθίας γε κἀσεβοῦντ᾽ εἰς τὸν θεόν.

ΠΕΝΘΕΥΣ

ὡς θρασὺς ὁ Βάκχος κοὐκ ἀγύμναστος λόγων.

ΔΙΟΝΥΣΟΣ

εἴφ᾽ ὅ τι παθεῖν δεῖ· τί με τὸ δεινὸν ἐργάσει;

PENTHEUS

Thou saw'st the God: what fashion was he of?

DIONYSUS

As seemed him good: that did not I enjoin.

PENTHEUS

This too thou hast shrewdly parried, telling naught.

DIONYSUS

Wise answers seem but folly to a fool. 480

PENTHEUS

Cam'st thou the first to bring his godhead hither?

DIONYSUS

All Asians through these mystic dances tread.

PENTHEUS

Ay, far less wise be they than Hellene men.

DIONYSUS

Herein far wiser. Diverse wont is theirs.

PENTHEUS

By night or day dost thou perform his rites?

DIONYSUS

Chiefly by night: gloom lends solemnity.

PENTHEUS

Ay—and for women snares of lewdness too.

DIONYSUS

In the day too may lewdness be devised.

PENTHEUS

Now punished must thy vile evasions be.

DIONYSUS

Ay, and thy folly and impiety. 490

PENTHEUS

How bold our Bacchant is, in word-fence skilled!

DIONYSUS

What is my doom? What vengeance wilt thou wreak?

ΠΕΝΘΕΥΣ

πρῶτον μὲν ἁβρὸν βόστρυχον τεμῶ σέθεν.

ΔΙΟΝΥΣΟΣ

ἱερὸς ὁ πλόκαμος· τῷ θεῷ δ' αὐτὸν τρέφω.

ΠΕΝΘΕΥΣ

ἔπειτα θύρσον τόνδε παράδος ἐκ χεροῖν.

ΔΙΟΝΥΣΟΣ

αὐτός μ' ἀφαιροῦ· τόνδε Διονύσου φορῶ.

ΠΕΝΘΕΥΣ

εἱρκταῖσί τ' ἔνδον σῶμα σὸν φυλάξομεν.

ΔΙΟΝΥΣΟΣ

λύσει μ' ὁ δαίμων αὐτός, ὅταν ἐγὼ θέλω.

ΠΕΝΘΕΥΣ

ὅταν γε καλέσῃς αὐτὸν ἐν Βάκχαις σταθείς.

ΔΙΟΝΥΣΟΣ

500 καὶ νῦν ἃ πάσχω πλησίον παρὼν ὁρᾷ.

ΠΕΝΘΕΥΣ

καὶ ποῦ 'στιν; οὐ γὰρ φανερὸς ὄμμασίν γ' ἐμοῖς.

ΔΙΟΝΥΣΟΣ

παρ' ἐμοί· σὺ δ' ἀσεβὴς αὐτὸς ὢν οὐκ εἰσορᾷς.

ΠΕΝΘΕΥΣ

λάζυσθε· καταφρονεῖ με καὶ Θήβας ὅδε.

ΔΙΟΝΥΣΟΣ

αὐδῶ με μὴ δεῖν σωφρονῶν οὐ σώφροσιν.

ΠΕΝΘΕΥΣ

ἐγὼ δὲ δεῖν γε κυριώτερος σέθεν.

ΔΙΟΝΥΣΟΣ

οὐκ οἶσθ' ὅ τι ζῇς, οὐδ' ὃ δρᾷς, οὐδ' ὅστις εἶ.

ΠΕΝΘΕΥΣ

Πενθεὺς Ἀγαύης παῖς, πατρὸς δ' Ἐχίονος.

PENTHEUS

Thy dainty tresses first will I cut off.

DIONYSUS

Hallowed my locks are, fostered for the God.

PENTHEUS

Next, yield me up this thyrsus from thine hands.

DIONYSUS

Take it thyself. 'Tis Dionysus' wand.

PENTHEUS

Thy body in my dungeon will I ward.

DIONYSUS

The God's self shall release me, when I will.

PENTHEUS

Ay—when mid Bacchanals thou call'st on him![1]

DIONYSUS

Yea, he is now near, marking this despite. 500

PENTHEUS

Ay, where?—not unto mine eyes manifest.

DIONYSUS

Beside me. Thou, the impious, seest him not.

PENTHEUS

Seize him! This fellow mocketh me and Thebes.

DIONYSUS

I warn ye, bind not!—Reason's rede to folly.

PENTHEUS

I bid them bind, who have better right than thou

DIONYSUS

Thy life nor acts thou know'st, nor what thou art.

PENTHEUS

Pentheus—Agave's and Echion's son.

[1] *i.e.* Never, for you shall not escape to rejoin them.

ΔΙΟΝΥΣΟΣ

ἐνδυστυχῆσαι τοὔνομ' ἐπιτήδειος εἶ.

ΠΕΝΘΕΥΣ

χώρει· καθείρξατ' αὐτὸν ἱππικαῖς πέλας
510 φάτναισιν, ὡς ἂν σκότιον εἰσορᾷ κνέφας.
ἐκεῖ χόρευε· τάσδε δ' ἃς ἄγων πάρει
κακῶν συνεργοὺς ἢ διεμπολήσομεν
ἢ χεῖρα δούπου τοῦδε καὶ βύρσης κτύπου
παύσας, ἐφ' ἱστοῖς δμωίδας κεκτήσομαι.

ΔΙΟΝΥΣΟΣ

στείχοιμ' ἄν· ὅ τι γὰρ μὴ χρεών, οὔτοι χρεὼν
παθεῖν. ἀτάρ τοι τῶνδ' ἄποιν' ὑβρισμάτων
μέτεισι Διόνυσός σ', ὃν οὐκ εἶναι λέγεις·
ἡμᾶς γὰρ ἀδικῶν κεῖνον εἰς δεσμοὺς ἄγεις.

ΧΟΡΟΣ

Ἀχελῴου θύγατερ, στρ.
520 πότνι' εὐπάρθενε Δίρκα,
σὺ γὰρ ἐν σαῖς ποτε παγαῖς
τὸ Διὸς βρέφος ἔλαβες,
ὅτε μηρῷ πυρὸς ἐξ ἀ-
θανάτου Ζεὺς ὁ τεκὼν ἥρ-
πασέ νιν, τάδ' ἀναβοάσας·
ἴθι, Διθύραμβ', ἐμὰν ἄρ-
σενα τάνδε βᾶθι νηδύν·
ἀναφαίνω σε τόδ', ὦ Βάκ-
χιε, Θήβαις ὀνομάζειν.
530 σὺ δέ μ', ὦ μάκαιρα Δίρκα,
στεφανηφόρους ἀπωθεῖ
θιάσους ἔχουσαν ἐν σοί.
τί μ' ἀναίνει; τί με φεύγεις;

DIONYSUS

Yea, fitly named to be in misery pent.

PENTHEUS

Away! Enjail him in the horses' stalls
Hard by, that he may see but murky gloom. [thee, 510
There dance! These women thou hast brought with
Thy crimes' co-workers, I will sell for slaves,
Or make my weaving-damsels, and so hush
Their hands from cymbal-clang and smitten drum.

DIONYSUS

I go. The fate that Fate forbids can ne'er
Touch me. On thee Dionysus shall requite
These insults—he whose being thou hast denied.
Outraging me, thou halest him to bonds.

[*Exeunt* DIONYSUS *guarded, and* PENTHEUS.

CHORUS

All hail, Acheloüs' Daughter,[1] (*Str.*)
Dirce the maiden, majestic and blest!—in thy cool-welling water 520
Thou receivedst in old time the offspring of Zeus 'neath thy silvery plashing,
When Zeus, who begat him, had snatched from the levin unquenchably flashing, [the Father cry,
And sealed up the babe in his thigh, and aloud did
"Come! into this, Dithyrambus, the womb of no mother, pass thou:—
By this name unto Thebes I proclaim thee, O God of the Bacchanals, now."
Ah Dirce, thou thrustest me hence, when I bring thee the glorious vision 530
Of his garlanded revels!—now why am I scouted, disowned, and abhorred?

[1] The river Acheloüs was in legend the Father of all Greek streams. Dirce was the sacred fountain of Thebes.

ἔτι ναὶ τὰν βοτρυώδη
Διονύσου χάριν οἴνας
ἔτι σοι τοῦ Βρομίου μελήσει.

[οἵαν οἵαν ὀργὰν] **ἀντ.**
ἀναφαίνει χθόνιον
γένος ἐκφύς τε δράκοντός
540 ποτε Πενθεύς, ὃν Ἐχίων
ἐφύτευσε χθόνιος,
ἀγριωπὸν τέρας, οὐ φῶ-
τα βρότειον, φόνιον δ' ὥσ-
τε γίγαντ' ἀντίπαλον θεοῖς·
ὃς ἐμὲ βρόχοισι τὰν τοῦ
Βρομίου τάχα ξυνάψει,
τὸν ἐμὸν δ' ἐντὸς ἔχει δώ-
ματος ἤδη θιασώταν
σκοτίαισι κρυπτὸν ἐν εἱρκταῖς.
550 ἐσορᾷς τάδ', ὦ Διὸς παῖ
Διόνυσε, σοὺς προφήτας
ἐν ἁμίλλαισιν ἀνάγκας;
μόλε, χρυσῶπα τινάσσων,
ἄνα, θύρσον κατ' Ὄλυμπον,
φονίου δ' ἀνδρὸς ὕβριν κατάσχες.

πόθι Νύσας ἄρα τᾶς θη- **ἐπῳδ.**
ροτρόφου θυρσοφορεῖς
θιάσους, ὦ Διόνυσ', ἢ
κορυφαῖς Κωρυκίαις;
560 τάχα δ' ἐν ταῖς πολυδένδρεσ-
σιν Ὀλύμπου θαλάμαις, ἔν-
θα ποτ' Ὀρφεὺς κιθαρίζων
σύναγεν δένδρεα μούσαις,
σύναγεν θῆρας ἀγρώτας.

Yet there cometh—I swear by the full-clustered grace of the vine Dionysian—
An hour when thine heart shall accept Dionysus, shall hail him thy lord.

Lo, his earth-born lineage bewrayeth (*Ant.*)
Pentheus; the taint of the blood of the dragon of old he betrayeth,
The serpent that came of the seed of the earth-born Titan Echion. [mortal's scion, 540
It hath made him a grim-visaged monster, and not as a
But as that fell giant brood that in strife with immortals stood.
He is minded to fetter me, Bromius' handmaid, with cords straightway: [revel this day,
He hath prisoned his palace within my companion in
Dungeoned in gloom! Son of Zeus, are his deeds of thine eye unbeholden, 550
Dionysus?—thy prophets with tyranny wrestling in struggle and strain?
Sweep down the slope of Olympus, uptossing thy thyrsus golden: [refrain.
Come to us, King, and the murderer's insolent fury (*Epode*)
Ah, where dost thou linger on Nysa the mother of beasts of the wold,
Waving thy revellers on with thy wand, or where heavenward soar [fold
Crests of Corycia, or haply where far forest-solitudes 560
Round the flanks of Olympus, where Orpheus constrained by his minstrelsy-lore
Trees round him adoring to press, and the beasts of the wilderness,
As he harped of yore?

μάκαρ ὦ Πιερία,
σέβεταί σ' Εὔιος, ἥξει
τε χορεύσων ἅμα βακχεύ-
μασι, τόν τ' ὠκυρόαν
διαβὰς 'Αξιὸν εἱλισ-
570 σομένας Μαινάδας ἄξει,
Λυδίαν τε, τὸν εὐδαιμονίας
βροτοῖς ὀλβοδόταν
πατέρα τε, τὸν ἔκλυον
εὔιππον χώραν ὕδασιν
καλλίστοισι λιπαίνειν.

ΔΙΟΝΥΣΟΣ

ἰώ,
κλύετ' ἐμᾶς κλύετ' αὐδᾶς,
ἰὼ Βάκχαι, ἰὼ Βάκχαι.

ΧΟΡΟΣ

τίς ὅδε, τίς πόθεν ὁ κέλαδος ἀνά μ' ἐκάλεσεν
Εὐίου;

ΔΙΟΝΥΣΟΣ

580 ἰὼ ἰώ, πάλιν αὐδῶ,
ὁ Σεμέλας, ὁ Διὸς παῖς.

ΧΟΡΟΣ

ἰὼ ἰὼ δέσποτα δέσποτα,
μόλε νυν ἡμέτερον εἰς
θίασον, ὦ Βρόμιε Βρόμιε.

ΔΙΟΝΥΣΟΣ

σεῖε πέδον χθονὸς ἔνοσι πότνια.

ΧΟΡΟΣ

ἆ ἆ,
τάχα τὰ Πενθέως
μέλαθρα διατινάξεται πεσήμασιν.

Thrice blessèd Pieria-land,
Evius honoureth thee!—lo, he cometh, he cometh, on-leading
His dances with Bacchanal chants, over Axius' flood swift-speeding
He shall pass, he shall marshal the leaping feet in the dance-rings sweeping,
The feet of his Maenad-band. 570
On shall he haste over Lydias the river,
O'er the father of streams, the blessing-giver,
Whose waters fair, as the tale hath told,
O'er the land of the gallant war-steed rolled,
Spread fatness on every hand.

DIONYSUS (*within*).

What ho! Give heed to my voice, give heed!
Ho, Bacchanal-train, my Bacchanal-train!

(*Members of* CHORUS *answer severally.*)

CHORUS 1

What cry was it?—whence did it ring? 'Twas the voice of mine Evian King!

DIONYSUS (*within*)

What ho! What ho! I call yet again, 580
I, Semele's offspring, Zeus's seed.

CHORUS 2

What ho! Our Lord, our Lord! What ho!
Come to our revel-band thou,
Clamour-king, Clamour-king, now!

DIONYSUS (*within*)

Earth-floor, sway to and fro in mighty earthquake-throe!

(*Earthquake*).

CHORUS 3

Ha, swiftly shall Pentheus' hall,
Sore shaken, crash to its fall!

ὁ Διόνυσος ἀνὰ μέλαθρα·
σέβετέ νιν.

ΧΟΡΟΣ

590 σέβομεν ὤ.
ἴδετε λάινα κίοσιν ἔμβολα
διάδρομα τάδε·
Βρόμιος ἀλαλάζεται στέγας ἔσω.

ΔΙΟΝΥΣΟΣ

ἅπτε κεραύνιον αἴθοπα λαμπάδα·
σύμφλεγε σύμφλεγε δώματα Πενθέος.

ΧΟΡΟΣ

ἆ ἆ,
πῦρ οὐ λεύσσεις οὐδ' αὐγάζει
Σεμέλας ἱερὸν ἀμφὶ τάφον, ἄν
ποτε κεραυνόβολος ἔλιπε φλόγα
Δίου βροντᾶς;
600 δίκετε πεδόσε δίκετε τρομερὰ
σώματα, Μαινάδες·
ὁ γὰρ ἄναξ ἄνω κάτω τιθεὶς ἔπεισι
μέλαθρα τάδε Διὸς γόνος.

ΔΙΟΝΥΣΟΣ

βάρβαροι γυναῖκες, οὕτως ἐκπεπληγμέναι φόβῳ
πρὸς πέδῳ πεπτώκατ'; ᾔσθησθ', ὡς ἔοικε, Βακχίου
διατινάξαντος τὰ Πενθέως δώματ'·[1] ἀλλ' ἀνίστατε
σῶμα καὶ θαρσεῖτε σαρκὸς ἐξαμείψασαι τρόμον.

[1] Musgrave: for MSS. δῶμα Πενθέως.

CHORUS 4

Dionysus within yon halls is his godhead revealing!
With homage adore him.

CHORUS 5

We bow us before him. 590

(*Earthquake*).

Lo, how the lintels of stone over yonder pillars are reeling! [the halls go pealing.
Now doth the Clamour-king's triumph-shout through

DIONYSUS (*within*).

Kindle the torch of the levin lurid-red: [*spread.*
Let the compassing flames round the palace of Pentheus

(*A great blaze of light enwraps the palace and the monument of Semele.*)

CHORUS 6

Ha! dost thou see not the wildfire enwreathed
Round the holy tomb—
Lo, dost thou mark it not well?—
Which Semele thunder-blasted bequeathed,
Her memorial of doom
By the lightning from Zeus that fell?
Fling to the earth, ye Maenads, fling 600
Your bodies that tremble with sore dismay!
For he cometh, our King, Zeus' scion, to bring
Yon halls to confusion and disarray.

CHORUS *fall on their faces. Enter* DIONYSUS *from the palace.*

DIONYSUS

Ho, ye Asian women, are ye so distraught with sheer affright [meseems, the sight
That ye thus to earth be fallen? Ye beheld,
When the house of Pentheus reeled as Bacchus shook it. Nay, upraise
From the earth your limbs, and banish from your bodies fear's amaze.

ΧΟΡΟΣ

ὦ φάος μέγιστον ἡμῖν εὐίου βακχεύματος,
ὡς ἐσεῖδον ἀσμένη σε, μονάδ' ἔχουσ' ἐρημίαν.

ΔΙΟΝΥΣΟΣ

εἰς ἀθυμίαν ἀφίκεσθ', ἡνίκ' εἰσεπεμπόμην,
610 Πενθέως ὡς εἰς σκοτεινὰς ὁρκάνας πεσούμενος;

ΧΟΡΟΣ

πῶς γὰρ οὔ; τίς μοι φύλαξ ἦν, εἰ σὺ συμφορᾶς τύχοις;
ἀλλὰ πῶς ἠλευθερώθης ἀνδρὸς ἀνοσίου τυχών;

ΔΙΟΝΥΣΟΣ

αὐτὸς ἐξέσωσ' ἐμαυτὸν ῥᾳδίως ἄνευ πόνου.

ΧΟΡΟΣ

οὐδέ σου συνῆψε χεῖρε δεσμίοισιν ἐν βρόχοις;

ΔΙΟΝΥΣΟΣ

ταῦτα καὶ καθύβρισ' αὐτόν, ὅτι με δεσμεύειν δοκῶν
οὔτ' ἔθιγεν οὔθ' ἥψαθ' ἡμῶν, ἐλπίσιν δ' ἐβόσκετο.
πρὸς φάτναις δὲ ταῦρον εὑρών, οὗ καθεῖρξ' ἡμᾶς ἄγων,
τῷδε περὶ βρόχους ἔβαλλε γόνασι καὶ χηλαῖς ποδῶν,
620 θυμὸν ἐκπνέων, ἱδρῶτα σώματος στάζων ἄπο,
χείλεσιν διδοὺς ὀδόντας· πλησίον δ' ἐγὼ παρὼν
ἥσυχος θάσσων ἔλευσσον. ἐν δὲ τῷδε τῷ χρόνῳ
ἀνετίναξ' ἐλθὼν ὁ Βάκχος δῶμα, καὶ μητρὸς τάφῳ
πῦρ ἀνῆψ'· ὁ δ' ὡς ἐσεῖδε, δώματ' αἴθεσθαι δοκῶν

CHORUS

Hail to thee, to us the mightiest light of Evian revelry!
With what rapture, late so lonely and forlorn, I look [on thee!

DIONYSUS

Ha, and did your hearts for terror fail you when I passed within, 610
Deeming I should sink to darkness, caught in [Pentheus' dungeon-gin?

CHORUS

Wherefore not? What shield had I, if thou into mischance shouldst fall?
Nay, but how didst thou escape, who wast a godless [tyrant's thrall?

DIONYSUS

I myself myself delivered, lightly, with nor toil nor strain.

CHORUS

Nay, but bound he not thine hands with coiling mesh of chain on chain?

DIONYSUS

My derision there I made him, that he deemed he fettered me,
Yet nor touched me, neither grasped me, fed on [empty phantasy.
Nay, a bull beside the stalls he found where he would pen me fast:
Round the knees and round the hoofs of this he 'gan his cords to cast,
Breathing fury out, the while the sweat-gouts poured from every limb, 620
While he gnawed upon his lips—and I beside him [watching him
Calmly at mine ease was sitting. Even then our Bacchus came,
And as with an earthquake shook the house, and lit a sudden flame
On his mother's tomb. The king beholding thought [he saw his halls

ᾖσσ' ἐκεῖσε κᾆτ' ἐκεῖσε, δμωσὶν Ἀχελῷον φέρειν
ἐννέπων, ἅπας δ' ἐν ἔργῳ δοῦλος ἦν, μάτην
πονῶν.
διαμεθεὶς δὲ τόνδε μόχθον, ὡς ἐμοῦ πεφευγότος,
ἵεται ξίφος κελαινὸν ἁρπάσας δόμων ἔσω.
κᾆθ' ὁ Βρόμιος, ὡς ἔμοιγε φαίνεται, δόξαν λέγω,
630 φάσμ' ἐποίησεν κατ' αὐλήν· ὁ δ' ἐπὶ τοῦθ'
ὡρμημένος
ᾖσσε κἀκέντει φαεννὸν αἰθέρ', ὡς σφάζων ἐμέ.
πρὸς δὲ τοῖσδ' αὐτῷ τάδ' ἄλλα Βάκχιος
λυμαίνεται·
δώματ' ἔρρηξεν χαμᾶζε· συντεθράνωται δ' ἅπαν
πικροτάτους ἰδόντι δεσμοὺς τοὺς ἐμούς· κόπου
δ' ὕπο
διαμεθεὶς ξίφος παρεῖται. πρὸς θεὸν γὰρ ὢν
ἀνὴρ
εἰς μάχην ἐλθεῖν ἐτόλμησ'· ἥσυχος δ' ἐκβὰς ἐγὼ
δωμάτων ἥκω πρὸς ὑμᾶς, Πενθέως οὐ φροντίσας.
ὡς δέ μοι δοκεῖ, ψοφεῖ γοῦν ἀρβύλη δόμων ἔσω,
εἰς προνώπι' αὐτίχ' ἥξει. τί ποτ' ἄρ' ἐκ τούτων
ἐρεῖ;
640 ῥᾳδίως γὰρ αὐτὸν οἴσω, κἂν πνέων ἔλθῃ μέγα.
πρὸς σοφοῦ γὰρ ἀνδρὸς ἀσκεῖν σώφρον' εὐοργη-
σίαν.

ΠΕΝΘΕΥΣ

πέπονθα δεινά· διαπέφευγέ μ' ὁ ξένος,
ὃς ἄρτι δεσμοῖς ἦν κατηναγκασμένος.
ἔα ἔα·
ὅδ' ἐστὶν ἁνήρ· τί τάδε; πῶς προνώπιος
φαίνει πρὸς οἴκοις τοῖς ἐμοῖς, ἔξω βεβώς;

ΔΙΟΝΥΣΟΣ

στῆσον πόδ', ὀργῇ δ' ὑπόθες ἥσυχον πόδα.

Flame-enwrapped, and hither, thither, rushed he, wildly bidding thralls
Bring the water. Now was every bondman vainly [toiling there.
Then he let this labour be, as deeming I had 'scaped the snare :
Straight within the building rushed he, drawing forth [his falchion fell.
Then did Bromius, as to me it seemed—'tis but my thought I tell,—
Fashion in his halls a wraith: he hurled himself [thereon straightway, 630
Rushed, and stabbed the light-pervaded air, as thinking me to slay.
Then did Bacchus bring a new abasement of his [pride to pass;
For he hurled to earth the building. There it lies, a ruin-mass,—
Sight to make my bonds full bitter to him! Now, [with toil outworn,
Letting drop the sword, he falleth fainting. He, the mortal-born,
Dare to brave a God to battle! Then unhindered [passed I through,
Recking nought of Pentheus: so from forth his halls I come to you.
But, methinks,—for there within the house a foot- [fall's sound there is,—
He shall straightway come without. Ha, what shall he say unto this?
Lightly shall I bear his bluster, whatsoe'er his fury's [stress; 640
For it is the wise man's part to rein his wrath in soberness.

Enter PENTHEUS.

PENTHEUS

Foul outrage this!—the stranger hath escaped,
Though bound but now in fetters fast as fate.
Ha!
There is the man! What means this? How hast thou
Won forth to stand before my very halls?

DIONYSUS

Stay there, and let thy fury softly tread.

ΠΕΝΘΕΥΣ

πόθεν σὺ δεσμὰ διαφυγὼν ἔξω περᾷς;

ΔΙΟΝΥΣΟΣ

οὐκ εἶπον—ἢ οὐκ ἤκουσας—ὅτι λύσει μέ τις;

ΠΕΝΘΕΥΣ

650 τίς; τοὺς λόγους γὰρ εἰσφέρεις καινοὺς ἀεί.

ΔΙΟΝΥΣΟΣ

ὃς τὴν πολύβοτρυν ἄμπελον φύει βροτοῖς.

ΠΕΝΘΕΥΣ

* * * * * * * * * * * * *

ΔΙΟΝΥΣΟΣ

ὠνείδισας δὴ τοῦτο Διονύσῳ καλόν.

ΠΕΝΘΕΥΣ

κλῄειν κελεύω πάντα πύργον ἐν κύκλῳ.

ΔΙΟΝΥΣΟΣ

τί δ᾽; οὐχ ὑπερβαίνουσι καὶ τείχη θεοί;

ΠΕΝΘΕΥΣ

σοφὸς σοφὸς σύ, πλὴν ἃ δεῖ σ᾽ εἶναι σοφόν.

ΔΙΟΝΥΣΟΣ

ἃ δεῖ μάλιστα, ταῦτ᾽ ἔγωγ᾽ ἔφυν σοφός.
κείνου δ᾽ ἀκούσας πρῶτα τοὺς λόγους μάθε,
ὃς ἐξ ὄρους πάρεστιν ἀγγελῶν τί σοι·
ἡμεῖς δέ σοι μενοῦμεν, οὐ φευξούμεθα.

ΑΓΓΕΛΟΣ

660 Πενθεῦ κρατύνων τῆσδε Θηβαίας χθονός,
ἥκω Κιθαιρῶν᾽ ἐκλιπών, ἵν᾽ οὔποτε
λευκῆς ἀνεῖσαν χιόνος εὐαγεῖς βολαί.

ΠΕΝΘΕΥΣ

ἥκεις δὲ ποίαν προστιθεὶς σπουδὴν λόγου;

ΑΓΓΕΛΟΣ

Βάκχας ποτνιάδας εἰσιδών, αἳ τῆσδε γῆς
οἴστροισι λευκὸν κῶλον ἐξηκόντισαν,

PENTHEUS

How hast thou 'scaped thy bonds and comest forth?

DIONYSUS

Said I not—or didst hear not?—"One will free me?"

PENTHEUS

Who? Strange and ever strange thine answers are. 650

DIONYSUS

He who makes grow for men the clustered vine.

PENTHEUS

[Ay—who drives women frenzied from the home!]

DIONYSUS

'Tis Dionysus' glory, this thy scoff.

PENTHEUS (*to attendants*)

I bid ye bar all towers round about.

DIONYSUS

Why? Cannot Gods pass even over walls?

PENTHEUS

Wise art thou, wise—save where thou shouldst be wise.

DIONYSUS

Where most needs wisdom, therein am I wise.
But listen first to yon man, hear his tale
Who with some tidings from the mountains comes.
I will await thee: fear not lest I fly.

Enter HERDMAN.

HERDMAN

Pentheus, thou ruler of this Theban land, 660
I from Cithaeron come, whence never fail
The glistering silver arrows of the snow.

PENTHEUS

Bringing what weighty tidings comest thou?

HERDMAN

I have seen wild Bacchanals, who from this land
Have darted forth with white feet, frenzy-stung.

ἥκω φράσαι σοὶ καὶ πόλει χρῄζων, ἄναξ,
ὡς δεινὰ δρῶσι θαυμάτων τε κρείσσονα.
θέλω δ' ἀκοῦσαι, πότερά σοι παρρησίᾳ
φράσω τὰ κεῖθεν ἢ λόγον στειλώμεθα·
670 τὸ γὰρ τάχος σου τῶν φρενῶν δέδοικ', ἄναξ,
καὶ τοὐξύθυμον καὶ τὸ βασιλικὸν λίαν.

ΠΕΝΘΕΥΣ

λέγ', ὡς ἀθῷος ἐξ ἐμοῦ πάντως ἔσει·
τοῖς γὰρ δικαίοις οὐχὶ θυμοῦσθαι χρεών.
ὅσῳ δ' ἂν εἴπῃς δεινότερα Βακχῶν πέρι,
τοσῷδε μᾶλλον τὸν ὑποθέντα τὰς τέχνας
γυναιξὶ τόνδε τῇ δίκῃ προσθήσομεν.

ΑΓΓΕΛΟΣ

ἀγελαῖα μὲν βοσκήματ' ἄρτι πρὸς λέπας
μόσχων ὑπεξήκριζον, ἡνίχ' ἥλιος
ἀκτῖνας ἐξίησι θερμαίνων χθόνα.
680 ὁρῶ δὲ θιάσους τρεῖς γυναικείων χορῶν,
ὧν ἦρχ' ἑνὸς μὲν Αὐτονόη, τοῦ δευτέρου
μήτηρ Ἀγαύη σή, τρίτου δ' Ἰνὼ χοροῦ.
ηὗδον δὲ πᾶσαι σώμασιν παρειμέναι,
αἱ μὲν πρὸς ἐλάτης νῶτ' ἐρείσασαι φόβην,
αἱ δ' ἐν δρυὸς φύλλοισι πρὸς πέδῳ κάρα
εἰκῇ βαλοῦσαι σωφρόνως, οὐχ ὡς σὺ φῂς
ᾠνωμένας κρατῆρι καὶ λωτοῦ ψόφῳ
θηρᾶν καθ' ὕλην Κύπριν ἠρημωμένας.
ἡ σὴ δὲ μήτηρ ὠλόλυξεν ἐν μέσαις
690 σταθεῖσα Βάκχαις, ἐξ ὕπνου κινεῖν δέμας,
μυκήμαθ' ὡς ἤκουσε κεροφόρων βοῶν.
αἱ δ' ἀποβαλοῦσαι θαλερὸν ὀμμάτων ὕπνον
ἀνῇξαν ὀρθαί, θαῦμ' ἰδεῖν εὐκοσμίας,
νέαι παλαιαὶ παρθένοι τ' ἔτ' ἄζυγες.
καὶ πρῶτα μὲν καθεῖσαν εἰς ὤμους κόμας

I come, King, fain to tell to thee and Thebes
What strange, what passing wondrous deeds they do.
Yet would I hear if freely I may tell
Things there beheld, or reef my story's sail.
For, King, I fear thy spirit's hasty mood, 670
Thy passion and thine over-royal wrath.

PENTHEUS

Say on: of me shalt thou go all unscathed,
For we may not be wroth with honest men.
The direr sounds thy tale of the Bacchanals,
The sterner punishment will I inflict
On him who taught our dames this wickedness.

HERDMAN

Thine herds of pasturing kine were even now
Scaling the steep hillside, what time the sun
First darted forth his rays to warm the earth,
When lo, I see three Bacchant women-bands,— 680
Autonoë chief of one, of one thy mother
Agave, and the third band Ino led.
All sleeping lay, with bodies restful-strown;
Some backward leaned on leafy sprays of pine,
Some, with oak-leaves for pillows, on the ground
Flung careless;—modestly, not, as thou say'st,
Drunken with wine, amid the sighing of flutes
Hunting desire through woodland shades alone.
Then to her feet sprang in the Bacchanals' midst
Thy mother, crying aloud, "Shake from you sleep!" 690
When fell our horned kine's lowing on her ear.
They, dashing from their eyelids rosy sleep,
Sprang up,—strange, fair array of ordered ranks,—
Young wives, old matrons, maidens yet unwed.
First down their shoulders let they stream their hair:

νεβρίδας τ' ἀνεστείλανθ' ὅσαισιν ἁμμάτων
σύνδεσμ' ἐλέλυτο, καὶ καταστίκτους δορὰς
ὄφεσι κατεζώσαντο λιχμῶσιν γένυν.
αἱ δ' ἀγκάλαισι δορκάδ' ἢ σκύμνους λύκων
700 ἀγρίους ἔχουσαι λευκὸν ἐδίδοσαν γάλα,
ὅσαις νεοτόκοις μαστὸς ἦν σπαργῶν ἔτι
βρέφη λιπούσαις· ἐπὶ δ' ἔθεντο κισσίνους
στεφάνους δρυός τε μίλακός τ' ἀνθεσφόρου.
θύρσον δέ τις λαβοῦσ' ἔπαισεν εἰς πέτραν,
ὅθεν δροσώδης ὕδατος ἐκπηδᾷ νοτίς·
ἄλλη δὲ νάρθηκ' εἰς πέδον καθῆκε γῆς,
καὶ τῇδε κρήνην ἐξανῆκ' οἴνου θεός·
ὅσαις δὲ λευκοῦ πώματος πόθος παρῆν,
ἄκροισι δακτύλοισι διαμῶσαι χθόνα
710 γάλακτος ἑσμοὺς εἶχον· ἐκ δὲ κισσίνων
θύρσων γλυκεῖαι μέλιτος ἔσταζον ῥοαί.

ὥστ', εἰ παρῆσθα, τὸν θεὸν τὸν νῦν ψέγεις
εὐχαῖσιν ἂν μετῆλθες εἰσιδὼν τάδε.
ξυνήλθομεν δὲ βουκόλοι καὶ ποιμένες,
κοινῶν λόγων δώσοντες ἀλλήλοις ἔριν,
ὡς δεινὰ δρῶσι θαυμάτων τ' ἐπάξια·
καί τις πλάνης κατ' ἄστυ καὶ τρίβων λόγων
ἔλεξεν εἰς ἅπαντας· ὦ σεμνὰς πλάκας
ναίοντες ὀρέων, θέλετε θηρασώμεθα
720 Πενθέως Ἀγαύην μητέρ' ἐκ βακχευμάτων
χάριν τ' ἄνακτι θώμεθ'; εὖ δ' ἡμῖν λέγειν
ἔδοξε, θάμνων δ' ἐλλοχίζομεν φόβαις
κρύψαντες αὑτούς· αἱ δὲ τὴν τεταγμένην
ὥραν ἐκίνουν θύρσον εἰς βακχεύματα,
Ἴακχον ἀθρόῳ στόματι τὸν Διὸς γόνον
Βρόμιον καλοῦσαι· πᾶν δὲ συνεβάκχευ' ὄρος

Then looped they up their fawnskins,—they whose
bands
Had fallen loose,—and girt the dappled fells [while.
Round them with snakes that licked their cheeks the
Some, cradling fawns or wolf-cubs in their arms,
Gave to the wild things of their own white milk,— 700
Young mothers they, who had left their babes, that
still [heads
Their breasts were full. Then did they wreath their
With ivy, oak, and flower-starred briony.
One grasped her thyrsus-staff, and smote the rock,
And forth upleapt a fountain's showery spray:
One in earth's bosom planted her reed-wand,
And up therethrough the God a wine-fount sent:
And whoso fain would drink white-foaming draughts
Scarred with their finger-tips the breast of earth,
And milk gushed forth unstinted: dripped the while 710
Sweet streams of honey from their ivy-staves.

Hadst thou been there, thou hadst, beholding this,
With prayer approached the God whom now thou
spurnest.
Then we, thine herdmen and thy shepherds, drew
Together, each with each to hold dispute
Touching their awful deeds and marvellous.
And one, a townward truant, ready of speech,
To all cried, "Dwellers on the terraces
Of hallowed mountains, will ye that we chase
From Bacchus' revel Agave, Pentheus' mother, 720
And do our lord a kindness?" Well, thought we,
He spake, and we in ambush hid ourselves
Mid leaves of copses. At the appointed time
They waved the thyrsus for the revel-rites,
With one voice calling Iacchus, Clamour-king,
Zeus' seed. The hills, the wild things all, were thrilled

καὶ θῆρες, οὐδὲν δ' ἦν ἀκίνητον δρόμῳ.
κυρεῖ δ' Ἀγαύη πλησίον θρῴσκουσά μου·
κἀγὼ 'ξεπήδησ' ὡς συναρπάσαι θέλων,
730 λόχμην κενώσας ἔνθ' ἐκρυπτόμην δέμας.
ἡ δ' ἀνεβόησεν· ὦ δρομάδες ἐμαὶ κύνες,
θηρώμεθ' ἀνδρῶν τῶνδ' ὕπ'· ἀλλ' ἕπεσθέ μοι,
ἕπεσθε θύρσοις διὰ χερῶν ὡπλισμέναι.
ἡμεῖς μὲν οὖν φεύγοντες ἐξηλύξαμεν
Βακχῶν σπαραγμόν, αἱ δὲ νεμομέναις χλόην
μόσχοις ἐπῆλθον χειρὸς ἀσιδήρου μέτα.
καὶ τὴν μὲν ἂν προσεῖδες εὔθηλον πόριν
μυκωμένην ἕλκουσαν ἐν χεροῖν δίχα,[1]
ἄλλαι δὲ δαμάλας διεφόρουν σπαράγμασιν.
740 εἶδες δ' ἂν ἢ πλεύρ' ἢ δίχηλον ἔμβασιν
ῥιπτόμεν' ἄνω τε καὶ κάτω· κρεμαστὰ δὲ
ἔσταζ' ὑπ' ἐλάταις ἀναπεφυρμέν' αἵματι.
ταῦροι δ' ὑβρισταὶ κεἰς κέρας θυμούμενοι
τὸ πρόσθεν ἐσφάλλοντο πρὸς γαῖαν δέμας,
μυριάσι χειρῶν ἀγόμενοι νεανίδων.
θᾶσσον δὲ διεφοροῦντο σαρκὸς ἐνδυτὰ
ἢ σὲ ξυνάψαι βλέφαρα βασιλείοις κόραις.
χωροῦσι δ' ὥστ' ὄρνιθες ἀρθεῖσαι δρόμῳ
πεδίων ὑποτάσεις, αἳ παρ' Ἀσωποῦ ῥοαῖς
750 εὔκαρπον ἐκβάλλουσι Θηβαίων στάχυν·
Ὑσιάς τ' Ἐρυθράς θ', αἳ Κιθαιρῶνος λέπας
νέρθεν κατῳκήκασιν, ὥστε πολέμιοι
ἐπεισπεσοῦσαι πάντ' ἄνω τε καὶ κάτω
διέφερον· ἥρπαζον μὲν ἐκ δόμων τέκνα·
ὁπόσα δ' ἐπ' ὤμοις ἔθεσαν, οὐ δεσμῶν ὕπο
προσείχετ' οὐδ' ἔπιπτεν εἰς μέλαν πέδον,
οὐ χαλκός, οὐ σίδηρος· ἐπὶ δὲ βοστρύχοις

[1] Reiske: for MSS ἔχουσαν . . . . δίκα.

With ecstasy: naught but shook as on they rushed.
Now nigh to me Agave chanced to leap,
And forth I sprang as who would seize on her,
Leaving the thicket of mine ambush void. 730
Then shouted she, "What ho, my fleetfoot hounds,
We are chased by these men! Ho ye, follow me—
Follow, the thyrsus-javelins in your hands!"
O then we fled, and fleeing scantly 'scaped
The Bacchanals' rending grasp. Down swooped they
then
Upon our pasturing kine with swordless hand.
Then hadst thou seen thy mother with her hands
Rend a deep-uddered heifer bellowing loud:
And others tore the calves in crimson shreds.
Ribs hadst thou seen and cloven hoofs far hurled 740
This way and that, and flakes of flesh that hung
And dripped all blood-bedabbled 'neath the pines.
Bulls chafing, lowering fiercely along the horn
Erewhile, were tripped and hurled unto the earth,
Dragged down by countless-clutching maiden hands.
More swiftly was the flesh that lapped their bones
Stripped, than thou couldst have closed thy kingly
eyes.
On swept they, racing like to soaring birds,
To lowland plains which by Asopus' streams
Bear the rich harvests of the Theban folk: 750
Hysiae, Erythrae, 'neath Cithaeron's scaur
Low-nestling,—swooping on them like to foes,
This way and that way hurled they all their goods,
Yea, from the houses caught they up the babes:
These, and all things laid on their shoulders, clung
Unfastened; nothing to the dark earth fell,
Nor brass nor iron; and upon their hair

πῦρ ἔφερον, οὐδ' ἔκαιεν. οἱ δ' ὀργῆς ὕπο
εἰς ὅπλ' ἐχώρουν φερόμενοι Βακχῶν ὕπο·
760 οὗπερ τὸ δεινὸν ἦν θέαμ' ἰδεῖν, ἄναξ.
τοῖς μὲν γὰρ οὐχ ᾕμασσε λογχωτὸν βέλος,
κεῖναι δὲ θύρσους ἐξανιεῖσαι χερῶν
ἐτραυμάτιζον κἀπενώτιζον φυγῇ
γυναῖκες ἄνδρας, οὐκ ἄνευ θεῶν τινος.
πάλιν δ' ἐχώρουν ὅθεν ἐκίνησαν πόδα,
κρήνας ἐπ' αὐτὰς ἃς ἀνῆκ' αὐταῖς θεός.
νίψαντο δ' αἷμα, σταγόνα δ' ἐκ παρηίδων
γλώσσῃ δράκοντες ἐξεφαίδρυνον χροός.
τὸν δαίμον' οὖν τόνδ' ὅστις ἔστ', ὦ δέσποτα,
770 δέχου πόλει τῇδ', ὡς τά τ' ἄλλ' ἐστὶν μέγας,
κἀκεῖνό φασιν αὐτόν, ὡς ἐγὼ κλύω,
τὴν παυσίλυπον ἄμπελον δοῦναι βροτοῖς.
οἴνου δὲ μηκέτ' ὄντος οὐκ ἔστιν Κύπρις
οὐδ' ἄλλο τερπνὸν οὐδὲν ἀνθρώποις ἔτι.

ΧΟΡΟΣ

ταρβῶ μὲν εἰπεῖν τοὺς λόγους ἐλευθέρους
εἰς τὸν τύραννον, ἀλλ' ὅμως εἰρήσεται·
Διόνυσος ἥσσων οὐδενὸς θεῶν ἔφυ.

ΠΕΝΘΕΥΣ

ἤδη τόδ' ἐγγὺς ὥστε πῦρ ὑφάπτεται
ὕβρισμα Βακχῶν, ψόγος ἐς Ἕλληνας μέγας.
780 ἀλλ' οὐκ ὀκνεῖν δεῖ· στεῖχ' ἐπ' Ἠλέκτρας ἰὼν
πύλας· κέλευε πάντας ἀσπιδηφόρους
ἵππων τ' ἀπαντᾶν ταχυπόδων ἐπεμβάτας
πέλτας θ' ὅσοι πάλλουσι καὶ τόξων χερὶ
ψάλλουσι νευράς, ὡς ἐπιστρατεύσομεν
Βάκχαισιν· οὐ γὰρ ἀλλ' ὑπερβάλλει τάδε,
εἰ πρὸς γυναικῶν πεισόμεσθ' ἃ πάσχομεν.

They carried fire unscorched. The folk, in wrath
To be by Bacchanals pillaged, rushed to arms:
Whereupon, King, was this strange sight to see:— 760
From them the steel-tipt javelin drew not blood,
But they from their hands darting thyrsus-staves
Dealt wound on wound; and they, the women, turned
To flight men, for some God's hand wrought therein.
Then drew they back to whence their feet had come,
To those same founts the God sent up for them,
And washed the gore, while from their cheeks the snakes
Were licking with their tongues the blood-gouts clean.
Wherefore, whoe'er this God be, O my lord,
Receive him in this city; for, beside 770
His other might, they tell of him, I hear,
That he gave men the grief-assuaging vine.
When wine is no more found, then Love is not,
Nor any joy beside is left to men.

CHORUS

Words wherein freedom rings I dread to speak
Before the King; yet shall my thought be voiced:
Dionysus is not less than any God.

PENTHEUS

Lo, it is on us, kindling like a flame,
The Bacchanal outrage, our reproach through Greece!
We may not dally:—to Electra's gate 780
Go thou; bid all my warriors that bear shield
To meet me, and all riders of fleet steeds,
And all that shake the buckler, all who twang
The bowstring; for against the Bacchanals
Forth will we march. Yea, this should pass all bounds,
To endure of women that we now endure!

ΔΙΟΝΥΣΟΣ

πείθει μὲν οὐδέν, τῶν ἐμῶν λόγων κλύων,
Πενθεῦ· κακῶς δὲ πρὸς σέθεν πάσχων ὅμως
οὔ φημι χρῆναί σ' ὅπλ' ἐπαίρεσθαι θεῷ,
790 ἀλλ' ἡσυχάζειν· Βρόμιος οὐκ ἀνέξεται
κινοῦντα Βάκχας εὐίων ὀρῶν ἄπο.

ΠΕΝΘΕΥΣ

οὐ μὴ φρενώσεις μ', ἀλλὰ δέσμιος φυγὼν
σώσει τόδ'; ἢ σοὶ πάλιν ἀναστρέψω δίκην.

ΔΙΟΝΥΣΟΣ

θύοιμ' ἂν αὐτῷ μᾶλλον ἢ θυμούμενος
πρὸς κέντρα λακτίζοιμι θνητὸς ὢν θεῷ.

ΠΕΝΘΕΥΣ

θύσω, φόνον γε θῆλυν, ὥσπερ ἄξιαι,
πολὺν ταράξας ἐν Κιθαιρῶνος πτυχαῖς.

ΔΙΟΝΥΣΟΣ

φεύξεσθε πάντες· καὶ τόδ' αἰσχρόν, ἀσπίδας
θύρσοισι Βακχῶν ἐκτρέπειν χαλκηλάτους.

ΠΕΝΘΕΥΣ

800 ἀπόρῳ γε τῷδε συμπεπλέγμεθα ξένῳ,
ὃς οὔτε πάσχων οὔτε δρῶν σιγήσεται.

ΔΙΟΝΥΣΟΣ

ὦ τᾶν, ἔτ' ἔστιν εὖ καταστῆσαι τάδε.

ΠΕΝΘΕΥΣ

τί δρῶντα; δουλεύοντα δουλείαις ἐμαῖς;

ΔΙΟΝΥΣΟΣ

ἐγὼ γυναῖκας δεῦρ' ὅπλων ἄξω δίχα.

ΠΕΝΘΕΥΣ

οἴμοι· τόδ' ἤδη δόλιον εἴς με μηχανᾷ.

ΔΙΟΝΥΣΟΣ

ποῖόν τι, σῶσαί σ' εἰ θέλω τέχναις ἐμαῖς;

DIONYSUS

No whit thou yieldest, though thou hear'st my words,
Pentheus. Yet, though thou dost despite to me,
I warn thee—bear not arms against a God;
But bide still. Bromius will not brook that thou 790
Shouldst drive his Bacchanals from their revel-hills.

PENTHEUS

School thou not me; but, having 'scaped thy bonds,
Content thee: else again I punish thee.

DIONYSUS

Better slay victims unto him than kick
Against the pricks, man raging against God.

PENTHEUS

Victims? Ay, women-victims, fitly slain,—
Wild work of slaughter midst Cithaeron's glens!

DIONYSUS

Flee shall ye all; and shame were this, that shields
Brass-forged from wands of Bacchanals turn back.

PENTHEUS

This stranger—vainly wrestle we with him: 800
Doing nor suffering will he hold his peace.

DIONYSUS

Friend, yet this evil may be turned to good.

PENTHEUS

How?—by becoming my bondwomen's thrall?

DIONYSUS

I without arms will bring the women hither.

PENTHEUS

Ha! here for me thou plottest treachery!

DIONYSUS

Treachery?—I would save thee by mine art!

ΠΕΝΘΕΥΣ

ξυνέθεσθε κοινῇ τάδ', ἵνα βακχεύητ' ἀεί.

ΔΙΟΝΥΣΟΣ

καὶ μὴν ξυνεθέμην τοῦτό γ', ἴσθι, τῷ θεῷ.

ΠΕΝΘΕΥΣ

ἐκφέρετέ μοι δεῦρ' ὅπλα· σὺ δὲ παῦσαι λέγων.

ΔΙΟΝΥΣΟΣ

810 ἆ·

βούλει σφ' ἐν ὄρεσι συγκαθημένας ἰδεῖν;

ΠΕΝΘΕΥΣ

μάλιστα, μυρίον γε δοὺς χρυσοῦ σταθμόν.

ΔΙΟΝΥΣΟΣ

τί δ' εἰς ἔρωτα τοῦδε πέπτωκας μέγαν;

ΠΕΝΘΕΥΣ

λυπρῶς νιν εἰσίδοιμ' ἂν ἐξῳνωμένας.

ΔΙΟΝΥΣΟΣ

ὅμως δ' ἴδοις ἂν ἡδέως ἅ σοι πικρά;

ΠΕΝΘΕΥΣ

σάφ' ἴσθι, σιγῇ γ' ὑπ' ἐλάταις καθήμενος.

ΔΙΟΝΥΣΟΣ

ἀλλ' ἐξιχνεύσουσίν σε, κἂν ἔλθῃς λάθρᾳ.

ΠΕΝΘΕΥΣ

ἀλλ' ἐμφανῶς· καλῶς γὰρ ἐξεῖπας τάδε.

ΔΙΟΝΥΣΟΣ

ἄγωμεν οὖν σε κἀπιχειρήσεις ὁδῷ;

ΠΕΝΘΕΥΣ

820 ἄγ' ὡς τάχιστα, τοῦ χρόνου δέ σοι φθονῶ.

ΔΙΟΝΥΣΟΣ

στεῖλαί νυν ἀμφὶ χρωτὶ βυσσίνους πέπλους

PENTHEUS

Ye have made this covenant, so to revel aye.

DIONYSUS

Nay: know, that covenant made I with the God.

PENTHEUS (*to attendants*)

Bring forth mine arms!—thou, make an end of speech.

DIONYSUS

Ho thou! 810

Wouldst thou behold them camped upon the hills?

PENTHEUS[1]

Ay—though with sumless gold I bought the sight.

DIONYSUS

Why on this mighty longing hast thou fallen?

PENTHEUS

To see them drunk with wine—a bitter sight!

DIONYSUS

Yet wouldst thou gladly see a bitter sight?

PENTHEUS

Yea, sooth, in silence crouched beneath the pines.

DIONYSUS

Yet will they track thee, stealthily though thou come.

PENTHEUS

Openly then!—yea, well hast thou said this.

DIONYSUS

Shall I then guide thee? Wilt essay the path?

PENTHEUS

Lead on with speed: I grudge thee all delay! 820

DIONYSUS

Array thee now in robes of linen fine.

[1] From this time Pentheus speaks as one hypnotized.

ΠΕΝΘΕΥΣ

τί δὴ τόδ'; εἰς γυναῖκας ἐξ ἀνδρὸς τελῶ;

ΔΙΟΝΥΣΟΣ

μή σε κτάνωσιν, ἢν ἀνὴρ ὀφθῇς ἐκεῖ.

ΠΕΝΘΕΥΣ

εὖ γ' εἶπας αὐτό, καί τις εἶ πάλαι σοφός.

ΔΙΟΝΥΣΟΣ

Διόνυσος ἡμᾶς ἐξεμούσωσεν τάδε.

ΠΕΝΘΕΥΣ

πῶς οὖν γένοιτ' ἂν ἃ σύ με νουθετεῖς καλῶς;

ΔΙΟΝΥΣΟΣ

ἐγὼ στελῶ σε δωμάτων εἴσω μολών.

ΠΕΝΘΕΥΣ

τίνα στολήν; ἦ θῆλυν; ἀλλ' αἰδώς μ' ἔχει.

ΔΙΟΝΥΣΟΣ

οὐκέτι θεατὴς Μαινάδων πρόθυμος εἶ;

ΠΕΝΘΕΥΣ

830 στολὴν δὲ τίνα φὴς ἀμφὶ χρῶτ' ἐμὸν βαλεῖν;

ΔΙΟΝΥΣΟΣ

κόμην μὲν ἐπὶ σῷ κρατὶ ταναὸν ἐκτενῶ.

ΠΕΝΘΕΥΣ

τὸ δεύτερον δὲ σχῆμα τοῦ κόσμου τί μοι;

ΔΙΟΝΥΣΟΣ

πέπλοι ποδήρεις· ἐπὶ κάρᾳ δ' ἔσται μίτρα.

ΠΕΝΘΕΥΣ

ἦ καί τι πρὸς τοῖσδ' ἄλλο προσθήσεις ἐμοί;

ΔΙΟΝΥΣΟΣ

θύρσον γε χειρὶ καὶ νεβροῦ στικτὸν δέρας.

ΠΕΝΘΕΥΣ

οὐκ ἂν δυναίμην θῆλυν ἐνδῦναι στολήν.

ΔΙΟΝΥΣΟΣ

ἀλλ' αἷμα θήσεις συμβαλὼν Βάκχαις μάχην.

PENTHEUS

Wherefore? From man shall I to woman turn?

DIONYSUS

Lest they should kill thee, seeing thee there as man.

PENTHEUS

Well said—yea, shrewd hast thou been heretofore.

DIONYSUS

Such science Dionysus taught to me.

PENTHEUS

How then shall thy fair rede become mine act?

DIONYSUS

I will into thine halls, and robe thee there.

PENTHEUS

What robe? A woman's?—nay, but I think shame.

DIONYSUS

Is thy desire to watch the Maenads dead?

PENTHEUS

In what garb, say'st thou, wouldst thou drape my form? 830

DIONYSUS

Thine head with flowing tresses will I tire.

PENTHEUS

And the next fashion of my vesture—what?

DIONYSUS

Long robes: and on thine head a coif shall be.

PENTHEUS

Naught else but these wouldst thou add unto me?

DIONYSUS

Thyrsus in hand, and dappled fell of fawn.

PENTHEUS

I cannot drape me in a woman's robe!

DIONYSUS

Then fight the Maenads—spill thy people's blood.

ΠΕΝΘΕΥΣ

ὀρθῶς· μολεῖν χρὴ πρῶτον εἰς κατασκοπήν.

ΔΙΟΝΥΣΟΣ

σοφώτερον γοῦν ἢ κακοῖς θηρᾶν κακά.

ΠΕΝΘΕΥΣ

840 καὶ πῶς δι᾽ ἄστεως εἶμι Καδμείους λαθών;

ΔΙΟΝΥΣΟΣ

ὁδοὺς ἐρήμους ἴμεν· ἐγὼ δ᾽ ἡγήσομαι.

ΠΕΝΘΕΥΣ

πᾶν κρεῖσσον ὥστε μὴ ᾽γγελᾶν Βάκχας ἐμοί.
ἐλθόντ᾽ ἐς οἴκους ἂν δοκῇ βουλεύσομεν.

ΔΙΟΝΥΣΟΣ

ἔξεστι· πάντῃ τό γ᾽ ἐμὸν εὐτρεπὲς πάρα.

ΠΕΝΘΕΥΣ

στείχοιμ᾽ ἄν· ἢ γὰρ ὅπλ᾽ ἔχων πορεύσομαι
ἢ τοῖσι σοῖσι πείθομαι βουλεύμασιν.

ΔΙΟΝΥΣΟΣ

γυναῖκες, ἀνὴρ εἰς βόλον καθίσταται·
ἥξει δὲ Βάκχας, οὗ θανὼν δώσει δίκην.
Διόνυσε, νῦν σὸν ἔργον, οὐ γὰρ εἶ πρόσω·
850 τισώμεθ᾽ αὐτόν. πρῶτα δ᾽ ἔκστησον φρενῶν,
ἐνεὶς ἐλαφρὰν λύσσαν· ὡς φρονῶν μὲν εὖ
οὐ μὴ θελήσῃ θῆλυν ἐνδῦναι στολήν,
ἔξω δ᾽ ἐλαύνων τοῦ φρονεῖν ἐνδύσεται.
χρῄζω δέ νιν γέλωτα Θηβαίοις ὀφλεῖν
γυναικόμορφον ἀγόμενον δι᾽ ἄστεως
ἐκ τῶν ἀπειλῶν τῶν πρίν, αἶσι δεινὸς ἦν.
ἀλλ᾽ εἶμι κόσμον ὅνπερ εἰς Ἅιδου λαβὼν
ἄπεισι, μητρὸς ἐκ χεροῖν κατασφαγείς,
Πενθεῖ προσάψων· γνώσεται δὲ τὸν Διὸς
860 Διόνυσον, ὃς πέφυκεν ἐν τέλει θεὸς
δεινότατος, ἀνθρώποισι δ᾽ ἠπιώτατος.

PENTHEUS

Ay, true :—first must I go and spy them out.

DIONYSUS

Sooth, wiser so than hunt thee ills with ills.

PENTHEUS

Yet, how through Cadmus' city pass unseen? 840

DIONYSUS

By lone paths will we go. Myself will guide.

PENTHEUS

Better were anything than Bacchants' mock!
We will pass in . . . . what fits will I devise.

DIONYSUS

So be it: Howe'er thou choose, mine help thou hast.

PENTHEUS

I go . . . . I shall march haply sword in hand,
Or—or—do haply as thou counsellest. [*Exit.*

DIONYSUS

Women, the man sets foot within the toils.
The Bacchants—and death's penalty—shall he find.
Dionysus, play thy part now; thou art near:
Let us take vengeance. Craze thou first his brain, 850
Indarting sudden madness. Whole of wit,
Ne'er will he yield to don the woman's robe:
Yet shall he don, driven wide of reason's course
I long withal to make him Thebes' derision,
In woman-semblance led the city through,
After the erstwhile terrors of his threats.
I go, to lay on Pentheus the attire
Which he shall take with him to Hades, slain
By a mother's hands. And he shall know Zeus' son
Dionysus, who hath risen at last a God 860
Most terrible, yet kindest unto men. [*Exit.*

ΧΟΡΟΣ

ἆρ' ἐν παννυχίοις χοροῖς στρ.
θήσω ποτὲ λευκὸν
πόδ' ἀναβακχεύουσα, δέραν
εἰς αἰθέρα δροσερὸν
ῥίπτουσ', ὡς νεβρὸς χλοεραῖς
ἐμπαίζουσα λείμακος ἡδοναῖς,
ἡνίκ' ἂν φοβερὰν φύγῃ
θήραν ἔξω φυλακᾶς
870 εὐπλέκτων ὑπὲρ ἀρκύων,
θωΰσσων δὲ κυναγέτας
συντείνῃ δρόμημα κυνῶν·
μόχθοις τ' ὠκυδρόμοις τ' ἀέλ-
λαις θρῴσκει πεδίον
παραποτάμιον, ἡδομένα
βροτῶν ἐρημίαις
σκιαροκόμου τ' ἐν ἔρνεσιν ὕλας.

τί τὸ σοφὸν ἢ τί τὸ κάλλιον
παρὰ θεῶν γέρας ἐν βροτοῖς
ἢ χεῖρ' ὑπὲρ κορυφᾶς
880 τῶν ἐχθρῶν κρείσσω κατέχειν;
ὅ τι καλὸν φίλον ἀεί.

ὁρμᾶται μόλις, ἀλλ' ὅμως ἀντ.
πιστόν τι τὸ θεῖον
σθένος· ἀπευθύνει δὲ βροτῶν
τούς τ' ἀγνωμοσύναν
τιμῶντας καὶ μὴ τὰ θεῶν
αὔξοντας σὺν μαινομένᾳ δόξᾳ.
κρυπτεύουσι δὲ ποικίλως
δαρὸν χρόνου πόδα καὶ

CHORUS

Ah, shall my white feet in the dances gleam (*Str.*)
  The livelong night again? Ah, shall I there
Float through the Bacchanal's ecstatic dream,
  Tossing my neck into the dewy air?—

Like to a fawn that gambols mid delight
  Of pastures green, when she hath left behind
The chasing horror, and hath sped her flight
  Past watchers, o'er nets deadly-deftly twined,

Though shouting huntsmen cheer the racing hounds 870
  Onward, the while with desperate stress and strain
And bursts of tempest-footed speed she bounds
  Far over reaches of the river-plain,

Till sheltering arms of trees around her close,
  The twilight of the tresses of the woods;—
O happy ransomed one, safe hid from foes
  Where no man tracks the forest-solitudes!

What wisdom's crown, what guerdon, shines more
    glorious
  That Gods can give the sons of men, than this—
O'er crests of foes to stretch the hand victorious? 880
  Glory is crown and sum of human bliss!

Slowly on-sweepeth, but unerringly, (*Ant.*)
  The might of Heaven, with sternest lessoning
For men who in their own mad fantasy
  Exalt their unbelief, and crown it king—

Mortals who dare belittle things divine!
  Ah, but the Gods in subtle ambush wait:
On treads the foot of time; but their design
  Is unrelinquished, and the ruthless fate

890 θηρῶσιν τὸν ἄσεπτον· οὐ
γὰρ κρεῖσσόν ποτε τῶν νόμων
γιγνώσκειν χρὴ καὶ μελετᾶν.
κούφα γὰρ δαπάνα νομί-
ζειν ἰσχὺν τόδ᾽ ἔχειν,
ὅ τι ποτ᾽ ἄρα τὸ δαιμόνιον,
τό τ᾽ ἐν χρόνῳ μακρῷ
νόμιμον ἀεὶ φύσει τε πεφυκός.

τί τὸ σοφὸν ἢ τί τὸ κάλλιον
παρὰ θεῶν γέρας ἐν βροτοῖς
ἢ χεῖρ᾽ ὑπὲρ κορυφᾶς
900 τῶν ἐχθρῶν κρείσσω κατέχειν;
ὅ τι καλὸν φίλον ἀεί.

εὐδαίμων μὲν ὃς ἐκ θαλάσσας — ἐπῳδ.
ἔφυγε χεῖμα, λιμένα δ᾽ ἔκιχεν·
εὐδαίμων δ᾽ ὃς ὕπερθε μόχθων
ἐγένεθ᾽· ἕτερα δ᾽ ἕτερος ἕτερον
ὄλβῳ καὶ δυνάμει παρῆλθεν.
μυρίαι δὲ μυρίοισιν
ἔτ᾽ εἴσ᾽ ἐλπίδες· αἱ μὲν
τελευτῶσιν ἐν ὄλβῳ
βροτοῖς, αἱ δ᾽ ἀπέβησαν·
910 τὸ δὲ κατ᾽ ἦμαρ ὅτῳ βίοτος
εὐδαίμων, μακαρίζω.

ΔΙΟΝΥΣΟΣ

σὲ τὸν πρόθυμον ὄνθ᾽ ἃ μὴ χρεὼν ὁρᾶν
σπεύδοντά τ᾽ ἀσπούδαστα, Πενθέα λέγω,
ἔξιθι πάροιθε δωμάτων, ὄφθητί μοι
σκευὴν γυναικὸς μαινάδος Βάκχης ἔχων,
μητρός τε τῆς σῆς καὶ λόχου κατάσκοπος·
πρέπεις δὲ Κάδμου θυγατέρων μορφὴν μιᾷ.

Quests as a sleuth-hound till it shall have tracked 890
The godless down in that relentless hunt.
We may not, in the heart's thought or the act,
Set us above the law of use and wont.

Little it costs, faith's precious heritage,
To trust that whatsoe'er from Heaven is sent
Hath sovereign sway, whate'er through age on age
Hath gathered sanction by our nature's bent.

What wisdom's crown, what guerdon, shines more glorious
That Gods can give the sons of men, than this—
O'er crests of foes to stretch the hand victorious? 900
Glory is crown and sum of human bliss!

Blest who from ravening seas (*Epode*)
Hath 'scaped to haven-peace,
Blest who hath triumphed in endeavour's toil and throe.
Some men to higher height
Attain, of wealth, of might, [glow:
Than others; myriad hopes in myriad hearts still
To fair fruition brought
Are some, some come to naught: 910
Happy is he whose bliss from day to day doth grow.

Enter DIONYSUS.

DIONYSUS

Thou who dost burn to see forfended things,
Pentheus, O zealous with an evil zeal,
Come forth before thine halls: be seen of me
Womanlike clothed in frenzied Bacchant's garb,
To spy upon thy mother and her troop.

Enter PENTHEUS.

So!—like a daughter of Cadmus is thy form.

ΠΕΝΘΕΥΣ

καὶ μὴν ὁρᾶν μοι δύο μὲν ἡλίους δοκῶ,
δισσὰς δὲ Θήβας καὶ πόλισμ' ἑπτάστομον·
920 καὶ ταῦρος ἡμῖν πρόσθεν ἡγεῖσθαι δοκεῖς
καὶ σῷ κέρατα κρατὶ προσπεφυκέναι.
ἀλλ' ἦ ποτ' ἦσθα θήρ; τεταύρωσαι γὰρ οὖν.

ΔΙΟΝΥΣΟΣ

ὁ θεὸς ὁμαρτεῖ, πρόσθεν ὢν οὐκ εὐμενής,
ἔνσπονδος ἡμῖν· νῦν δ' ὁρᾷς ἃ χρή σ' ὁρᾶν.

ΠΕΝΘΕΥΣ

τί φαίνομαι δῆτ'; οὐχὶ τὴν Ἰνοῦς στάσιν
ἢ τὴν Ἀγαύης ἑστάναι μητρός γ' ἐμῆς;

ΔΙΟΝΥΣΟΣ

αὐτὰς ἐκείνας εἰσορᾶν δοκῶ σ' ὁρῶν.
ἀλλ' ἐξ ἕδρας σοι πλόκαμος ἐξέστηχ' ὅδε,
οὐχ ὡς ἐγώ νιν ὑπὸ μίτρᾳ καθήρμοσα.

ΠΕΝΘΕΥΣ

930 ἔνδον προσείων αὐτὸν ἀνασείων τ' ἐγὼ
καὶ βακχιάζων ἐξ ἕδρας μεθώρμισα.

ΔΙΟΝΥΣΟΣ

ἀλλ' αὐτὸν ἡμεῖς, οἷς σε θεραπεύειν μέλει,
πάλιν καταστελοῦμεν· ἀλλ' ὄρθου κάρα.

ΠΕΝΘΕΥΣ

ἰδού, σὺ κόσμει· σοὶ γὰρ ἀνακείμεσθα δή.

ΔΙΟΝΥΣΟΣ

ζῶναί τέ σοι χαλῶσι κοὐχ ἑξῆς πέπλων
στολίδες ὑπὸ σφυροῖσι τείνουσιν σέθεν.

ΠΕΝΘΕΥΣ

κἀμοὶ δοκοῦσι παρά γε δεξιὸν πόδα·
τἀνθένδε δ' ὀρθῶς παρὰ τένοντ' ἔχει πέπλος.

ΔΙΟΝΥΣΟΣ

ἦ πού με τῶν σῶν πρῶτον ἡγήσει φίλων,
940 ὅταν παρὰ λόγον σώφρονας Βάκχας ἴδῃς.

PENTHEUS

Aha! meseemeth I behold two suns,
A twofold Thebes, our seven-gated burg!
A bull thou seem'st that leadeth on before; 920
And horns upon thine head have sprouted forth.
How, *wast* thou brute?—bull art thou verily now!

DIONYSUS

The God attends us, gracious not ere this,
Leagued with us now: now seest thou as thou shouldst.

PENTHEUS

Whose semblance bear I? Have I not the mien
Of Ino, or my mother Agave's port?

DIONYSUS

Their very selves I seem to see in thee.
Yet, what?—this tress hath from his place escaped,
Not as I braided it beneath the coif.

PENTHEUS

Tossing it forth and back within, in whirls 930
Of Bacchic frenzy, I disordered it.

DIONYSUS

Nay, I, who have taken thy tire-maiden's part,
Will rearrange it. Come, hold up thine head.

PENTHEUS

Lo there—thou lay it smooth: I am in thine hands.

DIONYSUS

Now is thy girdle loose; thy garment's folds
Droop not below thine ankles evenly.

PENTHEUS

Yea, by my right foot so, meseems, it is.
To left, true by the sinew hangs the robe.

DIONYSUS

Me wilt thou surely count thy chiefest friend,
When sight of sober Bacchants cheats thine hopes. 940

ΠΕΝΘΕΥΣ

πότερα δὲ θύρσον δεξιᾷ λαβὼν χερὶ
ἢ τῇδε, Βάκχῃ μᾶλλον εἰκασθήσομαι;

ΔΙΟΝΥΣΟΣ

ἐν δεξιᾷ χρὴ χἅμα δεξιῷ ποδὶ
αἴρειν νιν· αἰνῶ δ' ὅτι μεθέστηκας φρενῶν.

ΠΕΝΘΕΥΣ

ἆρ' ἂν δυναίμην τὰς Κιθαιρῶνος πτυχὰς
αὐταῖσι Βάκχαις τοῖς ἐμοῖς ὤμοις φέρειν;

ΔΙΟΝΥΣΟΣ

δύναι' ἄν, εἰ βούλοιο· τὰς δὲ πρὶν φρένας
οὐκ εἶχες ὑγιεῖς, νῦν δ' ἔχεις οἵας σε δεῖ.

ΠΕΝΘΕΥΣ

μοχλοὺς φέρωμεν; ἢ χεροῖν ἀνασπάσω
950 *κορυφαῖς ὑποβαλὼν ὦμον ἢ βραχίονα;*

ΔΙΟΝΥΣΟΣ

μὴ σύ γε τὰ Νυμφῶν διολέσῃς ἱδρύματα
καὶ Πανὸς ἕδρας, ἔνθ' ἔχει συρίγματα.

ΠΕΝΘΕΥΣ

καλῶς ἔλεξας· οὐ σθένει νικητέον
γυναῖκας, ἐλάταισιν δ' ἐμὸν κρύψω δέμας.

ΔΙΟΝΥΣΟΣ

κρύψει σὺ κρύψιν ἥν σε κρυφθῆναι χρεὼν
ἐλθόντα δόλιον Μαινάδων κατάσκοπον.

ΠΕΝΘΕΥΣ

καὶ μὴν δοκῶ σφᾶς ἐν λόχμαις ὄρνιθας ὣς
λέκτρων ἔχεσθαι φιλτάτοις ἐν ἕρκεσιν.

PENTHEUS

This thyrsus—shall I hold it in this hand,
Or this, the more to seem true Bacchanal?

DIONYSUS

In the right hand, and with the right foot timed
Lift it:—all praise to thy converted heart!

PENTHEUS

Could I upon my shoulders raise the glens[1]
Of Mount Cithaeron, yea, and the Bacchanals?

DIONYSUS

Thou mightest, an thou wouldst: erewhile thy soul
Was warped; but now 'tis even as befits.

PENTHEUS

With levers?—or shall mine hands tear it up
With arm or shoulder thrust beneath its crests? 950

DIONYSUS

Now nay—the shrines of Nymphs destroy not thou,
And haunts of Pan that with his piping ring.

PENTHEUS

True—true: we must not overcome by force
The women. I will hide me midst the pines.

DIONYSUS

Hide?—thou shalt hide as Fate ordains thine hiding,
Who com'st with guile, a spy on Bacchanals.

PENTHEUS

Methinks I see them mid the copses caught,
Like birds, in toils of their sweet dalliance.

[1] Among signs of incipient madness is a failure to discriminate resistance, so that the patient, while raising slight weights (here, the thyrsus), imagines himself to be putting forth strength enough to raise enormous ones.

ΔΙΟΝΥΣΟΣ

οὐκοῦν ἐπ᾽ αὐτὸ τοῦτ᾽ ἀποστέλλει φύλαξ·
960 λήψει δ᾽ ἴσως σφᾶς, ἢν σὺ μὴ ληφθῇς πάρος.

ΠΕΝΘΕΥΣ

κόμιζε διὰ μέσης με Θηβαίας πόλεως·
μόνος γάρ εἰμ᾽ αὐτῶν ἀνὴρ τολμῶν τόδε.

ΔΙΟΝΥΣΟΣ

μόνος σὺ πόλεως τῆσδ᾽ ὑπερκάμνεις, μόνος·
τοιγάρ σ᾽ ἀγῶνες ἀναμένουσιν οὓς ἐχρῆν.
ἕπου δέ· πομπὸς δ᾽ εἶμ᾽ ἐγὼ σωτήριος,
κεῖθεν δ᾽ ἀπάξει σ᾽ ἄλλος,—

ΠΕΝΘΕΥΣ

ἡ τεκοῦσά γε.

ΔΙΟΝΥΣΟΣ

ἐπίσημον ὄντα πᾶσιν—

ΠΕΝΘΕΥΣ

ἐπὶ τόδ᾽ ἔρχομαι.

ΔΙΟΝΥΣΟΣ

φερόμενος ἥξεις—

ΠΕΝΘΕΥΣ

ἁβρότητ᾽ ἐμὴν λέγεις.

ΔΙΟΝΥΣΟΣ

ἐν χερσὶ μητρός.

ΠΕΝΘΕΥΣ

καὶ τρυφᾶν μ᾽ ἀναγκάσεις.

ΔΙΟΝΥΣΟΣ

τρυφάς γε τοιάσδ᾽—

ΠΕΝΘΕΥΣ

970 ἀξίων μὲν ἅπτομαι.

DIONYSUS

To this end then art thou appointed watchman:
Perchance shalt catch them—if they catch not thee. 960

PENTHEUS

On through the midst of Thebes' town usher me!
I am their one *man*, I alone dare this!

DIONYSUS

Alone for Thebes thou travailest, thou alone;
Wherefore for thee wait struggle and strain fore-
doomed.
Follow: all safely will I usher thee.
Another thence shall bring thee,—

PENTHEUS

Ay, my mother!

DIONYSUS

To all men manifest—

PENTHEUS

For this I come.

DIONYSUS

High-borne shalt thou return—

PENTHEUS

Soft ease for me?

DIONYSUS

On a mother's hands.

PENTHEUS

Thou wouldst thrust pomp on me!

DIONYSUS

Nay, 'tis but such pomp—

PENTHEUS

As is my desert. 970

ΔΙΟΝΥΣΟΣ

δεινὸς σὺ δεινὸς κἀπὶ δείν' ἔρχει πάθη,
ὥστ' οὐρανῷ στηρίζον εὑρήσεις κλέος.

ἔκτειν', Ἀγαύη, χεῖρας αἵ θ' ὁμόσποροι
Κάδμου θυγατέρες· τὸν νεανίαν ἄγω
τόνδ' εἰς ἀγῶνα μέγαν, ὁ νικήσων δ' ἐγὼ
καὶ Βρόμιος ἔσται. τἄλλα δ' αὐτὸ σημανεῖ.

ΧΟΡΟΣ

ἴτε θοαὶ Λύσσας κύνες ἴτ' εἰς ὄρος, στρ.
θίασον ἔνθ' ἔχουσι Κάδμου κόραι,
ἀνοιστρήσατέ νιν
980 ἐπὶ τὸν ἐν γυναικομίμῳ στολᾷ
λυσσώδη κατάσκοπον Μαινάδων.

μάτηρ πρῶτά νιν λευρᾶς ἀπὸ πέτρας
ἢ σκόλοπος ὄψεται
δοκεύοντα, Μαινάσιν δ' ἀπύσει·
τίς ὅδε Καδμείων
μαστὴρ ὀρειδρόμων
ἐς ὄρος ἐς ὄρος ἔμολεν, ὦ Βάκχαι;
τίς ἄρα νιν ἔτεκεν;
οὐ γὰρ ἐξ αἵματος γυναικῶν ἔφυ,
λεαίνας δέ τινος ὅδ' ἢ Γοργόνων
990 Λιβυσσᾶν γένος.

DIONYSUS

Strange, strange man! Strange shall thine experience
be.
So shalt thou win renown that soars to heaven.
[*Exit* PENTHEUS.

Agave, stretch forth hands; ye sisters, stretch,
Daughters of Cadmus! To a mighty strife
I bring this prince. The victor I shall be
And Bromius. All else shall the issue show. [*Exit.*

CHORUS

(*Str.*)

Up, ye swift hell-hounds of Madness! Away to the
mountain-glens, where [fury, to tear
Cadmus's daughters hold revel, and sting them to
Him who hath come woman-vestured to spy on the
Bacchanals there,

Frenzy-struck fool that he is!—for his mother shall 980
foremost descry [tree he would spy
Him, as from water-worn scaur or from storm-riven
That which they do, and her shout to the Maenads
shall peal from on high:—

"Who hath come hither, hath trodden the paths to
the mountain that lead,
Spying on Cadmus's daughters, the maids o'er the
mountains that speed,
Bacchanal-sisters?—what mother hath brought to
the birth such a seed?

Who was it?—who?—for I ween he was born not of
womankind's blood: [of the wood;
Rather he sprang from the womb of a lioness, scourge
Haply is spawn of the Gorgons of Libya, the demon-
brood." 990

ἴτω δίκα φανερός, ἴτω ξιφηφόρος
φονεύουσα λαιμῶν διαμπὰξ
τὸν ἄθεον ἄνομον ἄδικον Ἐχίονος
τόκον γηγενῆ.

ὃς ἀδίκῳ γνώμᾳ παρανόμῳ τ᾽ ὀργᾷ   ἀντ.
περὶ σά, Βάκχι᾽, ὄργια ματρός τε σᾶς
μανείσᾳ πραπίδι
1000 παρακόπῳ τε λήματι στέλλεται,
τἀνίκατον ὡς κρατήσων βίᾳ.

γνώμαν σώφρον᾽, ἃ θνατοῖς ἀπροφάσιστος
εἰς τὰ θεῶν ἔφυ,
βροτείαν τ᾽ ἔχειν, ἄλυπος βίος.
τὸ σοφὸν οὐ φθόνῳ
χαίρω θηρεύουσα,
τὰ δ᾽ ἕτερα μεγάλα φανερά τ᾽ ὄντ᾽ ἀεί,

ἐπὶ τὰ καλὰ βίον
ἦμαρ εἰς νύκτα τ᾽ εὐαγοῦντ᾽ εὐσεβεῖν,
1010 τὰ δ᾽ ἔξω νόμιμα δίκας ἐκβαλόν-
τα τιμᾶν θεούς.

ἴτω δίκα φανερός, ἴτω ξιφηφόρος
φονεύουσα λαιμῶν διαμπὰξ
τὸν ἄθεον ἄνομον ἄδικον Ἐχίονος
τόκον γηγενῆ.

Justice, draw nigh us, draw nigh, with the sword of avenging appear: [born, and shear
Slay the unrighteous, the seed of Echion the earth-
Clean through his throat, for he feareth not God, neither law doth he fear.

(*Ant.*)

Lo, how in impious mood, and with lawless intent, and with spite [he cometh to fight,
Madness-distraught, with thy rites and thy mother's
Bacchus—to bear the invincible down by his impotent might! 1000

Thus shall a mortal have sorrowless days, if he keepeth his soul [control,
Sober in spirit, and swift in obedience to heaven's
Murmuring not, neither pressing beyond his mortality's goal.

Not their presumptuous wisdom I covet: I seek for mine own— [so may be known,
Yea, in the quest is mine happiness—things that not
Glorious wisdom and great, from the days everlasting forth-shown,

Even to fashion in pureness my life and in holiness aye, [of the day,
Following ends that are noble from dawn to the death
Honouring Gods, and refusing to walk in injustice's way. 1010

Justice, draw nigh us, draw nigh, with the sword of avenging appear: [born, and shear
Slay the unrighteous, the seed of Echion the earth-
Clean through his throat; for he feareth not God, neither law doth he fear.

φάνηθι ταῦρος ἢ πολύκρανος ἰδεῖν ἐπῳδ.
δράκων ἢ πυριφλέγων
ὁρᾶσθαι λέων.
1020 ἴθ', ὦ Βάκχε, θηραγρευτᾷ Βακχᾶν
γελῶντι προσώπῳ περίβαλε
βρόχον ἐπὶ θανάσιμον
ἀγέλαν πεσόντι τὰν Μαινάδων.

ΑΓΓΕΛΟΣ

ὦ δῶμ' ὃ πρίν ποτ' ηὐτύχεις ἀν' Ἑλλάδα,
Σιδωνίου γέροντος, ὃς τὸ γηγενὲς
δράκοντος ἔσπειρ' ὄφεος ἐν γαίᾳ θέρος,
ὥς σε στενάζω, δοῦλος ὢν μέν, ἀλλ' ὅμως
χρηστοῖσι δούλοις συμφορὰ τὰ δεσποτῶν.

ΧΟΡΟΣ

τί δ' ἔστιν ; ἐκ Βακχῶν τι μηνύεις νέον ;

ΑΓΓΕΛΟΣ

1030 Πενθεὺς ὄλωλε, παῖς Ἐχίονος πατρός.

ΧΟΡΟΣ

ὦναξ Βρόμιε· θεὸς φαίνει μέγας.

ΑΓΓΕΛΟΣ

πῶς φής ; τί τοῦτ' ἔλεξας ; ἢ 'πὶ τοῖς ἐμοῖς
χαίρεις κακῶς πράσσουσι δεσπόταις, γύναι ;

ΧΟΡΟΣ

εὐάζω ξένα μέλεσι βαρβάροις·
οὐκέτι γὰρ δεσμῶν ὑπὸ φόβῳ πτήσσω.

ΑΓΓΕΛΟΣ

Θήβας δ' ἀνάνδρους ὧδ' ἄγεις* * * *
* * * * * * * ;

(*Epode*)

O Dionysus, reveal thee!—appear as a bull to behold,
Or be thou seen as a dragon, a monster of heads
manifold, [of him rolled.
Or as a lion with splendours of flame round the limbs

Come to us, Bacchus, and smiling in mockery com- 1020
pass him round [hunter be bound,
Now with the toils of destruction, and so shall the
Trapped mid the throng of the Maenads, the quarry
his questing hath found.

Enter MESSENGER.

MESSENGER

O house of old through Hellas prosperous
Of that Sidonian patriarch, who sowed
The earth-born serpent's dragon-teeth in earth,
How I bemoan thee! Though a thrall I be,
Their lords' calamities touch loyal thralls.

CHORUS

What now?—hast tidings of the Bacchanals?

MESSENGER

Pentheus is dead: Echion's son is dead. 1030

CHORUS

Bromius my King! thou hast made thy godhead plain!

MESSENGER

How, what is this thou say'st? Dost thou exult,
Woman, upon my lord's calamities?

CHORUS

An alien I, I chant glad outland strain,
Who cower no more in terror of the chain.

MESSENGER

Deemest thou Thebes so void of men, [that ills
Have left her powerless to punish thee?]

ΧΟΡΟΣ

ὁ Διόνυσος ὁ Διόνυσος, οὐ Θῆβαι
κράτος ἔχουσ᾽ ἐμόν.

ΑΓΓΕΛΟΣ

συγγνωστὰ μέν σοι, πλὴν ἐπ᾽ ἐξειργασμένοις
1040 κακοῖσι χαίρειν, ὦ γυναῖκες, οὐ καλόν.

ΧΟΡΟΣ

ἔννεπέ μοι, φράσον, τίνι μόρῳ θνῄσκει
ἄδικος ἄδικά τ᾽ ἐκπορίζων ἀνήρ ;

ΑΓΓΕΛΟΣ

ἐπεὶ θεράπνας τῆσδε Θηβαίας χθονὸς
λιπόντες ἐξέβημεν Ἀσωποῦ ῥοάς,
λέπας Κιθαιρώνειον εἰσεβάλλομεν
Πενθεύς τε κἀγώ, δεσπότῃ γὰρ εἱπόμην,
ξένος θ᾽ ὃς ἡμῖν πομπὸς ἦν θεωρίας.
πρῶτον μὲν οὖν ποιηρὸν ἵζομεν νάπος,
τά τ᾽ ἐκ ποδῶν σιγηλὰ καὶ γλώσσης ἄπο
1050 σῴζοντες, ὡς ὁρῷμεν οὐχ ὁρώμενοι.
ἦν δ᾽ ἄγκος ἀμφίκρημνον, ὕδασι διάβροχον,
πεύκαισι συσκιάζον, ἔνθα Μαινάδες
καθῆντ᾽ ἔχουσαι χεῖρας ἐν τερπνοῖς πόνοις.
αἱ μὲν γὰρ αὐτῶν θύρσον ἐκλελοιπότα
κισσῷ κομήτην αὖθις ἐξανέστεφον,
αἱ δ᾽ ἐκλιποῦσαι ποικίλ᾽ ὡς πῶλοι ζυγὰ
βακχεῖον ἀντέκλαζον ἀλλήλαις μέλος.
Πενθεὺς δ᾽ ὁ τλήμων θῆλυν οὐχ ὁρῶν ὄχλον
ἔλεξε τοιάδ᾽· ὦ ξέν᾽, οὗ μὲν ἕσταμεν,
1060 οὐκ ἐξικνοῦμαι Μαινάδων ὄσσοις νόθων·
ὄχθον δ᾽ ἐπεμβὰς ἢ ἐλάτην ὑψαύχενα
ἴδοιμ᾽ ἂν ὀρθῶς Μαινάδων αἰσχρουργίαν.
τοὐντεῦθεν ἤδη τοῦ ξένου τι θαῦμ᾽ ὁρῶ·
λαβὼν γὰρ ἐλάτης οὐράνιον ἄκρον κλάδον

CHORUS

Dionysus it is, 'tis the King of the Vine
That hath lordship o'er me, no Thebes of thine!

MESSENGER

This might be pardoned, save that base it is,
Women, to joy o'er evils past recall. 1040

CHORUS

Tell to me, tell,—by what doom died he,
The villain devising villainy?

MESSENGER

When, from the homesteads of this Theban land
Departing, we had crossed Asopus' streams,
Then we began to breast Cithaeron's steep,
Pentheus and I,—for to my lord I clave,—
And he who ushered us unto the scene.
First in a grassy dell we sat us down
With footfall hushed and tongues refrained from speech,
That so we might behold, all unbeheld. 1050

There was a glen crag-walled, with rills o'erstreamed,
Closed in with pine-shade, where the Maenad girls
Sat with hands busied with their gladsome toils.
The faded thyrsus some with ivy-sprays
Twined, till its tendril-tresses waved again:
Some, blithe as colts from carven wain-yokes loosed,
Re-echoed each to each the Bacchic chant.
But hapless Pentheus, seeing not the throng
Of women, spake thus: "Stranger, where we stand,
Are these mock-maenad maids beyond my ken. 1060
Some knoll or pine high-crested let me climb,
And I shall see the Maenads' lewdness well."
A marvel then I saw the stranger do:
A soaring pine-shaft by the top he caught,

κατῆγεν, ἦγεν, ἦγεν εἰς μέλαν πέδον·
κυκλοῦτο δ' ὥστε τόξον ἢ κυρτὸς τροχὸς
τόρνῳ γραφόμενος περιφορὰν ἕλκει δρόμον·
ὣς κλῶν' ὄρειον ὁ ξένος χεροῖν ἄγων
ἔκαμπτεν εἰς γῆν, ἔργματ' οὐχὶ θνητὰ δρῶν.
1070 Πενθέα δ' ἱδρύσας ἐλατίνων ὄζων ἔπι,
ὀρθὸν μεθίει διὰ χερῶν βλάστημ' ἄνω
ἀτρέμα, φυλάσσων μὴ ἀναχαιτίσειέ νιν.
ὀρθὴ δ' ἐς ὀρθὸν αἰθέρ' ἐστηρίζετο
ἔχουσα νώτοις δεσπότην ἐφήμενον.
ὤφθη δὲ μᾶλλον ἢ κατεῖδε Μαινάδας·
ὅσον γὰρ οὔπω δῆλος ἦν θάσσων ἄνω,
καὶ τὸν ξένον μὲν οὐκέτ' εἰσορᾶν παρῆν,
ἐκ δ' αἰθέρος φωνή τις, ὡς μὲν εἰκάσαι
Διόνυσος, ἀνεβόησεν· ὦ νεάνιδες,
1080 ἄγω τὸν ὑμᾶς κἀμὲ τἀμά τ' ὄργια
γέλων τιθέμενον· ἀλλὰ τιμωρεῖσθέ νιν.
καὶ ταῦθ' ἅμ' ἠγόρευε καὶ πρὸς οὐρανὸν
καὶ γαῖαν ἐστήριζε φῶς σεμνοῦ πυρός.
σίγησε δ' αἰθήρ, σῖγα δ' ὕλιμος νάπη
φύλλ' εἶχε, θηρῶν δ' οὐκ ἂν ἤκουσας βοήν.
αἱ δ' ὠσὶν ἠχὴν οὐ σαφῶς δεδεγμέναι
ἔστησαν ὀρθαὶ καὶ διήνεγκαν κόρας.
ὁ δ' αὖθις ἐπεκέλευσεν· ὡς δ' ἐγνώρισαν
σαφῆ κελευσμὸν Βακχίου Κάδμου κόραι,
1090 ἦξαν πελείας ὠκύτητ' οὐχ ἥσσονες
ποδῶν ἔχουσαι συντόνοις δραμήμασι,
μήτηρ Ἀγαύη σύγγονοί θ' ὁμόσποροι
πᾶσαί τε Βάκχαι· διὰ δὲ χειμάρρου νάπης
ἀγμῶν τ' ἐπήδων θεοῦ πνοαῖσιν ἐμμανεῖς.
ὡς δ' εἶδον ἐλάτῃ δεσπότην ἐφήμενον,
πρῶτον μὲν αὐτοῦ χερμάδας κραταιβόλους

And dragged down—down—still down to the dark
earth.
Arched as a bow it grew, or curving wheel
That on the lathe sweeps out its circle's round:
So bowed the stranger's hands that mountain-stem,
And bent to earth—a deed past mortal might!
Then Pentheus on the pine boughs seated he 1070
And let the trunk rise, sliding through his hands
Gently, with heedful care to unseat him not.
Far up into the heights of air it soared,
Bearing my master throned upon its crest,
More by the Maenads seen than seeing them.

For scarce high-lifted was he manifest,
When lo, the stranger might no more be seen;
And fell from heaven a voice—the voice, most like,
Of Dionysus,—crying, "O ye maids,
I bring him who would mock at you and me, 1080
And at my rites. Take vengeance on him ye!"
Even as he cried, up heavenward, down to earth,
He flashed a pillar-splendour of awful flame.
Hushed was the welkin; all the forest-glade
Held hushed its leaves; no wild thing's cry was heard.
But they, whose ears not clearly caught the sound,
Sprang up, and shot keen glances right and left.

Again he cried his hest: then Cadmus' daughters
Knew certainly the Bacchic God's command,
And darted: and the swiftness of their feet 1090
Was as of doves in onward-straining race—
His mother Agave and her sisters twain,
And all the Bacchanals. Through torrent gorge,
O'er boulders, leapt they, with the God's breath mad.
When seated on the pine they saw my lord,
First torrent-stones with might and main they hurled,

ἔρριπτον, ἀντίπυργον ἐπιβᾶσαι πέτραν,
ὄζοισί τ' ἐλατίνοισιν ἠκοντίζετο·
ἄλλαι δὲ θύρσους ἵεσαν δι' αἰθέρος
1100 Πενθέως, στόχον δύστηνον· ἀλλ' οὐκ ἤνυτον.
κρεῖσσον γὰρ ὕψος τῆς προθυμίας ἔχων
καθῆστο τλήμων, ἀπορίᾳ λελημμένος.
τέλος δὲ δρυΐνους συγκεραυνοῦσαι κλάδους,
ῥίζας ἀνεσπάρασσον ἀσιδήροις μοχλοῖς.
ἐπεὶ δὲ μόχθων τέρματ' οὐκ ἐξήνυτον,
ἔλεξ' Ἀγαύη· φέρε, περιστᾶσαι κύκλῳ
πτόρθου λάβεσθε, Μαινάδες, τὸν ἀμβάτην
θῆρ' ὡς ἕλωμεν, μηδ' ἀπαγγείλῃ θεοῦ
χοροὺς κρυφαίους. αἱ δὲ μυρίαν χέρα
1110 προσέθεσαν ἐλάτῃ κἀξανέσπασαν χθονός·
ὑψοῦ δὲ θάσσων ὑψόθεν χαμαιπετὴς
πίπτει πρὸς οὖδας μυρίοις οἰμώγμασι
Πενθεύς· κακοῦ γὰρ ἐγγὺς ὢν ἐμάνθανε.
πρώτη δὲ μήτηρ ἦρξεν ἱερία φόνου
καὶ προσπίτνει νιν· ὁ δὲ μίτραν κόμης ἄπο
ἔρριψεν, ὥς νιν γνωρίσασα μὴ κτάνοι
τλήμων Ἀγαύη, καὶ λέγει, παρηίδος
ψαύων· ἐγώ τοι, μῆτερ, εἰμὶ παῖς σέθεν
Πενθεύς, ὃν ἔτεκες ἐν δόμοις Ἐχίονος·
1120 οἴκτειρε δ' ὦ μῆτέρ με, μηδὲ ταῖς ἐμαῖς
ἁμαρτίαισι παῖδα σὸν κατακτάνῃς.
ἡ δ' ἀφρὸν ἐξιεῖσα καὶ διαστρόφους
κόρας ἑλίσσουσ', οὐ φρονοῦσ' ἃ χρὴ φρονεῖν,
ἐκ Βακχίου κατείχετ', οὐδ' ἔπειθέ νιν.
λαβοῦσα δ' ὠλέναις ἀριστερὰν χέρα,
πλευραῖσιν ἀντιβᾶσα τοῦ δυσδαίμονος
ἀπεσπάραξεν ὦμον, οὐχ ὑπὸ σθένους,
ἀλλ' ὁ θεὸς εὐμάρειαν ἐπεδίδου χεροῖν.

Scaling a rock, their counter-bastion,
And javelined him with branches of the pine:
And others shot their thyrsi through the air
At Pentheus—woeful mark!—yet nought availed. 1100
For, at a height above their fury's pitch,
Trapped in despair's gin, horror-struck he sat.
Last, oak-limbs from their trunks they thundered down,
And heaved at the roots with levers—not of iron.
But when they won no end of toil and strain,
Agave cried, "Ho, stand we round the trunk,
Maenads, and grasp, that we may catch the beast
Crouched there, that he may not proclaim abroad
Our God's mysterious rites!" Their countless hands
Set they unto the pine, tore from the soil:— 1110
And he, high-seated, crashed down from his height;
And earthward fell with frenzy of shriek on shriek
Pentheus, for now he knew his doom at hand.

His mother first, priest-like, began the slaughter,
And fell on him: but from his hair the coif
He tore, that she might know and slay him not,—
Hapless Agave!—and he touched her cheek,
Crying, "'Tis I, O mother!—thine own son
Pentheus—thou bar'st me in Echion's halls!
Have mercy, O my mother!—for my sin 1120
Murder not thou thy son—thy very son!"
But she, with foaming lips and eyes that rolled
Wildly, and reckless madness-clouded soul,
Possessed of Bacchus, gave no heed to him;
But his left arm she clutched in both her hands,
And set against the wretch's ribs her foot,
And tore his shoulder out—not by her strength,
But the God made it easy to her hands.

Ἰνὼ δὲ τἀπὶ θάτερ᾽ ἐξειργάζετο
1130 ῥηγνῦσα σάρκας, Αὐτονόη τ᾽ ὄχλος τε πᾶς
ἐπεῖχε Βακχῶν· ἦν δὲ πᾶσ᾽ ὁμοῦ βοή,
ὁ μὲν στενάζων ὅσον ἐτύγχανεν πνέων,
αἱ δ᾽ ἠλάλαζον. ἔφερε δ᾽ ἡ μὲν ὠλένην,
ἡ δ᾽ ἴχνος αὐταῖς ἀρβύλαις· γυμνοῦντο δὲ
πλευραὶ σπαραγμοῖς· πᾶσα δ᾽ ᾑματωμένη
χεῖρας διεσφαίριζε σάρκα Πενθέως.
κεῖται δὲ χωρὶς σῶμα, τὸ μὲν ὑπὸ στύφλοις
πέτραις, τὸ δ᾽ ὕλης ἐν βαθυξύλῳ φόβῃ,
οὐ ῥᾴδιον ζήτημα· κρᾶτα δ᾽ ἄθλιον,
1140 ὅπερ λαβοῦσα τυγχάνει μήτηρ χεροῖν,
πήξασ᾽ ἐπ᾽ ἄκρον θύρσον ὡς ὀρεστέρου
φέρει λέοντος διὰ Κιθαιρῶνος μέσου,
λιποῦσ᾽ ἀδελφὰς ἐν χοροῖσι Μαινάδων.
χωρεῖ δὲ θήρᾳ δυσπότμῳ γαυρουμένη
τειχέων ἔσω τῶνδ᾽, ἀνακαλοῦσα Βάκχιον
τὸν ξυγκυναγόν, τὸν ξυνεργάτην ἄγρας
τὸν καλλίνικον, ᾧ δάκρυα νικηφορεῖ.
ἐγὼ μὲν οὖν τῇδ᾽ ἐκποδὼν τῇ ξυμφορᾷ
ἄπειμ᾽, Ἀγαύην πρὶν μολεῖν πρὸς δώματα.
1150 τὸ σωφρονεῖν δὲ καὶ σέβειν τὰ τῶν θεῶν
κάλλιστον· οἶμαι δ᾽ αὐτὸ καὶ σοφώτατον
θνητοῖσιν εἶναι κτῆμα τοῖσι χρωμένοις.

ΧΟΡΟΣ

ἀναχορεύσωμεν Βάκχιον,
ἀναβοάσωμεν ξυμφορὰν
τὰν τοῦ δράκοντος ἐκγενέτα Πενθέως,
ὃς τὰν θηλυγενῆ στολὰν
νάρθηκά τε πιστὸν Ἅιδαν
ἔλαβεν εὔθυρσον,
ταῦρον προηγητῆρα συμφορᾶς ἔχων.

And Ino laboured on the other side,
Rending his flesh : Autonoë pressed on—all 1130
The Bacchanal throng. One awful blended cry
Rose—the king's screams while life was yet in him,
And triumph-yells from them. One bare an arm,
One a foot sandal-shod. His ribs were stripped
In mangled shreds : with blood-bedabbled hands
Each to and fro was tossing Pentheus' flesh.

Wide-sundered lies his corse : part 'neath rough rocks,
Part mid the tangled depths of forest-shades :—
Hard were the search. His miserable head,
Which in her hands his mother chanced to seize, 1140
Impaled upon her thyrsus-point she bears,
Like mountain-lion's, through Cithaeron's midst,
Leaving her sisters in their Maenad dance ;
And, in her ghastly quarry glorying, comes
Within these walls, to Bacchus crying aloud,
Her fellow-hunter, helper in the chase
Triumphant—all its triumph-prize is tears !
But from this sight of misery will I
Depart, or ever Agave reach the halls.
Ay, self-restraint, and reverence for the Gods 1150
Are best, I ween ; 'tis wisest far for men
To get these in possession, and cleave thereto. [*Exit.*

CHORUS

Raise we to Bacchus the choral acclaim,
Shout we aloud for the fall
Of the king, of the blood of the Serpent who came,
Who arrayed him in woman's pall ;
And the thyrsus-ferule he grasped—but the same
Sealed him to Hades' hall :
And a bull was his guide to a doom of shame !

1160 Βάκχαι Καδμεῖαι,
τὸν καλλίνικον κλεινὸν ἐξεπράξατε
εἰς γόον, εἰς δάκρυα.
καλὸς ἀγών, ἐν αἵματι στάζουσαν
χέρα περιβαλεῖν τέκνου.

ἀλλ' εἰσορῶ γὰρ εἰς δόμους ὁρμωμένην
Πενθέως Ἀγαύην μητέρ' ἐν διαστρόφοις
ὄσσοις, δέχεσθε κῶμον εὐίου θεοῦ.

ΑΓΑΥΗ

Ἀσιάδες Βάκχαι. *στρ.*

ΧΟΡΟΣ

τί μ' ὀροθύνεις, ὤ;

ΑΓΑΥΗ

φέρομεν ἐξ ὀρέων
1170 ἕλικα νεότομον ἐπὶ μέλαθρα,
μακάριον θήραν.

ΧΟΡΟΣ

ὁρῶ καί σε δέξομαι σύγκωμον.

ΑΓΑΥΗ

ἔμαρψα τόνδ' ἄνευ βρόχων
[λέοντος ἀγροτέρου] νέον ἶνιν,
ὡς ὁρᾶν πάρα.

ΧΟΡΟΣ

πόθεν ἐρημίας;

ΑΓΑΥΗ

Κιθαιρὼν—

ΧΟΡΟΣ

τί Κιθαιρών;

ΑΓΑΥΗ

κατεφόνευσέν νιν.

ΧΟΡΟΣ

τίς ἁ βαλοῦσα πρώτα;

O Bacchanal-maids Cadmean, 1160
Ye have gained for you glory—a victory-pæan
To be drowned in lamenting and weeping.
O contest triumphantly won, when a mother in blood of her son
Her fingers is steeping!
But lo, I see fast hurrying to the halls
Agave, Pentheus' mother, with wild eyes
Rolling :—hail ye the revel of our God!

Enter AGAVE, *carrying the head of Pentheus.*

AGAVE

Asian Bacchanals! (*Str.*)

CHORUS

Why dost thou challenge me?—say.

AGAVE

Lo, from the mountain-side I bear
A newly-severed ivy-spray 1170
Unto our halls, a goodly prey.

CHORUS

I see—to our revels I welcome thee.

AGAVE

I trapped him, I, with never a snare!
'Tis the whelp of a desert lion, plain to see.

CHORUS

Where in the wilderness, where?

AGAVE

Cithaeron—

CHORUS

What hath Cithaeron wrought?

AGAVE

Him hath Cithaeron to slaughter brought.

CHORUS

Who was it smote him first?

ΑΓΑΥΗ

ἐμὸν τὸ γέρας.
1180 μάκαιρ' Ἀγαύη κληζόμεθ' ἐν θιάσοις.

ΧΟΡΟΣ

τίς ἄλλα;

ΑΓΑΥΗ

τὰ Κάδμου—

ΧΟΡΟΣ

τί Κάδμου;

ΑΓΑΥΗ

γένεθλα
μετ' ἐμὲ μετ' ἐμὲ τοῦδ'
ἔθιγε θηρός. εὐτυχής γ' ἅδ' ἄγρα.
μέτεχέ νυν θοίνας. ἀντ.

ΧΟΡΟΣ

τί μετέχω τλάμων;

ΑΓΑΥΗ

νέος ὁ μόσχος ἄρ-
τι γένυν ὑπὸ κόρυθ' ἁπαλότριχα
κατάκομον θάλλει.

ΧΟΡΟΣ

πρέπει γ' ὥστε θὴρ ἄγραυλος φόβῃ.

ΑΓΑΥΗ

ὁ Βάκχιος κυναγέτας
1190 σοφὸς σοφῶς ἀνέπηλεν ἐπὶ θήρᾳ
τοῦδε Μαινάδας.

ΧΟΡΟΣ

ὁ γὰρ ἄναξ ἀγρεύς.

ΑΓΑΥΗ

ἐπαινεῖς;

ΧΟΡΟΣ

τί δ'; ἐπαινῶ.

AGAVE

Mine, mine is the guerdon,
Their revel-rout singeth me—"Happy Agave!" their burden. 1180

CHORUS

Who then?

AGAVE

Of Cadmus—

CHORUS

Of Cadmus what wilt thou tell?

AGAVE

His daughters after me smote the monster fell—
After me! O fortunate hunting! Is it not well?
Now share in the banquet!— (*Ant.*)

CHORUS

Alas! wherein shall I share?

AGAVE

This whelp is yet but a tender thing,
And over its jaws yet sprouteth fair
The down 'neath the crest of its waving hair.

CHORUS

Yea, a beast of the wold, by the hair, might it be.

AGAVE

Uproused was the Maenad gathering
To the chase by a cunning hunter full cunningly. 1190

CHORUS

Yea, a hunter is Bacchus our King.

AGAVE

Dost thou praise me?

CHORUS

How can I choose but praise?

ΑΓΑΥΗ

τάχα δὲ Καδμεῖοι—

ΧΟΡΟΣ

καὶ παῖς γε Πενθεὺς—

ΑΓΑΥΗ

ματέρ' ἐπαινέσεται,
λαβοῦσαν ἄγραν τάνδε λεοντοφυῆ.

ΧΟΡΟΣ

περισσάν.

ΑΓΑΥΗ

περισσῶς.

ΧΟΡΟΣ

ἀγάλλει;

ΑΓΑΥΗ

γέγηθα
μεγάλα μεγάλα καὶ
φανερὰ τᾷδ' ἄγρᾳ κατειργασμένα.

ΧΟΡΟΣ

1200 δεῖξόν νυν, ὦ τάλαινα, σὴν νικηφόρον
ἀστοῖσιν ἄγραν ἣν φέρουσ' ἐλήλυθας.

ΑΓΑΥΗ

ὦ καλλίπυργον ἄστυ Θηβαίας χθονὸς
ναίοντες, ἔλθεθ' ὡς ἴδητε τήνδ' ἄγραν,
Κάδμου θυγατέρες θηρὸς ἣν ἠγρεύσαμεν
οὐκ ἀγκυλητοῖς Θεσσαλῶν στοχάσμασιν,
οὐ δικτύοισιν, ἀλλὰ λευκοπήχεσι
χειρῶν ἀκμαῖσι. κᾆτα κομπάζειν χρεὼν
καὶ λογχοποιῶν ὄργανα κτᾶσθαι μάτην;
ἡμεῖς δέ γ' αὐτῇ χειρὶ τόνδε θ' εἵλομεν
1210 χωρίς τε θηρὸς ἄρθρα διεφορήσαμεν.
ποῦ μοι πατὴρ ὁ πρέσβυς; ἐλθέτω πέλας.
Πενθεύς τ' ἐμὸς παῖς ποῦ 'στιν; αἰρέσθω λαβὼν

AGAVE

Ay, and full soon shall Cadmus' race—

CHORUS

And Pentheus thy son—

AGAVE

Yea, I shall have praise of my scion
For the prey that is taken, even this whelp of a lion.

CHORUS

Strange quarry!—

AGAVE

And strangely taken.

CHORUS

Art glad?

AGAVE

I am fain
For the triumph achieved, both goodly and great, and plain [ta'en.
For the land to see, in the booty mine hands have

CHORUS

Show forth now, hapless one, to all the folk 1200
The triumph-spoil that hither thou hast brought.

AGAVE

Ye, in the fair-towered burg of Theban land
Which dwell, draw nigh to look upon this prey,
The beast we, Cadmus' daughters, hunted down—
Not with the thong-whirled darts of Thessaly,
Neither with nets, but with the fingers white
Of our own hands. What boots the vaunt of men
Who get them tools by armourers vainly wrought,
When we, with bare hands only, took the prey,
And rent asunder all the monster's limbs? 1210
Where is mine ancient sire? Let him draw near.
And my son Pentheus where? Let him upraise

πηκτῶν πρὸς οἴκους κλιμάκων προσαμβάσεις,
ὡς πασσαλεύσῃ κρᾶτα τριγλύφοις τόδε
λέοντος ὃν πάρειμι θηράσασ᾽ ἐγώ.

ΚΑΔΜΟΣ

ἕπεσθέ μοι, φέροντες ἄθλιον βάρος
Πενθέως, ἕπεσθε, πρόσπολοι, δόμων πάρος,
οὗ σῶμα μοχθῶν μυρίοις ζητήμασι
φέρω τόδ᾽, εὑρὼν ἐν Κιθαιρῶνος πτυχαῖς
1220 διασπαρακτόν, κοὐδὲν ἐν ταὐτῷ πέδῳ
λαβών, ἐν ὕλῃ κείμενον δυσευρέτῳ.
ἤκουσα γάρ του θυγατέρων τολμήματα,
ἤδη κατ᾽ ἄστυ τειχέων ἔσω βεβὼς
σὺν τῷ γέροντι Τειρεσίᾳ Βακχῶν πάρα·
πάλιν δὲ κάμψας εἰς ὄρος κομίζομαι
τὸν κατθανόντα παῖδα Μαινάδων ὕπο.
καὶ τὴν μὲν Ἀκταίων᾽ Ἀρισταίῳ ποτὲ
τεκοῦσαν εἶδον Αὐτονόην Ἰνώ θ᾽ ἅμα
ἔτ᾽ ἀμφὶ δρυμοῖς οἰστροπλῆγας ἀθλίας,
1230 τὴν δ᾽ εἶπέ τίς μοι δεῦρο βακχείῳ ποδὶ
στείχειν Ἀγαύην, οὐδ᾽ ἄκραντ᾽ ἠκούσαμεν·
λεύσσω γὰρ αὐτήν, ὄψιν οὐκ εὐδαίμονα.

ΑΓΑΥΗ

πάτερ, μέγιστον κομπάσαι πάρεστί σοι,
πάντων ἀρίστας θυγατέρας σπεῖραι μακρῷ
θνητῶν· ἁπάσας εἶπον, ἐξόχως δ᾽ ἐμέ,
ἣ τὰς παρ᾽ ἱστοῖς ἐκλιποῦσα κερκίδας
εἰς μεῖζον ἥκω, θῆρας ἀγρεύειν χεροῖν·
φέρω δ᾽ ἐν ὠλέναισιν, ὡς ὁρᾷς, τάδε
λαβοῦσα τἀριστεῖα, σοῖσι πρὸς δόμοις
1240 ὡς ἀγκρεμασθῇ· σὺ δέ, πάτερ, δέξαι χεροῖν·
γαυρούμενος δὲ τοῖς ἐμοῖς ἀγρεύμασι

A ladder's stair against the palace-wall,
That to the triglyphs he may nail this head,
This lion's head that I from hunting bring.

Enter CADMUS, *with attendants carrying a bier.*

CADMUS

Come with me, henchmen, to the palace come,
Bearing this ghastly load that once was Pentheus,
Whose limbs by toilsome searchings manifold,
About Cithaeron's glens all rent apart
I found, and bring—no twain in one place found, 1220
But lying all about the trackless wood.
For of my daughters' desperate deeds I heard,
Even as I passed within the city-walls
With old Teiresias from the Bacchant revel.
Back to the mountain turned I; and I bring
My son thence, who by Maenads hath been slain.
There her who bore Actaeon to Aristaeus
I saw, Autonoë, saw Ino there
Still midst the oak-groves, wretches frenzy-stung;
But hitherward, said one, with Bacchant feet 1230
Had passed Agave, and the truth I heard;
For I behold her—sight of misery!

AGAVE

My father, proudest boast is thine to make,
To have begotten daughters best by far
Of mortals—all thy daughters, chiefly me,
Me who left loom and shuttle, and pressed on
To high emprise, to hunt beasts with mine hands.
And in mine arms I bring, thou seëst, this
The prize I took, against thy palace-wall
To hang: receive it, father, in thine hands. 1240
And now, triumphant in mine hunting's spoil,

κάλει φίλους εἰς δαῖτα· μακάριος γὰρ εἶ,
μακάριος, ἡμῶν τοιάδ᾽ ἐξειργασμένων.

ΚΑΔΜΟΣ

ὦ πένθος οὐ μετρητὸν οὐδ᾽ οἷόν τ᾽ ἰδεῖν,
φόνον ταλαίναις χερσὶν ἐξειργασμένων.
καλὸν τὸ θῦμα καταβαλοῦσα δαίμοσιν
ἐπὶ δαῖτα Θήβας τάσδε κἀμὲ παρακαλεῖς.
οἴμοι κακῶν μὲν πρῶτα σῶν, ἔπειτ᾽ ἐμῶν·
ὡς ὁ θεὸς ἡμᾶς ἐνδίκως μέν, ἀλλ᾽ ἄγαν
1250 Βρόμιος ἄναξ ἀπώλεσ᾽ οἰκεῖος γεγώς.

ΑΓΑΥΗ

ὡς δύσκολον τὸ γῆρας ἀνθρώποις ἔφυ
ἔν τ᾽ ὄμμασι σκυθρωπόν. εἴθε παῖς ἐμὸς
εὔθηρος εἴη, μητρὸς εἰκασθεὶς τρόποις,
ὅτ᾽ ἐν νεανίαισι Θηβαίοις ἅμα
θηρῶν ὀριγνῷτ᾽. ἀλλὰ θεομαχεῖν μόνον
οἷός τ᾽ ἐκεῖνος. νουθετητέος, πάτερ,
σοὐστίν. τίς αὐτὸν δεῦρ᾽ ἂν ὄψιν εἰς ἐμὴν
καλέσειεν, ὡς ἴδῃ με τὴν εὐδαίμονα;

ΚΑΔΜΟΣ

φεῦ φεῦ· φρονήσασαι μὲν οἷ᾽ ἐδράσατε,
1260 ἀλγήσετ᾽ ἄλγος δεινόν· εἰ δὲ διὰ τέλους
ἐν τῷδ᾽ ἀεὶ μενεῖτ᾽ ἐν ᾧ καθέστατε,
οὐκ εὐτυχοῦσαι δόξετ᾽ οὐχὶ δυστυχεῖν.

ΑΓΑΥΗ

τί δ᾽ οὐ καλῶς τῶνδ᾽, ἢ τί λυπηρῶς ἔχει;

ΚΑΔΜΟΣ

πρῶτον μὲν εἰς τόνδ᾽ αἰθέρ᾽ ὄμμα σὸν μέθες.

ΑΓΑΥΗ

ἰδού· τί μοι τόνδ᾽ ἐξυπεῖπας εἰσορᾶν;

ΚΑΔΜΟΣ

ἔθ᾽ αὑτὸς ἤ σοι μεταβολὰς ἔχειν δοκεῖ;

Bid to a feast thy friends; for blest art thou,
Blest verily, since we have achieved such deeds.

CADMUS

O anguish measureless that blasts the sight!
O murder compassed by those wretched hands!
Fair victim this to cast before the Gods,
And bid to such a banquet Thebes and me!
Woe for our sorrows!—first for thine, then mine!
How hath the God, King Bromius, ruined us!—
Just stroke—yet ruthless—is he not our kin? 1250

AGAVE

How sour of mood is greybeard eld in men,
How sullen-eyed! Framed in his mother's mould
A mighty hunter may my son become,
When with the Theban youths he speedeth forth
Questing the quarry! But he can do naught
Save war with Gods! Father, thy part it is
To warn him. Who will call him hitherward
To see me, and behold mine happiness?

CADMUS

Alas! when ye are ware what ye have done,
With sore grief shall ye grieve! If to life's end 1260
Ye should in this delusion still abide,
Ye should not, though unblest, seem all accurst.

AGAVE

What is not well here?—what that calls for grief?

CADMUS

First cast thou up thine eye to yonder heaven.

AGAVE

Lo, so I do. Why bid me look thereon?

CADMUS

Seems it the same? Or hath it changed to thee?

ΑΓΑΥΗ

λαμπροτερος ἢ πρὶν καὶ διιπετεστερος.

ΚΑΔΜΟΣ

τὸ δὲ πτοηθὲν τόδ' ἔτι σῇ ψυχῇ παρα;

ΑΓΑΥΗ

οὐκ οἶδα τοὔπος τοῦτο, γίγνομαι δε πως
1270 ἔννους, μετασταθεῖσα τῶν πάρος φρενῶν.

ΚΑΔΜΟΣ

κλύοις ἂν οὖν τι κἀποκρίναι' ἂν σαφῶς;

ΑΓΑΥΗ

ὡς ἐκλέλησμαί γ' ἃ πάρος εἴπομεν, πάτερ.

ΚΑΔΜΟΣ

εἰς ποῖον ἦλθες οἶκον ὑμεναίων μέτα;

ΑΓΑΥΗ

σπαρτῷ μ' ἔδωκας, ὡς λέγουσ', Ἐχίονι.

ΚΑΔΜΟΣ

τίς οὖν ἐν οἴκοις παῖς ἐγένετο σῷ ποσει;

ΑΓΑΥΗ

Πενθεύς, ἐμῇ τε καὶ πατρὸς κοινωνίᾳ.

ΚΑΔΜΟΣ

τίνος πρόσωπον δῆτ' ἐν ἀγκάλαις ἔχεις;

ΑΓΑΥΗ

λέοντος, ὥς γ' ἔφασκον αἱ θηρώμεναι.

ΚΑΔΜΟΣ

σκέψαι νυν ὀρθῶς, βραχὺς ὁ μόχθος εἰσιδεῖν.

ΑΓΑΥΗ

1280 ἔα, τί λεύσσω; τί φέρομαι τόδ' ἐν χεροῖν;

ΚΑΔΜΟΣ

ἄθρησον αὐτὸ καὶ σαφέστερον μάθε.

ΑΓΑΥΗ

ὁρῶ μέγιστον ἄλγος ἡ τάλαιν' ἐγώ.

AGAVE

Brighter—more limpid-lucent than erewhile.

CADMUS

Is this delirium tossing yet thy soul?

AGAVE

This comprehend I not: yet—yet—it passes,
My late mood—I am coming to myself. 1270

CADMUS

Canst hearken aught then? Clearly canst reply?

AGAVE

Our words late-spoken—father, I forget them.

CADMUS

To what house camest thou with bridal-hymns?

AGAVE

Echion's—of the Dragon-seed, men say.

CADMUS

Thou barest—in thine halls, to thy lord—whom?

AGAVE

Pentheus—born of my union with his sire.

CADMUS

Whose head—*whose?*—art thou bearing in thine arms?

AGAVE

A lion's—so said they which hunted it.

CADMUS

Look well thereon:—small trouble this, to look.

AGAVE

Ah-h! *what* do I see? What bear I in mine hands? 1280

CADMUS

Gaze, gaze on it, and be thou certified.

AGAVE

I see—mine uttermost anguish! Woe is me!

ΚΑΔΜΟΣ

μῶν σοι λέοντι φαίνεται προσεικέναι;

ΑΓΑΥΗ

οὔκ· ἀλλὰ Πενθέως ἡ τάλαιν' ἔχω κάρα.

ΚΑΔΜΟΣ

ᾠμωγμένον γε πρόσθεν ἢ σὲ γνωρίσαι.

ΑΓΑΥΗ

τίς ἔκτανέν νιν; πῶς ἐμὰς ἦλθεν χέρας;

ΚΑΔΜΟΣ

δύστην' ἀλήθει', ὡς ἐν οὐ καιρῷ πάρει.

ΑΓΑΥΗ

λέγ', ὡς τὸ μέλλον καρδία πήδημ' ἔχει.

ΚΑΔΜΟΣ

σύ νιν κατέκτας καὶ κασίγνηται σέθεν.

ΑΓΑΥΗ

1290 ποῦ δ' ὤλετ'; ἢ κατ' οἶκον; ἢ ποίοις τόποις;

ΚΑΔΜΟΣ

οὗπερ πρὶν Ἀκταίωνα διέλαχον κύνες.

ΑΓΑΥΗ

τί δ' εἰς Κιθαιρῶν' ἦλθε δυσδαίμων ὅδε;

ΚΑΔΜΟΣ

ἐκερτόμει θεὸν σάς τε βακχείας μολών.

ΑΓΑΥΗ

ἡμεῖς δ' ἐκεῖσε τίνι τρόπῳ κατήραμεν;

ΚΑΔΜΟΣ

ἐμάνητε, πᾶσά τ' ἐξεβακχεύθη πόλις.

ΑΓΑΥΗ

Διόνυσος ἡμᾶς ὤλεσ', ἄρτι μανθάνω.

ΚΑΔΜΟΣ

ὕβριν γ' ὑβρισθείς· θεὸν γὰρ οὐχ ἡγεῖσθέ νιν.

ΑΓΑΥΗ

τὸ φίλτατον δὲ σῶμα ποῦ παιδός, πάτερ;

CADMUS

Seems it to thee now like a lion's head?

AGAVE

No!—wretched!—wretched!—Pentheus' head I hold!

CADMUS

Of me bewailed ere recognised of thee.

AGAVE

Who murdered him? How came he to mine hands?

CADMUS

O piteous truth that so untimely dawns!

AGAVE

Speak! Hard my heart beats, waiting for its doom.

CADMUS

Thou!—thou, and those thy sisters murdered him.

AGAVE

Where perished he?—at home, or in what place? 1290

CADMUS

There, where Actaeon erst by hounds was torn.

AGAVE

How to Cithaeron went this hapless one?

CADMUS

To mock the God and thy wild rites he went.

AGAVE

But we—for what cause thither journeyed we?

CADMUS

Ye were distraught: all Thebes went Bacchant-wild.

AGAVE

Dionysus ruined us! I see it now.

CADMUS

Ye flouted him, would not believe him God.

AGAVE

Where, father, is my son's belovèd corse?

ΚΑΔΜΟΣ

ἐγὼ μόλις τόδ' ἐξερευνήσας φέρω.

ΑΓΑΥΗ

1300 ἦ πᾶν ἐν ἄρθροις συγκεκλῃμένον καλῶς;

* * * * * * * * * * * *

ΑΓΑΥΗ

Πενθεῖ δὲ τί μέρος ἀφροσύνης προσῆκ' ἐμῆς;

ΚΑΔΜΟΣ

ὑμῖν ἐγένεθ' ὅμοιος, οὐ σέβων θεόν.
τοιγὰρ συνῆψε πάντας εἰς μίαν βλάβην,
ὑμᾶς τε τόνδε θ', ὥστε διολέσαι δόμους
κἄμ', ὅστις ἄτεκνος ἀρσένων παίδων γεγώς,
τῆς σῆς τόδ' ἔρνος, ὦ τάλαινα, νηδύος
αἴσχιστα καὶ κάκιστα κατθανόνθ' ὁρῶ,
ᾧ δῶμ' ἀνέβλεφ', ὃς συνεῖχες, ὦ τέκνον,
τοὐμὸν μέλαθρον, παιδὸς ἐξ ἐμῆς γεγώς,
1310 πόλει τε τάρβος ἦσθα· τὸν γέροντα δὲ
οὐδεὶς ὑβρίζειν ἤθελ' εἰσορῶν τὸ σὸν
κάρα· δίκην γὰρ ἀξίαν ἐλάμβανες.
νῦν δ' ἐκ δόμων ἄτιμος ἐκβεβλήσομαι
ὁ Κάδμος ὁ μέγας, ὃς τὸ Θηβαίων γένος
ἔσπειρα κἀξήμησα κάλλιστον θέρος.
ὦ φίλτατ' ἀνδρῶν, καὶ γὰρ οὐκέτ' ὢν ὅμως
τῶν φιλτάτων ἔμοιγ' ἀριθμήσει, τέκνον,
οὐκέτι γενείου τοῦδε θιγγάνων χερί,
τὸν μητρὸς αὐδῶν πατέρα προσπτύξει, τέκνον,
1320 λέγων· τίς ἀδικεῖ, τίς σ' ἀτιμάζει, γέρον;
τίς σὴν ταράσσει καρδίαν λυπηρὸς ὤν;
λέγ', ὡς κολάζω τὸν ἀδικοῦντά σ', ὦ πάτερ.
νῦν δ' ἄθλιος μέν εἰμ' ἐγώ, τλήμων δὲ σύ,
οἰκτρὰ δὲ μήτηρ, τλήμονες δὲ σύγγονοι.

CADMUS

Here do I bear it, by hard searching found.

AGAVE

Is it all meetly fitted limb to limb? 1300

CADMUS

[Yea,—now I add thereto this dear-loved head.]

AGAVE

But—in my folly what was Pentheus' part?

CADMUS

He was as ye, revering not the God,
Who therefore in one mischief whelmed you all,
You, and this prince, so ruining all our house
And me, who had no manchild of mine own,
Who see now, wretched daughter, this the fruit
Of thy womb horribly and foully slain.
To thee our house looked up, O son, the stay
Of mine old halls; my daughter's offspring thou,
Thou wast the city's dread: was none dared mock 1310
The old man, none that turned his eyes on thee,
O gallant head!—thou hadst well requited him.

Now from mine halls shall I in shame be cast—
Cadmus the great, who sowed the seed of Thebes,
And reaped the goodliest harvest of the world.
O best-beloved!—for, though thou be no more,
Thou shalt be counted best-beloved, O child,
Thou who shalt fondle never more my head,
Nor clasp and call me "Mother's father," child,
Crying, "Who wrongs thee, ancient?—flouts thee who? 1320
Who vexeth thee to trouble thine heart's peace?
Speak, that I may chastise the wrong, my sire."
Now am I anguish-stricken, wretched thou,
Woeful thy mother, and her sisters wretched!

εἰ δ' ἔστιν ὅστις δαιμόνων ὑπερφρονεῖ,
εἰς τοῦδ' ἀθρήσας θάνατον ἡγείσθω θεούς.

ΧΟΡΟΣ

τὸ μὲν σὸν ἀλγῶ, Κάδμε· σὸς δ' ἔχει δίκην
παῖς παιδὸς ἀξίαν μέν, ἀλγεινὴν δὲ σοί.

ΑΓΑΥΗ

ὦ πάτερ, ὁρᾷς γὰρ τἄμ' ὅσῳ μετεστράφη
* * * * * * * * * * *
* * * * * * * * * * *

ΔΙΟΝΥΣΟΣ

* * * * * * * * * * *
* * * * * * * * * * *
1330 δράκων γενήσει μεταβαλών, δάμαρ τε σὴ
ἐκθηριωθεῖσ' ὄφεος ἀλλάξει τύπον,
ἣν Ἄρεος ἔσχες Ἁρμονίαν θνητὸς γεγώς.
ὄχον δὲ μόσχων, χρησμὸς ὡς λέγει Διός,
ἐλᾷς μετ' ἀλόχου, βαρβάρων ἡγούμενος.
πολλὰς δὲ πέρσεις ἀναρίθμῳ στρατεύματι
πόλεις· ὅταν δὲ Λοξίου χρηστήριον
διαρπάσωσι, νόστον ἄθλιον πάλιν
στήσουσι· σὲ δ' Ἄρης Ἁρμονίαν τε ῥύσεται
μακάρων τ' ἐς αἶαν σὸν καθιδρύσει βίον.
1340 ταῦτ' οὐχὶ θνητοῦ πατρὸς ἐκγεγὼς λέγω
Διόνυσος, ἀλλὰ Ζηνός· εἰ δὲ σωφρονεῖν
ἔγνωθ', ὅτ' οὐκ ἠθέλετε, τὸν Διὸς γόνον
ηὐδαιμονεῖτ' ἂν σύμμαχον κεκτημένοι.

If any man there be that scorns the Gods,
This man's death let him note, and so believe.

CHORUS

Cadmus, for thee I grieve. Thy daughter's son
Hath but just doom—yet cruel doom for thee.

AGAVE

Father, thou seest what change hath passed o'er
me—

[A large portion of the play has here been lost, containing (1) the lament of Agave over her son; (2) a few lines, probably by the Chorus, announcing the appearance, in his shape as a God, of Dionysus; (3) the commencement of Dionysus' speech, in which he points out how Pentheus' sin has proved his destruction, how Agave and her sisters have, by their unbelief, involved themselves in his punishment, and will be exiles till death; and how Cadmus himself must suffer with his house, how he shall wander exiled from Hellas,—the portion preserved commencing with the prophecy of his weird transformation.] [1]

DIONYSUS

—Thou to a serpent shalt be changed: thy wife 1330
Harmonia, Ares' child, whom thou didst wed
When man, embruted shall to a snake be changed.
Thou with thy wife shalt drive a wain of steers
Leading barbaric hordes, Zeus' oracle saith,
And many a city with thy countless host
Shalt sack; but when they plunder Loxias' shrine,
Then shall they get them bitter home-return.
Thee and Harmonia shall Ares save,
And stablish in the Blessèd Land your lives.
This say I, of no mortal father born, 1340
Dionysus, but of Zeus. Had ye but learnt
Wisdom, what time ye would not, ye had been
Blest now, with Zeus' Son for your champion gained.

[1] For preserved fragments of this lost portion, see *Appendix*.

ΑΓΑΥΗ

Διόνυσε, λισσόμεσθά σ', ἠδικήκαμεν.

ΔΙΟΝΥΣΟΣ

ὄψ' ἐμάθεθ' ἡμᾶς, ὅτε δ' ἐχρῆν, οὐκ ᾔδετε.

ΑΓΑΥΗ

ἐγνώκαμεν ταῦτ'· ἀλλ' ἐπεξέρχει λίαν.

ΔΙΟΝΥΣΟΣ

καὶ γὰρ πρὸς ὑμῶν θεὸς γεγὼς ὑβριζόμην.

ΑΓΑΥΗ

ὀργὰς πρέπει θεοὺς οὐχ ὁμοιοῦσθαι βροτοῖς.

ΔΙΟΝΥΣΟΣ

πάλαι τάδε Ζεὺς οὑμὸς ἐπένευσεν πατήρ.

ΑΓΑΥΗ

1350 αἰαῖ, δέδοκται, πρέσβυ, τλήμονες φυγαί.

ΔΙΟΝΥΣΟΣ

τί δῆτα μέλλεθ' ἅπερ ἀναγκαίως ἔχει ;

ΚΑΔΜΟΣ

ὦ τέκνον, ὡς εἰς δεινὸν ἤλθομεν κακόν,
[πάντες], σύ θ' ἡ τάλαινα σύγγονοί τε σαί,
ἐγώ θ' ὁ τλήμων βαρβάρους ἀφίξομαι
γέρων μέτοικος· ἔτι δέ μοι τὸ θέσφατον
εἰς Ἑλλάδ' ἀγαγεῖν μιγάδα βάρβαρον στρατόν.
καὶ τὴν Ἄρεως παῖδ' Ἁρμονίαν δάμαρτ' ἐμήν,
δράκων δρακαίνης φύσιν ἔχουσαν ἀγρίαν
ἄξω 'πὶ βωμοὺς καὶ τάφους Ἑλληνικούς,
1360 ἡγούμενος λόγχαισιν· οὐδὲ παύσομαι
κακῶν ὁ τλήμων, οὐδὲ τὸν καταιβάτην
Ἀχέροντα πλεύσας ἥσυχος γενήσομαι.

ΑΓΑΥΗ

ὦ πάτερ, ἐγὼ δὲ σοῦ στερεῖσα φεύξομαι.

AGAVE

Dionysus, we beseech thee!—we have sinned

DIONYSUS

Too late ye know me, who knew not in your hour.

AGAVE

We know it: but thy vengeance passeth bounds.

DIONYSUS

I am a God: ye did despite to me.

AGAVE

It fits not that in wrath Gods be as men.

DIONYSUS

Long since my father Zeus ordained this so.

AGAVE

Alas! our woeful exile's doom is sealed! 1350

DIONYSUS

Why then delay the fate that needs must be? [*Exit.*

CADMUS

Daughter, to what dread misery are we come,—
Yea, all, thou and thy sisters—woe is thee?
And I—ah me!—must visit alien men,
A grey-haired sojourner. I am doomed withal
On Greeks to lead a mingled alien host;
And Ares' child, Harmonia my wife,
In serpent form shall I, a serpent, lead
Against our Hellas' altars and her tombs,
Captaining spears. And I shall find no rest 1360
From woes, alas! nor that down-rushing stream
Of Acheron shall I cross and be at peace!

AGAVE

Robbed of thee, father, exiled shall I be!

ΚΑΔΜΟΣ

τί μ' ἀμφιβάλλεις χερσίν, ὦ τάλαινα παῖ,
ὄρνιν ὅπως κηφῆνα πολιόχρως κύκνος;

ΑΓΑΥΗ

ποῖ γὰρ τράπωμαι πατρίδος ἐκβεβλημένη;

ΚΑΔΜΟΣ

οὐκ οἶδα, τέκνον· μικρὸς ἐπίκουρος πατήρ.

ΑΓΑΥΗ

χαῖρ', ὦ μέλαθρον, χαῖρ', ὦ πατρία
πόλις· ἐκλείπω σ' ἐπὶ δυστυχίᾳ
1370 φυγὰς ἐκ θαλάμων.

ΚΑΔΜΟΣ

στεῖχέ νυν, ὦ παῖ, τὸν Ἀρισταίου
* * * * * * * *

ΑΓΑΥΗ

στένομαί σε, πάτερ.

ΚΑΔΜΟΣ

κἀγὼ σέ, τέκνον,
καὶ σὰς ἐδάκρυσα κασιγνήτας.

ΑΓΑΥΗ

δεινῶς γὰρ τάνδ' αἰκίαν
Διόνυσος ἄναξ
τοὺς σοὺς εἰς οἴκους ἔφερεν.

ΚΑΔΜΟΣ

καὶ γὰρ ἔπασχεν δεινὰ πρὸς ὑμῶν,
ἀγέραστον ἔχων ὄνομ' ἐν Θήβαις.

ΑΓΑΥΗ

χαῖρε, πάτερ μοι.

ΚΑΔΜΟΣ

χαῖρ', ὦ μελέα
1380 θύγατερ. χαλεπῶς εἰς τόδ' ἂν ἥκοις.

CADMUS

Why cast thine arms about me, hapless child?
Like white swan cherishing its helpless sire?

AGAVE

Whither can I turn, outcast from my land?

CADMUS

I know not, child. Small help thy father is.

AGAVE

Farewell, mine home; farewell, ye city-towers
Of fatherland! In anguish of despair
I pass an exile from my bridal bowers. 1370

CADMUS

Child, to the halls of Aristaeus fare:
Abide thou there.

AGAVE

I mourn thee, father!

CADMUS

Child, I mourn for thee;
And for thy sisters do I weep withal.

AGAVE

For Dionysus' tyrannous majesty
Most fearfully hath caused upon thine hall
This shame to fall.

CADMUS

Yea, outrage foul to him of you was done,
In that his name in Thebes was held in scorn

AGAVE

Farewell, my father.

CADMUS

Farewell, hapless one,
Who ne'er shalt fare well, evermore forlorn! 1380

ΑΓΑΥΗ

ἄγετ᾽ ὦ πομποί με, κασιγνήτας
ἵνα συμφυγάδας λήψομεθ᾽ οἰκτρας.
ἔλθοιμι δ᾽ ὅπου
μήτε Κιθαιρὼν μιαρός μ᾽ ἐσίδοι,
μήτε Κιθαιρῶν᾽ ὄσσοισιν ἐγώ,
μήθ᾽ ὅθι θύρσου μνῆμ᾽ ἀνάκειται·
Βάκχαις δ᾽ ἄλλαισι μέλοιεν.

ΧΟΡΟΣ

πολλαὶ μορφαὶ τῶν δαιμονίων,
πολλὰ δ᾽ ἀέλπτως κραίνουσι θεοί·
1390 *καὶ τὰ δοκηθέντ᾽ οὐκ ἐτελέσθη,*
τῶν δ᾽ ἀδοκήτων πόρον ηὗρε θεός.
τοιόνδ᾽ ἀπέβη τόδε πρᾶγμα.

AGAVE

O ye, to my sisters guide me,
My companions in banishment's misery.
O that afar I might hide me
Where accursèd Cithaeron shall look not on me,
Nor I with mine eyes shall Cithaeron see,
Where memorial is none of the thyrsus-spear!
Be these unto other Bacchanals dear.

CHORUS

O the works of the Gods—in manifold wise they reveal them:
Manifold things unhoped-for the Gods to accomplishment bring.
And the things that we looked for, the Gods deign not to fulfil them; 1390
And the paths undiscerned of our eyes, the Gods unseal them.
So fell this marvellous thing.

[*Exeunt* OMNES.

APPENDIX TO THE "BACCHANALS."

A FEW fragments, given below, of the lost portion of the *Bacchae* have been collected, chiefly from the *Christus Patiens*, "a wretchedly stupid drama, falsely attributed to Gregory Nazianzenus, giving an account of the circumstances connected with the Passion of Christ, and consisting of a *cento* of verses taken chiefly from the *Bacchae*, *Rhesus*, and *Troades*" (Tyrrell, Introduction to his edition of the *Bacchae*).

The lines marked *A*. may be taken as from the speech of Agave; those marked *D*., as from that of Dionysus.

A. To find a doom of rending midst the rocks . . . .[1]

. . . .

What corpse is this that in mine arms I clasp?
How shall I press him—woe's me!—tenderly
Unto my breast?—in what wise wail o'er him?

. . . .

For, had mine hands received not mine own curse . . .[2]

. . . .

To rend to utter fragments every limb . . . .

. . . .

Kissing the shreds of flesh which once I nursed . . .

. . . .

Come, ancient, this thrice-hapless sufferer's head
Compose we reverently, and all the frame
Lay we together, far as in us lies.
O best-belovèd face, O youthful cheek . . . .
Lo, with this vesture do I veil thine head,
And these thy blood-bedabbled, furrow-scarred
Limbs . . . .

. . . .

Whose is the mantle that shall shroud thy form
Ah, whose the hands that now shall tend thee, son?

[1] From Lucian. [2] From the Scholiast to Aristophanes' *Plutus*.

APPENDIX

D. He dared the chain, he dared the scoffing word . . .

. . . .

They which should have been last to slay him, slew . . .

. . . .

All this hath yon man suffered righteously.

. . . .

Yea, and the nation's doom I will not hide—
To leave yon town, a sign to alien men,
To pass to many cities wandering,
Dragging a yoke of thraldom woefully,
War-captives, draining misery's cup to the dregs

. . . .

Yea, they must leave this city, expiate
The impious pollution of his murder,
And see no more their own land—God forbid
That murderers by their victims' graves should lie!

. . . .

All woes thou too must suffer will I tell.

THE
MADNESS OF HERCULES

ARGUMENT

Hercules was hated from his birth by Hera, and by her devices was made subject to Eurystheus, king of Argos. At his command he performed the great Twelve Labours, whereof the last was that he should bring up Cerberus, the Hound of Hades, from the Underworld. Ere he departed, he committed Amphitryon his father, with Megara his wife, and his sons, to the keeping of Creon, king of Thebes, and so went down into the Land of Darkness. Now when he was long time absent, so that men doubted whether he would ever return, a man of Euboea, named Lycus, was brought into Thebes by evil-hearted and discontented men, and with these conspired against Creon, and slew him, and reigned in his stead. Then he sought further to slay all that remained of the house of Hercules, lest any should in days to come avenge Creon's murder. So these, in their sore strait, took refuge at the altar of Zeus. And herein is told how, even as they stood under the shadow of death, Hercules returned for their deliverance, and how in the midst of that joy and triumph a yet worse calamity was brought upon them by the malice of Hera.

ΤΑ ΤΟΥ ΔΡΑΜΑΤΟΣ ΠΡΟΣΩΠΑ

ΑΜΦΙΤΡΥΩΝ
ΜΕΓΑΡΑ
ΧΟΡΟΣ ΘΗΒΑΙΩΝ ΓΕΡΟΝΤΩΝ
ΛΥΚΟΣ
ΗΡΑΚΛΗΣ
ΙΡΙΣ
ΛΥΣΣΑ
ΑΓΓΕΛΟΣ
ΘΗΣΕΥΣ

DRAMATIS PERSONAE.

AMPHITRYON, *husband of Alcmena, and reputed father of Hercules.*

MEGARA, *wife of Hercules.*

LYCUS, *a usurper, king of Thebes.*

HERCULES, *son of Zeus and Alcmena.*

IRIS, *a Goddess, messenger of the Gods.*

MADNESS, *a demon.*

SERVANT *of Hercules.*

THESEUS, *king of Athens.*

CHORUS, *consisting of Theban Elders.*

Three young Sons of Hercules; Attendants of Lycus and of Theseus.

SCENE: At Thebes, before the royal palace. The altar of Zeus stands in front.

ΗΡΑΚΛΗΣ ΜΑΙΝΟΜΕΝΟΣ

ΑΜΦΙΤΡΥΩΝ

Τίς τὸν Διὸς σύλλεκτρον οὐκ οἶδεν βροτῶν,
Ἀργεῖον Ἀμφιτρύων', ὃν Ἀλκαῖός ποτε
ἔτιχθ' ὁ Περσέως, πατέρα τόνδ' Ἡρακλέους;
ὃς τάσδε Θήβας ἔσχεν, ἔνθ' ὁ γηγενὴς
σπαρτῶν στάχυς ἔβλαστεν, ὧν γένους Ἄρης
ἔσωσ' ἀριθμὸν ὀλίγον, οἳ Κάδμου πόλιν
τεκνοῦσι παίδων παισίν. ἔνθεν ἐξέφυ
Κρέων Μενοικέως παῖς, ἄναξ τῆσδε χθονός.
Κρέων δὲ Μεγάρας τῆσδε γίγνεται πατήρ,
10 ἣν πάντες ὑμεναίοισι Καδμεῖοί ποτε
λωτῷ συνηλάλαξαν, ἡνίκ' εἰς ἐμοὺς
δόμους ὁ κλεινὸς Ἡρακλῆς νιν ἤγετο.
λιπὼν δὲ Θήβας, οὗ κατῳκίσθην ἐγώ,
Μεγάραν τε τήνδε πενθερούς τε παῖς ἐμὸς
Ἀργεῖα τείχη καὶ Κυκλωπίαν πόλιν
ὠρέξατ' οἰκεῖν, ἣν ἐγὼ φεύγω κτανὼν
Ἠλεκτρύωνα· συμφορὰς δὲ τὰς ἐμὰς
ἐξευμαρίζων καὶ πάτραν οἰκεῖν θέλων,
καθόδου δίδωσι μισθὸν Εὐρυσθεῖ μέγαν,
20 ἐξημερῶσαι γαῖαν, εἴθ' Ἥρας ὕπο
κέντροις δαμασθεὶς εἴτε τοῦ χρεὼν μέτα.
καὶ τοὺς μὲν ἄλλους ἐξεμόχθησεν πόνους,

THE MADNESS OF HERCULES

AMPHITRYON, MEGARA, *and her three Sons by Hercules, seated on the steps of the altar of Zeus the Deliverer.*

AMPHITRYON

Who knows not Zeus's couch-mate, who of men,
Argive Amphitryon, sprung from Perseus' son
Alcaeus, father of great Hercules?
Here in Thebes dwelt he, whence the earth-born crop
Of Sown Men rose, scant remnant of whose race
The War-god spared to people Cadmus' town
With children of their children. Sprang from these
Creon, Menoeceus' son, king of this land,
Creon, the father of this Megara,
Whose spousals all the sons of Cadmus once 10
Acclaimed with flutes, what time unto mine halls
Glorious Hercules brought home his bride.
But Thebes, wherein I dwelt, and Megara,
And all his marriage-kin, my son forsook,
Yearning for Argos' giant-builded burg
Mycenae, whence I am outlawed, since I slew
Electryon: he, to lighten mine affliction,
And fain to dwell in his own fatherland,
Proffered Eurystheus for our home-return—
Or spurred by Hera's goads, or drawn by fate— 20
A great price, even to rid the earth of pests.
And, all the other labours now achieved,

τὸ λοίσθιον δὲ Ταινάρου διὰ στόμα
βέβηκ' ἐς Ἅιδου τὸν τρισώματον κύνα
εἰς φῶς ἀνάξων, ἔνθεν οὐχ ἥκει πάλιν.
γέρων δὲ δή τις ἔστι Καδμείων λόγος
ὡς ἦν πάρος Δίρκης τις εὐνήτωρ Λύκος
τὴν ἑπτάπυργον τήνδε δεσπόζων πόλιν,
τὼ λευκοπώλω πρὶν τυραννῆσαι χθονὸς
30 Ἀμφίον' ἠδὲ Ζῆθον, ἐκγόνω Διός.
οὗ ταὐτὸν ὄνομα παῖς πατρὸς κεκλημένος,
Καδμεῖος οὐκ ὤν, ἀλλ' ἀπ' Εὐβοίας μολών,
κτείνει Κρέοντα καὶ κτανὼν ἄρχει χθονός,
στάσει νοσοῦσαν τήνδ' ἐπεισπεσὼν πόλιν.
ἡμῖν δὲ κῆδος εἰς Κρέοντ' ἀνημμένον
κακὸν μέγιστον, ὡς ἔοικε, γίγνεται.
τοὐμοῦ γὰρ ὄντος παιδὸς ἐν μυχοῖς χθονὸς
ὁ καινὸς οὗτος τῆσδε γῆς ἄρχων Λύκος
τοὺς Ἡρακλείους παῖδας ἐξελεῖν θέλει
40 κτανὼν δάμαρτά θ', ὡς φόνῳ σβέσῃ φόνον,
κἄμ'—εἴ τι δὴ χρὴ κἄμ' ἐν ἀνδράσιν λέγειν
γέροντ' ἀχρεῖον—μή ποθ' οἵδ' ἠνδρωμένοι
μήτρωσιν ἐκπράξωσιν αἵματος δίκην.
ἐγὼ δέ—λείπει γάρ με τοῖσδ' ἐν δώμασι
τροφὸν τέκνων οἰκουρόν, ἡνίκα χθονὸς
μέλαιναν ὄρφνην εἰσέβαινε παῖς ἐμός—
σὺν μητρί, τέκνα μὴ θάνωσ' Ἡρακλέους,
βωμὸν καθίζω τόνδε σωτῆρος Διός,
ὃν καλλινίκου δορὸς ἄγαλμ' ἱδρύσατο
50 Μινύας κρατήσας οὑμὸς εὐγενὴς τόκος.
πάντων δὲ χρεῖοι τάσδ' ἕδρας φυλάσσομεν,
σίτων ποτῶν ἐσθῆτος, ἀστρώτῳ πέδῳ
πλευρὰς τιθέντες· ἐκ γὰρ ἐσφραγισμένοι
δόμων καθήμεθ' ἀπορίᾳ σωτηρίας.

For the last, down the gorge of Taenarus
He hath passed to Hades, to bring up to light
The hound three-headed, whence he hath not returned.

Now an old legend lives mid Cadmus' sons
That erstwhile was one Lycus Dirce's spouse,
And of this seven-gated city king,
Ere Zethus and Amphion ruled the land,
Lords of the White Steeds, sprung from loins of Zeus. 30
And this man's son, who bears his father's name,—
No Theban, an Euboean outlander,—
Fell on the city by sedition rent,
Slew Creon, and having slain him rules the land.
And mine affinity with Creon knit
Is turned to mighty evil, well I wot.
For while my son is in the earth's dark heart,
This upstart Lycus, ruler of the land,
Would fain destroy the sons of Hercules,
And slay, with blood to smother blood, his wife 40
And me,—if I be reckoned among men,
A useless greybeard,—lest these, grown to man,
Take vengeance for their mother's father's blood.

And I—for my son left me in his halls
To ward his sons and foster them, when he
Into the earth's black nether darkness passed—
Here with their mother sit, that Hercules' sons
May die not, at the altar of Saviour Zeus,
Which, in thanksgiving for the victory won
O'er Minyan foes, mine hero-scion reared. 50
And, lacking all things, raiment, meat, and drink,
Here keep we session, on the bare hard ground
Laying our limbs; for desperate of life
Here sit we, barred from homes whose doors are sealed.

φίλων δὲ τοὺς μὲν οὐ σαφεῖς ὁρῶ φίλους,
οἱ δ' ὄντες ὀρθῶς ἀδύνατοι προσωφελεῖν.
τοιοῦτον ἀνθρώποισιν ἡ δυσπραξία,
ἧς μήποθ' ὅστις καὶ μέσως εὔνους ἐμοὶ
τύχοι, φίλων ἔλεγχον ἀψευδέστατον.

ΜΕΓΑΡΑ

60 ὦ πρέσβυ, Ταφίων ὅς ποτ' ἐξεῖλες πόλιν
στρατηλατήσας κλεινὰ Καδμείων δορός,
ὡς οὐδὲν ἀνθρώποισι τῶν θείων σαφές.
ἐγὼ γὰρ οὔτ' εἰς πατέρ' ἀπηλάθην τύχης,
ὃς εἵνεκ' ὄλβου μέγας ἐκομπάσθη ποτέ,
ἔχων τυραννίδ', ἧς μακραὶ λόγχαι πέρι
πηδῶσ' ἔρωτι σώματ' εἰς εὐδαίμονα,
ἔχων δὲ τέκνα· κἄμ' ἔδωκε παιδὶ σῷ
ἐπίσημον εὐνὴν Ἡρακλεῖ συνοικίσας·
καὶ νῦν ἐκεῖνα μὲν θανόντ' ἀνέπτατο·
70 ἐγὼ δὲ καὶ σὺ μέλλομεν θνῄσκειν, γέρον,
οἵ θ' Ἡράκλειοι παῖδες, οὓς ὑπὸ πτεροῖς
σῴζω νεοσσοὺς ὄρνις ὣς ὑφειμένους.
οἱ δ' εἰς ἔλεγχον ἄλλος ἄλλοθεν πίτνων,
ὦ μῆτερ, αὐδᾷ, ποῖ πατὴρ ἄπεστι γῆς;
τί δρᾷ, πόθ' ἥξει; τῷ νέῳ δ' ἐσφαλμένοι
ζητοῦσι τὸν τεκόντ'· ἐγὼ δὲ διαφέρω
λόγοισι μυθεύουσα· θαυμάζω δ', ὅταν
πύλαι ψοφῶσι, πᾶς τ' ἀνίστησιν πόδα,
ὡς πρὸς πατρῷον προσπεσούμενοι γόνυ.
80 νῦν οὖν τίν' ἐλπίδ' ἢ πόρον σωτηρίας
ἐξευμαρίζει, πρέσβυ; πρὸς σὲ γὰρ βλέπω.
ὡς οὔτε γαίας ὅρι' ἂν ἐκβαῖμεν λάθρᾳ·
φυλακαὶ γὰρ ἡμῶν κρείσσονες κατ' ἐξόδους·
οὔτ' ἐν φίλοισιν ἐλπίδες σωτηρίας
ἔτ' εἰσὶν ἡμῖν. ἥντιν' οὖν γνώμην ἔχεις

And of friends some, I note, are insincere,
Some, friends in truth, are helpless for our aid:
Such evil is misfortune unto men;
'Tis friendship's sternest test: may it never come
To friend of mine, how faint soe'er his love!

MEGARA

Ancient, who once didst smite the Taphians' burg, 60
Captaining gloriously the Theban spears,
How are God's ways with men past finding out!
Not Fortune's outcast was I through my sire:
So prospered he, all men acclaimed him great:
Kingship he had—that thing for lust whereof
Long lances leap against men fortune-throned:
Children had he; me to thy son he gave,
In glorious spousal joined with Hercules.
Now is all dead—on vanished pinions flown!
Now, ancient, thou and I are marked for death, 70
With Hercules' children, whom, as 'neath her wings
A bird her fledglings gathereth, so I keep.
And this one, that one falls to questioning still—
"Mother, in what land stays our father?—tell.
What doth he? When comes?" In child-ignorance
They seek their sire: and still I put them by
With fables feigned; yet wondering start, whene'er
A door sounds; and all leap unto their feet,
Looking to cling about their father's knees.

What hope or path of safety, ancient, now 80
Canst thou devise?—for unto thee I look.
We cannot quit the land's bounds unperceived,
For at all outlets guards too strong are set:
Nor linger hopes of safety any more
In friends. What counsel then thou hast soe'er,

λέγ' εἰς τὸ κοινόν, μὴ θανεῖν ἕτοιμον ᾖ,
χρόνον δὲ μηκύνωμεν ὄντες ἀσθενεῖς.

ΑΜΦΙΤΡΥΩΝ

ὦ θύγατερ, οὔτοι ῥᾴδιον τὰ τοιάδε
φαύλως περαίνειν σπουδάσαντ' ἄνευ πόνου.

ΜΕΓΑΡΑ

90 λύπης τι προσδεῖς ἢ φιλεῖς οὕτω φάος;

ΑΜΦΙΤΡΥΩΝ

καὶ τῷδε χαίρω καὶ φιλῶ τὰς ἐλπίδας.

ΜΕΓΑΡΑ

κἀγώ· δοκεῖν δὲ τἀδόκητ' οὐ χρή, γέρον.

ΑΜΦΙΤΡΥΩΝ

ἐν ταῖς ἀναβολαῖς τῶν κακῶν ἔνεστ' ἄκη.

ΜΕΓΑΡΑ

ὁ δ' ἐν μέσῳ με λυπρὸς ὢν δάκνει χρόνος.

ΑΜΦΙΤΡΥΩΝ

ἔτ' ἂν γένοιτ', ὦ θύγατερ, οὔριος δρόμος
ἐκ τῶν παρόντων τῶνδ' ἐμοὶ καὶ σοὶ κακῶν,
ἔλθοι τ' ἔτ' ἂν παῖς οὑμός, εὐνήτωρ δὲ σός.
ἀλλ' ἡσύχαζε καὶ δακρυρρόους τέκνων
πηγὰς ἀφαίρει καὶ παρευκήλει λόγοις,
100 κλέπτουσα μύθοις ἀθλίους κλοπὰς ὅμως.
κάμνουσι γάρ τοι καὶ βροτῶν αἱ συμφοραί,
καὶ πνεύματ' ἀνέμων οὐκ ἀεὶ ῥώμην ἔχει,
οἵ τ' εὐτυχοῦντες διὰ τέλους οὐκ εὐτυχεῖς·
ἐξίσταται γὰρ πάντ' ἀπ' ἀλλήλων δίχα.
οὗτος δ' ἀνὴρ ἄριστος ὅστις ἐλπίσι
πέποιθεν ἀεί· τὸ δ' ἀπορεῖν ἀνδρὸς κακοῦ.

ΧΟΡΟΣ

ὑψόροφα μέλαθρα στρ.
καὶ γεραιὰ δέμνι', ἀμφὶ βάκτροις

Now speak it out, lest death be at the door,
And we, who are helpless, do but peize the time.

AMPHITRYON

Daughter, not easily, without deep thought,
May one, though ne'er so earnest, counsel here.

MEGARA

Dost seek more grief? Art so in love with life? 90

AMPHITRYON

In this life I rejoice: I love its hopes.

MEGARA

And I: yet for things hopeless none may look.

AMPHITRYON

Even in delay is salve for evils found.

MEGARA

But ah the gnawing anguish of suspense!

AMPHITRYON

Daughter, a fair-wind course may yet befall
From storms of present ills for thee and me.
Yet may he come—my son, thy lord, may come.
Nay, calm thee: stop the fountains welling tears
Of these thy sons, and soothe them with thy words,
Cheating them with a fable—piteous cheat! 100
Sooth, men's afflictions weary of their work,
And tempest-blasts not alway keep their force;
Nor prosperous to the end the prosperous are;
For all things fleet and yield each other place.
He is the hero, who in steadfast hope
Trusts on: despair is but the coward's part.

Enter CHORUS, *leaning on their staves, and climbing the ascent to the altar.*

CHORUS

Unto the stately palace-roofs, whereby (*Str.*)
The ancient coucheth on the ground,

ἔρεισμα θέμενος, ἐστάλην ἰαλέμων
110 γόων ἀοιδὸς ὥστε πολιὸς ὄρνις,
ἔπεα μόνον καὶ δόκημα νυκτερωπὸν
ἐννύχων ὀνείρων,
τρομερὰ μέν, ἀλλ' ὅμως πρόθυμα.

ὦ τέκεα πατρὸς ἀπάτορ', ὦ
γεραιὲ σύ τε τάλαινα μᾶ-
τερ, ἃ τὸν Ἀίδα δόμοις
πόσιν ἀναστενάζεις.

μὴ πόδα προκάμητε ἀντ.
120 βαρύ τε κῶλον, ὥστε πρὸς πετραῖον
†λέπας ζυγοφόρος ἅρματος βάρος φέρων
τροχηλάτοιο πῶλος.[1]
λαβοῦ χερῶν καὶ πέπλων, ὅτου λέλοιπε
ποδὸς ἀμαυρὸν ἴχνος·
γέρων γέροντα παρακόμιζε,
ᾧ ξύνοπλα δόρατα νέα νέῳ
τὸ πάρος ἐν ἡλίκων πόνοις
ξυνῆν ποτ', εὐκλεεστάτας
πατρίδος οὐκ ὀνείδη.

130 ἴδετε, πατρὸς ὡς ἐπῳδ.
γοργῶπες αἵδε προσφερεῖς
ὀμμάτων αὐγαί,
τὸ δὲ δὴ κακοτυχὲς οὐ λέλοιπεν ἐκ τέκνων,
οὐδ' ἀποίχεται χάρις.

[1] A very corrupt passage : Nauck's reading adopted.

Bowed o'er my propping staff—a chanter I
Whose song rings sorrow round— 110

Like some hoar swan I come—a voice, no more,
Like to a night-dream's phantom-show,
Palsied with eld, yet loyal as of yore
To friends of long ago.

Hail, children fatherless! Hail, ancient, thou!
Hail, mother bowed 'neath sorrow's load,
Who mournest for thy lord long absent now
In the Unseen King's abode!

Let feet not faint, nor let the tired limbs trail (*Ant.*)
Heavy, as when uphillward strain, 120
Trampling the stones, a young steed's feet that hale
The massy four-wheel wain.

Lay hold on helping hand, on vesture's fold,
Whoso hath failing feet that grope
Blindly: thy brother, ancient, thou uphold
Up this steep temple-slope,

Thy friend, who once mid toils of battle-peers
Shoulder to shoulder, did not shame—
When thou and he were young, when clashed the spears,—
His country's glorious name.

Mark ye how dragon-like glaring (*Epode.*) 130
As the eyes of the sire whom we knew
Are the eyes of the sons!—and unsparing
His hard lot followeth too
His sons! and the kingly mien
Of the sire in the children is seen.

Ἑλλὰς ὦ ξυμμάχους
οἵους οἵους ὀλέσασα
τούσδ' ἀποστερήσει.

ἀλλ' εἰσορῶ γὰρ τῆσδε κοίρανον χθονὸς
Λύκον περῶντα τῶνδε δωμάτων πάρος.

ΛΥΚΟΣ

140 τὸν Ἡράκλειον πατέρα καὶ ξυνάορον,
εἰ χρή μ', ἐρωτῶ· χρὴ δ', ἐπεί γε δεσπότης
ὑμῶν καθέστηχ', ἱστορεῖν ἃ βούλομαι·
τίν' εἰς χρόνον ζητεῖτε μηκῦναι βίον;
τίν' ἐλπίδ' ἀλκήν τ' εἰσορᾶτε μὴ θανεῖν;
ἢ τὸν παρ' Ἅιδῃ πατέρα τῶνδε κείμενον
πιστεύεθ' ἥξειν; ὡς ὑπὲρ τὴν ἀξίαν
τὸ πένθος αἴρεσθ', εἰ θανεῖν ὑμᾶς χρεών,
σὺ μὲν καθ' Ἑλλάδ' ἐκβαλὼν κόμπους κενοὺς
ὡς σύγγαμός σοι Ζεὺς τέκνου τε κοινέων,[1]
150 σὺ δ' ὡς ἀρίστου φωτὸς ἐκλήθης δάμαρ.
τί δὴ τὸ σεμνὸν σῷ κατείργασται πόσει,
ὕδραν ἕλειον εἰ διώλεσε κτανὼν
ἢ τὸν Νέμειον θῆρ'; ὃν ἐν βρόχοις ἑλὼν
βραχίονός φησ' ἀγχόναισιν ἐξελεῖν.
τοῖσδ' ἐξαγωνίζεσθε; τῶνδ' ἄρ' εἵνεκεν
τοὺς Ἡρακλείους παῖδας οὐ θνῄσκειν χρεών;
ὃς ἔσχε δόξαν οὐδὲν ὢν εὐψυχίας
θηρῶν ἐν αἰχμῇ, τἄλλα δ' οὐδὲν ἄλκιμος,
ὃς οὔποτ' ἀσπίδ' ἔσχε πρὸς λαιᾷ χερὶ
160 οὐδ' ἦλθε λόγχης ἐγγύς, ἀλλὰ τόξ' ἔχων,
κάκιστον ὅπλον, τῇ φυγῇ πρόχειρος ἦν.
ἀνδρὸς δ' ἔλεγχος οὐχὶ τόξ' εὐψυχίας,

[1] Heath: for MSS. τέκοι νέον.

O Hellas, if thou uncaring
Beholdest them slain, what a band
Of champions is lost to our land!

But lo, the ruler of this realm I see,
Lycus, unto these mansions drawing nigh.

Enter LYCUS.

LYCUS

Thee, sire of Hercules, and thee, his wife, 140
I ask—if ask I may:—I may, I trow,
Who am your lord, make question as I will:—
How long seek ye to lengthen out your lives?
What hope expect ye or help from imminent death?
Trust ye that he, the sire of these, who lies
In Hades, yet shall come? How basely ye
Upraise a mourning that ye needs must die!—
Thou, who through Hellas scatteredst empty vaunts
That Zeus was co-begetter of sons with thee,
And thou, that thou wast named a hero's wife! 150
What mighty exploit by thy lord was wrought
In that he killed a hydra of the fen,
Or that Nemean lion?—which he snared,
Yet saith he slew with grip of strangling arms!
By *these* deeds would ye triumph?—for their sake
Must they die not, these sons of Hercules?
That thing of naught, who won him valour's name
Battling with beasts, a craven in all else,
Who never to his left arm clasped the shield,
Nor within spear-thrust came; but with his bow, 160
The dastard's tool, was ever at point to flee!
Bows be no test of manhood's valiancy:

ἀλλ᾽ ὃς μένων βλέπει τε κἀντιδέρκεται
δορὸς ταχεῖαν ἄλοκα τάξιν ἐμβεβώς.
ἔχει δὲ τοὐμὸν οὐκ ἀναίδειαν, γέρον,
ἀλλ᾽ εὐλάβειαν· οἶδα γὰρ κατακτανὼν
Κρέοντα πατέρα τῆσδε καὶ θρόνους ἔχων.
οὔκουν τραφέντων τῶνδε τιμωροὺς ἐμοὶ
χρῄζω λιπέσθαι τῶν δεδραμένων δίκην.

ΑΜΦΙΤΡΥΩΝ

170 τὸ τοῦ Διὸς μὲν Ζεὺς ἀμυνέτω μέρει
παιδός· τὸ δ᾽ εἰς ἔμ᾽, Ἡράκλεις, ἐμοὶ μέλει
λόγοισι τὴν τοῦδ᾽ ἀμαθίαν ὑπὲρ σέθεν
δεῖξαι· κακῶς γάρ σ᾽ οὐκ ἐατέον κλύειν.
πρῶτον μὲν οὖν τἄρρητ᾽, ἐν ἀρρήτοισι γὰρ
τὴν σὴν νομίζω δειλίαν, Ἡράκλεες,
σὺν μάρτυσιν θεοῖς δεῖ μ᾽ ἀπαλλάξαι σέθεν.
Διὸς κεραυνὸν δ᾽ ἠρόμην τέθριππά τε,
ἐν οἷς βεβηκὼς τοῖσι γῆς βλαστήμασι
Γίγασι, πλευροῖς πτήν᾽ ἐναρμόσας βέλη,
180 τὸν καλλίνικον μετὰ θεῶν ἐκώμασε·
τετρασκελές θ᾽ ὕβρισμα Κενταύρων γένος,
Φολόην ἐπελθών, ὦ κάκιστε βασιλέων,
ἐροῦ τίν᾽ ἄνδρ᾽ ἄριστον ἐγκρίνειαν ἄν,
ἢ οὐ παῖδα τὸν ἐμόν, ὃν σὺ φῂς εἶναι δοκεῖν.
Δίρφυν δ᾽ ἐρωτῶν ἥ σ᾽ ἔθρεψ᾽ Ἀβαντίδα,
οὐκ ἄν σ᾽ ἐπαινέσειεν· οὐ γὰρ ἔσθ᾽ ὅπου
ἐσθλόν τι δράσας μάρτυρ᾽ ἂν λάβοις πάτραν.
τὸ πάνσοφον δ᾽ εὕρημα, τοξήρη σάγην,
μέμφει· κλύων νῦν τἀπ᾽ ἐμοῦ σοφὸς γενοῦ.
190 ἀνὴρ ὁπλίτης δοῦλός ἐστι τῶν ὅπλων,
κἂν τοῖσι συνταχθεῖσιν οὖσι μὴ ἀγαθοῖς
αὐτὸς τέθνηκε δειλίᾳ τῇ τῶν πέλας,
θραύσας τε λόγχην οὐκ ἔχει τῷ σώματι

Who bideth steadfast in the ranks, calm-eyed
Facing the spear's swift furrow—a man is he!
Greybeard, no ruthlessness hath this my part,
But heedfulness: well know I that I slew
Creon, this woman's sire, and hold his throne.
Therefore I would not these should grow to man,
Left to avenge them on me for my deeds.

AMPHITRYON

For Zeus's part—his own son's birth let Zeus 170
Defend: but, Hercules, to me it falls
Pleading thy cause to show this fellow's folly:
I may not suffer thee to be defamed.
First, of that slander—for a slanderous lie,
Hercules, count I cowardice charged on thee,—
By the Gods' witness thee I clear of this:
To Zeus's thunder I appeal, to the car
That bare the Hero against the earth-born brood,
The Giants, planting winged shafts in their ribs,
When with the Gods he sang the victory-chant. 180
Or thou to Pholoë go, most base of kings,
The four-foot monsters ask, the Centaur tribe,
Ask them whom they would count the bravest man.
Whom but my son?—by thee named "hollow show"!
Ask Dirphys, Abas' land, which fostered thee;
It should not praise thee:—place is none wherein
Thy land could witness to brave deed of thine!

And at the bow, the crown of wise inventions,
Thou sneerest!—now learn wisdom from my mouth:
The man-at-arms is bondsman to his arms, 190
And through his fellows, if their hearts wax faint,
Even through his neighbours' cowardice, he dies.
And, if he break his spear, he hath naught to ward

θάνατον ἀμῦναι, μίαν ἔχων ἀλκὴν μόνον·
ὅσοι δὲ τόξοις χεῖρ᾿ ἔχουσιν εὔστοχον,
ἓν μὲν τὸ λῷστον, μυρίους οἰστοὺς ἀφεὶς
ἄλλοις τὸ σῶμα ῥύεται μὴ κατθανεῖν,
ἑκὰς δ᾿ ἀφεστὼς πολεμίους ἀμύνεται
τυφλοῖς ὁρῶντας οὐτάσας τοξεύμασι,
200 τὸ σῶμά τ᾿ οὐ δίδωσι τοῖς ἐναντίοις,
ἐν εὐφυλάκτῳ δ᾿ ἐστί· τοῦτο δ᾿ ἐν μάχῃ
σοφὸν μάλιστα, δρῶντα πολεμίους κακῶς
σῴζειν τὸ σῶμα, μὴ ᾿κ τύχης ὡρμισμένους.
λόγοι μὲν οἵδε τοῖσι σοῖς ἐναντίαν
γνώμην ἔχουσι τῶν καθεστώτων πέρι.
παῖδας δὲ δὴ τί τούσδ᾿ ἀποκτεῖναι θέλεις;
τί σ᾿ οἵδ᾿ ἔδρασαν; ἕν τί σ᾿ ἡγοῦμαι σοφόν,
εἰ τῶν ἀρίστων τἄκγον᾿ αὐτὸς ὢν κακὸς
δέδοικας. ἀλλὰ τοῦθ᾿ ὅμως ἡμῖν βαρύ,
210 εἰ δειλίας σῆς κατθανούμεθ᾿ εἵνεκα,
ὃ χρῆν σ᾿ ὑφ᾿ ἡμῶν τῶν ἀμεινόνων παθεῖν,
εἰ Ζεὺς δικαίας εἶχεν εἰς ἡμᾶς φρένας.
εἰ δ᾿ οὖν ἔχειν γῆς σκῆπτρα τῆσδ᾿ αὐτὸς θέλεις,
ἔασον ἡμᾶς φυγάδας ἐξελθεῖν χθονός·
βίᾳ δὲ δράσῃς μηδέν, ἢ πείσει βίαν,
ὅταν θεός σοι πνεῦμα μεταβαλὼν τύχῃ.
φεῦ·
ὦ γαῖα Κάδμου, καὶ γὰρ εἰς σ᾿ ἀφίξομαι
λόγους ὀνειδιστῆρας ἐνδατούμενος,
τοιαῦτ᾿ ἀμύνεθ᾿ Ἡρακλεῖ τέκνοισί τε;
220 ὃς εἷς Μινύαισι πᾶσι διὰ μάχης μολὼν
Θήβαις ἔθηκεν ὄμμ᾿ ἐλεύθερον βλέπειν.
οὐδ᾿ Ἑλλάδ᾿ ᾔνεσ᾿, οὐδ᾿ ἀνέξομαί ποτε
σιγῶν, κακίστην λαμβάνων εἰς παῖδ᾿ ἐμόν,
ἣν χρῆν νεοσσοῖς τοῖσδε πῦρ λόγχας ὅπλα

Death from himself, who hath but one defence.
But he whose hand is cunning with the bow,—
This first, and best,—lets fly unnumbered shafts,
Yet still hath store wherewith to avert the death.
Afar he stands, yet beats the foeman back,
And wounds with shafts unseen, watch as they will;
Yet never bares his body to the foe, 200
But is safe-warded; and in battle this
Is wisest policy, still to harm all foes
That beyond range shrink not, oneself unhurt.
These words have sense opposed full-face to thine
Touching the matter set at issue here.

But wherefore art thou fain to slay these boys?
What have they done? Herein I count thee wise,
That thou, thyself a dastard, fear'st the seed
Of heroes: yet hard fate is this for us,
If we shall for thy cowardice' sake be slain, 210
As thou by us thy betters shouldst have been,
If Zeus to us were righteously inclined.
Yet, if thy will be still to keep Thebes' crown,
Suffer us exiled to go forth the land;
But do no violence, lest thou suffer it,
When God shall haply cause the wind to change.

Out on it!
O land of Cadmus,—for to thee I turn,
Over thee hurling mine upbraiding words,—
Hercules and his sons *thus* succourest thou,
Him who alone faced all the Minyan host, 220
And made the eyes of Thebes see freedom's dawn?
Oh, shame on Hellas!—I will hold my peace
Never, who prove her ingrate to my son,—
Her, whom behoved with fire, with spear, with shield

φέρουσαν ἐλθεῖν, ποντίων καθαρμάτων
χέρσου τ' ἀμοιβάς, ὧν ἐμόχθησεν χάριν.
τὰ δ', ὦ τέκν', ὑμῖν οὔτε Θηβαίων πόλις
οὔθ' Ἑλλὰς ἀρκεῖ· πρὸς δ' ἔμ' ἀσθενῆ φίλον
δεδόρκατ', οὐδὲν ὄντα πλὴν γλώσσης ψόφον.
230 ῥώμη γὰρ ἐκλέλοιπεν ἣν πρὶν εἴχομεν·
γήρᾳ δὲ τρομερὰ γυῖα κἀμαυρὸν σθένος.
εἰ δ' ἦ νέος τε κἄτι σώματος κρατῶν,
λαβὼν ἂν ἔγχος τοῦδε τοὺς ξανθοὺς πλόκους
καθῃμάτωσ' ἄν, ὥστ' Ἀτλαντικῶν πέραν
φεύγειν ὅρων ἂν δειλίᾳ τοὐμὸν δόρυ.

ΧΟΡΟΣ

ἆρ' οὐκ ἀφορμὰς τοῖς λόγοισιν ἀγαθοὶ
θνητῶν ἔχουσι, κἂν βραδύς τις ᾖ λέγειν;

ΛΥΚΟΣ

σὺ μὲν λέγ' ἡμᾶς οἷς πεπύργωσαι λόγοις,
ἐγὼ δὲ δράσω σ' ἀντὶ τῶν λόγων κακῶς.
240 ἄγ', οἱ μὲν Ἑλικῶν', οἱ δὲ Παρνασοῦ πτυχὰς
τέμνειν ἄνωχθ' ἐλθόντες ὑλουργοὺς δρυὸς
κορμούς· ἐπειδὰν δ' εἰσκομισθῶσιν πόλει,
βωμὸν πέριξ νήσαντες ἀμφήρη ξύλα
ἐμπίπρατ' αὐτῶν καὶ πυροῦτε σώματα
πάντων, ἵν' εἰδῶσ' οὕνεκ' οὐχ ὁ κατθανὼν
κρατεῖ χθονὸς τῆσδ', ἀλλ' ἐγὼ τὰ νῦν τάδε.
ὑμεῖς δὲ πρέσβεις ταῖς ἐμαῖς ἐναντίοι
γνώμαισιν ὄντες, οὐ μόνον στενάξετε
τοὺς Ἡρακλείους παῖδας, ἀλλὰ καὶ δόμου
250 τύχας, ὅταν πάσχῃ τι, μεμνήσεσθε δὲ
δοῦλοι γεγῶτες τῆς ἐμῆς τυραννίδος.

ΧΟΡΟΣ

ὦ γῆς λοχεύμαθ', οὓς Ἄρης σπείρει ποτὲ
λάβρον δράκοντος ἐξερημώσας γένυν,

To have helped these babes, thank-offering for his
toils,
Repayment for his purging seas and lands.
Ah boys, such aid to you the Thebans' town
Nor Hellas brings! To me, a strengthless friend,
Ye look, who am nothing but a voice's sound:
For vanished is the might I had of old, 230
Palsied with eld my limbs are, gone my strength.
Were I but young yet, master of my thews,
I had grasped a lance, this fellow's yellow hair
I had dashed with blood, and so before my spear
Far beyond Atlas' bounds the craven had fled!

CHORUS

Lo, cannot brave men find occasion still
For speech, how slow soe'er one be of tongue?

LYCUS

Rail on at me with words up-piled as towers:
I will for words requite on thee ill deeds.
(*To attendant*) Ho! bid my woodmen go—to Helicon
these, 240
Those to Parnassus' folds, and hew them logs
Of oak; and, when these into Thebes are brought,
On either side the altar billets pile,
And kindle; so the bodies of all these
Roast ye, that they may know that not the dead
Ruleth the land, but now am I king here.
And ye old men which set yourselves against
My purpose, not for Hercules' sons alone
Shall ye make moan, but for your homes' affliction,
Fast as blows fall, and so shall not forget 250
That ye are bondslaves of my princely power.

CHORUS

O brood of Earth, whom Ares sowed of yore,
What time he stripped the dragon's ravening jaws,

οὐ σκῆπτρα, χειρὸς δεξιᾶς ἐρείσματα,
ἀρεῖτε καὶ τοῦδ' ἀνδρὸς ἀνόσιον κάρα
καθαιματώσεθ', ὅστις οὐ Καδμεῖος ὢν
ἄρχει κάκιστος τῶν νέων ἔπηλυς ὤν;
ἀλλ' οὐκ ἐμοῦ γε δεσπόσεις χαίρων ποτέ,
οὐδ' ἁπόνησα πόλλ' ἐγὼ καμὼν χερὶ
260 ἕξεις· ἀπέρρων δ' ἔνθεν ἦλθες ἐνθάδε,
ὕβριζ'· ἐμοῦ γὰρ ζῶντος οὐ κτενεῖς ποτε
τοὺς Ἡρακλείους παῖδας· οὐ τοσόνδε γῆς
ἔνερθ' ἐκεῖνος κρύπτεται λιπὼν τέκνα.
ἐπεὶ σὺ μὲν γῆν τήνδε διολέσας ἔχεις,
ὁ δ' ὠφελήσας ἀξίων οὐ τυγχάνει·
κἄπειτα πράσσω πόλλ' ἐγώ, φίλους ἐμοὺς
θανόντας εὖ δρῶν οὗ φίλων μάλιστα δεῖ;
ὦ δεξιὰ χείρ, ὡς ποθεῖς λαβεῖν δόρυ,
ἐν δ' ἀσθενείᾳ τὸν πόθον διώλεσας.
270 ἐπεί σ' ἔπαυσ' ἂν δοῦλον ἐννέποντά με
καὶ τάσδε Θήβας εὐκλεῶς ᾠκήσαμεν,
ἐν αἷς σὺ χαίρεις. οὐ γὰρ εὖ φρονεῖ πόλις
στάσει νοσοῦσα καὶ κακοῖς βουλεύμασιν·
οὐ γάρ ποτ' ἂν σὲ δεσπότην ἐκτήσατο.

ΜΕΓΑΡΑ

γέροντες, αἰνῶ· τῶν φίλων γὰρ εἵνεκα
ὀργὰς δικαίας τοὺς φίλους ἔχειν χρεών·
ἡμῶν δ' ἕκατι δεσπόταις θυμούμενοι
πάθητε μηδέν. τῆς δ' ἐμῆς, Ἀμφιτρύων,
γνώμης ἄκουσον, ἤν τί σοι δοκῶ λέγειν.
280 ἐγὼ φιλῶ μὲν τέκνα· πῶς γὰρ οὐ φιλῶ
ἅτικτον, ἁμόχθησα; καὶ τὸ κατθανεῖν
δεινὸν νομίζω· τῷ δ' ἀναγκαίῳ τρόπῳ

Will ye not lift the props of your right hands,
Your staves, and dash with blood the impious head
Of yon man, who, though no Cadmeian he,
Base outland upstart, captains the Young Men?[1]
Thou shalt not scatheless lord it over me!
Not that which I have gotten by toil of hand
Shalt thou have! Hence with curses whence thou
cam'st! 260
There outrage! Whilst I live thou ne'er shalt slay
Hercules' sons! Not hidden in earth too deep
For help is he, though he hath left his babes.
Thou, ruin of this land, possessest her;
And he, her saviour, faileth of his due!
Am I a busy meddler then, who aid
Dead friends in plight where friends are needed
most?
Ah right hand, how thou yearn'st to grip the spear,
But in thy weakness know'st thy yearning vain!
Else had I smitten thy taunt of *bondslave* dumb, 270
And we had ruled with honour this our Thebes
Wherein thou joyest! A city plagued with strife
And evil counsels thinketh not aright;
Else never had she gotten thee for lord.

MEGARA

Fathers, I thank you. Needs must friends be filled
With righteous indignation for friends' wrongs.
Yet for our sake through wrath against your lords
Suffer not scathe. Amphitryon, hearken thou
My counsel, if my words seem good to thee:
I love my sons,—how should I not love whom 280
I bare and toiled for?—and to die I count
Fearful: yet—yet—against the inevitable

[1] The revolutionary party, who styled themselves "Young Thebes."

ὃς ἀντιτείνει, σκαιὸν ἡγοῦμαι βροτόν.
ἡμᾶς δ' ἐπειδὴ δεῖ θανεῖν, θνῄσκειν χρεὼν
μὴ πυρὶ καταξανθέντας, ἐχθροῖσιν γέλων
διδόντας, οὑμοὶ τοῦ θανεῖν μεῖζον κακόν.
ὀφείλομεν γὰρ πολλὰ δώμασιν καλά.
σὲ μὲν δόκησις ἔλαβεν εὐκλεὴς δορός,
ὥστ' οὐκ ἀνεκτὸν δειλίας θανεῖν σ' ὕπο·
290 οὑμὸς δ' ἀμαρτύρητος εὐκλεὴς πόσις,
ὡς τούσδε παῖδας οὐκ ἂν ἐκσῶσαι θέλοι
δόξαν κακὴν λαβόντας· οἱ γὰρ εὐγενεῖς
κάμνουσι τοῖς αἰσχροῖσι τῶν τέκνων ὕπερ,
ἐμοί τε μίμημ' ἀνδρὸς οὐκ ἀπωστέον.
σκέψαι δὲ τὴν σὴν ἐλπίδ', ᾗ λογίζομαι·
ἥξειν νομίζεις παῖδα σὸν γαίας ὕπο·
καὶ τίς θανόντων ἦλθεν ἐξ Ἅιδου πάλιν;
ἀλλ' ὡς λόγοισι τόνδε μαλθάξαιμεν ἄν;
ἥκιστα· φεύγειν σκαιὸν ἄνδρ' ἐχθρὸν χρεών,
300 σοφοῖσι δ' εἴκειν καὶ τεθραμμένοις καλῶς·
ῥᾷον γὰρ αἰδοῦς ὑποβαλὼν φίλ' ἂν τύχοις.
ἤδη δ' ἐσῆλθέ μ' εἰ παραιτησαίμεθα
φυγὰς τέκνων τῶνδ'· ἀλλὰ καὶ τόδ' ἄθλιον,
πενίᾳ σὺν οἰκτρᾷ περιβαλεῖν σωτηρίαν·
ὡς τὰ ξένων πρόσωπα φεύγουσιν φίλοις
ἓν ἦμαρ ἡδὺ βλέμμ' ἔχειν φασὶν μόνον.
τόλμα μεθ' ἡμῶν θάνατον, ὃς μένει σ' ὅμως.
προκαλούμεθ' εὐγένειαν, ὦ γέρον, σέθεν·
τὰς τῶν θεῶν γὰρ ὅστις ἐκμοχθεῖ τύχας,
310 πρόθυμός ἐστιν, ἡ προθυμία δ' ἄφρων·
ὃ χρὴ γὰρ οὐδεὶς μὴ χρεὼν θήσει ποτέ.

ΧΟΡΟΣ

εἰ μὲν σθενόντων τῶν ἐμῶν βραχιόνων
ἦν τίς σ' ὑβρίζων, ῥᾳδίως ἐπαύσατ' ἄν·

Who strives, I hold him but a foolish man.
Since we must needs die, better 'tis to die
Not with fire roasted, yielding laughter-scoff
To foes, an evil worse than death to me.
Great is our debt of honour to our house:—
Thou hast been crowned with glorious battle-fame;
Thou canst not, must not, die a coward's death:
Nor any witness needs my glorious spouse 290
That he would not consent to save these sons
Stained with ill-fame: for fathers gently born
Are crushed beneath the load of children's shame.
My lord's example I cannot thrust from me.
Thine own hope—mark how lightly I esteem it:
Dost think, from the underworld thy son shall come?
Ah, of the dead, who hath returned from Hades?
Dost dream we might with words appease this wretch?
Never!—of all foes, still beware the churl!
Yield, if thou must, to wise and high-bred foes; 300
So thy submission may find chivalrous grace.
Even now methought, "What if we asked for these
The boon of exile?"—nay, 'twere misery
To give them life with wretched penury linked.
For upon exile-friends the eyes of hosts
Look kindly, say they, one day and no more.
Face death with us: it waits thee in any wise.
Thy noble blood I challenge, ancient friend.
Whoso with eager struggling would writhe out
From fate's net, folly is his eagerness. 310
For doom's decree shall no man disannul.

CHORUS

Had any outraged thee while yet mine arms
Were strong, right quickly had he ceased therefrom;

νῦν δ' οὐδέν ἐσμεν. σὸν δὲ τοὐντεῦθεν σκοπεῖν
ὅπως διώσει τὰς τύχας, Ἀμφιτρύων.

ΑΜΦΙΤΡΥΩΝ

οὔτοι τὸ δειλὸν οὐδὲ τοῦ βίου πόθος
θανεῖν ἐρύκει μ', ἀλλὰ παιδὶ βούλομαι
σῶσαι τέκν'· ἄλλως δ' ἀδυνάτων ἔοικ' ἐρᾶν.
ἰδοὺ πάρεστιν ἥδε φασγάνῳ δέρη
320 κεντεῖν φονεύειν, ἱέναι πέτρας ἄπο.
μίαν δὲ νῷν δὸς χάριν, ἄναξ, ἱκνούμεθα·
κτεῖνόν με καὶ τήνδ' ἀθλίαν παίδων πάρος,
ὡς μὴ τέκν' εἰσίδωμεν, ἀνόσιον θέαν,
ψυχορραγοῦντα καὶ καλοῦντα μητέρα
πατρός τε πατέρα. τἄλλα δ' ἢ πρόθυμος εἶ
πρᾶσσ'· οὐ γὰρ ἀλκὴν ἔχομεν ὥστε μὴ θανεῖν.

ΜΕΓΑΡΑ

κἀγώ σ' ἱκνοῦμαι χάριτι προσθεῖναι χάριν,
ἡμῖν ἵν' ἀμφοῖν εἷς ὑπουργήσῃς διπλᾶ·
κόσμον πάρες μοι παισὶ προσθεῖναι νεκρῶν,
330 δόμους ἀνοίξας—νῦν γὰρ ἐκκεκλῄμεθα·—
ὡς ἀλλὰ ταῦτά γ' ἀπολάβωσ' οἴκων πατρός.

ΛΥΚΟΣ

ἔσται τάδ'· οἴγειν κλῇθρα προσπόλοις λέγω.
κοσμεῖσθ' ἔσω μολόντες· οὐ φθονῶ πέπλων.
ὅταν δὲ κόσμον περιβάλησθε σώμασιν,
ἥξω πρὸς ὑμᾶς νερτέρᾳ δώσων χθονί.

ΜΕΓΑΡΑ

ὦ τέκν', ὁμαρτεῖτ' ἀθλίῳ μητρὸς ποδὶ
πατρῷον εἰς μέλαθρον, οὗ τῆς οὐσίας
ἄλλοι κρατοῦσι, τὸ δ' ὄνομ' ἔσθ' ἡμῶν ἔτι.

But now I am naught. 'Tis thine, Amphitryon, now
To search how thou shalt pierce misfortune's snares.

AMPHITRYON

Nor cowardice nor life-craving holds me back
From death: but for my son I fain would save
His sons—I covet things past hope, meseems.
Lo, here my throat is ready for thy sword,
For stabbing, murdering, hurling from the rock. 320
Yet grant us twain one grace, I pray thee, king:
Slay me and this poor mother ere the lads,
That—sight unhallowed—we see not the boys
Gasping out life, and calling on their mother
And grandsire: in all else thine eager will
Work out; for we have no defence from death.

MEGARA

And, I beseech, to this grace add a grace,
To be twice benefactor to us twain:—
Open yon doors; let me array my sons
In death's attire,—for now are we shut out,— 330
Their one inheritance from their father's halls.

LYCUS

So be it: I bid my men throw wide the doors.
Pass in; adorn you: I begrudge no robes.
But, when ye have cast the arraying round your
limbs,
I come, to give you to the nether world. [*Exit.*

MEGARA

Children, attend your hapless mother's steps
To your sire's halls, where others' mastery holds
His substance, but his name yet lingereth ours.
[*Exit with children.*

ΑΜΦΙΤΡΥΩΝ

ὦ Ζεῦ, μάτην ἄρ' ὁμόγαμόν σ' ἐκτησάμην,
340 μάτην δὲ παιδὸς κοινεῶν'[1] σ' ἐκλῄζομεν·
σὺ δ' ἦσθ' ἄρ' ἧσσον ἢ 'δόκεις εἶναι φίλος.
ἀρετῇ σε νικῶ θνητὸς ὢν θεὸν μέγαν·
παῖδας γὰρ οὐ προὔδωκα τοὺς Ἡρακλέους.
σὺ δ' εἰς μὲν εὐνὰς κρύφιος ἠπίστω μολεῖν,
τἀλλότρια λέκτρα δόντος οὐδενὸς λαβών,
σῴζειν δὲ τοὺς σοὺς οὐκ ἐπίστασαι φίλους.
ἀμαθής τις εἶ θεός, ἢ δίκαιος οὐκ ἔφυς.

ΧΟΡΟΣ

αἴλινον μὲν ἐπ' εὐτυχεῖ — στρ. α'
μολπᾷ Φοῖβος ἰαχεῖ,
350 τὰν καλλίφθογγον κιθάραν
ἐλαύνων πλήκτρῳ χρυσέῳ·
ἐγὼ δὲ τὸν γᾶς ἐνέρων τ' ἐς ὄρφναν
μολόντα, παῖδ' εἴτε Διός νιν εἴπω
εἴτ' Ἀμφιτρύωνος ἶνιν,
ὑμνῆσαι στεφάνωμα μό-
χθων δι' εὐλογίας θέλω
γενναίων δ' ἀρεταὶ πόνων
τοῖς θανοῦσιν ἄγαλμα.

πρῶτον μὲν Διὸς ἄλσος
360 ἠρήμωσε λέοντος,
πυρσῷ δ' ἀμφεκαλύφθη
ξανθὸν κρᾶτ' ἐπινωτίσας
δεινῷ χάσματι θηρός·

[1] Scaliger: for MSS. τοι νεὼν and τὸν νεὼν

AMPHITRYON

Zeus, for my couch-mate gained I thee in vain,
Named thee in vain co-father of my son. 340
Less than thou seemedst art thou friend to us!
Mortal, in worth thy godhead I outdo:
Hercules' sons have I abandoned not.
Cunning wast thou to steal unto my couch,—
To filch another's right none tendered thee,—
Yet know'st not how to save thy dear ones now!
Thine is unwisdom, or injustice thine. [*Exit.*

CHORUS

The Lay of the Labours of Hercules [1]

Hard on the pæan triumphant-ringing (*Str.* 1)
Oft Phoebus outpealeth a mourning-song,
O'er the strings of his harp of the voice sweet-singing 350
Sweeping the plectrum of gold along.
I also of him who hath passed to the places
Of underworld gloom—whether Zeus' Son's story, [praises—
Or Amphitryon's scion be theme of my
Sing: I am fain to uplift him before ye
Wreathed with the Twelve Toils' garland of glory:
For the dead have a heritage, yea, have a crown,
Even deathless memorial of deeds of renown.

I. *The Nemean Lion*

In Zeus' glen first, in the Lion's lair,
He fought, and the terror was no more there; 360
But the tawny beast's grim jaws were veiling
His golden head, and behind swept, trailing
Over his shoulders, its fell of hair.

[1] For II, V, VII, VIII, later writers substitute the Erymanthian Boar, the Augean Stables, the Stymphalian Birds, and the Cretan Bull.

τάν τ' ὀρεινόμον ἀγρίων ἀντ. α'
Κενταύρων ποτὲ γένναν
ἔστρωσεν τόξοις φονίοις,
ἐναίρων πτανοῖς βέλεσιν.
ξύνοιδε Πηνειὸς ὁ καλλιδίνας
μακραί τ' ἄρουραι πεδίων ἄκαρποι
370 καὶ Πηλιάδες θεράπναι
σύγχορτοί θ' Ὁμόλας ἔναυ-
λοι, πεύκαισιν ὅθεν χέρας
πληροῦντες χθόνα Θεσσαλῶν
ἱππείαις ἐδάμαζον·

τάν τε χρυσοκάρανον
δόρκαν ποικιλόνωτον
συλήτειραν ἀγρωστᾶν
κτείνας, θηροφόνον θεὰν
Οἰνωᾶτιν ἀγάλλει·

380 τεθρίππων τ' ἐπέβα στρ. β'
καὶ ψαλίοις ἐδάμασσε πώλους
Διομήδεος, αἳ φονίαισι φάτναις
ἀχάλιν' ἐθόαζον
κάθαιμα σῖτα γένυσι, χαρμοναῖσιν
ἀνδροβρῶσι δυστράπεζοι· περῶν δ'

II. *The Centaurs*

Then on the mountain-haunters raining (*Ant.* 1)
Far-flying arrows, his hand laid low
The tameless tribes of the Centaurs, straining
Against them of old that deadly bow.
Peneius is witness, the lovely-gliding,
And the fields unsown over plains wide-spreading,
And the hamlets in glens of Pelion hiding, 370
And on Homole's borders many a steading,
Whence poured they with ruining hoofs down-treading
Thessaly's harvests, for battle-brands
Tossing the mountain pines in their hands.

III. *The Golden-horned Hind*

And the Hind of the golden-antlered head,
And the dappled hide, which wont to spread
O'er the lands of the husbandmen stark desolation,
He slew it, and brought, for propitiation,
Unto Oenoë's Goddess, the Huntress dread.

IV. *The Horses of Diomede*

(*Str.* 2)

And on Diomede's chariot he rode, for he reined them, 380
By his bits overmastered, the stallions four
That had ravined at mangers of murder, and stained them
With revel of banquets of horror, when gore
From men's limbs dripped that their fierce teeth tore.

ἀργυρορρύταν Ἕβρον
ἐξέπρασσε μόχθον,[1]
Μυκηναίῳ πονῶν τυράννῳ·

τάν τε Μηλιάδ᾽ ἀκτὰν
390 Ἀναύρου παρὰ πηγάς·
Κύκνον δὲ ξενοδαίκταν
τόξοις ὤλεσεν, Ἀμφαναί-
ας οἰκήτορ᾽ ἄμικτον·

ὑμνῳδούς τε κόρας ἀντ. β´
ἤλυθεν, Ἑσπερίαν ἐς αὐλάν,
χρύσεον πετάλων ἀπὸ μηλοφόρων
χερὶ καρπὸν ἀμέρξων,
δράκοντα πυρσόνωτον, ὅς σφ᾽ ἄπλατον
ἀμφελικτὸς ἕλικ᾽ ἐφρούρει, κτανών·

400 ποντίας θ᾽ ἁλὸς μυχοὺς
εἰσέβαινε, θνατοῖς
γαλανείας τιθεὶς ἐρετμοῖς·

οὐρανοῦ θ᾽ ὑπὸ μέσσαν
ἐλαύνει χέρας ἕδραν,
Ἄτλαντος δόμον ἐλθών·
ἀστρωπούς τε κατέσχεν οἴ-
κους εὐανορίᾳ θεῶν·

[1] Dindorf: for MSS. πέραν . . . διεπέρασ᾽ ὄχθον.

V. *Cycnus the Robber*

Over eddies of Hebrus silvery-coiling
He passed to the great work yet to be done,
In the tasks of the lord of Mycenae toiling;
By the surf mid the Maliac reefs ever boiling,
And by founts of Anaurus, he journeyed on, 390
Till the shaft from his string did the death-
challenge sing
Unto Cycnus the guest-slayer, Amphanae's king,
Who gave welcome to none.

VI. *The Golden Apples*

(*Ant.* 2)

To the Song-maids he came, to the Garden
enfolden
In glory of sunset, to pluck, where they grew
Mid the fruit-laden frondage the apples golden;
And the flame-hued dragon, the warder that
drew
All round it his terrible spires, he slew.

VII. *Extirpation of Pirates*

Through the rovers' gorges seaward-gazing 400
He sought; and thereafter in peace might roam
All mariners plying the oars swift-racing.

VIII. *The Pillars of Heaven*

To the mansion of Atlas he came, and placing
His arms outstretched 'neath the sky's mid-dome,
By his might he upbore the firmament's floor,
And the palace with splendour of stars fretted o'er,
The Immortals' home.

τὸν ἱππευτάν τ᾽ Ἀμαζόνων στρατὸν   στρ. γ΄
Μαιῶτιν ἀμφὶ πολυπόταμον
410 ἔβα δι᾽ Εὔξεινον οἶδμα λίμνας,
τίν᾽ οὐκ ἀφ᾽ Ἑλλανίας
ἄγορον ἁλίσας φίλων,
†κόρας Ἀρείας πλέων[1]
χρυσέου στόλον φάρους,†
ζωστῆρος ὀλεθρίους ἄγρας;
τὰ κλεινὰ δ᾽ Ἑλλὰς ἔλαβε βαρβάρου κόρας
λάφυρα, καὶ σῴζεται Μυκήναις.

τάν τε μυριόκρανον
420 πολύφονον κύνα Λέρνας
ὕδραν ἐξεπύρωσεν,

βέλεσί τ᾽ ἀμφέβαλ᾽ ἰόν,[2]
τὸν τρισώματον οἷσιν ἔ-
κτα βοτῆρ᾽ Ἐρυθείας.

δρόμων τ᾽ ἄλλων ἀγάλματ᾽ εὐτυχῆ   ἀντ. γ΄
διῆλθε· τόν τε πολυδάκρυον
ἔπλευσ᾽ ἐς Ἅιδαν, πόνων τελευτάν,
ἵν᾽ ἐκπεραίνει τάλας

[1] Murray's conjecture, for MSS. πέπλων χρυσεόστολον φάρος.
[2] Wecklein: for MSS. ἀμφέβαλε τὸν.

IX. *The Amazon's Girdle*

(*Str.* 3)

On the Amazon hosts upon war-steeds riding
By the shores of Maeotis, the river-meads green,
He fell; for the surges of Euxine he cleft. 410
What brother in arms was in Hellas left,
That came not to follow his banner's guiding,
When to win the Belt of the Warrior Queen,
The golden clasp of the mantle-vest,
He sailed far forth on a death-fraught quest?
And the wild maid's spoils for a glory abiding
Greece won: in Mycenae they yet shall be seen.

X. *The Hydra*

And the myriad heads he seared
Of the Hydra-fiend with flame, 420
Of the murderous hound Lernaean.

XI. *The Three-bodied Giant Geryon*

With its venom the arrows he smeared
That stung through the triple frame
Of the herdman-king Erythaean.

XII. *Cerberus*

(*Ant.* 3)

Many courses beside hath he run, ever earning
Triumph; but now to the dolorous land,
Unto Hades, hath sailed for his last toil-strife;
And there hath he quenched his light of life

βίοτον οὐδ' ἔβα πάλιν.
430 στέγαι δ' ἔρημοι φίλων,
τὰν δ' ἀνόστιμον τέκνων
Χάρωνος ἐπιμένει πλάτα
βίου κέλευθον ἄθεον ἄδικον· εἰς δὲ σὰς
χέρας βλέπει δώματ' οὐ παρόντος.
εἰ δ' ἐγὼ σθένος ἥβων
δόρυ τ' ἔπαλλον ἐν αἰχμᾷ,
Καδμείων τε σύνηβοι,
τέκεσιν ἂν παρέσταν
440 ἀλκᾷ· νῦν δ' ἀπολείπομαι
τᾶς εὐδαίμονος ἥβας.

ἀλλ' ἐσορῶ γὰρ τούσδε φθιμένων
ἔνδυτ' ἔχοντας, τοὺς τοῦ μεγάλου
δήποτε παῖδας τὸ πρὶν Ἡρακλέους,
ἄλοχόν τε φίλην ὑποσειραίους
ποσὶν ἕλκουσαν τέκνα, καὶ γεραιὸν
πατέρ' Ἡρακλέους. δύστηνος ἐγώ,
δακρύων ὡς οὐ δύναμαι κατέχειν
450 γραίας ὄσσων ἔτι πηγάς.

ΜΕΓΑΡΑ

εἶεν· τίς ἱερεύς, τίς σφαγεὺς τῶν δυσπότμων
ἢ τῆς ταλαίνης τῆς ἐμῆς ψυχῆς φονεύς;
ἕτοιμ' ἄγειν τὰ θύματ' εἰς Ἅιδου τάδε.
ὦ τέκν', ἀγόμεθα ζεῦγος οὐ καλὸν νεκρῶν,
ὁμοῦ γέροντες καὶ νέοι καὶ μητέρες.
ὦ μοῖρα δυστάλαιν' ἐμή τε καὶ τέκνων
τῶνδ', οὓς πανύστατ' ὄμμασιν προσδέρκομαι.
ἔτεκον μὲν ὑμᾶς, πολεμίοις δ' ἐθρεψάμην

Utterly—woe for the unreturning!
And of friends forlorn doth thy dwelling stand; 430
And waits for thy children Charon's oar
By the river that none may repass any more,
Whither godless wrong would speed them: and yearning
We strain our eyes for a vanished hand.
But if mine were the youth and the might
Of old—were mine old friends here,
Might my spear but in battle be shaken,
I had championed thy children in fight:—
But mid desolate days and drear 440
I am left, of my youth forsaken!

Lo where they come!—the shrouds of burial cover
Each one,—the children of that Hercules
Named the most mighty in the days past over,
She whom he loved, whose hands draw onward these
Like to a chariot's trace-led steeds,—the father
Stricken in years of Hercules!—woe's me!
Fountains of tears within mine old eyes gather;
How should I stay them, such a sight who see? 450

Enter MEGARA, AMPHITRYON, *and children.*

MEGARA

Who is the priest, the butcher, of the ill-starred?
Or who the murderer of my woeful life?
Ready the victims are to lead to death.
O sons, a shameful chariot-team death-driven
Together, old men, mothers, babes, are we.
O hapless doom of me and these my sons
Whom for the last time now mine eyes behold!
I bare you, nursed you—all to be for foes

ὕβρισμα κἀπίχαρμα καὶ διαφθοράν.
φεῦ·
460 ἦ πολύ με δόξης ἐξέπαισαν ἐλπίδες,
ἣν πατρὸς ὑμῶν ἐκ λόγων ποτ᾽ ἤλπισα.
σοὶ μὲν γὰρ Ἄργος ἔνεμ᾽ ὁ κατθανὼν πατήρ,
Εὐρυσθέως δ᾽ ἔμελλες οἰκήσειν δόμους
τῆς καλλικάρπου κράτος ἔχων Πελασγίας,
στολήν τε θηρὸς ἀμφέβαλλε σῷ κάρᾳ
λέοντος, ᾗπερ αὐτὸς ἐξωπλίζετο·
σὺ δ᾽ ἦσθα Θηβῶν τῶν φιλαρμάτων ἄναξ,
ἔγκληρα πεδία τἀμὰ γῆς κεκτημένος,
ὡς ἐξέπειθες τὸν κατασπείραντά σε·
470 εἰς δεξιὰν δὲ σὴν ἀλεξητήριον
ξύλον καθίει δαίδαλον, ψευδῆ δόσιν.
σοὶ δ᾽ ἣν ἔπερσε τοῖς ἑκηβόλοις ποτὲ
τόξοισι δώσειν Οἰχαλίαν ὑπέσχετο.
τρεῖς δ᾽ ὄντας ὑμᾶς τριπτύχοις τυραννίσι
πατὴρ ἐπύργου, μέγα φρονῶν εὐανδρίᾳ·
ἐγὼ δὲ νύμφας ἠκροθινιαζόμην,
κήδη συνάψουσ᾽, ἔκ τ᾽ Ἀθηναίων χθονὸς
Σπάρτης τε Θηβῶν θ᾽, ὡς ἀνημμένοι κάλῳς
πρυμνησίοισι βίον ἔχοιτ᾽ εὐδαίμονα.
480 καὶ ταῦτα φροῦδα· μεταβαλοῦσα δ᾽ ἡ τύχη
νύμφας μὲν ὑμῖν Κῆρας ἀντέδωκ᾽ ἔχειν,
ἐμοὶ δὲ δάκρυα λουτρά· δύστηνος φρενῶν.
πατὴρ δὲ πατρὸς ἑστιᾷ γάμους ὅδε,
Ἅιδην νομίζων πενθερόν, κῆδος πικρόν.
ὤμοι, τίν᾽ ὑμῶν πρῶτον ἢ τίν᾽ ὕστατον
πρὸς στέρνα θῶμαι; τῷ προσαρμόσω στόμα;

A scoff, a glee, a thing to be destroyed.
Woe and alas!
Ah for my shattered dreams, my broken hopes, 460
Hopes that I once built on your father's words!

Argos to thee[1] thy dead sire would allot:
Thou in Eurystheus' palace wast to dwell
In fair and rich Pelasgia's sceptred sway:
That beast's fell o'er thine head he wont to throw,
The lion's skin wherein himself went clad.
Thou[2] shouldst be king of chariot-loving Thebes,
And hold the champaigns of mine heritage;
Thy prayer won this of him that gave thee life;
And to thy right hand would he yield the club, 470
A feignèd gift, his carven battle-stay.
To thee[3] the land, by his far-smiting bow
Once wasted, promised he, Oechalia.
So with three princedoms would your sire exalt
His three sons, in the pride of his great heart.
And I chose out the choice of Hellas' brides,
Linking to ours by marriage Athens' land,
And Thebes, and Sparta, that ye might, as ships
Moored by sheet-anchors, ride the storms of life.

All that is past: the wind of fate hath veered, 480
And given to you the Maids of Doom for brides,
Tears for my bride-baths. Woe for those my dreams!
And now your grandsire makes the spousal-feast
With Hades for brides' sire, grim marriage-kin.
Ah me! whom first of you, or whom the last,
To mine heart shall I press?—whom to my lips?

[1] The eldest son, Therimachus.
[2] The second son, Creontidas.
[3] The third son, Deïcoön.

τίνος λάβωμαι; πῶς ἂν ὡς ξουθόπτερος
μέλισσα συνενέγκαιμ' ἂν ἐκ πάντων γόους,
εἰς ἓν δ' ἐνεγκοῦσ' ἀθρόον ἀποδοίην δάκρυ.
490 ὦ φίλτατ', εἴ τις φθόγγος εἰσακούεται
θνητῶν παρ' Ἅιδῃ, σοὶ τάδ', Ἡράκλεις, λέγω·
θνῄσκει πατὴρ σὸς καὶ τέκν', ὄλλυμαι δ' ἐγώ,
ἣ πρὶν μακαρία διὰ σ' ἐκλῃζόμην βροτοῖς.
ἄρηξον, ἐλθέ· καὶ σκιὰ φάνηθί μοι·
ἅλις γὰρ ἐλθὼν κἂν ὄναρ[1] γένοιο σύ·
κακοὶ γάρ εἰσιν οἳ τέκνα κτείνουσι σα.

ΑΜΦΙΤΡΥΩΝ

σὺ μὲν τὰ νέρθεν εὐτρεπῆ ποιοῦ, γύναι·
ἐγὼ δὲ σ', ὦ Ζεῦ, χεῖρ' ἐς οὐρανὸν δικὼν
αὐδῶ, τέκνοισιν εἴ τι τοισίδ' ὠφελεῖν
500 μέλλεις, ἀμύνειν, ὡς τάχ' οὐδὲν ἀρκέσεις.
καίτοι κέκλησαι πολλάκις· μάτην πονῶ·
θανεῖν γάρ, ὡς ἔοικ', ἀναγκαίως ἔχει.
ἀλλ', ὦ γέροντες, μικρὰ μὲν τὰ τοῦ βίου·
τοῦτον δ' ὅπως ἥδιστα διαπεράσετε,
ἐξ ἡμέρας εἰς νύκτα μὴ λυπούμενοι.
ὡς ἐλπίδας μὲν ὁ χρόνος οὐκ ἐπίσταται
σῴζειν, τὸ δ' αὑτοῦ σπουδάσας διέπτατο.
ὁρᾶτέ μ' ὅσπερ ἦ περίβλεπτος βροτοῖς
ὀνομαστὰ πράσσων, καί μ' ἀφείλεθ' ἡ τύχη
510 ὥσπερ πτερὸν πρὸς αἰθέρ' ἡμέρᾳ μιᾷ.
ὁ δ' ὄλβος ὁ μέγας ἥ τε δόξ' οὐκ οἶδ' ὅτῳ
βέβαιός ἐστι. χαίρετ'· ἄνδρα γὰρ φίλον
πανύστατον νῦν, ἥλικες, δεδόρκατε.

ΜΕΓΑΡΑ

ἔα·
ὦ πρέσβυ, λεύσσω τἀμὰ φίλτατ'; ἢ τί φῶ;

[1] Wilamowitz: for MSS. ἱκανὸν ἄν.

Whom shall I clasp? Oh but to gather store
Of moan, like brown-winged bee, from grief's wide
field,
And blend together in tribute of one tear!
Dear love,—if any in Hades of the dead 490
Can hear,—I cry this to thee, Hercules:
Thy sire, thy sons, are dying; doomed am I,
I, once through thee called blest in all men's eyes.
Help!—come!—though as a shadow, yet appear!
Thy coming as a dream-shape should suffice
To daunt the cravens who would slay thy sons!

AMPHITRYON

Lady, the death-rites duly order thou.
But I, O Zeus, with hand to heaven upcast,
Cry—if for these babes thou hast any help,
Save them; for soon thou nothing shalt avail. 500
Yet oft hast thou been prayed: in vain I toil;
For now, meseems, we cannot choose but die.
Ah friends, old friends, short is the span of life:
See ye pass through it blithely as ye may,
Wasting no time in grief 'twixt morn and eve.
For nothing careth Time to spare our hopes:
Swiftly he works his work, and fleets away.
See me, the observed of all observers once,
Doer of deeds of name—in one day all
Fortune hath snatched, as a feather skyward blown. 510
None know I whose great wealth or high repute
Is sure. Farewell: for him that was your friend
Now for the last time, age-mates, have ye seen.

HERCULES *appears in the distance.*

MEGARA

Ha!
Ancient, my dear lord—else what?—do I see?

ΑΜΦΙΤΡΥΩΝ

οὐκ οἶδα, θύγατερ· ἀφασία δὲ κἄμ' ἔχει.

ΜΕΓΑΡΑ

ὅδ' ἐστὶν ὃν γῆς νέρθεν εἰσηκούομεν,
εἰ μή γ' ὄνειρον ἐν φάει τι λεύσσομεν.
τί φημί; ποῖ' ὄνειρα κηραίνουσ' ὁρῶ;
οὐκ ἔσθ' ὅδ' ἄλλος ἀντὶ σοῦ παιδός, γέρον.
520 δεῦρ', ὦ τέκν', ἐκκρήμνασθε πατρῴων πέπλων,
ἴτ' ἐγκονεῖτε, μὴ μεθῆτ', ἐπεὶ Διὸς
σωτῆρος ὑμῖν οὐδέν ἐσθ' ὅδ' ὕστερος.

ΗΡΑΚΛΗΣ

ὦ χαῖρε, μέλαθρον πρόπυλά θ' ἑστίας ἐμῆς,
ὡς ἄσμενός σ' ἐσεῖδον ἐς φάος μολών.
ἔα· τί χρῆμα; τέκν' ὁρῶ πρὸ δωμάτων
στολμοῖσι νεκρῶν κρᾶτας ἐξεστεμμένα,
ὄχλῳ τ' ἐν ἀνδρῶν τὴν ἐμὴν ξυνάορον
πατέρα τε δακρύοντα συμφορὰς τίνας;
φέρ' ἐκπύθωμαι τῶνδε πλησίον σταθείς,
530 τί καινὸν ἦλθε, γύναι, δώμασιν χρέος;

ΜΕΓΑΡΑ

ὦ φίλτατ' ἀνδρῶν—

ΑΜΦΙΤΡΥΩΝ

ὦ φάος μολὼν πατρί—

ΜΕΓΑΡΑ

ἥκεις, ἐσώθης εἰς ἀκμὴν ἐλθὼν φίλοις;

ΗΡΑΚΛΗΣ

τί φής; τίν' εἰς ταραγμὸν ἥκομεν, πάτερ;

ΜΕΓΑΡΑ

διολλύμεσθα· σὺ δέ, γέρον, σύγγνωθί μοι,
εἰ πρόσθεν ἥρπασ' ἃ σὲ λέγειν πρὸς τόνδ' ἐχρῆν·
τὸ θῆλυ γάρ πως μᾶλλον οἰκτρὸν ἀρσένων,
καὶ τἄμ' ἔθνῃσκε τέκν', ἀπωλλύμην δ' ἐγώ.

AMPHITRYON

I know not, daughter,—speechless am I struck.

MEGARA

'Tis he who lay, we heard, beneath the earth,
Except in broad day we behold a dream!
What say I?—see they dreams, these yearning eyes?
This is none other, ancient, than thy son.
Boys, hither!—hang upon your father's cloak. 520
Speed ye, unhand him not; for this is he,
Your helper he, no worse than Saviour Zeus.

Enter HERCULES.

HERCULES

All hail, mine house, hail, portals of mine hearth!
How blithe, returned to life, I look on you!
Ha! what is this?—my sons before the halls
In death's attire and with heads chapleted!—
And, mid a throng of men, my very wife!—
My father weeping over some mischance!
Come, let me draw nigh these and question them.
Wife, what strange stroke hath fallen on mine house? 530

MEGARA

O best-beloved!—

AMPHITRYON

To thy sire light of life!—

MEGARA

Art come?—art saved for friends' most desperate need?

HERCULES

How?—father, what confusion find I here?

MEGARA

We are at point to die!—thy pardon, ancient,
That I before thee snatch thy right of speech,
For woman is more swift than man to mourn,
And my sons were to die, and I was doomed.

ΗΡΑΚΛΗΣ
Ἄπολλον, οἵοις φροιμίοις ἄρχει λόγου.

ΜΕΓΑΡΑ
τεθνᾶσ' ἀδελφοὶ καὶ πατὴρ οὑμὸς γέρων.

ΗΡΑΚΛΗΣ
540 πῶς φής; τί δράσας ἢ δορὸς ποίου τυχών;

ΜΕΓΑΡΑ
Λύκος σφ' ὁ καινὸς γῆς ἄναξ διώλεσεν.

ΗΡΑΚΛΗΣ
ὅπλοις ἀπαντῶν ἢ νοσησάσης χθονός;

ΜΕΓΑΡΑ
στάσει· τὸ Κάδμου δ' ἑπτάπυλον ἔχει κράτος.

ΗΡΑΚΛΗΣ
τί δῆτα πρὸς σὲ καὶ γέροντ' ἦλθεν φόβος;

ΜΕΓΑΡΑ
κτείνειν ἔμελλε πατέρα κἀμὲ καὶ τέκνα.

ΗΡΑΚΛΗΣ
τί φής; τί ταρβῶν ὀρφάνευμ' ἐμῶν τέκνων;

ΜΕΓΑΡΑ
μή ποτε Κρέοντος θάνατον ἐκτισαίατο.

ΗΡΑΚΛΗΣ
κόσμος δὲ παίδων τίς ὅδε νερτέροις πρέπων;

ΜΕΓΑΡΑ
θανάτου τάδ' ἤδη περιβόλαι' ἐνήμμεθα.

ΗΡΑΚΛΗΣ
550 καὶ πρὸς βίαν ἐθνῄσκετ'; ὢ τλήμων ἐγώ.

ΜΕΓΑΡΑ
φίλων ἔρημοι, σὲ δὲ θανόντ' ἠκούομεν.

ΗΡΑΚΛΗΣ
πόθεν δ' ἐς ὑμᾶς ἥδ' ἐσῆλθ' ἀθυμία;

ΜΕΓΑΡΑ
Εὐρυσθέως κήρυκες ἤγγελλον τάδε.

HERCULES

Apollo!—what strange prelude to thy speech!

MEGARA

Dead are my brethren and my grey-haired sire.

HERCULES

How?—by what deed, or stricken by what spear? 540

MEGARA

'Twas Lycus slew them, this land's upstart king.

HERCULES

Met in fair fight?—or plague-struck was the land?

MEGARA

By faction stricken. He rules seven-gated Thebes.

HERCULES

Why fell on thee and on the old man dread?

MEGARA

He sought to slay thy sire, thy sons, and me.

HERCULES

How?—of my fatherless children what feared he?

MEGARA

Lest Creon's death one day they might avenge.

HERCULES

This vesture meet for dead folk, what means it?

MEGARA

In this attire we shrouded us for death.

HERCULES

And were to die by violence?—woe is me! 550

MEGARA

Forlorn of friends, we heard that thou hadst died.

HERCULES

Wherefore came on you this despair of me?

MEGARA

The heralds of Eurystheus published this.

ΗΡΑΚΛΗΣ

τί δ' ἐξελείπετ' οἶκον ἑστίαν τ' ἐμήν;

ΜΕΓΑΡΑ

βίᾳ, πατὴρ μὲν ἐκπεσὼν στρωτοῦ λέχους.

ΗΡΑΚΛΗΣ

κοὐκ ἔσχεν αἰδῶ τὸν γέροντ' ἀτιμάσαι;

ΜΕΓΑΡΑ

αἰδῶ γ'; ἀποικεῖ τῆσδε τῆς θεοῦ πρόσω.

ΗΡΑΚΛΗΣ

οὕτω δ' ἀπόντες ἐσπανίζομεν φίλων;

ΜΕΓΑΡΑ

φίλοι γάρ εἰσιν ἀνδρὶ δυστυχεῖ τίνες;

ΗΡΑΚΛΗΣ

560 μάχας δὲ Μινυῶν ἃς ἔτλην, ἀπέπτυσαν;

ΜΕΓΑΡΑ

ἄφιλον, ἵν' αὖθίς σοι λέγω, τὸ δυστυχές.

ΗΡΑΚΛΗΣ

οὐ ῥίψεθ' Ἅιδου τάσδε περιβολὰς κόμης
καὶ φῶς ἀναβλέψεσθε τοῦ κάτω σκότου
φίλας ἀμοιβὰς ὄμμασιν δεδορκότες;
ἐγὼ δέ, νῦν γὰρ τῆς ἐμῆς ἔργον χερος,
πρῶτον μὲν εἶμι καὶ κατασκάψω δόμους
καινῶν τυράννων, κρᾶτα δ' ἀνόσιον τεμὼν
ῥίψω κυνῶν ἕλκημα· Καδμείων δ' ὅσους
κακοὺς ἐφηῦρον εὖ παθόντας ἐξ ἐμοῦ,
570 τῷ καλλινίκῳ τῷδ' ὅπλῳ χειρώσομαι·
τοὺς δὲ πτερωτοῖς διαφορῶν τοξεύμασι
νεκρῶν ἅπαντ' Ἰσμηνὸν ἐμπλήσω φόνου,
Δίρκης τε νᾶμα λευκὸν αἱμαχθήσεται.
τῷ γάρ μ' ἀμύνειν μᾶλλον ἢ δάμαρτι χρὴ
καὶ παισὶ καὶ γέροντι; χαιρόντων πόνοι·
μάτην γὰρ αὐτοὺς τῶνδε μᾶλλον ἤνυσα.

HERCULES

But why did ye forsake mine home and hearth?

MEGARA

By force: thy father from his bed was flung.

HERCULES

Had he no shame to outrage these grey hairs?

MEGARA

Shame?—from that Goddess far his dwelling is!

HERCULES

So poor of friends was I when far away!

MEGARA

Friends!—what friends hath a man unfortunate?

HERCULES

Scorned they the fights with Minyans I endured? 560

MEGARA

Friendless, I tell thee again, misfortune is.

HERCULES

Fling from your hair these cerements of the grave:
Look up to the light, beholding with your eyes
Exchange right welcome from the nether-gloom.
And I—for now work lieth to mine hand—
Will first go, and will raze to earth the house
Of this new king, his impious head smite off
And cast to dogs to rend. Of Thebans, all
Found traitors after my good deeds to them,
Some will I slay with this victorious mace, 570
And the rest scatter with my feathered shafts,
With slaughter of corpses all Ismenus fill,
And Dirce's pure stream red with blood shall run.
For whom should I defend above my wife
And sons and agèd sire? Great toils, farewell!
Vainly I wrought them, leaving these unhelped!

καὶ δεῖ μ᾽ ὑπὲρ τῶνδ᾽, εἴπερ οἵδ᾽ ὑπὲρ πατρός,
θνῄσκειν ἀμύνοντ᾽· ἢ τί φήσομεν καλὸν
ὕδρᾳ μὲν ἐλθεῖν εἰς μάχην λέοντί τε
580 Εὐρυσθέως πομπαῖσι, τῶν δ᾽ ἐμῶν τέκνων
οὐκ ἐκπονήσω θάνατον; οὐκ ἄρ᾽ Ἡρακλῆς
ὁ καλλίνικος ὡς πάροιθε λέξομαι.

ΧΟΡΟΣ

δίκαια τοὺς τεκόντας ὠφελεῖν τέκνα
πατέρα τε πρέσβυν τήν τε κοινωνὸν γάμων.

ΑΜΦΙΤΡΥΩΝ

πρὸς σοῦ μέν, ὦ παῖ, τοῖς φίλοις εἶναι φίλον
τά τ᾽ ἐχθρὰ μισεῖν· ἀλλὰ μὴ ᾽πείγου λίαν.

ΗΡΑΚΛΗΣ

τί δ᾽ ἐστὶ τῶνδε θᾶσσον ἢ χρεών, πάτερ;

ΑΜΦΙΤΡΥΩΝ

πολλοὺς πένητας, ὀλβίους δὲ τῷ λόγῳ
δοκοῦντας εἶναι συμμάχους ἄναξ ἔχει,
590 οἳ στάσιν ἔθηκαν καὶ διώλεσαν πόλιν
ἐφ᾽ ἁρπαγαῖσι τῶν πέλας, τὰ δ᾽ ἐν δόμοις
δαπάναισι φροῦδα διαφυγόνθ᾽ ὑπ᾽ ἀργίας.
ὤφθης ἐσελθὼν πόλιν· ἐπεὶ δ᾽ ὤφθης, ὅρα
ἐχθροὺς ἀθροίσας μὴ παρὰ γνώμην πέσῃς.

ΗΡΑΚΛΗΣ

μέλει μὲν οὐδὲν εἴ με πᾶσ᾽ εἶδεν πόλις·
ὄρνιν δ᾽ ἰδών τιν᾽ οὐκ ἐν αἰσίοις ἕδραις,
ἔγνων πόνον τιν᾽ εἰς δόμους πεπτωκότα·
ὥστ᾽ ἐκ προνοίας κρύφιος εἰσῆλθον χθόνα.

ΑΜΦΙΤΡΥΩΝ

καλῶς· προσελθὼν νῦν πρόσειπέ θ᾽ ἑστίαν
600 καὶ δὸς πατρῴοις δώμασιν σὸν ὄμμ᾽ ἰδεῖν.
ἥξει γὰρ αὐτὸς σὴν δάμαρτα καὶ τέκνα
ἕλξων φονεύσων κἄμ᾽ ἐπισφάξων ἄναξ·

I ought defending these to die, if these
Die for their father:—else, what honour comes
Of hydra and of lion faced in fight
At King Eurystheus' hests, and from my sons 580
Death not averted? How shall I be called
Hercules the Victorious, as of old?

CHORUS

'Tis just the father should defend the sons,
The grey sire, and the yokemate of his life.

AMPHITRYON

Son, worthy of thee it is to love thy friends,
To hate thy foes: yet be not over-rash.

HERCULES

Father, what haste unmeet is found in this?

AMPHITRYON

The king hath many an ally, lackland knaves,
Fellows that have a name that they are rich,
Who sowed sedition, ruining the land, 590
To plunder neighbours, since their own estates,
Squandered by wasteful idleness, were gone.
Thou wast seen entering Thebes: since thou wast seen,
Let not foes gather, and thou fall unwares.

HERCULES

Though all the city saw me, naught reck I.
Yet, since I marked a bird in ominous place,
I knew that trouble on mine house had fallen,
And of set purpose entered secretly.

AMPHITRYON

Good: go thou now, and thine hearth-gods salute,
And show thy face to thine ancestral halls. 600
Himself, yon king, shall come to hale thy wife
And sons for murder, and to slaughter me.

μένοντι δ' αὐτοῦ πάντα σοι γενήσεται
τῇ τ' ἀσφαλείᾳ κερδανεῖς· πόλιν δὲ σὴν
μὴ πρὶν ταράξῃς πρὶν τόδ' εὖ θέσθαι, τέκνον.

ΗΡΑΚΛΗΣ

δράσω τάδ'· εὖ γὰρ εἶπας· εἶμ' εἴσω δόμων.
χρόνῳ δ' ἀνελθὼν ἐξ ἀνηλίων μυχῶν
Ἅιδου Κόρης τ' ἔνερθεν, οὐκ ἀτιμάσω
θεοὺς προσειπεῖν πρῶτα τοὺς κατὰ στέγας.

ΑΜΦΙΤΡΥΩΝ

610 ἦλθες γὰρ ὄντως δώματ' εἰς Ἅιδου, τέκνον;

ΗΡΑΚΛΗΣ

καὶ θῆρά γ' εἰς φῶς τὸν τρίκρανον ἤγαγον.

ΑΜΦΙΤΡΥΩΝ

μάχῃ κρατήσας ἢ θεᾶς δωρήμασιν;

ΗΡΑΚΛΗΣ

μάχῃ· τὰ μυστῶν δ' ὄργι' ηὐτύχησ' ἰδών.

ΑΜΦΙΤΡΥΩΝ

ἦ καὶ κατ' οἴκους ἐστὶν Εὐρυσθέως ὁ θήρ;

ΗΡΑΚΛΗΣ

Χθονίας νιν ἄλσος Ἑρμιών τ' ἔχει πόλις.

ΑΜΦΙΤΡΥΩΝ

οὐδ' οἶδεν Εὐρυσθεύς σε γῆς ἥκοντ' ἄνω;

ΗΡΑΚΛΗΣ

οὐκ οἶδεν· ἦλθον τἀνθάδ' εἰδέναι πάρος.

ΑΜΦΙΤΡΥΩΝ

χρόνον δὲ πῶς τοσοῦτον ἦσθ' ὑπὸ χθονί;

ΗΡΑΚΛΗΣ

Θησέα κομίζων ἐχρόνισ' ἐξ Ἅιδου, πάτερ.

ΑΜΦΙΤΡΥΩΝ

620 καὶ ποῦ 'στιν; ἢ γῆς πατρίδος οἴχεται πέδον;

If here thou bide, all shall go well with thee,
And thou shalt gain in surety. Stir not up
Thy city, ere thou hast ordered all things well.

HERCULES

I will: well said. I pass mine halls within.
Returned at last from sunless nether crypts
Of Hades and The Maid,[1] I will not slight
The Gods, but hail them first beneath my roof.

AMPHITRYON

Son, didst thou verily go to Hades' halls? 610

HERCULES

Yea; the three-headed hound I brought to light.

AMPHITRYON

Vanquished in fight, or by the Goddess given?

HERCULES

In fight. I had seen the Mysteries—well for me!

AMPHITRYON

How? is the monster in Eurystheus' halls?

HERCULES

Nay, in Demeter's Grove, in Hermion's town.

AMPHITRYON

Nor knows Eurystheus thou art risen to day?

HERCULES

Nay; hither first, to know your state, I came.

AMPHITRYON

How wast thou so long time beneath the earth?

HERCULES

From Hades rescuing Theseus, tarried I.

AMPHITRYON

Where is he? Hath he passed to his fatherland? 620

[1] Persephone, whose name it was perilous to utter.

ΗΡΑΚΛΗΣ

βέβηκ' Ἀθήνας, νέρθεν ἄσμενος φυγών.
ἀλλ' εἶ', ὁμαρτεῖτ', ὦ τέκν', εἰς δόμους πατρί·
καλλίονές τἄρ' εἴσοδοι τῶν ἐξόδων
πάρεισιν ὑμῖν. ἀλλὰ θάρσος ἴσχετε
καὶ νάματ' ὄσσων μηκέτ' ἐξανίετε,
σύ τ', ὦ γύναι μοι, σύλλογον ψυχῆς λαβὲ
τρόμου τε παῦσαι, καὶ μέθεσθ' ἐμῶν πέπλων·
οὐ γὰρ πτερωτὸς οὐδὲ φευξείω φίλους.
ἆ,
οἵδ' οὐκ ἀφιᾶσ', ἀλλ' ἀνάπτονται πέπλων
630 τοσῷδε μᾶλλον· ὧδ' ἔβητ' ἐπὶ ξυροῦ;
ἄξω λαβών γε τούσδ' ἐφολκίδας χεροῖν,
ναῦς δ' ὣς ἐφέλξω· καὶ γὰρ οὐκ ἀναίνομαι
θεράπευμα τέκνων. πάντα τἀνθρώπων ἴσα.
φιλοῦσι παῖδας οἵ τ' ἀμείνονες βροτῶν
οἵ τ' οὐδὲν ὄντες· χρήμασιν δὲ διάφοροι·
ἔχουσιν, οἱ δ' οὔ· πᾶν δὲ φιλότεκνον γένος.

ΧΟΡΟΣ

ἁ νεότας μοι φίλον· ἄχθος δὲ τὸ γῆρας αἰεὶ — στρ. α'
βαρύτερον Αἴτνας σκοπέλων
640 ἐπὶ κρατὶ κεῖται,
βλεφάρων σκοτεινὸν
φάρος ἐπικαλύψαν.
μή μοι μήτ' Ἀσιήτιδος
τυραννίδος ὄλβος εἴη,
μὴ χρυσοῦ δώματα πλήρη
τᾶς ἥβας ἀντιλαβεῖν,
ἃ καλλίστα μὲν ἐν ὄλβῳ,
καλλίστα δ' ἐν πενίᾳ.
τὸ δὲ λυγρὸν φόνιόν τε γῆ-

HERCULES

To Athens, glad to have 'scaped the underworld.
Come, children, follow to the house your sire;
For fairer to you is your entering-in
Than your outgoing. Nay then, pluck up heart,
And shed the tear-floods from your eyes no more;
And rally thou, my wife, thy fainting spirit;
From trembling cease; and ye, let go my cloak;
I am no winged thing, nor would I fly my friends.
Ha!
These let not go, but hang upon my cloak
Only the more! Was doom so imminent then? 630
E'en must I lead them clinging to mine hands,
As ship that tows her boats. Not I reject
Care of my sons. Men's hearts be all like-framed:
They love their babes, as well the nobler sort,
As they that are but naught. In wealth they differ;
These have, those lack: their children all men love.
[*Exeunt* HERCULES, AMPHITRYON, MEGARA, *and children.*

CHORUS

Ah, sweet is youth!—but always eld, (*Str.* 1)
On mine head weighing, downward drags,
A heavier load than lay the crags
Of Etna on the Titan quelled, 640

Muffling mine eyes in mantle-fold
Of gloom. Not mine be wealth that lies
In Asian tyrants' treasuries;
Not mine be halls of hoarded gold,

If forfeit youth for these must fleet—
Youth, fairest gem of high estate,
In lowliness most fair! I hate
Age, dark with death's on-coming feet:

650 ρας μισῶ· κατὰ κυμάτων δ'
ἔρροι, μηδέ ποτ' ὤφελεν
θνατῶν δώματα καὶ πόλεις
ἐλθεῖν, ἀλλὰ κατ' αἰθέρ' ἀ-
εὶ πτεροῖσι φορείσθω.

εἰ δὲ θεοῖς ἦν ξύνεσις καὶ σοφία κατ' ἄνδρας, ἀντ. α
δίδυμον ἂν ἥβαν ἔφερον
φανερὸν χαρακτῆρ'
ἀρετᾶς ὅσοισιν
660 μέτα, κατθανόντες τ'
εἰς αὐγὰς πάλιν ἁλίου
δισσοὺς ἂν ἔβαν διαύλους,
ἁ δυσγένεια δ' ἁπλᾶν ἂν
εἶχε ζωᾶς βιοτάν,
καὶ τῷδ' ἦν τούς τε κακοὺς ἂν
γνῶναι καὶ τοὺς ἀγαθούς,
ἴσον ἅτ' ἐν νεφέλαισιν ἄ-
στρων ναύταις ἀριθμὸς πέλει.
νῦν δ' οὐδεὶς ὅρος ἐκ θεῶν
670 χρηστοῖς οὐδὲ κακοῖς σαφής,
ἀλλ' εἱλισσόμενός τις αἰ-
ὼν πλοῦτον μόνον αὔξει.

οὐ παύσομαι τὰς Χάριτας στρ. β'
Μούσαις συγκαταμιγνύς,
ἁδίσταν συζυγίαν.
μὴ ζῴην μετ' ἀμουσίας,
αἰεὶ δ' ἐν στεφάνοισιν εἴην.
ἔτι τοι γέρων ἀοιδὸς
κελαδεῖ Μναμοσύναν·

Deep be it drowned 'neath storm-waves' stress! 650
Ah, would that ne'er such visitant
Had come, men's homes and towns to haunt,
That yet its wings flew shelterless!

If wisdom, as of sons of earth, (*Ant.* 1)
And understanding, dwelt in heaven,
Twice o'er the boon of youth were given,
Seal manifest of manhood's worth

On all true hearts: these from the grave
To the sun's light again should climb, 660
To run their course a second time:
One life alone the vile should have.

Then, who are evil, who are good,
By such a sign might all men learn,
As shipmen 'twixt the clouds discern
The star-host's marshalled multitude.

But now, no line clear-severing
'Twixt good and bad the Gods have drawn: 670
Wealth, as the rolling years sweep on,
Is all the blessing that they bring.

(*Str.* 2)

The Muses shall for me be twined for ever with the Graces:
For evermore my song shall pour that sweetest union's praises.
No life be mine of songless clown,
But, where for singers shines the crown,
Mine old lips still shall hymn renown of Memory's fair creation.

680 ἔτι τὰν Ἡρακλέους
καλλίνικον ἀείδω
παρά τε Βρόμιον οἰνοδόταν
παρά τε χέλυος ἑπτατόνου
μολπὰν καὶ Λίβυν αὐλόν·
οὔπω καταπαύσομεν
Μούσας, αἵ μ' ἐχόρευσαν.

παιᾶνα μὲν Δηλιάδες ἀντ. β'
ὑμνοῦσ' ἀμφὶ πύλας τὸν
Λατοῦς εὔπαιδα γόνον
690 εἱλίσσουσαι καλλίχορον·
παιᾶνας δ' ἐπὶ σοῖς μελάθροις
κύκνος ὣς γέρων ἀοιδὸς
πολιᾶν ἐκ γενύων
κελαδήσω· τὸ γὰρ εὖ
τοῖς ὕμνοισιν ὑπάρχει,
Διὸς ὁ παῖς· τὸ δ' εὐγενίας
κλέος ὑπερβάλλων [ἀρεταῖς]
μοχθήσας τὸν ἄκυμον
θῆκεν βίοτον βροτοῖς
700 πέρσας δείματα θηρῶν.

ΛΥΚΟΣ

εἰς καιρὸν οἴκων, Ἀμφιτρύων, ἔξω περᾷς·
χρόνος γὰρ ἤδη δαρὸς ἐξ ὅτου πέπλοις
κοσμεῖσθε σῶμα καὶ νεκρῶν ἀγάλμασιν.
ἀλλ' εἶα, παῖδας καὶ δάμαρθ' Ἡρακλέους
ἔξω κέλευε τῶνδε φαίνεσθαι δόμων,
ἐφ' οἷς ὑπέστητ' αὐτεπάγγελτοι θανεῖν.

ΑΜΦΙΤΡΥΩΝ

ἄναξ, διώκεις μ' αθλίως πεπραγότα
ὕβριν θ' ὑβρίζεις ἐπὶ θανοῦσι τοῖς ἐμοῖς·

Great Hercules the triumph-crowned my song extolleth ever, 680
[wine-giver,
In feasts my theme, where beakers gleam of Bromius
And where the lyre of sevenfold string
Sounds, and where Libyan flutes outring:
Ceaseless I'll hear the Muses sing, queens of my inspiration.

(*Ant.* 2)

As maids of Delos chant the pæan's holy strain immortal,
[Leto's scion's portal,
Whose white feet glance as sweeps the dance round 690
So will I raise the pæan-lay,
Swan-song of singer hoary-grey:
The portals of thine halls to-day shall hear the old lips chanting.

Proud theme hath minstrelsy, to sing mine hero's high achieving:
[mounts, far-leaving
He is Zeus' son, but deeds hath done whose glory
The praise of birth divine behind,
Whose toils gave peace to humankind,
Slaying dread shapes that filled man's mind with terrors ceaseless-haunting. 700

Enter LYCUS, *attended. Re-enter* AMPHITRYON.

LYCUS

So!—in good time, Amphitryon, com'st thou forth.
Ye have tarried all too long as ye arrayed
Your limbs in robes and trappings of the grave.
Haste, bid the sons and wife of Hercules
To show themselves forth-coming from these halls,
By your self-tendered covenant to die.

AMPHITRYON

King, thou dost trample on my misery:
Thou heapest insult on the heart bereaved.

ἃ χρῆν σε μετρίως, κεἰ κρατεῖς, σπουδὴν ἔχειν.
710 ἐπεὶ δ' ἀνάγκην προστίθης ἡμῖν θανεῖν,
στέργειν ἀνάγκη, δραστέον θ' ἃ σοὶ δοκεῖ.

ΛΥΚΟΣ

ποῦ δῆτα Μεγάρα; ποῦ τέκν' Ἀλκμήνης γόνου;

ΑΜΦΙΤΡΥΩΝ

δοκῶ μὲν αὐτήν, ὡς θύραθεν εἰκάσαι,

ΛΥΚΟΣ

τί χρῆμα δόξης; τοῦ δ'[1] ἔχεις τεκμήριον;

ΑΜΦΙΤΡΥΩΝ

ἱκέτιν πρὸς ἁγνοῖς Ἑστίας θάσσειν βάθροις,

ΛΥΚΟΣ

ἀνόνητά γ' ἱκετεύουσαν ἐκσῶσαι βίον.

ΑΜΦΙΤΡΥΩΝ

καὶ τὸν θανόντα γ' ἀνακαλεῖν μάτην πόσιν.

ΛΥΚΟΣ

ὁ δ' οὐ πάρεστιν οὐδὲ μὴ μόλῃ ποτέ.

ΑΜΦΙΤΡΥΩΝ

οὔκ, εἴ γε μή τις θεῶν ἀναστήσειέ νιν.

ΛΥΚΟΣ

720 χώρει πρὸς αὐτὴν κἀκκόμιζ' ἐκ δωμάτων.

ΑΜΦΙΤΡΥΩΝ

μέτοχος ἂν εἴην τοῦ φόνου δράσας τόδε.

ΛΥΚΟΣ

ἡμεῖς, ἐπειδὴ σοὶ τόδ' ἔστ' ἐνθύμιον,
οἱ δειμάτων ἔξωθεν ἐκπορεύσομεν
σὺν μητρὶ παῖδας. δεῦρ' ἕπεσθε, πρόσπολοι,
ὡς ἂν σχολὴν λύσωμεν ἄσμενοι πόνων.

[1] Murray: for MSS. δόξης τῆσδ'.

So strong and so impatient fits not thee.
But, since of force thou doomest me to die, 710
Of force must I content me and do thy will.

LYCUS

And Megara, and Alcmena's son's brood—where?

AMPHITRYON

I think that she—if one without may guess—

LYCUS

What of thy *thinking*? What dost know by proof?

AMPHITRYON

At the Hearth-goddess' altar suppliant sits,—

LYCUS

With bootless prayer to heaven to save her life!

AMPHITRYON

And vainly calleth on a husband dead.

LYCUS

Not here is he; nor shall he ever come.

AMPHITRYON

Never,—except by a God raised from the dead.

LYCUS

Go thou to her, and bring her forth the halls. 720

AMPHITRYON

So doing were I partaker in her blood!

LYCUS

I then,—since this lies heavy on thy soul,—
Who am past all fear, will bring forth with her sons
This mother. Henchmen, hither, follow me,
With joy to sweep this hindrance from our path.
[*Exit.*

ΑΜΦΙΤΡΥΩΝ

σὺ δ' οὖν ἴθ', ἔρχει δ' οἷ χρεών· τὰ δ' ἄλλ' ἴσως
ἄλλῳ μελήσει. προσδόκα δὲ δρῶν κακῶς
κακόν τι πράξειν. ὦ γέροντες, εἰς καλὸν
στείχει, βρόχοισι δ' ἀρκύων γενήσεται
730 ξιφηφόροισι, τοὺς πέλας δοκῶν κτενεῖν
ὁ παγκάκιστος. εἶμι δ' ὡς ἴδω νεκρὸν
πίπτοντ'· ἔχει γὰρ ἡδονὰς θνῄσκων ἀνὴρ
ἐχθρὸς τίνων τε τῶν δεδραμένων δίκην.

ΧΟΡΟΣ

α. μεταβολὰ κακῶν· μέγας ὁ πρόσθ' ἄναξ στρ. α
πάλιν ὑποστρέφει βίοτον εἰς Ἅιδαν.

β'. ἰὼ δίκα καὶ θεῶν παλίρρους πότμος.

740 γ'. ἦλθες χρόνῳ μὲν οὗ δίκην δώσεις θανών,

δ'. ὕβρεις ὑβρίζων εἰς ἀμείνονας σέθεν.

ε'. χαρμοναὶ δακρύων ἔδοσαν ἐκβολάς·

στ'. πάλιν ἔμολεν ἃ πάρος οὔποτε διὰ φρενὸς
ἤλπισεν παθεῖν γᾶς ἄναξ.

ζ'. ἀλλ,' ὦ γεραιοί, καὶ τὰ δωμάτων ἔσω
σκοπῶμεν, εἰ πράσσει τις ὡς ἐγὼ θέλω.

AMPHITRYON

Go thou where doom leads. For the rest, perchance,
Another shall take thought. Look thou for ill
To suffer ill! Old friends, in happy hour
He paceth on: in toils of snaring swords
Shall he be trapped who thought to slay his neighbours, 730
The utter-vile! I go to see him fall
Dead. Joy it is to see an enemy
Die, suffering vengeance for his ill-deeds done. [*Exit.*

The members of the Chorus chant successively.

CHORUS 1

(*Str.* 1)

Ho for requital of wrong! the king who was great heretofore
Backward is turning the path of his life unto Hades' [door!

CHORUS 2

Hail, justice and river of fate back-turning with refluent roar!

CHORUS 3

Thou com'st at last to pay death's penalty— 740

CHORUS 4

For outrage done to better men than thee.

CHORUS 5

Gladness constraineth the fountain of tears from mine eyelids to start.

CHORUS 6

Come is the hour which the land's king never ere this in his heart
Foresaw,—retribution's vengeance-smart!

CHORUS 7

Old friends, look we within the halls, to see
Our soul's desire upon our enemy.

ΛΥΚΟΣ

ἰώ μοί μοι.

ΧΟΡΟΣ

750 η΄. τόδε κατάρχεται μέλος ἐμοὶ κλύειν ἀντ. α΄
φίλιον ἐν δόμοις· θάνατος οὐ πόρσω.

θ΄. βοᾷ φόνου φροίμιον στενάζων ἄναξ.

ΛΥΚΟΣ

ὦ πᾶσα Κάδμου γαῖ', ἀπόλλυμαι δόλῳ.

ΧΟΡΟΣ

ι΄. καὶ γὰρ διώλλυς· ἀντίποινα δ' ἐκτίνων
τόλμα, διδούς γε τῶν δεδραμένων δίκην.

ια΄. τίς ὁ θεοὺς ἀνομίᾳ χραίνων, θνητὸς ὤν,
ἄφρονα λόγον οὐρανίων μακάρων κατέβαλ',
ὡς ἄρ' οὐ σθένουσιν θεοί;

760 ιβ΄. γέροντες, οὐκέτ' ἔστι δυσσεβὴς ἀνήρ.
σιγᾷ μέλαθρα· πρὸς χοροὺς τραπώμεθα.
φίλοι γὰρ εὐτυχοῦσιν οὓς ἐγὼ θέλω.

χοροὶ χοροὶ καὶ θαλίαι στρ. β΄
μέλουσι Θήβας ἱερὸν κατ' ἄστυ.
μεταλλαγαὶ γὰρ δακρύων,
μεταλλαγαὶ συντυχίας
[νέας] ἔτεκον ἀοιδάς.

LYCUS (*within*)

Ah me! Woe's me!

CHORUS 8 (*Ant.* 1)

Hark to the outburst!—as music it is for mine ears to hear [is exceeding near. 750
That strain ringing sweet through the halls: lo, death

CHORUS 9

This king shrieketh prelude of slaughter: he shrieketh in anguish of fear.

LYCUS (*within*)

Oh Cadmus' land, by treachery am I slain!

CHORUS 10

As thou wouldst slay. Flinch not from vengeance-pain:
Thine own deeds' retribution dost thou gain.

CHORUS 11

Who was it, in lawlessness flouting the Gods, that mortal wight
Who in folly blasphemed the Blessèd that reign in the heaven's height,
Saying that Gods be void of might?

CHORUS 12

Our foe is not:—such doom the impious earn. 760
Hushed are the halls. Now unto dances turn:
Blest are the dear ones over whom I yearn.

CHORUS

(*Str.* 2)

The dances, the dances are reeling, the shout of the banqueters pealing
Through Thebes, through the city divine.
Now from affliction of tears cometh severance;
Now from the thraldom of woe is deliverance,
And song is their heir.

βέβακ' ἄναξ ὁ καινός,
ὁ δὲ παλαίτερος
770 κρατεῖ, λιμένα λιπών γε τὸν Ἀχερόντιον.
δοκημάτων ἐκτὸς ἦλθεν ἐλπίς.

θεοὶ θεοὶ τῶν ἀδίκων — ἀντ. β'
μέλουσι καὶ τῶν ὁσίων ἐπάειν.
ὁ χρυσὸς ἅ τ' εὐτυχία
φρενῶν βροτοὺς ἐξάγεται,
δύνασιν ἄδικον ἐφέλκων.
χρόνου γὰρ οὔτις ἔτλα
τὸ πάλιν εἰσορᾶν·
νόμον παρέμενος, ἀνομίᾳ χάριν διδούς,
780 ἔθραυσεν ὄλβου κελαινὸν ἅρμα.

Ἰσμήν' ὦ στεφαναφόρει, — στρ. γ'
ξεσταί θ' ἑπταπύλου πόλεως
ἀναχορεύσατ' ἀγυιαί,
Δίρκα θ' ἁ καλλιρρέεθρος,
σύν τ' Ἀσωπιάδες κόραι,
πατρὸς ὕδωρ βᾶτε λιποῦ-
σαι συναοιδοί,
Νύμφαι, τὸν Ἡρακλέους
καλλίνικον ἀγῶν'· ὦ
790 Πυθίου δενδρῶτι πέτρα
Μουσῶν θ' Ἑλικωνιάδων δώματα,
ἥξετ' εὐγαθεῖ κελάδῳ
ἐμὰν πόλιν ἐμά τε τείχη,

Gone is the tyrant, the upstart craven,
And enthroned is the ancient line
Re-arisen from Hades' drear ghost-haven: 770
Hope springs from despair.

(*Ant.* 2)

The Gods, O the Gods now are sealing unrighteousness' doom, and revealing
The right, their eternal design. [victorious
But Gold and Fair-fortune, with Power the
Harnessed beside them, in folly vainglorious
Hurry man to his doom:—
Law he outpaceth, and Lawlessness lasheth
To speed; nor his heart doth incline
To take heed to the end—lo, his car sudden-crasheth
Shattered in gloom![1] 780

Deck thee with garlands, Ismenus, and ye (*Str.* 3)
Break forth into dancing,
Streets stately with Thebes' fair masonry,
And Dirce bright-glancing:

Come, Maids of Asopus, to us, from the spring
Come ye of your father;
Of Hercules' glorious triumph to sing,
Nymph-chorus, O gather.

Pythian forest-peak, Helicon's steep 790
Of the Song-queens haunted,
To my town, to my walls, let the song-echoes leap
Of the strains loud-chanted—

[1] The presumptuous wrong-doer is compared to a reckless charioteer in a race, in which he tries to outstrip the rival chariot of Law. His four horses are Gold and Prosperity as yoke-horses, with Power and Lawlessness for trace-horses.

Σπαρτῶν ἵνα γένος ἐφάνη,
χαλκασπίδων λόχος, ὃς γᾶν
τέκνων τέκνοις μεταμείβει,
Θήβαις ἱερὸν φῶς.

ὦ λέκτρων δύο συγγενεῖς — ἀντ. γ´
εὐναί, θνατογενοῦς τε καὶ
800 Διός, ὃς ἦλθεν ἐς εὐνὰς
Νύμφας τᾶς Περσηίδος· ὡς
πιστόν μοι τὸ παλαιὸν ἤ-
δη λέχος, ὦ Ζεῦ, τὸ σὸν οὐκ
ἐπ᾽ ἐλπίδι φάνθη,
λαμπρὰν δ᾽ ἔδειξ᾽ ὁ χρόνος
τὰν Ἡρακλέος ἀλκάν·
ὃς γᾶς ἐξέβα θαλάμων,
Πλούτωνος δῶμα λιπὼν νέρτερον.
κρείσσων μοι τύραννος ἔφυς
810 ἢ δυσγένει᾽ ἀνάκτων·
ἃ νῦν ἐσορᾶν φαίνει
ξιφηφόρων ἐς ἀγώνων
ἅμιλλαν, εἰ τὸ δίκαιον
θεοῖς ἔτ᾽ ἀρέσκει.

ἔα ἔα·
ἆρ᾽ εἰς τὸν αὐτὸν πίτυλον ἥκομεν φόβου,
γέροντες, οἷον φάσμ᾽ ὑπὲρ δόμων ὁρῶ;
φυγῇ φυγῇ
νωθὲς πέδαιρε κῶλον, ἐκποδὼν ἔλα.
820 ὦναξ Παιάν,
ἀπότροπος γένοιό μοι πημάτων.

To my town, whence the Dragon-seed rose to the day,
The warrior nation,
Whose sons guard the fathers' inheritance aye,
Thebes' light of salvation.

Hail to the couch where the spousals divine (*Ant.* 3)
With the mortal were blended,
Where for love of the Lady of Perseus' line 800
Zeus' glory descended!

For thy bridal of old is my faith, Zeus, won,
Though I held it a story
Past credence: by time is the might of thy son
Revealed in its glory:

He hath burst from earth's dungeons, hath rifted the chain
Of Pluto's deep prison!
Thou art worthier to rule than the churl-king slain,
O my King re-arisen! 810

For now the usurper hath proved, when in fight
The sword-wielders have striven,
Whether yet, as in old time, the cause of the right
Is well-pleasing to heaven.

The forms of IRIS *and* MADNESS *appear above the palace.*

Ha see! ha see!
On you, on me, doth this same panic fall?
Old friends, what phantom hovereth o'er the hall?
Ah flee! ah flee
With haste of laggard feet!—speed thou away!
Healer, to thee, 820
O King, to avert from me yon bane I pray!

ΙΡΙΣ

θαρσεῖτε Νυκτὸς τήνδ' ὁρῶντες ἔκγονον
Λύσσαν, γέροντες, κἀμὲ τὴν θεῶν λάτριν
Ἶριν· πόλει γὰρ οὐδὲν ἥκομεν βλάβος,
ἑνὸς δ' ἐπ' ἀνδρὸς δώματα στρατεύομεν,
ὅν φασιν εἶναι Ζηνὸς Ἀλκμήνης τ' ἄπο.
πρὶν μὲν γὰρ ἄθλους ἐκτελευτῆσαι πικρούς,
τὸ χρή νιν ἐξέσῳζεν, οὐδ' εἴα πατὴρ
Ζεύς νιν κακῶς δρᾶν οὔτ' ἔμ' οὔθ' Ἥραν ποτέ.
830 ἐπεὶ δὲ μόχθους διεπέρασ' Εὐρυσθέως,
Ἥρα προσάψαι κοινὸν αἷμ' αὐτῷ θέλει
παῖδας κατακτείναντι, συνθέλω δ' ἐγώ.
ἀλλ' εἶ', ἄτεγκτον συλλαβοῦσα καρδίαν,
Νυκτὸς κελαινῆς ἀνυμέναιε παρθένε,
μανίας τ' ἐπ' ἀνδρὶ τῷδε καὶ παιδοκτόνους
φρενῶν ταραγμοὺς καὶ ποδῶν σκιρτήματα
ἔλαυνε, κίνει, φόνιον ἐξίει κάλων,
ὡς ἂν πορεύσας δι' Ἀχερούσιον πόρον
τὸν καλλίπαιδα στέφανον αὐθέντῃ φόνῳ
840 γνῷ μὲν τὸν Ἥρας οἷός ἐστ' αὐτῷ χόλος,
μάθῃ δὲ τὸν ἐμόν· ἢ θεοὶ μὲν οὐδαμοῦ,
τὰ θνητὰ δ' ἔσται μεγάλα, μὴ δόντος δίκην.

ΛΥΣΣΑ

ἐξ εὐγενοῦς μὲν πατρὸς ἔκ τε μητέρος
πέφυκα, Νυκτὸς Οὐρανοῦ τ' ἀφ' αἵματος·
τιμὰς δ' ἔχω τάσδ', οὐκ ἀγασθῆναι φίλοις,
οὐδ' ἥδομαι φοιτῶσ' ἐπ' ἀνθρώπων φόνους.[1]
παραινέσαι δέ, πρὶν σφαλεῖσαν εἰσιδεῖν,
Ἥρᾳ θέλω σοί τ', ἢν πίθησθ' ἐμοῖς λόγοις.
ἀνὴρ ὅδ' οὐκ ἄσημος οὔτ' ἐπὶ χθονὶ

[1] Dobree: for MSS. φίλους. Adopted by Dindorf, Paley, and Gray and Hutchinson.

IRIS

Fear not: this is the child of Night ye see,
Madness, grey sires: I, handmaid of the Gods,
Iris. We come not for your city's hurt;
Only on one man's house do we make war—
His, whom Zeus' and Alcmena's son they call.
For, till he had ended all his bitter toils,
Fate shielded him, and Father Zeus would not
That I, or Hera, wrought him ever harm.
But, now he hath toiled Eurystheus' labours through, 830
Hera will stain him with the blood of kin,
That he shall slay his sons: her will is mine.

On then, close up thine heart from touch of ruth,
O thou unwedded child of murky Night:
With madness thrill this man, with soul-turmoil
Child-murdering, with wild boundings of the feet:
Goad him; the sheets of murder's sails let out,
That, when o'er Acheron's ferry his own hand
In blood hath sped his crown of goodly sons,
Then may he learn how dread is Hera's wrath, 840
And mine, against him: else the Gods must wane
And mortals wax, if he taste not her vengeance.

MADNESS

Of noble sire and mother was I born,
Even of the blood of Uranus and Night.
But not to do despite to friends I hold
My powers, nor love to haunt for murder's sake.
Fain would I plead with Hera and with thee,
Ere she have erred, if ye will heed my words.
This man, against whose house ye thrust me on,

850 οὔτ' ἐν θεοῖσιν, οὗ γέ μ' εἰσπέμπεις δόμους·
ἄβατον δὲ χώραν καὶ θάλασσαν ἀγρίαν
ἐξημερώσας, θεῶν ἀνέστησεν μόνος
τιμὰς πιτνούσας ἀνοσίων ἀνδρῶν ὕπο·
ὥστ'[1] οὐ παραινῶ μεγάλα βούλεσθαι κακά.

ΙΡΙΣ

μὴ σὺ νουθέτει τά θ' Ἥρας κἀμὰ μηχανήματα.

ΛΥΣΣΑ

εἰς τὸ λῷστον ἐμβιβάζω σ' ἴχνος ἀντὶ τοῦ κακοῦ.

ΙΡΙΣ

οὐχὶ σωφρονεῖν γ' ἔπεμψε δεῦρό σ' ἡ Διὸς δάμαρ.

ΛΥΣΣΑ

Ἥλιον μαρτυρόμεσθα δρῶσ' ἃ δρᾶν οὐ βούλομαι.
εἰ δὲ δή μ' Ἥρᾳ θ' ὑπουργεῖν σοί τ' ἀναγκαίως ἔχει
860 τάχος ἐπιρροίβδην θ' ὁμαρτεῖν ὡς κυνηγέτῃ κύνας,
εἶμί γ'· οὔτε πόντος οὕτω κύμασι στένων λάβρος
οὔτε γῆς σεισμὸς κεραυνοῦ τ' οἶστρος ὠδῖνας πνέων,
οἷ' ἐγὼ στάδια δραμοῦμαι στέρνον εἰς Ἡρακλέους·
καὶ καταρρήξω μέλαθρα καὶ δόμους ἐπεμβαλῶ,
τέκν' ἀποκτείνασα πρῶτον· ὁ δὲ κανὼν οὐκ εἴσεται
παῖδας οὓς ἔτικτ' ἐναίρων, πρὶν ἂν ἐμὰς λύσσας ἀφῇ.
ἢν ἰδού· καὶ δὴ τινάσσει κρᾶτα βαλβίδων ἄπο,
καὶ διαστρόφους ἑλίσσει σῖγα γοργωποὺς κόρας.
ἀμπνοὰς δ' οὐ σωφρονίζει, ταῦρος ὣς ἐς ἐμβολήν·

[1] Musgrave: for MSS. σοί τ'.

Nor on the earth is fameless, nor in heaven. 850
The pathless land, the wild sea, hath he tamed,
And the God's honours hath alone restored,
When these by impious men were overthrown.
Therefore I plead, devise no monstrous wrong.

IRIS

Dare not with thine admonitions trammel Hera's
schemes and mine!

MADNESS

Nay, I do but point a pathway meeter far to tread
than thine.

IRIS

Not to flaunt thy temperance hath she sent thee,
Zeus's bride divine.

MADNESS

Witness, Sun, that I am doing that which I would
fain refuse: [not choose,
Yet, if I must work thy will and Hera's—if I may
But with skirr of rushing footfalls follow you like 860
huntsman's pack, [ruin-wrack,
On will I; nor sea nor moaning surges hurl such
No, nor earthquake, no, nor madding thunder's gasp-
ing agonies,
As the fury of mine onrush to the breast of Hercules.
I will rive his roofs, will swoop adown his halls:—his
children first [his murder-thirst
I will slay; nor shall the murderer know he slakes
On the children of his body, till my madness' course
is run. [begun!
See him—lo, his head he tosses in the fearful race
See his gorgon-glaring eyeballs all in silence wildly
rolled! [controlled
Like a bull in act to charge, with fiery pantings un-

870 δεινὰ μυκᾶται δὲ Κῆρας ἀνακαλῶν τὰς Ταρ-
τάρου. [φόβῳ.
τάχα σ' ἐγὼ μᾶλλον χορεύσω καὶ καταυλήσω
στεῖχ' ἐς Οὔλυμπον πεδαίρουσ', Ἶρι, γενναῖον
πόδα· [κλέους.
εἰς δόμους δ' ἡμεῖς ἄφαντοι δυσόμεσθ' Ἡρα-

ΧΟΡΟΣ

ὀτοτοτοῖ, στέναξον· ἀποκείρεται
σὸν ἄνθος πόλεος, ὁ Διὸς ἔκγονος.
μέλεος Ἑλλάς, ἃ τὸν εὐεργέταν
ἀποβαλεῖς, ὀλεῖς μανιάσιν λύσσαις
χορευθέντ' ἀναύλοις.

880 βέβακεν ἐν δίφροισιν ἁ πολύστονος,
ἅρμασι δ' ἐνδίδωσι
κέντρον ὡς ἐπὶ λώβᾳ
Νυκτὸς Γοργὼν ἑκατογκεφάλοις
ὄφεων ἰαχήμασι, Λύσσα μαρμαρωπός.

ταχὺ τὸν εὐτυχῆ μετέβαλεν δαίμων,
ταχὺ δὲ πρὸς πατρὸς τέκν' ἐκπνεύσεται.
ἰώ μοι μέλεος,
ἰὼ Ζεῦ, τὸ σὸν γένος ἄγονον αὐτίκα
λυσσάδες ὠμοβρῶτες ἀποινόδικοι δίκαι
890 κακοῖσιν ἐκπετάσουσιν. ἰὼ στέγαι,
κατάρχεται χόρευμα τυμπάνων ἄτερ,
οὐ βρομίῳ κεχαρισμένα θύρσῳ,

Awfully he bellows, howling to the fateful fiends of hell! [appalling knell! 870
Wilder yet shall be thy dance, as peals my pipe's
—Ay, unto Olympus soaring, Iris, tread thy path serene! [unseen.
Mine the task into the halls of Hercules to plunge

[IRIS *ascends, and* MADNESS *enters the palace.*

CHORUS

Alas and alas! cry out, O town,
For thy goodliest flower, Zeus' son, mown down!
Thy champion shall slip from thine hands, to thy bitter cost,
Hellas; in frenzied dances of madness tossed
Where the flute sounds not, he is lost to thee, lost!

She hath mounted her car, groans throng in her train;
She is goading her horses on mission of bane; 880
Night's daughter, a Gorgon with hundred-headed hiss
Of her serpents, Madness the glittering-eyed is this.

Swiftly hath fortune o'erthrown him who sat on high:
Swiftly the sons by the father's hand shall die.
Ah misery! Zeus, mad vengeance ravenous-wild
Straightway, athirst for requital, with evils on evils piled, [not thy child.
Shall trample thy son unto dust, as though he were

Woe for the palace-dome!
Her dance is beginning, but not with the cymbals clashing, 890
Not with the pine-wand uptossed amid loud acclamation,—

ἰὼ δόμοι,
πρὸς αἵματ᾽, οὐχὶ τᾶς Διονυσιάδος
βοτρύων ἐπὶ χεύμασι λοιβᾶς.

φυγῇ, τέκν᾽, ἐξορμᾶτε· δάιον τόδε
δάιον μέλος ἐπαυλεῖται.
κυναγετεῖ τέκνων διωγμόν·
οὔποτ᾽ ἄκραντα δόμοισι Λύσσα βακχεύσει.
900 αἰαῖ κακῶν
αἰαῖ δῆτα τὸν γεραιὸν ὡς στένω
πατέρα, τάν τε παιδοτρόφον, ᾇ μάταν
τέκεα γεννᾶται.

ἰδοὺ ἰδού,
θύελλα σείει δῶμα, συμπίπτει στεγη·
ἢ ἤ, τί δρᾷς, ὦ Διὸς παῖ ; μελάθρων
τάραγμα ταρτάρειον, ὡς
ἐπ᾽ Ἐγκελάδῳ ποτὲ Παλλάς, εἰς δόμους πέμπεις.

ΑΓΓΕΛΟΣ

ὦ λευκὰ γήρᾳ σώματ᾽,

ΧΟΡΟΣ

910 ἀνακαλεῖς τίνα με τίνα βοάν ;

ΑΓΓΕΛΟΣ

ἄλαστα τἀν δόμοισι.

ΧΟΡΟΣ

μάντιν οὐχ ἕτερον ἄξομαι.

Woe for a hero's home!—
But for shedding of blood, not the blood of the grape glad-plashing [oblation.
As the banqueters pour it forth for the Wine-god's

Away, O ye children, in flight, for death,
Death shrieks through her pipe by the blast of her breath!

[*Cries and sound of rushing within.*]

Like a hound is he holding the children in chase!—
Never shall Madness keep revel for naught through his dwelling-place.
Woe, anguish and pain!
Woe and alas for the silver hair 900
Of his father!—woe for the mother who bare
His babes in vain!

[*Sound of battering and rending within.*]

Lo you, lo you!
A whirlwind is shaking the house—its roofs fall crashing—
Ah what, ah what, Zeus' Son, wouldst thou do?
Down on thy palace the turmoil of hell art thou dashing, [Enceladus flashing.
As the levin from Pallas's hand to the heart of

Enter SERVANT *from within.*

SERVANT

O reverend presences hoary-white—

CHORUS

What meaneth thy cry unto me—thy cry of fear? 910

SERVANT

Within yon halls is a fearful sight!

CHORUS

No need, to attest thy tale, that we seek to a seer.

ΑΓΓΕΛΟΣ

τεθνᾶσι παῖδες.

ΧΟΡΟΣ

αἰαῖ.

ΑΓΓΕΛΟΣ

στενάζεθ', ὡς στενακτά.

ΧΟΡΟΣ

δάιοι φόνοι,
δάιοι δὲ τοκέων χεῖρες.

ΑΓΓΕΛΟΣ

οὐκ ἄν τις εἴποι μᾶλλον ἢ πεπόνθαμεν.

ΧΟΡΟΣ

πῶς παισὶ στενακτὰν ἄταν ἄταν
πατέρος ἀμφαίνεις;
λέγε τίνα τρόπον ἔσυτο θεόθεν ἐπὶ
920 μέλαθρα κακὰ τάδε
τλήμονάς τε παίδων τύχας.

ΑΓΓΕΛΟΣ

ἱερὰ μὲν ἦν πάροιθεν ἐσχάρας Διὸς
καθάρσι' οἴκων, γῆς ἄνακτ' ἐπεὶ κτανὼν
ἐξέβαλε τῶνδε δωμάτων Ἡρακλέης·
χορὸς δὲ καλλίμορφος εἱστήκει τέκνων
πατήρ τε Μεγάρα τ'· ἐν κύκλῳ δ' ἤδη κανοῦν
εἵλικτο βωμοῦ, φθέγμα δ' ὅσιον εἴχομεν.
μέλλων δὲ δαλὸν χειρὶ δεξιᾷ φέρειν,
εἰς χέρνιβ' ὡς βάψειεν, Ἀλκμήνης τόκος
930 ἔστη σιωπῇ. καὶ χρονίζοντος πατρὸς

SERVANT

Dead are the children!

CHORUS

Woe is me!

SERVANT

Wail! well may ye wail!

CHORUS

Slain ruthlessly!

Oh that the hands of a father their murder should wreak!

SERVANT

Things have we suffered more awful than tongue may speak.

CHORUS

How? of the woeful doom by a father wrought
On his sons, canst thou tell?
Say, say in what fashion the malice of Gods hath brought
These ills on the house, and the fate with misery [fraught 920
On the children that fell.

SERVANT

Victims were set before the hearth of Zeus
To cleanse the house, since, having slain the king,
Forth of these halls had Hercules flung the corpse.
And there his children stood in fair array,
His sire, and Megara. Round the altar now
The maund[1] had passed; and we kept hallowed [hush.
Then, even in act to bear the torch in hand[2]
And plunge in lustral water, silent stood
Alcmena's son: and, as their sire delayed, 930

[1] A basket containing the sacrificial knife and barley was carried round the altar before the slaying of the victim.

[2] A brand from the altar was quenched in water, with which the bystanders were then sprinkled.

παῖδες προσέσχον ὄμμ᾽· ὁ δ᾽ οὐκέθ᾽ αὑτὸς ἦν,
ἀλλ᾽ ἐν στροφαῖσιν ὀμμάτων ἐφθαρμένος
ῥίζας τ᾽ ἐν ὄσσοις αἱματῶπας ἐκβαλὼν,
ἀφρὸν κατέσταζ᾽ εὐτρίχου γενειάδος.
ἔλεξε δ᾽ ἅμα γέλωτι παραπεπληγμένῳ·
πάτερ, τί θύω πρὶν κτανεῖν Εὐρυσθέα
καθάρσιον πῦρ, καὶ πόνους διπλοῦς ἔχω
ἐξὸν μιᾶς μ᾽ ἐκ χειρὸς εὖ θέσθαι τάδε;
ὅταν δ᾽ ἐνέγκω δεῦρο κρᾶτ᾽ Εὐρυσθέως,
940 ἐπὶ τοῖσι νῦν θανοῦσιν ἁγνιῶ χέρας.
ἐκχεῖτε πηγάς, ῥίπτετ᾽ ἐκ χειρῶν κανᾶ.
τίς μοι δίδωσι τόξα; τίς δ᾽ ὅπλον χερός;
πρὸς τὰς Μυκήνας εἶμι· λάζυσθαι χρεὼν
μοχλοὺς δικέλλας θ᾽, ὡς τὰ Κυκλώπων βάθρα
φοίνικι κανόνι καὶ τύκοις ἡρμοσμένα
στρεπτῷ σιδήρῳ συντριαινώσω πάλιν.
ἐκ τοῦδε βαίνων ἅρματ᾽ οὐκ ἔχων ἔχειν
ἔφασκε, δίφρου δ᾽ εἰσέβαινεν ἄντυγα
κἄθεινε, κέντρον δῆθεν ὡς ἔχων χερί.
950 διπλοῦς δ᾽ ὀπαδοῖς ἦν γέλως φόβος θ᾽ ὁμοῦ·
καί τις τόδ᾽ εἶπεν, ἄλλος εἰς ἄλλον δρακών·
παίζει πρὸς ἡμᾶς δεσπότης ἢ μαίνεται;
ὁ δ᾽ εἷρπ᾽ ἄνω τε καὶ κάτω κατὰ στέγας,
μέσον δ᾽ ἐς ἀνδρῶν᾽ εἰσπεσὼν Νίσου πόλιν
ἥκειν ἔφασκε, δωμάτων εἴσω βεβώς.
κλιθεὶς δ᾽ ἐς οὖδας ὡς ἔχει σκευάζεται
θοίνην. διελθὼν δ᾽ ὡς βραχὺν χρόνον μονῆς,
Ἰσθμοῦ ναπαίας ἔλεγε προσβαίνειν πλάκας.
κἀνταῦθα γυμνὸν σῶμα θεὶς πορπαμάτων,
960 πρὸς οὐδέν᾽ ἡμιλλᾶτο κἀκηρύσσετο

His sons looked—lo, he seemed no more the same,
But wholly marred, with rolling eyes distraught,
With bloodshot eye-roots starting from his head,
While dripped the slaver down his bearded cheek.

Suddenly with a maniac laugh he spake:
"Why, ere I slay Eurystheus, sacrifice,
Father—have cleansing fire and toil twice o'er,
When all in one act I may compass well?
When hither I have brought Eurystheus' head,
For him, with these now slain, I'll purge my hands. 940
Spill ye the water, cast the maunds away!
Ho there—my bow!—the mace of my right hand!
I march against Mycenae:—I must take
Crowbars and mattocks, that yon Cyclop town,
Yon walls with red line and with gavil squared,
May by my bended lever be upheaved."
Then set forth, speaking of his car the while,
Who car had none, sprang to the chariot-rail,
And thrust, as who held in his hand a goad.

His henchmen, half in mirth and half in fear, 950
Were glancing each at other, and one spake:
"Doth our lord make us sport, or is he mad?"
Still was he pacing up and down the house;
Then, to the men's hall rushing, cried, "I have
come
To Nisus' town!"[1]—who stood in his own halls.
He casts him on the bare floor, and prepares
To feast: yet, tarrying there but little space,
He cried, "I go to Isthmus' woodland plains!"
Then from his body cast his mantle's folds,
And wrestled with—*no man!*—proclaimed himself 960

[1] Megara, half way on his imaginary journey, on the Isthmus of Corinth; this suggested the Isthmian games.

αὐτὸς πρὸς αὑτοῦ καλλίνικος, οὐδενὸς
ἀκοὴν ὑπειπών. δεινὰ δ' Εὐρυσθεῖ βρέμων
ἦν ἐν Μυκήναις τῷ λόγῳ. πατὴρ δέ νιν
θιγὼν κραταιᾶς χειρὸς ἐννέπει τάδε·
ὦ παῖ, τί πάσχεις; τίς ὁ τρόπος ξενώσεως
τῆσδ'; οὔ τί που φόνος σ' ἐβάκχευσεν νεκρῶν,
οὓς ἄρτι καίνεις; ὁ δέ νιν Εὐρυσθέως δοκῶν
πατέρα προταρβοῦνθ' ἱκέσιον ψαύειν χερός,
ὠθεῖ, φαρέτραν δ' εὐτρεπῆ σκευάζεται
970 καὶ τόξ' ἑαυτοῦ παισί, τοὺς Εὐρυσθέως
δοκῶν φονεύειν. οἱ δὲ ταρβοῦντες φόβῳ
ὤρουον ἄλλος ἄλλοσ', εἰς πέπλους ὁ μὲν
μητρὸς ταλαίνης, ὁ δ' ὑπὸ κίονος σκιάν,
ἄλλος δὲ βωμὸν ὄρνις ὣς ἔπτηξ' ὕπο.
βοᾷ δὲ μήτηρ· ὦ τεκών, τί δρᾷς; τέκνα
κτείνεις; βοᾷ δὲ πρέσβυς οἰκετῶν τ' ὄχλος.
ὁ δ' ἐξελίσσων παῖδα κίονος κύκλῳ
τόρευμα δεινὸν ποδός, ἐναντίον σταθεὶς
βάλλει πρὸς ἧπαρ· ὕπτιος δὲ λαΐνους
980 ὀρθοστάτας ἔδευσεν ἐκπνέων βίον.
ὁ δ' ἠλάλαξε κἀπεκόμπασεν τάδε·
εἷς μὲν νεοσσὸς ὅδε θανὼν Εὐρυσθέως
ἔχθραν πατρῴαν ἐκτίνων πέπτωκέ μοι.
ἄλλῳ δ' ἐπεῖχε τόξ', ὃς ἀμφὶ βωμίαν
ἔπτηξε κρηπῖδ' ὡς λεληθέναι δοκῶν.
φθάνει δ' ὁ τλήμων γόνασι προσπεσὼν πατρὸς
καὶ πρὸς γένειον χεῖρα καὶ δέρην βαλών·
ὦ φίλτατ', αὐδᾷ, μή μ' ἀποκτείνῃς, πάτερ·
σός εἰμι, σὸς παῖς· οὐ τὸν Εὐρυσθέως ὀλεῖς.
990 ὁ δ' ἀγριωπὸν ὄμμα Γοργόνος στρέφων,
ὡς ἐντὸς ἔστη παῖς λυγροῦ τοξεύματος,
μυδροκτύπον μίμημ' ὑπὲρ κάρα βαλὼν

To himself the victor, cried, "Ye people, hear!"—
To none! In fancy at Mycenae then
He stormed against Eurystheus. But his sire
Clung to his brawny hand, and cried to him,
"What ails thee? What mad change of mood is this?
Surely thou art not driven distraught by blood
Of these late slain!" He deemed Eurystheus' sire,
A trembling suppliant, hung upon his hand,
And spurned him back; prepared his quiver and bow
Against his own sons then, thinking to slay 970
Eurystheus' sons. They, quaking with affright,
Rushed hither, thither: his hapless mother's skirts
This sought, that to a pillar's shadow fled;
A third cowered 'neath the altar like a bird

Then shrieked the mother, "Father, what dost thou?
Wouldst slay thy sons?" The thralls, the ancient, cried.
He, winding round the pillar as wound his son
In fearful circlings, met him face to face
And shot him to the heart. Back as he fell,
His death-gasps dashed the column with red spray. 980
Then shouted Hercules, and vaunted thus .
"One of Eurystheus' fledglings here is slain,
Dead at my feet, hath paid for his sire's hate!"
Against the next then aimed his bow, who crouched
At the altar's base, in hope to be unseen.
But, ere he shot, the poor child clasped his knees,
And stretching to his beard and neck a hand,
"Ah, dearest father," cried he, "slay not me!
I am thy boy—thine!—'Tis not Eurystheus' son!"
He rolling savage gorgon-glaring eyes, 990
Since the boy stood too near for that fell bow,
Swung back overhead his club, like forging-sledge,

ξύλον καθῆκε παιδὸς εἰς ξανθὸν κάρα,
ἔρρηξε δ' ὀστᾶ. δεύτερον δὲ παῖδ' ἑλών,
χωρεῖ τρίτον θῦμ' ὡς ἐπισφάξων δυοῖν.
ἀλλὰ φθάνει νιν ἡ τάλαιν' εἴσω δόμων
μήτηρ ὑπεκλαβοῦσα, καὶ κλῄει πύλας.
ὁ δ' ὡς ἐπ' αὐτοῖς δὴ Κυκλωπίοισιν ὢν
σκάπτει μοχλεύει θύρετρα, κἀκβαλὼν σταθμὰ
1000 δάμαρτα καὶ παῖδ' ἑνὶ κατέστρωσεν βέλει.
κἀνθένδε πρὸς γέροντος ἱππεύει φόνον·
ἀλλ' ἦλθεν εἰκών, ὡς ὁρᾶν ἐφαίνετο
Παλλὰς κραδαίνουσ' ἔγχος ἐπιλόφῳ κάρᾳ [1]
κἄρριψε πέτρον στέρνον εἰς Ἡρακλέους,
ὅς νιν φόνου μαργῶντος ἔσχε, κεἰς ὕπνον
καθῆκε· πίτνει δ' εἰς πέδον, πρὸς κίονα
νῶτον πατάξας, ὃς πεσήμασι στέγης
διχορραγὴς ἔκειτο κρηπίδων ἔπι·
ἡμεῖς δ' ἐλευθεροῦντες ἐκ δρασμῶν πόδα
1010 σὺν τῷ γέροντι δεσμὰ σειραίων βρόχων
ἀνήπτομεν πρὸς κίον', ὡς λήξας ὕπνου
μηδὲν προσεργάσαιτο τοῖς δεδραμένοις.
εὕδει δ' ὁ τλήμων ὕπνον οὐκ εὐδαίμονα,
παῖδας φονεύσας καὶ δάμαρτ'· ἐγὼ μὲν οὖν
οὐκ οἶδα θνητῶν ὅστις ἀθλιώτερος.

ΧΟΡΟΣ

ὁ φόνος ἦν ὃν Ἀργολὶς ἔχει πέτρα
τότε μὲν περισαμότατος καὶ ἄπιστος
Ἑλλάδι τῶν Δαναοῦ παίδων·
1020 τὰ δ' ὑπερέβαλε, παρέδραμε τὰ τότε κακά.
. . . . . τάλανι διογενεῖ κόρῳ.[2]

[1] Wakefield: for MSS. ἐπὶ λόφῳ κέαρ.
[2] Tyrwhitt's punctuation: no stop in MS.

Down dashed it on his own son's golden head,
And shattered all the bones. This second slain,
He speeds to add to victims twain a third.
But first the wretched mother snatched the child,
And bare within, and barred the chamber-door.
But he, as though at siege of Cyclop walls,[1]
Mines, heaves up doors, and hurls the door-posts down,
And with one arrow laid low wife and child: 1000
Then charges down to spill his own sire's blood.
But a Shape came,—as seemed unto our eyes,
Pallas with plumed helm, brandishing a spear;
And against Hercules' breast she hurled a rock
Which stayed him from his murder-frenzy, and cast
Into deep sleep. To earth he fell, and dashed
His back against a pillar, cleft in twain
By the roof's ruin, on the pavement thrown.
Then we, from flight of panic breathing free,
Wrought with the old man, binding him with cords 1010
Unto the pillar, that, awaked from sleep,
He might not add ill deeds to ill deeds done.
There sleeps he, wretched man, a sleep unblest,
Who hath slaughtered sons and wife. For me, I know not
Of mortals any man more fortune-crost.

CHORUS

That murder which Argos remembereth
Was aforetime through Hellas most famous, the strange tale told
Of Danaus' daughters, the workers of death:—
But this hath surpassed, hath outrun, that horror of old— 1020
This horror that blasts Zeus' Son! I might tell of [the sacrifice done

[1] *i.e.* Eurystheus' city, Mycenae.

μονοτέκνου Πρόκνης
φόνον ἔχω λέξαι θυόμενον Μούσαις·
σὺ δὲ τέκνα τρίγονα τεκόμενος, ὦ δάιε,
λυσσάδι συγκατειργάσω μοίρᾳ.
τίνα στεναγμὸν
ἢ γόον ἢ φθιτῶν
ᾠδάν, ἢ τίν' Ἅιδα χορὸν ἀχήσω;
φεῦ φεῦ·
ἴδεσθε, διάνδιχα κλῇθρα
1030 κλίνεται ὑψιπύλων δόμων.

ἰώ μοι·
ἴδεσθε τάδε τέκνα πρὸ πατρὸς
ἄθλια κείμενα δυστάνου,
εὕδοντος ὕπνον δεινὸν ἐκ παίδων φόνου.
περὶ δὲ δεσμὰ καὶ πολύβροχ' ἀμμάτων
ἐρείσμαθ' Ἡράκλειον
ἀμφὶ δέμας τάδε λαΐνοις
ἀνημμένα κίοσιν οἴκων.
ὁ δ' ὥς τις ὄρνις ἄπτερον καταστένων
1040 ὠδῖνα τέκνων, πρέσβυς ὑστέρῳ ποδὶ
πικρὰν διώκων ἤλυσιν πάρεσθ' ὅδε.

ΑΜΦΙΤΡΥΩΝ

Καδμεῖοι γέροντες, οὐ σῖγα σῖ-
γα τὸν ὕπνῳ παρειμένον ἐάσετ' ἐκ-
λαθέσθαι κακῶν;

ΧΟΡΟΣ

κατὰ σὲ δακρύοις στένω, πρέσβυ, καὶ
τέκεα καὶ τὸ καλλίνικον κάρα.

To the Muses,[1] of Procne who slaughtered the only
child of her womb :—
But thou, who art father of children three, O un-
happiest one, [madness's doom!
Together hast murdered them all, driven on by thy
With what cry shall I wail thee, what sighing,
What chant as for dead that are lying in Hades, what
dirge of the tomb?
Alas! O see
How the bolts slide back, and asunder fall
The stately doors of the palace-hall. 1030

The palace is thrown open, and the scene within disclosed.

Ah me! ah me!
Lo there the children—ah misery!
At the feet of their wretched father they lie:
And from murder of sons he is resting in awful sleep;
And around him the bonds with manifold fastenings
keep
The body of Hercules in ward,
And lashed to the palace's pillars of stone are the
coils of the cord.
And that old sire, as bird that maketh moan
O'er fledgling brood, with footsteps eld-fordone 1040
Treading a bitter pathway, cometh on.

AMPHITRYON

Ah peace, Cadmean fathers, peace!
Let his woes in oblivion a moment cease
By slumber's release.

CHORUS

With tears I bemoan thee, and these babes dead,
O ancient, and that victorious head.

[1] The legend of Procne's murder of Itys has, in becoming a theme of song, been consecrated to the Muses.

ΑΜΦΙΤΡΥΩΝ

ἑκαστέρω πρόβατε, μὴ
κτυπεῖτε, μὴ βοᾶτε, μὴ
τὸν εὖ τ' ἰαύονθ'
1050 ὑπνώδεά τ' εὐνᾶς ἐγείρετε.

ΧΟΡΟΣ

οἴμοι.
φόνος ὅσος ὅδ'—

ΑΜΦΙΤΡΥΩΝ

ἆ ἆ,
διά μ' ὀλεῖτε.

ΧΟΡΟΣ

κεχυμένος ἐπαντέλλει.

ΑΜΦΙΤΡΥΩΝ

οὐκ ἀτρεμαῖα θρῆνον αἰάξετ', ὦ γέροντες;
ἢ δέσμ' ἀνεγειρόμενος χαλάσας ἀπολεῖ πόλιν,
ἀπὸ δὲ πατέρα, μέλαθρά τε καταρρήξει.

ΧΟΡΟΣ

ἀδύνατ' ἀδύνατά μοι.

ΑΜΦΙΤΡΥΩΝ

σῖγα, πνοὰς μάθω· φέρε πρὸς οὖς βάλω.

ΧΟΡΟΣ

εὕδει;

ΑΜΦΙΤΡΥΩΝ

1060 ναί, εὕδει
ὕπνον ὕπνον ὀλόμενον,
ὃς ἔκαν' ἄλοχον, ἔκανε δὲ τέκεα, τοξήρει
ψαλμῷ τοξεύσας.

ΧΟΡΟΣ

στέναζέ νυν

ΑΜΦΙΤΡΥΩΝ

στενάζω.

AMPHITRYON

Withdraw you farther, beat not the breast,
Neither cry, neither break ye his slumbrous rest
Of calm-drawn breath.

CHORUS 1050

Woe's me for the river of blood he hath spilt!—

AMPHITRYON

Ah, your words be my death!

CHORUS

It is rising against him, a witness of guilt!

AMPHITRYON

Let the wail of your dirge, ye ancients, softlier fall,
Else will he wake, will rend away his bonds, and in ruin lay
Thebes, will slay his father, and shatter his palace-hall.

CHORUS

I cannot—my crying I cannot forbear!

AMPHITRYON

Hush! let me hearken his breathing—bend low mine ear—

CHORUS

Sleepeth he?

AMPHITRYON

Yea—in a slumber of bane,
Who hath slain his wife, hath his children slain
With the string that sang them the bow's death-strain! 1060

CHORUS

Wail therefore—

AMPHITRYON

I wail with thee.

ΧΟΡΟΣ

τέκνων ὄλεθρον—

ΑΜΦΙΤΡΥΩΝ

ὤμοι.

ΧΟΡΟΣ

σέθεν τε παιδός.

ΑΜΦΙΤΡΥΩΝ

αἰαῖ.

ΧΟΡΟΣ

ὦ πρέσβυ—

ΑΜΦΙΤΡΥΩΝ

σῖγα σῖγα·
παλίντροπος ἐξεγειρόμενος στρέφεται· φέρ'
1070 ἀπόκρυφον δέμας ὑπὸ μέλαθρον κρύψω.

ΧΟΡΟΣ

θάρσει· νὺξ ἔχει βλέφαρα παιδὶ σῷ.

ΑΜΦΙΤΡΥΩΝ

ὁρᾶθ' ὁρᾶτε.
τὸ φάος ἐκλιπεῖν ἐπὶ κακοῖσιν οὐ
φεύγω τάλας, ἀλλ' εἴ με κανεῖ πατέρ' ὄντα,
πρὸς δὲ κακοῖς κακὰ μήσεται
πρὸς Ἐρινύσι θ' αἷμα σύγγονον ἕξει.

ΧΟΡΟΣ

τότε θανεῖν σ' ἐχρῆν, ὅτε δάμαρτι σᾷ
φόνον ὁμοσπόρων
ἔμολες ἐκπράξειν
1080 Ταφίων περίκλυστον ἄστυ πέρσας.

ΑΜΦΙΤΡΥΩΝ

φυγᾷ φυγᾷ, γέροντες, ἀποπρὸ δωμάτων
διώκετε· φεύγετε μάργον
ἄνδρ' ἐπεγειρόμενον.

CHORUS

His babes' death,—

AMPHITRYON

Woe is me!

CHORUS

And thy son's doom!

AMPHITRYON

Well-a-day!

CHORUS

Ah ancient—

AMPHITRYON

O hush ye! stay!
He is writhing—is turning—is waking! Away!
Under yon roof let me hide me out of his sight! 1070

CHORUS

Fear not: on the eyes of thy son yet broodeth the night.

AMPHITRYON

Beware—O beware!
Not death do I shun, for a crown of the ills that I bear—
Wretch that I am!—but if me, if his father, he kill,
To his load of ill shall he add fresh ill,
And to heap up his debt to the Furies the blood of a kinsman shall spill.

CHORUS

Then shouldst thou have died, when thou wentest forth to requite
The blood of the kin of thy wife on the Taphians, to smite
Their city enringed with the surf-crests white. 1080

AMPHITRYON

Flee, ancients! Afar from the dwelling flee!
From his frenzy of fury O hasten ye,
For he waketh from sleep!

τάχα φόνον ἕτερον ἐπὶ φόνῳ βαλὼν
ἀν' αὖ βακχεύσει Καδμείων πόλιν.

ΧΟΡΟΣ

ὦ Ζεῦ, τί παῖδ' ἤχθηρας ὧδ' ὑπερκότως
τὸν σόν, κακῶν δὲ πέλαγος εἰς τόδ' ἤγαγες;

ΗΡΑΚΛΗΣ

ἔα·
ἔμπνους μέν εἰμι καὶ δέδορχ' ἅπερ με δεῖ,
1090 αἰθέρα τε καὶ γῆν τόξα θ' Ἡλίου τάδε·
ὡς δ' ἐν κλύδωνι καὶ φρενῶν ταράγματι
πέπτωκα δεινῷ καὶ πνοὰς θερμὰς πνέω
μετάρσι', οὐ βέβαια, πνευμόνων ἄπο.
ἰδού, τί δεσμοῖς ναῦς ὅπως ὡρμισμένος
νεανίαν θώρακα καὶ βραχίονα,
πρὸς ἡμιθραύστῳ λαΐνῳ τυκίσματι
ἧμαι νεκροῖσι γείτονας θάκους ἔχων;
πτερωτά τ' ἔγχη τόξα τ' ἔσπαρται πέδῳ,
ἃ πρὶν παρασπίζοντ' ἐμοῖς βραχίοσιν
1100 ἔσῳζε πλευρὰς ἐξ ἐμοῦ τ' ἐσῴζετο.
οὔ που κατῆλθον αὖθις εἰς Ἅιδου πάλιν,
Εὐρυσθέως δίαυλον ἐξ Ἅιδου μολών;
ἀλλ' οὔτε Σισύφειον εἰσορῶ πέτρον
Πλούτωνά τ', οὐδὲ σκῆπτρα Δήμητρος κόρης.
ἔκ τοι πέπληγμαι· ποῦ ποτ' ὢν ἀμηχανῶ;
ὠή, τίς ἐγγὺς ἢ πρόσω φίλων ἐμῶν,
δύσγνοιαν ὅστις τὴν ἐμὴν ἰάσεται;
σαφῶς γὰρ οὐδὲν οἶδα τῶν εἰωθότων.

ΑΜΦΙΤΡΥΩΝ

γέροντες, ἔλθω τῶν ἐμῶν κακῶν πέλας;

ΧΟΡΟΣ

1110 κἄγωγε σὺν σοί, μὴ προδοὺς τὰς συμφοράς.

Full soon on the deaths he hath wrought fresh deaths
shall he heap,
Through the city of Cadmus storming in awful revelry.

CHORUS

Ah Zeus, why this stern hate against thy son?
Why hast thou brought him to this sea of ills?

HERCULES (*waking and stirring*)

Ha!
Breathing I am—all I should see I see,
The sky, the earth, the shafts of yonder sun: 1090
Yet as in surge and storm of turmoiled soul
Am whelmed, and fiery-fervent breath I breathe
Hard-panted from my lungs, not tempered calm.
Ha!—wherefore like a ship by hawsers moored,
Ropes compassing my strong chest and mine arms,
Bound to half-shattered masonry of stone
Sit I?—lo, corpses neighbours to my seat!
Winged shafts and bow are strawn about the floor,
Which once, like armour-bearers to mine arms,
Warded my side, were kept of me in ward: 1100
Sure, not to Hades have I again gone down,
Who have passed, repassed, Eurystheus' Hades-course?
Nay, I see not the stone of Sisyphus,
Pluto, nor sceptre of Demeter's Child.
I am distraught. Know I not where I am?
Ho there! who of my friends is near or far
To be physician to my 'wilderment?
For strange to me seem all familiar things.

AMPHITRYON

Old friends, shall I draw near unto my grief?

CHORUS

I too with thee, forsaking not thy woe. 1110

ΗΡΑΚΛΗΣ

πάτερ, τί κλαίεις καὶ συναμπίσχει κόρας,
τοῦ φιλτάτου σοι τηλόθεν παιδὸς βεβώς;

ΑΜΦΙΤΡΥΩΝ

ὦ τέκνον· εἶ γὰρ καὶ κακῶς πράσσων ἐμός.

ΗΡΑΚΛΗΣ

πράσσω δ' ἐγὼ τί λυπρόν, οὗ δακρυρροεῖς;

ΑΜΦΙΤΡΥΩΝ

ἃ κἂν θεῶν τις, εἰ πάθοι, καταστένοι.

ΗΡΑΚΛΗΣ

μέγας γ' ὁ κόμπος, τὴν τύχην δ' οὔπω λέγεις.

ΑΜΦΙΤΡΥΩΝ

ὁρᾷς γὰρ αὐτός, εἰ φρονῶν ἤδη κυρεῖς.

ΗΡΑΚΛΗΣ

εἴπ' εἴ τι καινὸν ὑπογράφει τὠμῷ βίῳ.

ΑΜΦΙΤΡΥΩΝ

εἰ μηκέθ' Ἅιδου βάκχος εἶ, φράσαιμεν ἄν.

ΗΡΑΚΛΗΣ

1120 παπαῖ, τόδ' ὡς ὕποπτον ᾐνίξω πάλιν.

ΑΜΦΙΤΡΥΩΝ

καί σ' εἰ βεβαίως εὖ φρονεῖς ἤδη σκοπῶ.

ΗΡΑΚΛΗΣ

οὐ γάρ τι βακχεύσας γε μέμνημαι φρένας.

ΑΜΦΙΤΡΥΩΝ

λύσω, γέροντες, δεσμὰ παιδὸς ἢ τί δρῶ;

ΗΡΑΚΛΗΣ

καὶ τόν γε δήσαντ' εἴπ'· ἀναινόμεσθα γάρ.

ΑΜΦΙΤΡΥΩΝ

τοσοῦτον ἴσθι τῶν κακῶν· τὰ δ' ἄλλ' ἔα.

ΗΡΑΚΛΗΣ

ἀρκεῖ σιωπὴ γὰρ μαθεῖν ὃ βούλομαι;

HERCULES

Father, why dost thou weep and veil thine eyes,
Shrinking afar from thy beloved son?

AMPHITRYON

Oh my son!—mine, though ne'er so ill thy plight!

HERCULES

Am I in grievous plight, that thou shouldst weep?

AMPHITRYON

Plight whereat Gods might groan, were God so stricken!

HERCULES

Great words!—but what hath chanced thou say'st not yet.

AMPHITRYON

Thyself mayst see, if now thy wit be sound.

HERCULES

Speak, if thou shadowest forth strange ills for me.

AMPHITRYON

I will say—so thy frenzy of hell be past.

HERCULES

Again that word!—ha, what dark riddle this? 1120

AMPHITRYON

Yea, if thy mind be sober yet I doubt—

HERCULES

Naught I remember of a frenzied mind.

AMPHITRYON

Fathers, shall I unbind my son, or no?

HERCULES

Who bound me? Him I account no friend of mine!

AMPHITRYON

Know thou so far thine ills:—the rest let be

HERCULES

Is silence all? With *that* must I content me?

ΑΜΦΙΤΡΥΩΝ

ὦ Ζεῦ, παρ' Ἥρας ἆρ' ὁρᾷς θρόνων τάδε;

ΗΡΑΚΛΗΣ

ἀλλ' ἦ τι κεῖθεν πολέμιον πεπόνθαμεν;

ΑΜΦΙΤΡΥΩΝ

τὴν θεὸν ἐάσας τὰ σὰ περιστέλλου κακά.

ΗΡΑΚΛΗΣ

1130 ἀπωλόμεσθα· συμφορὰν λέξεις τίνα;

ΑΜΦΙΤΡΥΩΝ

ἰδοὺ θέασαι τάδε τέκνων πεσήματα.

ΗΡΑΚΛΗΣ

οἴμοι· τίν' ὄψιν τήνδε δέρκομαι τάλας;

ΑΜΦΙΤΡΥΩΝ

ἀπόλεμον, ὦ παῖ, πόλεμον ἔσπευσας τέκνοις.

ΗΡΑΚΛΗΣ

τί πόλεμον εἶπας; τούσδε τίς διώλεσεν;

ΑΜΦΙΤΡΥΩΝ

σὺ καὶ σὰ τόξα καὶ θεῶν ὃς αἴτιος.

ΗΡΑΚΛΗΣ

τί φής; τί δράσας; ὦ κάκ' ἀγγέλλων πάτερ.

ΑΜΦΙΤΡΥΩΝ

μανείς· ἐρωτᾷς δ' ἄθλι' ἑρμηνεύματα.

ΗΡΑΚΛΗΣ

ἦ καὶ δάμαρτός εἰμ' ἐγὼ φονεὺς ἐμῆς;

ΑΜΦΙΤΡΥΩΝ

μιᾶς ἅπαντα χειρὸς ἔργα σῆς τάδε.

ΗΡΑΚΛΗΣ

1140 αἰαῖ· στεναγμῶν γάρ με περιβάλλει νέφος.

ΑΜΦΙΤΡΥΩΝ

τούτων ἕκατι σὰς καταστένω τύχας.

AMPHITRYON (*unbinding him*)

Zeus, seëst thou this bolt from Hera's throne?

HERCULES

Ha! have I suffered mischief of her hate?

AMPHITRYON

Let be the Goddess: thine own miseries heed.

HERCULES

I am undone! What ruin wilt thou tell? 1130

AMPHITRYON

Lo, mark these fallen wrecks,—wrecks of thy sons!

HERCULES

Woe's me! ah wretch, what sight do I behold?

AMPHITRYON

Unnatural war, són, waged against thy babes.

HERCULES

What war mean'st thou? Who hath done these to death?

AMPHITRYON

Thou, and thy bow—and whatso God was cause.

HERCULES

How?—what did I?—O ill-reporting sire!

AMPHITRYON

In madness. Heavy enlightening cravest thou!

HERCULES

Ha! am I murderer of my wife withal?

AMPHITRYON

Yea: all these deeds are work of one hand—thine.

HERCULES

Alas! a cloud of groaning shrouds me round! 1140

AMPHITRYON

For this cause heavily mourn I thy mischance.

ΗΡΑΚΛΗΣ

ἦ γὰρ συνήραξ' οἶκον, ἢ 'βάκχευσ', ἐμόν;

ΑΜΦΙΤΡΥΩΝ

οὐκ οἶδα πλὴν ἕν· πάντα δυστυχῆ τὰ σά.

ΗΡΑΚΛΗΣ

ποῦ δ' οἶστρος ἡμᾶς ἔλαβε; ποῦ διώλεσεν;

ΑΜΦΙΤΡΥΩΝ

ὅτ' ἀμφὶ βωμὸν χεῖρας ἡγνίζου πυρί.

ΗΡΑΚΛΗΣ

οἴμοι· τί δῆτα φείδομαι ψυχῆς ἐμῆς
τῶν φιλτάτων μοι γενόμενος παίδων φονεύς,
κοὐκ εἶμι πέτρας λισσάδος πρὸς ἅλματα
ἢ φάσγανον πρὸς ἧπαρ ἐξακοντίσας
1150 τέκνοις δικαστὴς αἵματος γενήσομαι;
ἢ σάρκα τήνδε τὴν ἐμὴν πρήσας πυρί,
δύσκλειαν ἣ μένει μ' ἀπώσομαι βίου;
ἀλλ' ἐμποδών μοι θανασίμων βουλευμάτων
Θησεὺς ὅδ' ἕρπει συγγενὴς φίλος τ' ἐμός.
ὀφθησόμεσθα, καὶ τεκνοκτόνον μύσος
εἰς ὄμμαθ' ἥξει φιλτάτῳ ξένων ἐμῶν.
οἴμοι, τί δράσω; ποῖ κακῶν ἐρημίαν
εὕρω, πτερωτός, ἢ κατὰ χθονὸς μολών;
φέρ' [ὦ μέλαν] τι[1] κρατὶ περιβάλω σκότος.
1160 αἰσχύνομαι γὰρ τοῖς δεδραμένοις κακοῖς,
καὶ τῷδε προστρόπαιον αἷμα προσβαλὼν
οὐδὲν κακῶσαι τοὺς ἀναιτίους θέλω.

ΘΗΣΕΥΣ

ἥκω σὺν ἄλλοις οἳ παρ' Ἀσωποῦ ῥοὰς
μένουσιν, ἔνοπλοι γῆς Ἀθηναίων κόροι,
σῷ παιδί, πρέσβυ, σύμμαχον φέρων δόρυ.
κληδὼν γὰρ ἦλθεν εἰς Ἐρεχθειδῶν πόλιν

[1] Translator's suggestion: for MSS. φερ' ἄν τι. Cf. l. 1216.

HERCULES

I wrecked mine house, or loosed wild rioters there?

AMPHITRYON

One thing I know—thy state is ruin all.

HERCULES

Where did my frenzy seize me?—where destroy?

AMPHITRYON

As thine hand touched the altar's cleansing fire.

HERCULES

Woe's me! Ah wherefore spare I mine own life,
Who am found the murderer of my dear, dear sons,
And rush not to plunge headlong from a cliff,
Or dash a dagger down into mine heart,
And make me avenger of my children's blood, 1150
Or with consuming fire burn this my flesh,
To avert the imminent life-long infamy?
But lo, to thwart my purposes of death,
Theseus draws nigh, my kinsman and my friend.
I shall be seen!—this curse of children's blood
Shall meet a friend's eyes, dearest of my friends!
Woe! What shall I do?—where find solitude
In ills?—take wings, or plunge beneath the ground?
Oh let me in black darkness pall mine head;
For I take shame for evils wrought of me, 1160
Nor would I taint him with bloodguiltiness—[1]
Nay, nowise would I harm the innocent.

Enter THESEUS, *with attendants.*

THESEUS

I come, with them that by Asopus' stream
In arms are tarrying, Athens' warrior sons,
Ancient, to bring thy son my battle-aid.
For rumour came to the Erechtheïds' town

[1] The mere sight of a murderer conveyed contamination.

ὡς σκῆπτρα χώρας τῆσδ' ἀναρπάσας Λυκος
εἰς πόλεμον ὑμῖν καὶ μάχην καθίσταται.
τίνων δ' ἀμοιβὰς ὧν ὑπῆρξεν Ἡρακλῆς
1170 σώσας με νέρθεν, ἦλθον, εἴ τι δεῖ, γέρον,
ἢ χειρὸς ὑμᾶς τῆς ἐμῆς ἢ συμμάχων.
ἔα· τί νεκρῶν τῶνδε πληθύει πέδον;
οὔ που λέλειμμαι καὶ νεωτέρων κακῶν
ὕστερος ἀφῖγμαι; τίς τάδ' ἔκτεινεν τέκνα;
τίνος γεγῶσαν τήνδ' ὁρῶ συνάορον;
οὐ γὰρ δορός γε παῖδες ἵστανται πέλας,
ἀλλ' ἄλλο τοί που καινὸν εὑρίσκω κακόν.

ΑΜΦΙΤΡΥΩΝ

ὦ τὸν ἐλαιοφόρον ὄχθον ἔχων ἄναξ—

ΘΗΣΕΥΣ

τί χρῆμά μ' οἰκτροῖς ἐκάλεσας προοιμίοις;

ΑΜΦΙΤΡΥΩΝ

1180 ἐπάθομεν πάθεα μέλεα πρὸς θεῶν.

ΘΗΣΕΥΣ

οἱ παῖδες οἵδε τίνες, ἐφ' οἷς δακρυρροεῖς;

ΑΜΦΙΤΡΥΩΝ

ἔτεκε μέν νιν οὑμὸς ἶνις τάλας·
τεκόμενος δ' ἔκτανε, φόνιον αἷμα τλάς.

ΘΗΣΕΥΣ

εὔφημα φώνει.

ΑΜΦΙΤΡΥΩΝ

βουλομένοισιν ἐπαγγέλλει.

ΘΗΣΕΥΣ

ὦ δεινὰ λέξας.

ΑΜΦΙΤΡΥΩΝ

οἰχόμεθ' οἰχόμεθα πτανοί.

ΘΗΣΕΥΣ

τί φής; τί δράσας;

That Lycus, this land's sceptered sway usurped,
For war had risen against you, and for fight.
And to requite the service done of him
Who out of Hades saved me, come I, ancient, 1170
If aught ye need mine hand or mine allies.
—Ha! wherefore bears the earth this load of dead?
Have I been laggard?—have I come too late
To stay fell mischief? Who could slay these boys?
Whose wife is she, this woman that I see?
Not boys, good sooth, are ranged to face the spear!
Sure, some unheard-of outrage here I find!

AMPHITRYON

King, lord of the mount with the olives crowned—

THESEUS

Why in thy first words wails a voice of woe?

AMPHITRYON

Sore ills at the hands of the Gods have we found. 1180

THESEUS

What lads be these, o'er whom thou weepest so?

AMPHITRYON

My son was their father—alas and alas for him—
Their father—and slew them!—who dared that murder grim!

THESEUS

Hush! Speak not horrors thou!

AMPHITRYON

Ah, would that I could but obey thy word!

THESEUS

Dread things thou sayest now!

AMPHITRYON

Fled is our bliss, as on wings of a bird.

THESEUS

What sayest thou?—how wrought he deed so dread?

ΑΜΦΙΤΡΥΩΝ

μαινομένῳ πιτύλῳ πλαγχθεὶς
1190 ἑκατογκεφάλου βαφαῖς ὕδρας.

ΘΗΣΕΥΣ

Ἥρας ὅδ' ἀγών· τίς δ' ὅδ' οὖν νεκροῖς, γέρον;

ΑΜΦΙΤΡΥΩΝ

ἐμὸς ἐμὸς ὅδε γόνος ὁ πολύπονος, ὃς ἐπὶ
δόρυ γιγαντοφόνον ἦλθεν σὺν θεοῖ-
σι Φλεγραῖον εἰς πεδίον ἀσπιστάς.

ΘΗΣΕΥΣ

φεῦ φεῦ· τίς ἀνδρῶν ὧδε δυσδαίμων ἔφυ;

ΑΜΦΙΤΡΥΩΝ

οὐκ ἂν εἰδείης ἕτερον
πολυμοχθότερον πολυπλαγκτότερόν τε θνατῶν.

ΘΗΣΕΥΣ

τί γὰρ πέπλοισιν ἄθλιον κρύπτει κάρα;

ΑΜΦΙΤΡΥΩΝ

αἰδόμενος τὸ σὸν ὄμμα
1200 καὶ φιλίαν ὁμόφυλον
αἷμά τε παιδοφόνον.

ΘΗΣΕΥΣ

ἀλλ' ὡς συναλγῶν γ' ἦλθον· ἐκκάλυπτέ νιν.

ΑΜΦΙΤΡΥΩΝ

ὦ τέκνον,
πάρες ἀπ' ὀμμάτων
πέπλον, ἀπόδικε, ῥέθος ἀελίῳ δεῖξον·
βάρος ἀντίπαλον δακρύοισιν ἁμιλλᾶται.
ἱκετεύομεν ἀμφὶ σὰν
γενειάδα καὶ γόνυ καὶ χέρα προσπίτνων
πολιόν τε δάκρυον ἐκβαλών.

AMPHITRYON

Upon madness's surge was his soul tossed wide,
And his shafts in the blood of the hydra of hundred heads were dyed. 1190

THESEUS

Lo, Hera's work! Who croucheth midst yon dead?

AMPHITRYON

My son is it—mine—of the thousand toils, who stood
In the ranks of the Gods, stood slaying the giant-brood
On the Plain of Phlegra, a warrior good.

THESEUS

Woe! when was man by fate so ill-bestead!

AMPHITRYON

None other of mortal men shalt thou see
Who hath burden of heavier griefs, was more dreadly misguided than he.

THESEUS

Why doth he overpall his hapless head?

AMPHITRYON

For shame that thine eyes such sight should win,
Shame for the pitying love of kin, 1200
For his sons' blood shame—for the madness, the sin!

THESEUS

Unveil him—me hath sympathy hither led.

AMPHITRYON

Son, cast from thine eyes thy mantle's veil;
Fling it hence; thy face to the sun forth show.
Lo, a weight that outweigheth thy tears bears down grief's scale![1]
I bow me in suppliance low
At thy beard, at thy knee, at thine hand, till thou hear:
And mine old eyes drop the tear.

[1] The claims of friendship outweigh those of grief.

1210 ἰὼ παῖ, κατά-
σχεθε λέοντος ἀγρίου θυμόν, ὡς
δρόμον[1] ἐπὶ φόνιον ἀνόσιον ἐξάγει,
κακὰ θέλων κακοῖς συνάψαι, τέκνον.

ΘΗΣΕΥΣ

εἶεν· σὲ τὸν θάσσοντα δυστήνους ἕδρας
αὐδῶ, φίλοισιν ὄμμα δεικνύναι τὸ σόν.
οὐδεὶς σκότος γὰρ ὧδ' ἔχει μέλαν νέφος,
ὅστις κακῶν σῶν συμφορὰν κρύψειεν ἄν.
τί μοι προσείων χεῖρα σημαίνεις φόνον;
ὡς μὴ μύσος με σῶν βάλῃ προσφθεγμάτων;
1220 οὐδὲν μέλει μοι σύν γε σοὶ πράσσειν κακῶς·
καὶ γάρ ποτ' ηὐτύχησ'· ἐκεῖσ' ἀνοιστέον,
ὅτ' ἐξέσωσάς μ' εἰς φάος νεκρῶν πάρα.
χάριν δὲ γηράσκουσαν ἐχθαίρω φίλων,
καὶ τῶν καλῶν μὲν ὅστις ἀπολαύειν θέλει,
συμπλεῖν δὲ τοῖς φίλοισι δυστυχοῦσιν οὔ.
ἀνίστασ', ἐκκάλυψον ἄθλιον κάρα.
βλέψον πρὸς ἡμᾶς. ὅστις εὐγενὴς βροτῶν,
φέρει τὰ θεῶν γε πτώματ' οὐδ' ἀναίνεται.

ΗΡΑΚΛΗΣ

Θησεῦ, δέδορκας τόνδ' ἀγῶν' ἐμῶν τέκνων;

ΘΗΣΕΥΣ

1230 ἤκουσα, καὶ βλέποντι σημαίνεις κακά.

ΗΡΑΚΛΗΣ

τί δῆτά μου κρᾶτ' ἀνεκάλυψας ἡλίῳ;

ΘΗΣΕΥΣ

τί δ'; οὐ μιαίνεις θνητὸς ὢν τὰ τῶν θεῶν.

ΗΡΑΚΛΗΣ

φεῦγ', ὦ ταλαίπωρ', ἀνόσιον μίασμ' ἐμόν.

[1] Reiske: for MSS. βρόμον.

O son, refrain thou the furious lion's mood! 1210
Thou wouldst speed on a race unhallowed, a path of
blood,
Who art bent on self-slaughter, on swelling with evil
evil's flood.

THESEUS

Ho! thee in spirit-broken session crouched
I hail—reveal unto thy friends thy face.
There is no darkness hath a pall so black
That it should hide the misery of thy woes.
Why wave me back with hand that warns of blood?
Lest some pollution of thy speech taint me?
Naught reck I of misfortune, shared with thee. 1220
Fair lot hath found me—I date it from that hour
When safe to day thou brought'st me from the dead.
Friends' gratitude that waxeth old I hate,
Hate him who would enjoy friends' sunshine-tide,
But will not in misfortune sail with them.
Stand up, unmuffle thou thine hapless head:
Look on me: who of men is royal-souled
Beareth the blows of heaven, and flincheth not.

[*Unveils* HERCULES.

HERCULES

Theseus, hast seen mine onslaught on mine babes?

THESEUS

I have heard: the ills thou namest I behold. 1230

HERCULES

Why then unveil mine head unto the sun?

THESEUS

Why?—mortal, thou canst not pollute the heavens.

HERCULES

Flee, hapless, my pollution god-accurst!

ΘΗΣΕΥΣ

οὐδεὶς ἀλάστωρ τοῖς φίλοις ἐκ τῶν φίλων.

ΗΡΑΚΛΗΣ

ἐπῄνεσ᾿· εὖ δράσας δέ σ᾿ οὐκ ἀναίνομαι.

ΘΗΣΕΥΣ

ἐγὼ δὲ πάσχων εὖ τότ᾿ οἰκτείρω σε νῦν.

ΗΡΑΚΛΗΣ

οἰκτρὸς γάρ εἰμι τἄμ᾿ ἀποκτείνας τέκνα.

ΘΗΣΕΥΣ

κλαίω χάριν σὴν ἐφ᾿ ἑτέραισι συμφοραῖς.

ΗΡΑΚΛΗΣ

ηὗρες δ᾿ ἔτ᾿ ἄλλους ἐν κακοῖσι μείζοσιν;

ΘΗΣΕΥΣ

1240 ἅπτει κάτωθεν οὐρανοῦ δυσπραξίᾳ.

ΗΡΑΚΛΗΣ

τοιγὰρ παρεσκευάσμεθ᾿ ὥστε κατθανεῖν.

ΘΗΣΕΥΣ

δοκεῖς ἀπειλῶν σῶν μέλειν τι δαίμοσιν;

ΗΡΑΚΛΗΣ

αὔθαδες ὁ θεός, πρὸς δὲ τοὺς θεοὺς ἐγώ.

ΘΗΣΕΥΣ

ἴσχε στόμ᾿, ὡς μὴ μέγα λέγων μεῖζον πάθῃς.

ΗΡΑΚΛΗΣ

γέμω κακῶν δή, κοὐκέτ᾿ ἔσθ᾿ ὅπῃ τεθῇ.

ΘΗΣΕΥΣ

δράσεις δὲ δὴ τί; ποῖ φέρει θυμούμενος;

ΗΡΑΚΛΗΣ

θανών, ὅθενπερ ἦλθον, εἶμι γῆς ὕπο.

ΘΗΣΕΥΣ

εἴρηκας ἐπιτυχόντος ἀνθρώπου λόγους.

THESEUS

No haunting curse can pass from friend to friend.

HERCULES

Now nay!—yet thanks. I helped thee, nor repent.

THESEUS

I for that kindness now compassionate thee.

HERCULES

Compassion-worthy am I, who slew my sons!

THESEUS

I weep for thy sake, for thy fortune changed.

HERCULES

Hast thou known any whelmed in deeper woes?

THESEUS

From earth to heaven reach thy calamities. 1240

HERCULES

Therefore have I prepared my soul to die.

THESEUS

Deem'st thou that Heaven recks aught of threats of
thine?

HERCULES

For me God cares not, nor care I for God!

THESEUS

Refrain lips, lest high words bring deeper woes!

HERCULES

Full-fraught am I with woes—no space for more.

THESEUS

What wilt thou do?—whither art passion-hurled?

HERCULES

To death. I pass to Hades, whence I came.

THESEUS

No hero's words be these that thou hast said.

ΗΡΑΚΛΗΣ

σὺ δ' ἐκτὸς ὢν γε συμφορᾶς με νουθετεῖς.

ΘΗΣΕΥΣ

1250 ὁ πολλὰ δὴ τλὰς Ἡρακλῆς λέγει τάδε;

ΗΡΑΚΛΗΣ

οὔκουν τοσαῦτά γ'· ἐν μέτρῳ[1] μοχθητέον.

ΘΗΣΕΥΣ

εὐεργέτης βροτοῖσι καὶ μέγας φίλος;

ΗΡΑΚΛΗΣ

οἵδ' οὐδὲν ὠφελοῦσί μ', ἀλλ' Ἥρα κρατεῖ.

ΘΗΣΕΥΣ

οὐκ ἄν σ' ἀνάσχοιθ' Ἑλλὰς ἀμαθίᾳ θανεῖν.

ΗΡΑΚΛΗΣ

ἄκουε δή νυν, ὡς ἁμιλληθῶ λόγοις
πρὸς νουθετήσεις σάς· ἀναπτύξω δέ σοι
ἀβίωτον ἡμῖν νῦν τε καὶ πάροιθεν ὄν.
πρῶτον μὲν ἐκ τοῦδ' ἐγενόμην ὅστις κτανὼν
μητρὸς γεραιὸν πατέρα προστρόπαιος ὢν
1260 ἔγημε τὴν τεκοῦσαν Ἀλκμήνην ἐμέ.
ὅταν δὲ κρηπὶς μὴ καταβληθῇ γένους
ὀρθῶς, ἀνάγκη δυστυχεῖν τοὺς ἐκγόνους.
Ζεὺς δ'—ὅστις ὁ Ζεὺς—πολέμιόν μ' ἐγείνατο
Ἥρᾳ· σὺ μέντοι μηδὲν ἀχθεσθῇς, γέρον·
πατέρα γὰρ ἀντὶ Ζηνὸς ἡγοῦμαί σ' ἐγώ.
ἔτ' ἐν γάλακτί τ' ὄντι γοργωποὺς ὄφεις
ἐπεισέφρησε σπαργάνοισι τοῖς ἐμοῖς
ἡ τοῦ Διὸς σύλλεκτρος, ὡς ὀλοίμεθα.
ἐπεὶ δὲ σαρκὸς περιβόλαι' ἐκτησάμην
1270 ἡβῶντα, μόχθους οὓς ἔτλην τί δεῖ λέγειν;
ποίους ποτ' ἢ λέοντας ἢ τρισωμάτους

[1] Hermann: for MSS. γ', εἰ μέτρῳ.

HERCULES

Thou dost rebuke me—clear of misery thou!

THESEUS

Speaks Hercules, who hath endured so much,— 1250

HERCULES

Never so much!—its bounds endurance hath.

THESEUS

Men's benefactor and their mighty friend?

HERCULES

They cannot help, for Hera's might prevails.

THESEUS

Hellas will brook not this fool's death for thee.

HERCULES

Hearken, that I may wrestle in argument
With thine admonishings. I will unfold
Why now, as heretofore, boots not to live.
First, I am his son, who, with blood-guilt stained
From murder of my mother's agèd sire,
Wedded Alcmena who gave birth to me. 1260
When the foundation of the race is laid
In sin, needs must the issue be ill-starred.

And Zeus—whoe'er Zeus be—begat me foe
To Hera,—nay but, ancient, be not chafed,
For truer father thee I count than Zeus.
When I was yet a suckling, Zeus's bride
Sent gorgon-glaring serpents secretly
Against my cradle, that I might be slain.
Soon as I gathered vesture of brawny flesh,
What boots to tell what labours I endured? 1270
What lions, what three-bodied Geryon-fiends,

Γηρυόνας[1] ἢ Γίγαντας ἢ τετρασκελῆ
κενταυροπληθῆ πόλεμον οὐκ ἐξήνυσα;
τήν τ' ἀμφίκρανον καὶ παλιμβλαστῆ κύνα
ὕδραν φονεύσας, μυρίων τ' ἄλλων πόνων
διῆλθον ἀγέλας κεἰς νεκροὺς ἀφικόμην,
Ἅιδου πυλωρὸν κύνα τρίκρανον εἰς φάος
ὅπως πορεύσαιμ' ἐντολαῖς Εὐρυσθέως.
τὸ λοίσθιον δὲ τόνδ' ἔτλην τάλας φόνον,
1280 παιδοκτονήσας δῶμα θριγκῶσαι κακοῖς.
ἥκω δ' ἀνάγκης εἰς τόδ'· οὔτ' ἐμαῖς φίλαις
Θήβαις ἐνοικεῖν ὅσιον· ἢν δὲ καὶ μένω,
εἰς ποῖον ἱερὸν ἢ πανήγυριν φίλων
εἶμ'; οὐ γὰρ ἄτας εὐπροσηγόρους ἔχω.
ἀλλ' Ἄργος ἔλθω; πῶς, ἐπεὶ φεύγω πάτραν;
φέρ' ἀλλ' ἐς ἄλλην δή τιν' ὁρμήσω πόλιν·
κἄπειθ' ὑποβλεπώμεθ' ὡς ἐγνωσμένοι,
γλώσσης πικροῖς κέντροισι κληδουχούμενοι·
οὐχ οὗτος ὁ Διός, ὃς τέκν' ἔκτεινέν ποτε
1290 δάμαρτά τ'; οὐ γῆς τῆσδ' ἀποφθαρήσεται;
κεκλημένῳ δὲ φωτὶ μακαρίῳ ποτὲ
αἱ μεταβολαὶ λυπηρόν· ᾧ δ' ἀεὶ κακῶς
ἔστ', οὐδὲν ἀλγεῖ συγγενῶς δύστηνος ὤν.
εἰς τοῦτο δ' ἥξειν συμφορᾶς οἶμαί ποτε·
φωνὴν γὰρ ἥσει χθὼν ἀπεννέπουσά με
μὴ θιγγάνειν γῆς καὶ θάλασσα μὴ περᾶν
πηγαί τε ποταμῶν, καὶ τὸν ἁρματήλατον
Ἰξίον' ἐν δεσμοῖσιν ἐκμιμήσομαι.
πρὸς ταῦτ' ἄριστα μηδέν' Ἑλλήνων μ' ὁρᾶν,
1300 ἐν οἷσιν εὐτυχοῦντες ἦμεν ὄλβιοι.
τί δῆτά με ζῆν δεῖ; τί κέρδος ἕξομεν
βίοτον ἀχρεῖον ἀνόσιον κεκτημένοι;

[1] Elmsley: for MSS. Τυφῶνας.

Or giants, slew I not?—or with what host
Of fourfoot Centaurs fought not out the war?
The hound o'erswarmed with heads that severed grew,
The Hydra, killed I: throngs of toils beside
Untold I wrought: I passed unto the dead
To bring forth at Eurystheus' hest to light
The hound three-headed, warder of Hell-gate.
And this—woe's me!—my latest desperate deed,
Murder of sons—mine home's topstone of ills! 1280

I am come to this strait—in my dear-loved Thebes
I cannot dwell uncursed. Though I should stay,
To what fane can I go?—what gathering
Of friends?—the Accurst, to whom no man may speak!
Shall I to Argos?—I, an outlawed man!
Nay then, to another city let me go—
And there be eyed askance, a branded man,
My jailers there the scorpions of the tongue—
"Lo there Zeus' son, who murdered babes and wife!
Shall he not hence?—perdition go with him!" 1290
Now to the man called happy in time past
Reverse is torture: he whose days were dark
Always, grieves not, being cradled in distress.

To this curse shall I come at last, I ween,
That earth shall find a voice forbidding me
To touch her, and the sea, that I cross not,
And river-springs: so, like Ixion whirled
In chains upon his wheel shall I become.
Best so—that none set eyes on me in Greece,
The land where once I prospered and was blest. 1300
Why need I live? What profit shall I have
Owning a useless life, a life accurst?

χορευέτω δὴ Ζηνὸς ἡ κλεινὴ δάμαρ
κρούουσ᾽ Ὀλύμπου δῖον ἀρβύλῃ πέδον·
ἔπραξε γὰρ βούλησιν ἣν ἐβούλετο,
ἄνδρ᾽ Ἑλλάδος τὸν πρῶτον αὐτοῖσιν βάθροις
ἄνω κάτω στρέψασα. τοιαύτῃ θεῷ
τίς ἂν προσεύχοιθ᾽; ἣ γυναικὸς εἵνεκα
λέκτρων φθονοῦσα Ζηνὶ τοὺς εὐεργέτας
1310 Ἑλλάδος ἀπώλεσ᾽ οὐδὲν ὄντας αἰτίους.

ΘΗΣΕΥΣ

οὐκ ἔστιν ἄλλου δαιμόνων ἀγὼν ὅδε
ἢ τῆς Διὸς δάμαρτος· [οὐδὲ σοὶ θανεῖν][1]
παραινέσαιμ᾽ ἂν μᾶλλον ἢ πάσχειν κακῶς.
οὐδεὶς δὲ θνητῶν ταῖς τύχαις ἀκήρατος,
οὐ θεῶν, ἀοιδῶν εἴπερ οὐ ψευδεῖς λόγοι.
οὐ λέκτρα τ᾽ ἀλλήλοισιν, ὧν οὐδεὶς νόμος,
συνῆψαν; οὐ δεσμοῖσι διὰ τυραννίδας
πατέρας ἐκηλίδωσαν; ἀλλ᾽ οἰκοῦσ᾽ ὅμως
Ὄλυμπον ἠνέσχοντό θ᾽ ἡμαρτηκότες.
1320 καίτοι τί φήσεις, εἰ σὺ μὲν θνητὸς γεγὼς
φέρεις ὑπέρφευ τὰς τύχας, θεοὶ δὲ μή;
Θήβας μὲν οὖν ἔκλειπε τοῦ νόμου χάριν,
ἕπου δ᾽ ἅμ᾽ ἡμῖν πρὸς πόλισμα Παλλάδος.
ἐκεῖ χέρας σὰς ἁγνίσας μιάσματος,
δόμους τε δώσω χρημάτων τ᾽ ἐμῶν μέρος.
ἃ δ᾽ ἐκ πολιτῶν δῶρ᾽ ἔχω σώσας κόρους
δὶς ἑπτά, ταῦρον Κνώσιον κατακτανών,
σοὶ ταῦτα δώσω. πανταχοῦ δέ μοι χθονὸς
τεμένη δέδασται· ταῦτ᾽ ἐπωνομασμένα
1330 σέθεν τὸ λοιπὸν ἐκ βροτῶν κεκλήσεται

[1] Following MSS. in assigning 1311–2 to Theseus, and reading (translator's conjecture) **οὐδὲ σοὶ θανεῖν** for **εὖ τόδ᾽ αἰσθάνει.**

Now let her dance, that glorious bride of Zeus,
Beating with sandalled foot Olympus' floor!
She hath compassed her desire that she desired,
Down with his pedestal hurling in utter wreck
The foremost man of Greece! To such a Goddess
Who shall pray now?—who, for a woman's sake
Jealous of Zeus, from Hellas hath cut off
Her benefactors, guiltless though they were! 1310

THESEUS

This is the assault of none of deities
Save Zeus's Queen; yet thee I counsel not
Rather to die than suffer and be strong.
No mortal hath escaped misfortune's taint,
Nor God—if minstrel-legends be not false.
Have they not linked them in unlawful bonds
Of wedlock, and with chains, to win them thrones,
Outraged their fathers? In Olympus still
They dwell, by their transgressions unabashed.
What wilt thou plead, if, mortal as thou art, 1320
Thou chafe against thy fate, and Gods do not?

Nay then, leave Thebes, submissive to the law,
And unto Pallas' fortress come with me.
There will I cleanse thine hands from taint of blood,
Give thee a home, and of my substance half.
The gifts my people gave for children saved
Twice seven, when I slew the Cnossian bull,
These will I give thee. All throughout the land
Have I demesnes assigned me: these shall bear
Thy name henceforth with men while thou shalt live. 1330

ζῶντος· θανόντα δ', εὖτ' ἂν εἰς Ἅιδου μόλῃς,
θυσίαισι λαΐνοισί τ' ἐξογκώμασιν
τίμιον ἀνάξει πᾶσ' Ἀθηναίων πόλις.
καλὸς γὰρ ἀστοῖς στέφανος Ἑλλήνων ὕπο
ἄνδρ' ἐσθλὸν ὠφελοῦντας εὐκλείας τυχεῖν.
κἀγὼ χάριν σοι τῆς ἐμῆς σωτηρίας
τήνδ' ἀντιδώσω· νῦν γὰρ εἶ χρεῖος φίλων.
θεοὶ δ' ὅταν τιμῶσιν, οὐδὲν δεῖ φίλων·
ἅλις γὰρ ὁ θεὸς ὠφελῶν, ὅταν θέλῃ.

ΗΡΑΚΛΗΣ

1340 οἴμοι· πάρεργά τοι τάδ' ἔστ' ἐμῶν κακῶν.
ἐγὼ δὲ τοὺς θεοὺς οὔτε λέκτρ' ἃ μὴ θέμις
στέργειν νομίζω, δεσμά τ' ἐξάπτειν χεροῖν
οὔτ' ἠξίωσα πώποτ' οὔτε πείσομαι,
οὐδ' ἄλλον ἄλλου δεσπότην πεφυκέναι.
δεῖται γὰρ ὁ θεός, εἴπερ ἔστ' ὀρθῶς θεός
οὐδενός· ἀοιδῶν οἵδε δύστηνοι λόγοι.
ἐσκεψάμην δὲ καίπερ ἐν κακοῖσιν ὤν,
μὴ δειλίαν ὄφλω τιν' ἐκλιπὼν φάος.
ταῖς συμφοραῖς γὰρ ὅστις οὐχ ὑφίσταται,
1350 οὐδ' ἀνδρὸς ἂν δύναιθ' ὑποστῆναι βέλος.
ἐγκαρτερήσω θάνατον· εἶμι δ' εἰς πόλιν
τὴν σὴν χάριν τε μυρίαν δώρων ἔχω.
ἀτὰρ πόνων δὴ μυρίων ἐγευσάμην·
ὧν οὔτ' ἀπεῖπον οὐδὲν οὔτ' ἀπ' ὀμμάτων
ἔσταξα πηγάς, οὐδ' ἂν ᾠόμην ποτὲ
εἰς τοῦθ' ἱκέσθαι, δάκρυ' ἀπ' ὀμμάτων βαλεῖν.
νῦν δ', ὡς ἔοικε, τῇ τύχῃ δουλευτέον,
εἶεν· γεραιέ, τὰς ἐμὰς φυγὰς ὁρᾷς,
ὁρᾷς δὲ παίδων ὄντα μ' αὐθέντην ἐμῶν.
1360 δὸς τούσδε τύμβῳ καὶ περίστειλον νεκροὺς
δακρύοισι τιμῶν—ἐμὲ γὰρ οὐκ ἐᾷ νόμος—

And, when in death thou goest to Hades' halls,
With sacrifice and monuments of stone
Shall all the Athenians' Town exalt thy name:
For a fair crown to win from Greeks is this
For us, the glory of a hero helped.
Yea, this requital will I render thee
For saving me; for now thou lackest friends.
When the Gods honour us, we need not friends:
God's help sufficeth, when he wills it so.

HERCULES

Ah, all this hath no pertinence to mine ills! 1340
I deem not that the Gods for spousals crave
Unhallowed: tales of Gods' hands manacled
Ever I scorned, nor ever will believe,
Nor that one God is born another's lord.
For God hath need, if God indeed he be,
Of naught: these be the minstrels' sorry tales.

Yet thus I have mused—how deep soe'er in ills—
"*Shall I quit life, and haply prove me craven?*"
For he who flincheth from misfortune's blows,
He even from a mere man's spear would flinch. 1350
I will be strong to await death. To thy town
I go. For thy gifts thanks a thousandfold.
Ah, I have tasted travail measureless,
Nor ever shrank from any, never shed
Tear from mine eyes, no, nor had ever thought
That I should come to this, to weep the tear!
But now, meseems, I must be thrall to fate.

Ay so!—thou seëst, O ancient, mine exile;
Thou seëst me a murderer of my sons.
Give these a tomb, and shroud the dead, with tears 1360
For honour,—me the law withholds therefrom,—

πρὸς στέρν' ἐρείσας μητρὶ δούς τ' ἐς ἀγκάλας,
κοινωνίαν δύστηνον, ἣν ἐγὼ τάλας
διώλεσ' ἄκων. γῇ δ' ἐπὴν κρύψῃς νεκρούς,
οἴκει πόλιν τήνδ', ἀθλίως μέν, ἀλλ' ὅμως
ψυχὴν βιάζου τἀμὰ συμφέρειν κακά.
ὦ τέκν', ὁ φύσας χὠ τεκὼν ὑμᾶς πατὴρ
ἀπώλεσ', οὐδ' ὤνασθε τῶν ἐμῶν καλῶν,
ἁγὼ παρεσκεύαζον ἐκμοχθῶν βίᾳ
1370 εὔκλειαν ὑμῖν, πατρὸς ἀπόλαυσιν καλήν.
σέ τ' οὐχ ὁμοίως, ὦ τάλαιν', ἀπώλεσα
ὥσπερ σὺ τἀμὰ λέκτρ' ἔσῳζες ἀσφαλῶς,
μακρὰς διαντλοῦσ' ἐν δόμοις οἰκουρίας.
οἴμοι δάμαρτος καὶ τέκνων, οἴμοι δ' ἐμοῦ·
ὡς ἀθλίως πέπραγα κἀποζεύγνυμαι
τέκνων γυναικός τ'· ὦ λυγραὶ φιλημάτων
τέρψεις, λυγραὶ δὲ τῶνδ' ὅπλων κοινωνίαι.
ἀμηχανῶ γὰρ πότερ' ἔχω τάδ' ἢ μεθῶ,
ἃ πλευρὰ τἀμὰ προσπίτνοντ' ἐρεῖ τάδε·
1380 ἡμῖν τέκν' εἷλες καὶ δάμαρθ'· ἡμᾶς ἔχεις
παιδοκτόνους σούς. εἶτ' ἐγὼ τάδ' ὠλέναις
οἴσω; τί φάσκων; ἀλλὰ γυμνωθεὶς ὅπλων,
ξὺν οἷς τὰ κάλλιστ' ἐξέπραξ' ἐν Ἑλλάδι,
ἐχθροῖς ἐμαυτὸν ὑποβαλὼν αἰσχρῶς θάνω;
οὐ λειπτέον τάδ', ἀθλίως δὲ σωστέον.
ἕν μοί τι, Θησεῦ, σύγκαμ' ἀθλίῳ· κυνὸς
κόμιστρ' ἐς Ἄργος συγκατάστησον μολών,
λύπῃ τι παίδων μὴ πάθω μονούμενος.
ὦ γαῖα Κάδμου πᾶς τε Θηβαῖος λεώς,
1390 κείρασθε, συμπενθήσατ', ἔλθετ' εἰς τάφον

Laid on the mother's breast, clasped in her arms,
Sad fellowship, which I—O wretch!—destroyed
Unknowing. When thou hast hid them in the tomb,
Live on in Thebes,—in misery, yet still
Constrain thy soul to share my load of woe.
Ah childen, your begetter and your sire
Slew you!—ye had no profit of my glory,
Of all my travail and strenuous toil to win
Renown for you—a sire's best legacy. 1370
And thee, lost love, not in such wise I slew
As thou didst save, didst keep mine honour safe
Through all that weary warding of mine house!
Woe for my wife and children! woe for me!
How mournful is my plight, who am disyoked
From babes, from bride! Ah bitter joy of kisses!
Ah bitter fellowship of these mine arms!
Keep—cast them from me—I know not which to do.
Hanging athwart my side thus will they say:
"*With us thou slewest babes and wife—yet keep'st* 1380
Thy children's slayers!" Shall mine hand bear these?
What can I plead? Yet, naked of mine arms [1]
Wherewith I wrought most glorious deeds in Greece,
'Neath foes' feet shall I cast me?—foully die?
Leave them I may not, to my grief must keep.
In one thing help me, Theseus: come to Argos
To back my claim of hire for Cerberus brought,
Lest grief for children slay me faring lone.
O Land of Cadmus, all ye Theban folk,
With shorn hair grieve with me: to my sons' tomb 1390

[1] He could not replace them by others as good; for they were gifts of Gods—the bow of Apollo, and the club of Hephaestus.

παίδων, ἅπαντας δ' ἑνὶ λόγῳ πενθήσατε
νεκρούς τε κἀμέ· πάντες ἐξολώλαμεν
Ἥρας μιᾷ πληγέντες ἄθλιοι τύχῃ.

ΘΗΣΕΥΣ

ἀνίστασ', ὦ δύστηνε· δακρύων δ' ἅλις.

ΗΡΑΚΛΗΣ

οὐκ ἂν δυναίμην· ἄρθρα γὰρ πέπηγέ μου.

ΘΗΣΕΥΣ

καὶ τοὺς σθένοντας γὰρ καθαιροῦσιν τύχαι.

ΗΡΑΚΛΗΣ

φεῦ·
αὐτοῦ γενοίμην πέτρος ἀμνήμων κακῶν.

ΘΗΣΕΥΣ

παῦσαι· δίδου δὲ χεῖρ' ὑπηρέτῃ φίλῳ.

ΗΡΑΚΛΗΣ

ἀλλ' αἷμα μὴ σοῖς ἐξομόρξωμαι πέπλοις.

ΘΗΣΕΥΣ

1400 ἔκμασσε, φείδου μηδέν· οὐκ ἀναίνομαι.

ΗΡΑΚΛΗΣ

παίδων στερηθεὶς παῖδ' ὅπως ἔχω σ' ἐμόν.

ΘΗΣΕΥΣ

δίδου δέρῃ σὴν χεῖρ', ὁδηγήσω δ' ἐγώ.

ΗΡΑΚΛΗΣ

ζεῦγός γε φίλιον· ἅτερος δὲ δυστυχής.
ὦ πρέσβυ, τοιόνδ' ἄνδρα χρὴ κτᾶσθαι φίλον.

ΑΜΦΙΤΡΥΩΝ

ἡ γὰρ τεκοῦσα τόνδε πατρὶς εὔτεκνος.

ΗΡΑΚΛΗΣ

Θησεῦ, πάλιν με στρέψον, ὡς ἴδω τέκνα.

ΘΗΣΕΥΣ

ὡς δὴ τί; φίλτρον τοῦτ' ἔχων ῥᾴων ἔσει;

Pass, and in one wail make ye moan for all—
The dead and me: we have wholly perished all,
Smitten by one sore doom from Hera's hand.

THESEUS

Rise, sorrow-stricken: let these tears suffice.

HERCULES

I cannot: lo, my limbs are palsy-chained.

THESEUS

O yea, misfortune breaketh down the strong.

HERCULES

Woe worth the day!
Ah to be turned to stone, my woes forgot!

THESEUS

No more! To a friend, a helper, reach thine hand.

HERCULES

With this blood let me not besmirch thy robes!

THESEUS

On me wipe all off! Spare not: I refuse not! 1400

HERCULES

Of sons bereaved, thee have I, like a son.

THESEUS

Cast o'er my neck thine arm; I lead thee on.

HERCULES

A yoke of love!—but one, a stricken man.
Father, well may one gain such friend as this.

AMPHITRYON

The land that bare him breedeth noble sons!

HERCULES

Theseus, let me turn back, to see my babes.

THESEUS

What spell to ease thy pain hath this for thee?

ΗΡΑΚΛΗΣ
ποθῶ, πατρός τε στέρνα προσθέσθαι θέλω.

ΑΜΦΙΤΡΥΩΝ
ἰδοὺ τάδ', ὦ παῖ· τἀμὰ γὰρ σπεύδεις φίλα.

ΘΗΣΕΥΣ
1410 οὕτω πόνων σῶν οὐκέτι μνήμην ἔχεις;

ΗΡΑΚΛΗΣ
ἅπαντ' ἐλάσσω κεῖνα τῶνδ' ἔτλην κακά.

ΘΗΣΕΥΣ
εἴ σ' ὄψεταί τις θῆλυν ὄντ', οὐκ αἰνέσει.

ΗΡΑΚΛΗΣ
ζῶ σοὶ ταπεινός; ἀλλὰ πρόσθεν οὐ δοκῶ.

ΘΗΣΕΥΣ
ἄγαν γ'· ὁ κλεινὸς Ἡρακλῆς ποῦ κεῖνος ὤν;

ΗΡΑΚΛΗΣ
σὺ ποῖος ἦσθα νέρθεν ἐν κακοῖσιν ὤν;

ΘΗΣΕΥΣ
ὡς εἰς τὸ λῆμα παντὸς ἦν ἥσσων ἀνήρ.

ΗΡΑΚΛΗΣ
πῶς οὖν ἂν εἴποις ὅτι συνέσταλμαι κακοῖς;

ΘΗΣΕΥΣ
πρόβαινε.

ΗΡΑΚΛΗΣ
χαῖρ', ὦ πρέσβυ.

ΑΜΦΙΤΡΥΩΝ
καὶ σύ μοι, τέκνον.

ΗΡΑΚΛΗΣ
θάφθ' ὥσπερ εἶπον παῖδας.

ΑΜΦΙΤΡΥΩΝ
ἐμὲ δὲ τίς, τέκνον;

HERCULES

I yearn—and on my father's breast would fall.

AMPHITRYON

Lo here, my son : mine heart as thine is fain.

THESEUS

Art thou so all-forgetful of thy toils?[1] 1410

HERCULES

All toils endured of old were light by these.

THESEUS

Who sees thee play the woman thus shall scorn.

HERCULES

Live I, thy scorn? Once was I not, I trow!

THESEUS

Alas, yes! Where is glorious Hercules?

HERCULES

What manner of man wast thou mid Hades' woes?

THESEUS

My strength of soul was utter weakness then.

HERCULES

Shouldst *thou*, then, name me a man by suffering cowed?

THESEUS

On then!

HERCULES

Farewell, old sire.

AMPHITRYON

Farewell thou, son.

HERCULES

Bury the lads.

AMPHITRYON

Who burieth me, my child?

[1] The Twelve Labours, of which this weakness is unworthy.

ΗΡΑΚΛΗΣ

ἐγώ.

ΑΜΦΙΤΡΥΩΝ

πότ᾽ ἐλθών;

ΗΡΑΚΛΗΣ

1420 ἡνίκ᾽ ἂν θάψῃς τέκνα.

ΑΜΦΙΤΡΥΩΝ

πῶς;

ΗΡΑΚΛΗΣ

εἰς Ἀθήνας πέμψομαι Θηβῶν ἄπο.
ἀλλ᾽ εἰσκόμιζε τέκνα δυσκόμιστα γῇ·
ἡμεῖς δ᾽ ἀναλώσαντες αἰσχύναις δόμον,
Θησεῖ πανώλεις ἑψόμεσθ᾽ ἐφολκίδες.
ὅστις δὲ πλοῦτον ἢ σθένος μᾶλλον φίλων
ἀγαθῶν πεπᾶσθαι βούλεται, κακῶς φρονεῖ.

ΧΟΡΟΣ

στείχομεν οἰκτροὶ καὶ πολύκλαυτοι,
τὰ μέγιστα φίλων ὀλέσαντες.

HERCULES

I.

AMPHITRYON

When com'st thou?

HERCULES

When thou hast buried them. 1420

AMPHITRYON

How?

HERCULES

I from Thebes to Athens will bring thee.
Bear in my babes—earth groans to bear such burden!
I, who have wasted by my shame mine house,
Like wreck in tow will trail in Theseus' wake.
Whoso would fain possess or wealth or strength
Rather than loyal friends, is sense-bereft.

CHORUS

With mourning and weeping sore do we pass away,
Who have lost the chiefest of all our friends this day.

[*Exeunt* OMNES.

THE
CHILDREN OF HERCULES

ARGUMENT

EURYSTHEUS, *king of Argos, hated Hercules all his life through, and sought to destroy him by thrusting on him many and desperate labours. And when Hercules had been caught up to Olympus from the pyre whereon he was consumed on Mount Oeta, Eurystheus persecuted the hero's children, and sought to slay them. Wherefore Iolaus, their father's friend and helper, fled with them. But in whatsoever city they sought refuge, thence were they driven; for Eurystheus ever made search for them, and demanded them with threats of war. So fleeing from land to land, they came at last to Marathon which belongeth to Athens, and there took sanctuary at the temple of Zeus. Thither came the folk of the land compassionating them, and Eurystheus' herald requiring their surrender, and the king of Athens, Theseus' son, to hear their cause. And herein is told the tale of the war that came of his refusal to yield them up, of the sacrifice of a noble maiden which the Gods required as the price of victory, of an old warrior by miracle made young, and of the vengeance of Alcmena.*

ΤΑ ΤΟΥ ΔΡΑΜΑΤΟΣ ΠΡΟΣΩΠΑ

ΙΟΛΑΟΣ
ΚΟΠΡΕΥΣ
ΧΟΡΟΣ
ΔΗΜΟΦΩΝ
ΜΑΚΑΡΙΑ
ΘΕΡΑΠΩΝ
ΑΛΚΜΗΝΗ
ΑΓΓΕΛΟΣ
ΕΥΡΥΣΘΕΥΣ

DRAMATIS PERSONAE.

IOLAUS, *an old man, formerly friend of Hercules.*
COPREUS, *herald of Eurystheus.*
DEMOPHON, *king of Athens, son of Theseus.*
MACARIA, *daughter of Hercules.*
HENCHMAN *of Hyllus, Hercules' eldest son.*
ALCMENA, *mother of Hercules.*
SERVANT *of Alcmena.*
MESSENGER, *a captain from the army.*
EURYSTHEUS, *king of Argos.*
CHORUS *of old men of Marathon.*
Young sons of Hercules, guards, and attendants.

SCENE: At Marathon, in the forecourt of the temple of Zeus. The great altar stands in the midst.

ΗΡΑΚΛΕΙΔΑΙ

ΙΟΛΑΟΣ

Πάλαι ποτ' ἐστὶ τοῦτ' ἐμοὶ δεδογμένον·
ὁ μὲν δίκαιος τοῖς πέλας πέφυκ' ἀνήρ,
ὁ δ' εἰς τὸ κέρδος λῆμ' ἔχων ἀνειμένον
πόλει τ' ἄχρηστος καὶ συναλλάσσειν βαρύς,
αὑτῷ δ' ἄριστος· οἶδα δ' οὐ λόγῳ μαθών.
ἐγὼ γὰρ αἰδοῖ καὶ τὸ συγγενὲς σέβων,
ἐξὸν κατ' Ἄργος ἡσύχως ναίειν, πόνων
πλείστων μετέσχον εἷς ἀνὴρ Ἡρακλέει,
ὅτ' ἦν μεθ' ἡμῶν· νῦν δ', ἐπεὶ κατ' οὐρανὸν
10 ναίει, τὰ κείνου τέκν' ἔχων ὑπὸ πτεροῖς
σῴζω τάδ' αὐτὸς δεόμενος σωτηρίας.
ἐπεὶ γὰρ αὐτῶν γῆς ἀπηλλάχθη πατήρ,
πρῶτον μὲν ἡμᾶς ἤθελ' Εὐρυσθεὺς κτανεῖν·
ἀλλ' ἐξέδραμεν· καὶ πόλις μὲν οἴχεται,
ψυχὴ δ' ἐσώθη. φεύγομεν δ' ἀλώμενοι
ἄλλην ἀπ' ἄλλης ἐξορίζοντες πόλιν.
πρὸς τοῖς γὰρ ἄλλοις καὶ τόδ' Εὐρυσθεὺς κακοῖς
ὕβρισμ' ἐς ἡμᾶς ἠξίωσεν ὑβρίσαι·
πέμπων ὅπου γῆς πυνθάνοιθ' ἱδρυμένους
20 κήρυκας ἐξαιτεῖ τε κἀξείργει χθονός,
πόλιν προτείνων Ἄργος οὐ σμικρὰν φίλην
ἐχθράν τε θέσθαι, χαὐτὸν εὐτυχοῦνθ' ἅμα.

THE CHILDREN OF HERCULES

IOLAUS *with* HERCULES' CHILDREN, *discovered sitting on the altar-steps.*

IOLAUS

I HOLD it truth, and long have held:—the just
Lives for his brother men; but he whose soul
Uncurbed hunts gain alone, unto the state
Useless, in dealings hard, is but to himself
A friend—nor know this by report alone;
Since I, who might in Argos peacefully
Have dwelt, for honour's sake and kinship's bond
Bore chief share in the toils of Hercules
When he was with us: now, when in the heaven
He dwells, his babes I shelter 'neath my wings 10
Defending, who myself sore need defence.

For, soon as from the earth their sire had passed,
Us would Eurystheus at the first have slain,
But we fled. Now our city, our home is lost,
Life only saved. We are exiled wanderers
From city unto city moving on.
For on our other wrongs this coping-stone
Of outrage hath Eurystheus dared to set,—
Heralds to each land where we bide he sends,
Demandeth us, and biddeth drive us forth, 20
Warning them that no weakling friend or foe
Is Argos, and himself a mighty king.

οἱ δ' ἀσθενῆ μὲν τἀπ' ἐμοῦ δεδορκότες,
σμικροὺς δὲ τούσδε καὶ πατρὸς τητωμένους,
τοὺς κρείσσονας σέβοντες ἐξείργουσι γῆς.
ἐγὼ δὲ σὺν φεύγουσι συμφεύγω τέκνοις
καὶ σὺν κακῶς πράσσουσι συμπράσσω κακῶς,
ὀκνῶν προδοῦναι, μή τις ὧδ' εἴπῃ βροτῶν·
ἴδεσθ', ἐπειδὴ παισὶν οὐκ ἔστιν πατήρ,
30 Ἰόλαος οὐκ ἤμυνε συγγενὴς γεγώς.
πάσης δὲ χώρας Ἑλλάδος τητώμενοι,
Μαραθῶνα καὶ σύγκληρον ἐλθόντες χθόνα
ἱκέται καθεζόμεσθα βώμιοι θεῶν,
προσωφελῆσαι· πεδία γὰρ τῆσδε χθονὸς
δισσοὺς κατοικεῖν Θησέως παῖδας λόγος
κλήρῳ λαχόντας, ἐκ γένους Πανδίονος,
τοῖσδ' ἐγγὺς ὄντας· ὧν ἕκατι τέρμονας
κλεινῶν Ἀθηνῶν τήνδ' ἀφικόμεσθ' ὁδόν.
δυοῖν γερόντοιν δὲ στρατηγεῖται φυγή·
40 ἐγὼ μὲν ἀμφὶ τοῖσδε καλχαίνων τέκνοις,
ἡ δ' αὖ τὸ θῆλυ παιδὸς Ἀλκμήνη γένος
ἔσωθε ναοῦ τοῦδ' ὑπηγκαλισμένη
σῴζει· νέας γὰρ παρθένους αἰδούμεθα
ὄχλῳ πελάζειν κἀπιβωμιοστατεῖν.
Ὕλλος δ' ἀδελφοί θ' οἷσι πρεσβεύει γένος
ζητοῦσ' ὅπου γῆς πύργον οἰκιούμεθα,
ἢν τῆσδ' ἀπωθώμεσθα πρὸς βίαν χθονός.
ὦ τέκνα τέκνα, δεῦρο, λαμβάνεσθ' ἐμῶν
πέπλων· ὁρῶ κήρυκα τόνδ' Εὐρυσθέως
50 στείχοντ' ἐφ' ἡμᾶς, οὗ διωκόμεσθ' ὕπο
πάσης ἀλῆται γῆς ἀπεστερημένοι.
ὦ μῖσος, εἴθ' ὄλοιο χὠ πέμψας σ' ἀνήρ·
ὃς πολλὰ δὴ καὶ τῶνδε γενναίῳ πατρὶ
ἐκ τοῦδε ταὐτοῦ στόματος ἤγγειλας κακά.

And they, discerning that my cause is weak,
These but young children orphaned of their sire,
Bow to the strong, and drive us from their land.
I with his banished babes share banishment,
And with their ill plight am in evil plight.
Forsake them I dare not, lest men should say:
"See, now the children's father is no more,
Iolaus wards them not,—their kinsman he!" 30
And so, from all the soil of Hellas banned,
To Marathon and the federate land we come,
At the Gods' altars sitting suppliant,
That they may help; for Theseus' scions twain,
Saith rumour, in the plains of this land dwell,
By lot their heritage, Pandion's seed,
And kin to these; for which cause have we come
This journey unto glorious Athens' bounds,
Old captains we that lead this exile-march,—
I, for these lads heart-full of troubled thought; 40
And she, Alcmena, in yon temple folds
Her arms about the daughters of her son,
And guards: for we think shame to let young girls
Stand, a crowd's gazing-stock, on altar-steps.
Now Hyllus and his brethren elder-born
Seek some land for our refuge and our home,
If from this soil we be with violence thrust.
O children, children, hither!—seize my robes!
Yonder I see Eurystheus' herald come
Against us, him of whom we are pursued, 50
The homeless wanderers barred from every land.

Enter COPREUS.

Loathed wretch! Now ruin seize thee and him that sent,
Who ofttimes to the noble sire of these
From that same mouth hast published evil hests.

ΚΟΠΡΕΥΣ

ἢ που καθῆσθαι τήνδ' ἕδραν καλὴν δοκεῖς
πόλιν τ' ἀφῖχθαι σύμμαχον; κακῶς φρονῶν·
οὐ γάρ τις ἔστιν ὃς πάροιθ' αἱρήσεται
τὴν σὴν ἀχρεῖον δύναμιν ἀντ' Εὐρυσθέως·
χώρει· τί μοχθεῖς ταῦτ'; ἀνίστασθαί σε χρὴ
60 εἰς Ἄργος, οὗ σε λεύσιμος μένει δίκη.

ΙΟΛΑΟΣ

οὐ δῆτ', ἐπεί μοι βωμὸς ἀρκέσει θεοῦ
ἐλευθέρα τε γαῖ' ἐν ᾗ βεβήκαμεν.

ΚΟΠΡΕΥΣ

βούλει πόνον μοι τῇδε προσθεῖναι χερί;

ΙΟΛΑΟΣ

οὔτοι βίᾳ γέ μ' οὐδὲ τούσδ' ἄξεις λαβών.

ΚΟΠΡΕΥΣ

γνώσει σύ· μάντις δ' ἦσθ' ἄρ' οὐ καλὸς τάδε.

ΙΟΛΑΟΣ

οὐκ ἂν γένοιτο τοῦτ' ἐμοῦ ζῶντός ποτε.

ΚΟΠΡΕΥΣ

ἄπαιρ'· ἐγὼ δὲ τούσδε, κἂν σὺ μὴ θέλῃς,
ἄξω κομίζων, οὗπέρ εἰσ', Εὐρυσθέως.

ΙΟΛΑΟΣ

ὦ τὰς Ἀθήνας δαρὸν οἰκοῦντες χρόνον,
70 ἀμύνεθ'· ἱκέται δ' ὄντες ἀγοραίου Διὸς
βιαζόμεσθα καὶ στέφη μιαίνεται,
πόλει τ' ὄνειδος καὶ θεῶν ἀτιμία.

ΧΟΡΟΣ

ἔα ἔα· τίς ἡ βοὴ βωμοῦ πέλας
ἕστηκε; ποίαν συμφορὰν δείξει τάχα;

COPREUS

Ha, deem'st thou this thy session bravely chosen,
This state thou hast reached thine ally? O thou fool!
There is no man shall choose that impotence
Of thy poor strength before Eurystheus' power.
Away! Why make this coil? Thou must depart
To Argos, where the doom of stoning waits thee. 60

IOLAUS

Never: for the God's altar shall avail,
And the free land whereunto we have come.

COPREUS

Ha! wouldst thou find some work for this mine hand?

IOLAUS

Nor me nor these by force shalt thou hale hence.

COPREUS

That shalt thou prove: ill seer thou art in this.
[*Seizes* CHILDREN.

IOLAUS (*resisting*)

This shall not be! no, never while I live!

COPREUS

Hands off! these will I hale, though thou say nay,
Accounting them Eurystheus': his they are.
[*Hurls* IOLAUS *to the ground.*

IOLAUS

O ye, in Athens dwellers from of old,
Help! Suppliants we of Zeus of the Market-stead 70
Are evil-entreated, holy wreaths defiled,
To Athens' shame and to your God's dishonour!
Enter CHORUS.

CHORUS

What ho! what outcry by the altar wakes?
Now what calamity shall this reveal?

ΙΟΛΑΟΣ

ἴδετε τὸν γέροντ' ἀμαλὸν ἐπὶ πέδῳ
χύμενον· ὦ τάλας.

ΧΟΡΟΣ

πρὸς τοῦ ποτ' ἐν γῇ πτῶμα δύστηνον πίτνεις;

ΙΟΛΑΟΣ

ὅδ', ὦ ξένοι, με σοὺς ἀτιμάζων θεοὺς
ἕλκει βιαίως Ζηνὸς ἐκ προβωμίων.

ΧΟΡΟΣ

80 σὺ δ' ἐκ τίνος γῆς, ὦ γέρον, τετράπτολιν
ξύνοικον ἦλθες λαόν; ἢ πέρα-
θεν ἁλίῳ πλάτᾳ
κατέχετ' ἐκλιπόντες Εὐβοῖδ' ἀκτάν;

ΙΟΛΑΟΣ

οὐ νησιώτην, ὦ ξένοι, τρίβω βίον,
ἀλλ' ἐκ Μυκηνῶν σὴν ἀφίγμεθα χθόνα.

ΧΟΡΟΣ

ὄνομα τί σε, γέρον,
Μυκηναῖος ὠνόμαζεν λεώς;

ΙΟΛΑΟΣ

τὸν Ἡράκλειον ἴστε που παραστάτην
Ἰόλαον· οὐ γὰρ ὄνομ' ἀκήρυκτον τόδε.

ΧΟΡΟΣ

90 οἶδ' εἰσακούσας καὶ πρίν· ἀλλὰ τοῦ
ποτ' ἐν χειρὶ σᾷ κομίζεις κόρους
νεοτρεφεῖς; φράσον.

ΙΟΛΑΟΣ

Ἡρακλέους οἵδ' εἰσὶ παῖδες, ὦ ξένοι,
ἱκέται σέθεν τε καὶ πόλεως ἀφιγμένοι.

ΧΟΡΟΣ

τί χρέος; ἦ λόγων πόλεος, ἔνεπέ μοι,
μελόμενοι τυχεῖν;

IOLAUS

Behold ye !—the eld-stricken see
In his feebleness hurled to the ground, woe's me !

CHORUS

Of whom thus pitiably wast thou dashed down ?

IOLAUS

This man, O strangers, sets thy Gods at naught,
And drags me from the altar-floor of Zeus.

CHORUS

But from what land, O ancient, hast thou come   80
To the folk of the Four Burgs' federal home ?
Were ye sped overseas by the brine-dipt oar
To our land from Euboea's craggy shore ?

IOLAUS

Strangers, no island-dweller's life is mine ;
From proud Mycenae come we to thy land.

CHORUS

And by what name, ancient of days, did they call
Thee, they which be fenced with Mycenae's wall ?

IOLAUS

Hercules' helper haply do ye know,
Iolaus, for not fameless was my name.

CHORUS

I know ; long since I heard : but whose are they,   90
The fosterling lads that thine hand leadeth hitherward ?—say.

IOLAUS

Strangers, the sons they are of Hercules,
Which have to thee and Athens suppliant come.

CHORUS

Say, what is your need that here ye are ?
Would ye plead your cause at the nation's bar ?

ΙΟΛΑΟΣ

μήτ᾽ ἐκδοθῆναι μήτε πρὸς βίαν θεῶν
τῶν σῶν ἀποσπασθέντες εἰς Ἄργος μολεῖν.

ΚΟΠΡΕΥΣ

ἀλλ᾽ οὔτι τοῖς σοῖς δεσπόταις τάδ᾽ ἀρκέσει,
100 οἳ σοῦ κρατοῦντες ἐνθάδ᾽ εὑρίσκουσί σε.

ΧΟΡΟΣ

εἰκὸς θεῶν ἱκτῆρας αἰδεῖσθαι, ξένε,
καὶ μὴ βιαίῳ χειρὶ δαιμόνων
ἀπολιπεῖν ἕδη·
πότνια γὰρ Δίκα τάδ᾽ οὐ πείσεται.

ΚΟΠΡΕΥΣ

ἔκπεμπέ νυν γῆς τούσδε τοὺς Εὐρυσθέως,
κοὐδὲν βιαίῳ τῇδε χρήσομαι χερί.

ΧΟΡΟΣ

ἄθεον ἱκεσίαν
μεθεῖναι πόλει ξένων προστροπάν.

ΚΟΠΡΕΥΣ

καλὸν δέ γ᾽ ἔξω πραγμάτων ἔχειν πόδα,
110 εὐβουλίας τυχόντα τῆς ἀμείνονος.

ΧΟΡΟΣ

οὔκουν τυράννῳ τῆσδε γῆς φράσαντά σε
χρῆν ταῦτα τολμᾶν, ἀλλὰ μὴ βίᾳ ξένους
θεῶν ἀφέλκειν, γῆν σέβοντ᾽ ἐλευθέραν;

ΚΟΠΡΕΥΣ

τίς δ᾽ ἐστὶ χώρας τῆσδε καὶ πόλεως ἄναξ;

ΧΟΡΟΣ

ἐσθλοῦ πατρὸς παῖς Δημοφῶν ὁ Θησέως.

ΚΟΠΡΕΥΣ

πρὸς τοῦτον ἀγὼν ἆρα τοῦδε τοῦ λόγου
μάλιστ᾽ ἂν εἴη· τἄλλα δ᾽ εἴρηται μάτην.

IOLAUS

Given up we would not be, nor torn away
Hence, in thy Gods' despite, and sent to Argos.

COPREUS

Ay, but this shall not satisfy thy masters
Whose lordship o'er thee holds, who find thee here. 100

CHORUS

God's suppliants, stranger, must we reverence,
And not with hands of violence tear them hence
From this place where the Holy Presence is:
The majesty of Justice shall not suffer this.

COPREUS

Then from your land send these, Eurystheus' thralls
And this mine hand shall do no violence.

CHORUS

Now nay, 'twere an impious thing
To cast off suppliant hands to the knees of our city that cling!

COPREUS

'Tis well to keep thy foot from trouble's snare,
And in good counsel find the better part. 110

CHORUS

Thou shouldst have shown respect to this free land,
And told her King, ere thy presumption tore
Therefrom the strangers in her Gods' despite.

COPREUS

And who is of this land and city king?

CHORUS

Demophon, Theseus' child, a brave sire's son.

COPREUS

With him then must all strife of this dispute
Be held alone: all else is idle talk.

ΧΟΡΟΣ

καὶ μὴν ὅδ' αὐτὸς ἔρχεται σπουδὴν ἔχων
Ἀκάμας τ' ἀδελφός, τῶνδ' ἐπήκοοι λόγων.

ΔΗΜΟΦΩΝ

120 ἐπείπερ ἔφθης πρέσβυς ὢν νεωτέρους
βοηδρομήσας τήνδ' ἐπ' ἐσχάραν Διός,
λέξον, τίς ὄχλον τόνδ' ἀθροίζεται τύχη;

ΧΟΡΟΣ

ἱκέται κάθηνται παῖδες οἵδ' Ἡρακλέους
βωμὸν καταστέψαντες ὡς ὁρᾷς, ἄναξ,
πατρός τε πιστὸς Ἰόλεως παραστάτης.

ΔΗΜΟΦΩΝ

τί δῆτ' ἰυγμῶν ἥδ' ἐδεῖτο συμφορά;

ΧΟΡΟΣ

βίᾳ νιν οὗτος τῆσδ' ἀπ' ἐσχάρας ἄγειν
ζητῶν βοὴν ἔστησε κἄσφηλεν γόνυ
γέροντος, ὥστε μ' ἐκβαλεῖν οἴκτῳ δάκρυ.

ΔΗΜΟΦΩΝ

130 καὶ μὴν στολήν γ' Ἕλληνα καὶ ῥυθμὸν πέπλων
ἔχει, τὰ δ' ἔργα βαρβάρου χερὸς τάδε.
σὸν δὴ τὸ φράζειν ἐστί, μὴ μέλλειν τ', ἐμοί
ποίας ἀφῖξαι δεῦρο γῆς ὅρους λιπών;

ΚΟΠΡΕΥΣ

Ἀργεῖός εἰμι, τοῦτο γὰρ θέλεις μαθεῖν·
ἐφ' οἷσι δ' ἥκω καὶ παρ' οὗ λέγειν θέλω.
πέμπει Μυκηνῶν δεῦρό μ' Εὐρυσθεὺς ἄναξ
ἄξοντα τούσδε· πολλὰ δ' ἦλθον, ὦ ξένε,
δίκαι' ὁμαρτῇ δρᾶν τε καὶ λέγειν ἔχων.
Ἀργεῖος ὢν γὰρ αὐτὸς Ἀργείους ἄγω
140 ἐκ τῆς ἐμαυτοῦ τούσδε δραπέτας ἑλών,
νόμοισι τοῖς ἐκεῖθεν ἐψηφισμένους
θανεῖν· δίκαιοι δ' ἐσμὲν οἰκοῦντες πόλιν

CHORUS

Lo, hitherward himself in haste draws nigh,
And Acamas his brother, to hear thy claim.

Enter DEMOPHON, ACAMAS, *and attendants.*

DEMOPHON

Since thou, the old, preventedst younger men 120
In rescue-rush to Zeus's altar-hearth,
Tell thou what chance hath gathered all this throng.

CHORUS

Here suppliant sit the sons of Hercules,
Who have wreathed the altar, as thou seest, O king,
And Iolaus, leal helper of their sire.

DEMOPHON

What need herein for lamentable cries?

CHORUS

Yon man essayed to drag them from the hearth
By force; raised outcry so, and earthward hurled
The ancient, that for ruth burst forth my tears.

DEMOPHON

Yet is the fashion of his vesture Greek; 130
But deeds of a barbarian hand are these.
Man, thine it is to tell me, tarrying not,
From what land's marches hither thou hast come.

COPREUS

An Argive I, since this thou wouldest know.
Wherefore I come, and from whom, will I tell:
Mycenae's king Eurystheus sends me hither
To lead these hence. Stranger, I bring with me
Just pleas in plenty, both for act and speech.
Myself an Argive would lead Argives hence,
Who find them runaways from mine own land, 140
By statutes of that land condemned to die;
For, dwellers in a state subject to none,

αὐτοὶ καθ' αὑτῶν κυρίους κραίνειν δίκας.
πολλῶν δὲ κἄλλων ἑστίας ἀφιγμένων,
ἐν τοῖσιν αὐτοῖς τοισίδ' ἕσταμεν λόγοις,
κοὐδεὶς ἐτόλμησ' ἴδια προσθέσθαι κακά.
ἀλλ' ἤ τιν' εἰς σὲ μωρίαν ἐσκεμμένοι
δεῦρ' ἦλθον ἢ κίνδυνον ἐξ ἀμηχάνων
ῥίπτοντες, εἴτ' οὖν εἴτε μὴ γενήσεται·
150 οὐ γὰρ φρενήρη γ' ὄντα σ' ἐλπίζουσί που
μόνον τοσαύτης ἣν ἐπῆλθον Ἑλλάδος
τὰς τῶνδ' ἀβούλους συμφορὰς κατοικτιεῖν·
φέρ' ἀντίθες γάρ, τούσδε τ' εἰς γαῖαν παρεὶς
ἡμᾶς τ' ἐάσας ἐξάγειν, τί κερδανεῖς ;
τὰ μὲν παρ' ἡμῶν τοιάδ' ἔστι σοι λαβεῖν,
Ἄργους τοσήνδε χεῖρα τήν τ' Εὐρυσθέως
ἰσχὺν ἅπασαν τῇδε προσθέσθαι πόλει.
ἢν δ' εἰς λόγους τε καὶ τὰ τῶνδ' οἰκτίσματα
βλέψας πεπανθῇς, εἰς πάλην καθίσταται
160 δορὸς τὸ πρᾶγμα· μὴ γὰρ ὡς μεθήσομεν
δόξῃς ἀγῶνα τόνδ' ἄτερ χαλυβδικοῦ.
τί δῆτα φήσεις, ποῖα πεδί' ἀφαιρεθείς,
Τιρυνθίοις θεὶς πόλεμον Ἀργείοις ἔχειν ;
ποίοις δ' ἀμύνων συμμάχοις ; τίνος δ' ὕπερ
θάψεις νεκροὺς πεσόντας ; ἦ κακὸν λόγον
κτήσει πρὸς ἀστῶν, εἰ γέροντος εἵνεκα,
τύμβου, τὸ μηδὲν ὄντος, ὡς εἰπεῖν ἔπος,
παίδων τε τῶνδ', εἰς ἄντλον ἐμβήσει πόδα.
ἐρεῖς τὸ λῷστον ἐλπίδ' εὑρήσειν μόνον.
170 καὶ τοῦτο πολλῷ τοῦ παρόντος ἐνδεές·
κακῶς γὰρ Ἀργείοισιν οἵδ' ὡπλισμένοι
μάχοιντ' ἂν ἡβήσαντες, εἴ τι τοῦτό σε
ψυχὴν ἐπαίρει, χοὖν μέσῳ πολὺς χρόνος,
ἐν ᾧ διεργασθεῖτ' ἄν. ἀλλ' ἐμοὶ πιθοῦ·

The right is ours to ratify her decrees.
And, though they have come to hearths of many folk,
Still on the same plea did we take our stand,
And ruin on his own head none dared bring.
But these came hither, haply spying folly
In thee, or staking on one desperate throw
Their venture, or to win or lose it all :—
For sure they deem not thou, if sound of wit, 150
Alone in all this Hellas they have traversed,
Wilt have compassion on their hopeless plight.

Weigh this and that :—if thou grant these a home,
Or if thou let us hale them hence—what gain
Were thine ? From us these boons thou mayest win :
Argos' strong hand and all Eurystheus' might
Thou mayest range upon this city's side.
If thou regard their pleadings, by their whinings
Be softened, to the grapple of the spear
The matter cometh. Never think that we 160
Will yield this strife but by the sword's award.
What canst thou plead ? Of what lands art thou robbed,
That with Tirynthian Argives thou wouldst war ?
What allies art defending ? In whose cause
Shall those thou buriest fall ? Ill fame were thine
With thine Athenians, if for yon old man,
That sepulchre,—mere naught, as men might say,—
And these boys, in deep waters thou wilt sink.

Thy plea at best is hope for days to come.
Scant satisfaction for the present this ! 170
For against Argos these, armed, grown to man,
Should make but feeble stand,—if haply this
Uplift thine heart :—and long years lie between,
Wherein ye may be ruined. Nay heed me :

δοὺς μηδέν, ἀλλὰ τἄμ' ἐῶν ἄγειν ἐμὲ
κτῆσαι Μυκήνας, μηδ' ὅπερ φιλεῖτε δρᾶν
πάθῃς σὺ τοῦτο, τοὺς ἀμείνονας παρὸν
φίλους ἑλέσθαι, τοὺς κακίονας λάβῃς.

ΧΟΡΟΣ

τίς ἂν δίκην κρίνειεν ἢ γνοίη λόγον,
180 πρὶν ἂν παρ' ἀμφοῖν μῦθον ἐκμάθῃ σαφῶς;

ΙΟΛΑΟΣ

ἄναξ, ὑπάρχει μὲν τόδ' ἐν τῇ σῇ χθονί,
εἰπεῖν ἀκοῦσαί τ' ἐν μέρει πάρεστί μοι,
κοὐδείς μ' ἀπώσει πρόσθεν, ὥσπερ ἄλλοθεν.
ἡμῖν δὲ καὶ τῷδ' οὐδέν ἐστιν ἐν μέσῳ·[1]
ἐπεὶ γὰρ Ἄργους οὐ μέτεσθ' ἡμῖν ἔτι,
ψήφῳ δοκῆσαν, ἀλλὰ φεύγομεν πάτραν,
πῶς ἂν δικαίως ὡς Μυκηναίους ἄγοι
ὅδ' ὄντας ἡμᾶς, οὓς ἀπήλασαν χθονός;
ξένοι γάρ ἐσμεν. ἢ τὸν Ἑλλήνων ὅρον
190 φεύγειν δικαιοῦθ' ὅστις ἂν τἄργος φύγῃ;
οὔκουν Ἀθήνας γ'· οὐ γὰρ Ἀργείων φόβῳ
τοὺς Ἡρακλείους παῖδας ἐξελῶσι γῆς.
οὐ γάρ τι Τραχίς ἐστιν οὐδ' Ἀχαιικὸν
πόλισμ', ὅθεν σὺ τούσδε τῇ δίκῃ μὲν οὔ,
τὸ δ' Ἄργος ὀγκῶν, οἷάπερ καὶ νῦν λέγεις,
ἤλαυνες ἱκέτας βωμίους καθημένους.
εἰ γὰρ τόδ' ἔσται καὶ λόγους κρανοῦσι[2] σούς,
οὐ φήμ' Ἀθήνας τάσδ' ἐλευθέρας ἔτι.
ἀλλ' οἶδ' ἐγὼ τὸ τῶνδε λῆμα καὶ φύσιν·
200 θνῄσκειν θελήσουσ'· ἡ γὰρ αἰσχύνη πάρος
τοῦ ζῆν παρ' ἐσθλοῖς ἀνδράσιν νομίζεται.
πόλιν μὲν ἀρκεῖ· καὶ γὰρ οὖν ἐπίφθονον

[1] Valckenaer: for MSS. ἐν μέρει.
[2] Elmsley: for MSS. κρινοῦσι.

Give naught, but suffer me to take mine own;
So gain Mycenae's friendship. Do not err,
As oft ye do, taking the weaker side
When ye might choose for friend the stronger cause.

CHORUS

Who can give judgment, who grasp arguments,
Ere from both sides he clearly learn their pleas? 180

IOLAUS

King, this advantage have I in your land,
I am free to speak and in my turn to hear;
None, as from other lands, will first expel me.
We and this man have naught in common now;
We have naught to do with Argos any more
Since that decree: we are exiled from her soil.
What right hath he to hale us, whom they banished,
As we were burghers of Mycenae yet?
Aliens we are:—or from all Hellas banned
Are men whom Argos exiles?—claim ye this? 190
Sooth, not from Athens: she shall drive not forth,
For fear of Argives, sons of Hercules.
She is no Trachis, no Achaean burg,
As that whence thou didst drive these—not of right,
But, even as now, by vaunting Argos' power,—
These, suppliant at the altar as they sat!
If this shall be, if she but ratify
Thine hests, free Athens then no more I know.
Nay, her sons' nature know I, know their mood:
They will die sooner; for in brave men's eyes 200
The honour that fears shame is more than life.
Suffice for Athens this; for over-praise

λίαν ἐπαινεῖν ἐστι, πολλάκις δὲ δὴ
καὐτὸς βαρυνθεὶς οἶδ' ἄγαν αἰνούμενος·
σοὶ δ' ὡς ἀνάγκη τούσδε βούλομαι φράσαι
σῴζειν, ἐπείπερ τῆσδε προστατεῖς χθονός.
Πιτθεὺς μέν ἐστι Πέλοπος, ἐκ δὲ Πιτθέως
Αἴθρα, πατὴρ δ' ἐκ τῆσδε γεννᾶται σέθεν
Θησεύς. πάλιν δὲ τῶνδ' ἄνειμί σοι γένος.
210 Ἡρακλέης ἦν Ζηνὸς Ἀλκμήνης τε παῖς,
κείνη δὲ Πέλοπος θυγατρός· αὐτανεψίων
πατὴρ ἂν εἴη σός τε χὠ τούτων γεγώς.
γένους μὲν ἥκεις ὧδε τοῖσδε, Δημοφῶν·
ἃ δ' ἐκτὸς ἤδη τοῦ προσήκοντός σε δεῖ
τῖσαι λέγω σοι παισί· φημὶ γάρ ποτε
σύμπλους γενέσθαι τῶνδ' ὑπασπίζων πατρὶ
ζωστῆρα Θησεῖ τὸν πολυκτόνον μέτα,
Ἅιδου τ' ἐρεμνῶν ἐξανήγαγεν μυχῶν
πατέρα σόν· Ἑλλὰς πᾶσα τοῦτο μαρτυρεῖ.
220 [ὧν ἀντιδοῦναί σ' οἵδ' ἀπαιτοῦσιν χάριν,
μήτ' ἐκδοθῆναι μήτε πρὸς βίαν θεῶν
τῶν σῶν ἀποσπασθέντες ἐκπεσεῖν χθονός.
σοὶ γὰρ τόδ' αἰσχρὸν† χωρίς, ἔν τε πόλει κακόν,†
ἱκέτας ἀλήτας συγγενεῖς, οἴμοι κακῶν,
βλέψον πρὸς αὐτοὺς βλέψον, ἕλκεσθαι βίᾳ.]
ἀλλ' ἄντομαί σε καὶ καταστέφω χεροῖν,
μὴ πρὸς γενείου, μηδαμῶς ἀτιμάσῃς
τοὺς Ἡρακλείους παῖδας εἰς χέρας λαβών.
γενοῦ δὲ τοῖσδε συγγενής, γενοῦ φίλος
230 πατὴρ ἀδελφὸς δεσπότης· ἅπαντα γὰρ
ταῦτ' ἐστὶ κρείσσω πλὴν ὑπ' Ἀργείοις πεσεῖν.

Is odious: yea, myself have oftentimes,
Praised above measure, been but galled thereby.
But that thou canst not choose but save these boys
I would show thee, who rulest o'er this land.
Pittheus was Pelops' son: of Pittheus sprang
Aethra; of her was thy sire Theseus born.
Again, the lineage of these lads I trace:
Zeus' and Alcmena's son was Hercules: 210
She, child of Pelops' daughter: cousins' sons
Shall be thy father and the sire of these.
So their near kinsman art thou, Demophon;
But what requital—ties of blood apart—
Thou owest to these lads, I tell thee:—once
Shield-bearer to their sire, I sailed with him
To win for Theseus that Belt slaughter-fraught;[1]
And from black gulfs of Hades he brought up
Thy sire: all Hellas witnesseth to this.

This to requite, one boon they crave of thee,— 220
Not to be given up, nor torn by force
From thy Gods' fanes, and banished from thy land:
This were thine own shame, Athens' bane withal,
That homeless suppliants, kinsmen,—ah, their woes!
Look on them, look!—be dragged away by force.
I pray thee—these clasped hands are suppliant-boughs,—
By thy beard I implore, set not at naught
Hercules' sons, who hast them in thine hands.
Prove thee to these true kinsman, prove thee friend,
Their father, brother, master—better that 230
Than into hands of Argive men to fall!

[1] The belt of Hippolyta, queen of the Amazons, the winning of which cost many lives.

ΧΟΡΟΣ

ᾤκτειρ᾽ ἀκούσας τούσδε συμφορᾶς, ἄναξ.
τὴν δ᾽ εὐγένειαν τῆς τύχης νικωμένην
νῦν δὴ μάλιστ᾽ εἰσεῖδον· οἵδε γὰρ πατρὸς
ἐσθλοῦ γεγῶτες δυστυχοῦσ᾽ ἀναξίως.

ΔΗΜΟΦΩΝ

τρισσαί μ᾽ ἀναγκάζουσι συμφορᾶς ὁδοί,
Ἰόλαε, τοὺς σοὺς μὴ παρώσασθαι λόγους·
τὸ μὲν μέγιστον Ζεὺς ἐφ᾽ οὗ σὺ βώμιος
θακεῖς νεοσσῶν τήνδ᾽ ἔχων ὁμήγυριν,
240 τὸ συγγενές τε καὶ τὸ προὐφείλειν καλῶς
πράσσειν παρ᾽ ἡμῶν τούσδε πατρῴαν χάριν·
τό τ᾽ αἰσχρόν, οὗπερ δεῖ μάλιστα φροντίσαι·
εἰ γὰρ παρήσω τόνδε συλᾶσθαι βίᾳ
ξένου πρὸς ἀνδρὸς βωμόν, οὐκ ἐλευθέραν
οἰκεῖν δοκήσω γαῖαν, Ἀργείοις δ᾽ ὄκνῳ
ἱκέτας προδοῦναι· καὶ τάδ᾽ ἀγχόνης πέλας.
ἀλλ᾽ ὤφελες μὲν εὐτυχέστερος μολεῖν·
ὅμως δὲ καὶ νῦν μὴ τρέσῃς ὅπως σέ τις
σὺν παισὶ βωμοῦ τοῦδ᾽ ἀποσπάσει βίᾳ.
250 σὺ δ᾽ Ἄργος ἐλθὼν ταῦτά τ᾽ Εὐρυσθεῖ φράσον,
πρὸς τοῖσδέ τ᾽, εἴ τι τοισίδ᾽ ἐγκαλεῖ ξένοις,
δίκης κυρήσειν· τούσδε δ᾽ οὐκ ἄξεις ποτέ.

ΚΟΠΡΕΥΣ

οὐδ᾽ ἢν δίκαιον ᾖ τι καὶ νικῶ λόγῳ;

ΔΗΜΟΦΩΝ

καὶ πῶς δίκαιον τὸν ἱκέτην ἄγειν βίᾳ;

ΚΟΠΡΕΥΣ

οὔκουν ἐμοὶ τόδ᾽ αἰσχρόν, ἀλλ᾽ οὐ σοὶ βλάβος.

ΔΗΜΟΦΩΝ

ἐμοί γ᾽, ἐάν σοι τούσδ᾽ ἐφέλκεσθαι μεθῶ.

CHORUS

I pity these in their affliction, king.
High birth by fortune crushed I now behold
As ne'er before: born of a noble sire
Are these, yet suffer woes unmerited.

DEMOPHON

Three influences, that meet in one, constrain me,
Iolaus, not to thrust hence these my guests:
The chiefest, Zeus, upon whose altar thou
Art sitting with these nestlings compassed round;
Then, kinship, and the debt of old, that these 240
Should for their sire's sake fare well at mine hands;
Third, dread of shame,—this most I must regard:
For if I let this altar be despoiled
By alien force, I shall be held to dwell
In no free land, but cowed by fear of Argos
To yield up suppliants:—hanging were not worse!
I would that thou hadst come in happier plight;
Yet, even so, fear not that any man
Shall from this altar tear thee with these boys.
Thou (*to the* HERALD), go to Argos; tell Eurystheus
this; 250
And, if he implead these strangers in our courts,
He shall have right. These shalt thou hale hence
never.

COPREUS

Not if my cause be just, my plea prevail?

DEMOPHON

Just?—to hale hence by force the suppliant?

COPREUS

Then mine the shame: no harm befalleth thee.

DEMOPHON

My shame too, if I let thee drag these hence.

ΚΟΠΡΕΥΣ

σὺ δ' ἐξόριζε, κᾆτ' ἐκεῖθεν ἄξομεν.

ΔΗΜΟΦΩΝ

σκαιὸς πέφυκας τοῦ θεοῦ πλείω φρονῶν.

ΚΟΠΡΕΥΣ

δεῦρ', ὡς ἔοικε, τοῖς κακοῖσι φευκτέον.

ΔΗΜΟΦΩΝ

260 ἅπασι κοινὸν ῥῦμα δαιμόνων ἕδρα.

ΚΟΠΡΕΥΣ

ταῦτ' οὐ δοκήσει τοῖς Μυκηναίοις ἴσως.

ΔΗΜΟΦΩΝ

οὔκουν ἐγὼ τῶν ἐνθάδ' εἰμὶ κύριος;

ΚΟΠΡΕΥΣ

βλάπτων γ' ἐκείνους μηδέν, ἢν σὺ σωφρονῇς.

ΔΗΜΟΦΩΝ

βλάπτεσθ', ἐμοῦ γε μὴ μιαίνοντος θεούς.

ΚΟΠΡΕΥΣ

οὐ βούλομαί σε πόλεμον Ἀργείοις ἔχειν.

ΔΗΜΟΦΩΝ

κἀγὼ τοιοῦτος· τῶνδε δ' οὐ μεθήσομαι.

ΚΟΠΡΕΥΣ

ἄξω γε μέντοι τοὺς ἐμοὺς ἐγὼ λαβών.

ΔΗΜΟΦΩΝ

οὐκ ἆρ' ἐς Ἄργος ῥᾳδίως ἄπει πάλιν.

ΚΟΠΡΕΥΣ

πειρώμενος δὴ τοῦτό γ' αὐτίκ' εἴσομαι.

ΔΗΜΟΦΩΝ

270 κλαίων ἄρ' ἅψει τῶνδε κοὐκ ἐς ἀμβολάς.

ΧΟΡΟΣ

μὴ πρὸς θεῶν κήρυκα τολμήσῃς θενεῖν.

COPREUS

Banish them thou: then I will lead them thence.

DEMOPHON

O born a fool, who wouldst outwit the God!

COPREUS

So hither felons must for refuge flee!

DEMOPHON

The God's house gives to all men sanctuary. 260

COPREUS

Haply not so shall think Mycenae's folk.

DEMOPHON

Am I not master then in mine own land?

COPREUS

Not unto Argos' hurt,—so thou be wise.

DEMOPHON

The hurt be yours, so I flout not the Gods.

COPREUS

I would not thou with Argos shouldst have war.

DEMOPHON

I too: yet will I not abandon these.

COPREUS

Yet will I take mine own and hale them hence.

DEMOPHON

Not lightly shalt thou win to Argos back.

COPREUS

That will I now try, and be certified.

[*Attempts to seize them.*

DEMOPHON (*raising his staff*)

Touch these, and thou shalt rue, and that right soon. 270

CHORUS

Dare not to strike a herald, for heaven's sake!

ΔΗΜΟΦΩΝ

εἰ μή γ' ὁ κῆρυξ σωφρονεῖν μαθήσεται.

ΧΟΡΟΣ

ἄπελθε· καὶ σὺ τοῦδε μὴ θίγῃς, ἄναξ.

ΚΟΠΡΕΥΣ

στείχω· μιᾶς γὰρ χειρὸς ἀσθενὴς μάχη.
ἥξω δὲ πολλὴν Ἄρεος Ἀργείου λαβὼν
πάγχαλκον αἰχμὴν δεῦρο. μυρίοι δέ με
μένουσιν ἀσπιστῆρες Εὐρυσθεύς τ' ἄναξ
αὐτὸς στρατηγῶν· Ἀλκάθου δ' ἐπ' ἐσχάτοις
καραδοκῶν τἀνθένδε τέρμασιν μένει.
280 λαμπρὸς δ' ἀκούσας σὴν ὕβριν φανήσεται
σοὶ καὶ πολίταις γῇ τε τῇδε καὶ φυτοῖς·
μάτην γὰρ ἥβην ὧδέ γ' ἂν κεκτῴμεθα
πολλὴν ἐν Ἄργει, μή σε τιμωρούμενοι.

ΔΗΜΟΦΩΝ

φθείρου· τὸ σὸν γὰρ Ἄργος οὐ δέδοικ' ἐγώ.
ἐνθένδε δ' οὐκ ἔμελλες αἰσχύνας ἐμὲ
ἄξειν βίᾳ τούσδ'· οὐ γὰρ Ἀργείων πόλει
ὑπήκοον τήνδ', ἀλλ' ἐλευθέραν ἔχω.

ΧΟΡΟΣ

ὥρα προνοεῖν, πρὶν ὅροις πελάσαι
στρατὸν Ἀργείων·
290 μάλα δ' ὀξὺς Ἄρης ὁ Μυκηναίων,
ἐπὶ τοῖσι δὲ δὴ μᾶλλον ἔτ' ἢ πρίν.
πᾶσι γὰρ οὗτος κήρυξι νόμος,
δὶς τόσα πυργοῦν τῶν γιγνομένων.
πόσα νιν λέξειν βασιλεῦσι δοκεῖς,
ὡς δείν' ἔπαθεν καὶ παρὰ μικρὸν
ψυχὴν ἦλθεν διακναῖσαι;

DEMOPHON

That will I, if the herald learn not wisdom.

CHORUS

[*To* HERALD] Depart thou :—touch thou not this man,
O king.

COPREUS

I go ; for feeble fight one hand may make.
But I will hither come with brazen mail
And spears of Argos' war : warriors untold
Await me ; and Eurystheus' self, our king,
Their chief, expecting what shall come from hence,
Waits on the marches of Alcathous.[1]
He shall flash forth, being told thine insolence, 280
On thee, thy folk, this land, and all her fruits.
For all this warrior youth were ours for naught
In Argos, if we avenge us not on thee.

DEMOPHON

Begone ! I fear not that thine Argos, I !
'Twas not for thee to shame me and to drag
These hence by force. This city which I hold
Is not to Argives subject : she is free.

[*Exit* COPREUS.

CHORUS

It is time to prepare, ere the Argive array
Over our marches on-sweepeth ;
For Mycenae's war-spirit is keen for the fray, 290
And more hot for these tidings upleapeth.
Yea, and after his kind will yon herald be swelling
His wrongs—such aye double a tale in the telling :—
In the ears of his lords, think ye, how will he cry
On the foulness of outrage " that brought him this day
Unto death well nigh ! "

[1] *i.e.* in Megara, of which Alcathous had shortly before been king.

ΙΟΛΑΟΣ

οὐκ ἔστι τοῦδε παισὶ κάλλιον γέρας
ἢ πατρὸς ἐσθλοῦ κἀγαθοῦ πεφυκέναι
[γαμεῖν τ' ἀπ' ἐσθλῶν· ὃς δὲ νικηθεὶς πόθῳ
300 κακοῖς ἐκοινώνησεν, οὐκ ἐπαινέσω,
τέκνοις ὄνειδος εἵνεχ' ἡδονῆς λιπεῖν.][1]
τὸ δυστυχὲς γὰρ ηὑγένει' ἀμύνεται
τῆς δυσγενείας μᾶλλον· ἡμεῖς γὰρ κακῶν
εἰς τοὔσχατον πεσόντες ηὕρομεν φίλους
καὶ ξυγγενεῖς τούσδ', οἳ τοσῆσδ' οἰκουμένης
Ἑλληνίδος γῆς τῶνδε προὔστησαν μόνοι.
δότ', ὦ τέκν', αὐτοῖς χεῖρα δεξιάν, δότε·
ὑμεῖς τε παισί, καὶ πέλας προσέλθετε.
ὦ παῖδες, εἰς μὲν πεῖραν ἤλθομεν φίλων
310 ἢν δ' οὖν ποθ' ὑμῖν νόστος εἰς πάτραν φανῇ,
καὶ δώματ' οἰκήσητε καὶ τιμὰς πατρός,
σωτῆρας ἀεὶ καὶ φίλους νομίζετε,
καὶ μήποτ' εἰς γῆν ἐχθρὸν αἴρεσθαι δόρυ,
μεμνημένοι τῶνδ', ἀλλὰ φιλτάτην πόλιν
πασῶν νομίζετ'. ἄξιοι δ' ὑμῖν σέβειν
οἳ γῆν τοσήνδε καὶ Πελασγικὸν λεὼν
ἡμῶν ἀπηλλάξαντο πολεμίους ἔχειν,
πτωχοὺς ἀλήτας εἰσορῶντες· ἀλλ' ὅμως
οὐκ ἐξέδωκαν οὐδ' ἀπήλασαν χθονός.
320 ἐγὼ δὲ καὶ ζῶν καὶ θανών, ὅταν θάνω,
πολλῷ σ' ἐπαίνῳ Θησέως, ὦ τᾶν, πέλας
ὑψηλὸν ἀρῶ καὶ λέγων τάδ' εὐφρανῶ,
ὡς εὖ τ' ἐδέξω καὶ τέκνοισιν ἤρκεσας
τοῖς Ἡρακλείοις, εὐγενὴς δ' ἀν' Ἑλλάδα
σῴζεις πατρῴαν δόξαν, ἐξ ἐσθλῶν δὲ φὺς
οὐδὲν κακίων τυγχάνεις γεγὼς πατρός,

[1] 299–301 are of doubtful genuineness.

IOLAUS

No fairer honour-guerdon may sons win
Than this, to spring from noble sires and good,
[And so wed noble wives. Who, passion's thrall,
Links him with base folk, ne'er shall have my praise, 300
Who, for his lust's sake, stamps his seed with shame.]
For noble birth stands in the evil day
Better than base blood. We, to deepest depths
Of evil fallen, yet have found us friends
And kin in these: in all the peopled breadth
Of Hellas these alone have championed us.
Give, children, unto these the right hand give,
And to the children ye; draw near to them.

Boys, we have put our friends unto the test:—
If home-return shall ever dawn for you, 310
And your sires' halls aud honours ye inherit,
Saviours and friends account them evermore,
And never against their land lift hostile spear,
Remembering this, but hold them of all states
Most dear. They are worthy of your reverence,
Who have ta'en our burden on them, enmity
Of that great land, that folk Pelasgian.
Beggars they saw us, homeless: for all this
They gave not up nor chased us from their land.
And I, in life,—in death, when death shall come, 320
With high laud will extol thee, good my lord,
At Theseus' side; and this shall make him glad,
My tale how thou didst welcome, didst defend
Hercules' sons, how nobly Hellas through
Thou guard'st thy sire's renown: thy father's son
Shames not the noble line wherefrom he sprang.

παύρων μετ᾽ ἄλλων· ἕνα γὰρ ἐν πολλοῖς ἴσως
εὕροις ἂν ὅστις ἐστὶ μὴ χείρων πατρός.

ΧΟΡΟΣ

ἀεί ποθ᾽ ἥδε γαῖα τοῖς ἀμηχάνοις
330 σὺν τῷ δικαίῳ βούλεται προσωφελεῖν.
τοιγὰρ πόνους δὴ μυρίους ὑπὲρ φίλων
ἤνεγκε, καὶ νῦν τόνδ᾽ ἀγῶν᾽ ὁρῶ πέλας.

ΔΗΜΟΦΩΝ

σοί τ᾽ εὖ λέλεκται, καὶ τὰ τῶνδ᾽ αὐχῶ, γέρον,
τοιαῦτ᾽ ἔσεσθαι· μνημονεύσεται χάρις.
κἀγὼ μὲν ἀστῶν σύλλογον ποιήσομαι,
τάξω δ᾽, ὅπως ἂν τὸν Μυκηναίων στρατὸν
πολλῇ δέχωμαι χειρί· πρῶτα μὲν σκοποὺς
πέμψω πρὸς αὐτόν, μὴ λάθῃ με προσπεσών·
ταχὺς γὰρ Ἄργει πᾶς ἀνὴρ βοηδρόμος·
340 μάντεις δ᾽ ἀθροίσας θύσομαι· σὺ δ᾽ εἰς δόμους
σὺν παισὶ χώρει, Ζηνὸς ἐσχάραν λιπών.
εἰσὶν γὰρ οἵ σου, κἂν ἐγὼ θυραῖος ὦ,
μέριμναν ἕξουσ᾽. ἀλλ᾽ ἴθ᾽ εἰς δόμους, γέρον.

ΙΟΛΑΟΣ

οὐκ ἂν λίποιμι βωμόν, ἑζώμεσθα δὲ
ἱκέται μένοντες ἐνθάδ᾽ εὖ πρᾶξαι πόλιν·
ὅταν δ᾽ ἀγῶνος τοῦδ᾽ ἀπαλλαχθῇς καλῶς,
ἴμεν πρὸς οἴκους. θεοῖσι δ᾽ οὐ κακίοσι
χρώμεσθα συμμάχοισιν Ἀργείων, ἄναξ·
τῶν μὲν γὰρ Ἥρα προστατεῖ, Διὸς δάμαρ,
350 ἡμῶν δ᾽ Ἀθάνα. φημὶ δ᾽ εἰς εὐπραξίαν
καὶ τοῦθ᾽ ὑπάρχειν, θεῶν ἀμεινόνων τυχεῖν·
νικωμένη γὰρ Παλλὰς οὐκ ἀνέξεται.

ΧΟΡΟΣ

εἰ σὺ μέγ᾽ αὐχεῖς, ἕτεροι στρ.
σοῦ πλέον οὐ μέλονται,

Few such there be : amid a thousand, one
Thou shouldst find undegenerate from his sire.

CHORUS

Ever of old she chooseth, this our land,
To help the helpless ones in justice' cause. 330
So hath she borne for friends unnumbered toils.
Now see I this new struggle looming nigh.

DEMOPHON

Well said of thee ; and sure am I that these
Shall so prove ; unforgot shall be our boon.
Now will I muster for the war my folk,
And marshal, that a goodly band may greet
Mycenae's host. Scouts first will I send forth
To meet it, lest unwares it fall on me ;
For swift the Argives throng to the gathering-cry.
Seers will I bring, and sacrifice. Thou, leave 340
Zeus' hearth, and enter with the boys mine halls :
Therein be they which, though I be afar,
Shall care for thee. Pass, ancient, to mine halls.

IOLAUS

I will not leave the altar. Let us sit,
Abiding Athens' triumph, suppliant here.
And, when thou hast brought this strife to glorious end,
Then will we enter. Champion-gods have we
Not weaker than the Argive Gods, O king.
Though Hera, bride of Zeus, before them go,
Ours is Athena ; and this tells, say I, 350
For triumph, to have gotten mightier Gods ;
For Pallas never shall brook overthrow.

[*Exit* DEMOPHON.

CHORUS

Ay, vaunt as thou wilt, yet uncaring (*Str.*)
Will we swerve none the more from the right,

ὦ ξεῖν' Ἀργόθεν ἐλθών·
μεγαληγορίαισι δ' ἐμὰς
φρένας οὐ φοβήσεις.
μήπω ταῖς μεγάλαισιν οὕτω
καὶ καλλιχόροις Ἀθάναις
360 εἴη. σὺ δ' ἄφρων ὅ τ' Ἄργει
Σθενέλου τύραννος·

ὃς πόλιν ἐλθὼν ἑτέραν ἀντ.
οὐδὲν ἐλάσσον' Ἄργους,
θεῶν ἱκτῆρας ἀλάτας
καὶ ἐμᾶς χθονὸς ἀντομένους
ξένος ὢν βιαίως
ἕλκεις, οὐ βασιλεῦσιν εἴξας,
οὐκ ἄλλο δίκαιον εἰπών·
ποῦ ταῦτα καλῶς ἂν εἴη
370 παρά γ' εὖ φρονοῦσιν;

εἰρήνα μὲν ἔμοιγ' ἀρέσκει· ἐπῳδ.
σοὶ δ', ὦ κακόφρων ἄναξ,
λέγω· εἰ πόλιν ἥξεις,
οὐχ οὕτως ἃ δοκεῖς κυρήσεις.
οὐ σοὶ μόνῳ ἔγχος οὐδ'
ἰτέα κατάχαλκός ἐστιν.
ἀλλ' οὐ, πολέμων ἐραστά,
μή μοι δορὶ συνταράξῃς
τὰν εὖ χαρίτων ἔχουσαν
380 πόλιν, ἀλλ' ἀνάσχου.

ΙΟΛΑΟΣ

ὦ παῖ, τί μοι σύννοιαν ὄμμασιν φέρων
ἥκεις; νέον τι πολεμίων λέγεις πέρι;
μέλλουσιν ἢ πάρεισιν ἢ τί πυνθάνει;

O thou stranger from Argolis faring
  To Athens, thou shalt not affright
Our souls by thy bluster high-swelling.
  Not yet such dishonour be done
To the land great and fair beyond telling!
Fools—thou and thy despot-lord dwelling 360
  In Argos, this Sthenelus' son!

Thou who com'st to a city no lesser (*Ant.*)
  Than Argos, essaying to seize—
And thou alien, O violent oppressor!—
  The suppliants that cling to her knees,
The homeless that cry from her altars!
  Thou hast not respect to our king,
And with justice thy false tongue palters:—
Who, except from truth's pathway he falters,
  But shall count it an infamous thing? 370

Peace love I well, but I warn thee, (*Epode*)
  O tyrant, O treacherous-souled,
  Though thou march to the gates of our hold,
Not the crown of thy hopes shall adorn thee.
  Not for thine hand the war-spear alone
  Nor the brass on the buckler hath shone!
O thou that in battle delightest,
  Trouble not, trouble not with thy spear
The burg that the Graces make brightest
  Of cities:—dread thou and forbear. 380

Re-enter DEMOPHON.

IOLAUS

My son, why com'st thou with care-clouded eyes?
Tellest thou evil tidings of the foe?
Tarry they?—are they on us?—what hast heard?

οὐ γάρ τι μὴ ψεύσῃ γε κήρυκος λόγος·
ὁ γὰρ στρατηγὸς εὐτυχὴς τὰ πρόσθεν ὢν[1]
εἶσιν, σάφ' οἶδα, καὶ μάλ' οὐ σμικρὸν φρονῶν
εἰς τὰς Ἀθήνας. ἀλλὰ τῶν φρονημάτων
ὁ Ζεὺς κολαστὴς τῶν ἄγαν ὑπερφρόνων.

ΔΗΜΟΦΩΝ

ἥκει στράτευμ' Ἀργεῖον Εὐρυσθεύς τ' ἄναξ·
390 ἐγώ νιν αὐτὸς εἶδον. ἄνδρα γὰρ χρεών,
ὅστις στρατηγεῖν φησ' ἐπίστασθαι καλῶς,
οὐκ ἀγγέλοισι τοὺς ἐναντίους ὁρᾶν.
πεδία μὲν οὖν γῆς εἰς τάδ' οὐκ ἐφῆκέ πω
στρατόν, λεπαίαν δ' ὀφρύην καθήμενος
σκοπεῖ, δόκησιν δὴ τόδ' ἂν λέγοιμί σοι,
ποίᾳ προσάξει στρατόπεδόν τ' ἄνευ δορὸς
ἐν ἀσφαλεῖ τε τῆσδ' ἱδρύσεται χθονός.
καὶ τἀμὰ μέντοι πάντ' ἄραρ' ἤδη καλῶς·
πόλις τ' ἐν ὅπλοις, σφάγιά θ' ἡτοιμασμένα
400 ἕστηκεν οἷς χρὴ ταῦτα τέμνεσθαι θεῶν,
θυηπολεῖται δ' ἄστυ μάντεων ὕπο,
τροπαῖά τ' ἐχθρῶν καὶ πόλει σωτήρια.
χρησμῶν δ' ἀοιδοὺς πάντας εἰς ἓν ἁλίσας
ἤλεγξα καὶ βέβηλα καὶ κεκρυμμένα
λόγια παλαιά, τῇδε γῇ σωτήρια.
καὶ τῶν μὲν ἄλλων διάφορ' ἐστὶ θεσφάτων
πόλλ'· ἓν δὲ πᾶσι γνῶμα ταὐτὸν ἐμπρέπει·
σφάξαι κελεύουσίν με παρθένον κόρῃ
Δήμητρος, ἥτις ἐστὶ πατρὸς εὐγενοῦς.
410 ἐγὼ δ' ἔχω μέν, ὡς ὁρᾷς, προθυμίαν
τοσήνδ' ἐς ὑμᾶς· παῖδα δ' οὔτ' ἐμὴν κτενῶ
οὔτ' ἄλλον ἀστῶν τῶν ἐμῶν ἀναγκάσω

[1] Tyrwhitt: for MSS. πρὸς θεῶν.

No empty promise was yon herald's threat.
Their captain, aye triumphant heretofore,
Shall march, I know, with heart uplifted high,
Against our Athens. Notwithstanding Zeus
Chastiseth overweening arrogance.

DEMOPHON

They are come, the Argive host and king Eurystheus.
Myself beheld them; for behoves the man, 390
Whoso makes claim to know good generalship,
To see—nor that with eyes of scouts—his foes.
But to the plains not yet hath he marched down
His bands, but, couched upon the rocky brow,
Watcheth—I but make guess of that I tell thee—
Where without conflict to push on his host,
And in the land's heart camp him safety-girt.

Yet all my preparations well are laid:
Athens is all in arms, the victims ready
Stand for the Gods to whom they must be slain: 400
By seers the city is filled with sacrifice
For the foes' rout and saving of the state.
All prophecy-chanters have I caused to meet,
Into old public oracles have searched,
And secret, for salvation of this land.
And, mid their manifold diversities,
In one thing glares the sense of all the same:—
They bid me to Demeter's Daughter slay
A maiden of a high-born father sprung.

Full am I, as thou seest, of good will 410
To you; yet neither will I slay my child,
Nor force thereto another of my folk;

ἄκονθ'· ἑκὼν δὲ τίς κακῶς οὕτω φρονεῖ,
ὅστις τὰ φίλτατ' ἐκ χερῶν δώσει τέκνα;
καὶ νῦν πικρὰς ἂν συστάσεις ἂν εἰσίδοις,
τῶν μὲν λεγόντων ὡς δίκαιον ἦν ξένοις
ἱκέταις ἀρήγειν, τῶν δὲ μωρίαν ἐμοῦ
κατηγορούντων· εἰ δὲ δὴ δράσω τόδε,
οἰκεῖος ἤδη πόλεμος ἐξαρτύεται.
420 ταῦτ' οὖν ὅρα σὺ καὶ συνεξεύρισχ' ὅπως
αὐτοί τε σωθήσεσθε καὶ πέδον τόδε,
κἀγὼ πολίταις μὴ διαβληθήσομαι.
οὐ γὰρ τυραννίδ' ὥστε βαρβάρων ἔχω·
ἀλλ' ἢν δίκαια δρῶ, δίκαια πείσομαι.

ΧΟΡΟΣ

ἀλλ' ἦ πρόθυμον οὖσαν οὐκ ἐᾷ θεὸς
ξένοις ἀρήγειν τήνδε χρῄζουσαν πόλιν;

ΙΟΛΑΟΣ

ὦ τέκν', ἔοιγμεν ναυτίλοισιν, οἵτινες
χειμῶνος ἐκφυγόντες ἄγριον μένος
εἰς χεῖρα γῇ συνῆψαν, εἶτα χερσόθεν
430 πνοαῖσιν ἠλάθησαν εἰς πόντον πάλιν.
οὕτω δὲ χἠμεῖς τῆσδ' ἀπωθούμεσθα γῆς
ἤδη πρὸς ἀκταῖς ὄντες ὡς σεσωσμένοι.
οἴμοι· τί δῆτ' ἔτερψας ὦ τάλαινά με
ἐλπὶς τότ', οὐ μέλλουσα διατελεῖν χάριν;
συγγνωστὰ γάρ τοι καὶ τὰ τοῦδ', εἰ μὴ θέλει
κτείνειν πολιτῶν παῖδας, αἰνέσαι δ' ἔχω
καὶ τἀνθάδ'. εἰ θεοῖσι δὴ δοκεῖ τάδε
πράσσειν ἔμ', οὔτοι σοί γ' ἀπόλλυται χάρις.
ὦ παῖδες, ὑμῖν δ' οὐκ ἔχω τί χρήσομαι.
440 ποῖ τρεψόμεσθα; τίς γὰρ ἄστεπτος θεῶν;
ποῖον δὲ γαίας ἕρκος οὐκ ἀφίγμεθα;
ὀλούμεθ', ὦ τέκν', ἐκδοθησόμεσθα δή.

And of his own will who hath heart so hard
As from his hands to yield a most dear child?
Now gatherings mayst thou see of angry mood,
Where some say, right it is to render help
To suppliant strangers, some cry out upon
My folly:—yea, and if I do this thing,
Even this day is civil war afoot.
See thou to this then: help me find a way 420
Whereby yourselves and Athens shall be saved,
And I shall not be of my folk reproached.
For mine is no barbarian despot's sway,
But by just dealing my just dues I win.

CHORUS

How? do the Gods forbid that Athens help
The stranger, though she yearn with eager will?

IOLAUS

O children, we are like to shipmen, who,
Escaped the madding fury of the storm,
And now in act to grasp the land, have yet
By blasts been driven from shore to sea again. 430
Even so are we from this land thrust away,
When, as men saved, even now we touched the strand.
Ah, me why didst thou cheer me, cruel hope,
Erst, when thy mind was not to crown thy boon?
The king I cannot blame, who will not slay
His people's daughters: yea, I am content
With Athens' dealings with us: if my plight
Please Heaven, my gratitude to thee dies not.
Ah boys, for you I know not what to do!
Whitherward flee?—what Gods rest unimplored? 440
What refuge upon earth have we not sought?
Die shall we, children, yielded up to foes.

ἁμοῦ μὲν οὐδὲν εἴ με χρὴ θανεῖν μέλει,
πλὴν εἴ τι τέρψω τοὺς ἐμοὺς ἐχθροὺς θανών·
ὑμᾶς δὲ κλαίω καὶ κατοικτείρω, τέκνα,
καὶ τὴν γεραιὰν μητέρ' Ἀλκμήνην πατρός.
ὦ δυστάλαινα τοῦ μακροῦ βίου σέθεν,
τλήμων δὲ κἀγὼ πολλὰ μοχθήσας μάτην.
χρῆν χρῆν ἄρ' ἡμᾶς ἀνδρὸς εἰς ἐχθροῦ χέρας
450 πεσόντας αἰσχρῶς καὶ κακῶς λιπεῖν βίον.
ἀλλ' οἶσθ' ὅ μοι σύμπραξον; οὐχ ἅπασα γὰρ
πέφευγεν ἐλπὶς τῶνδέ μοι σωτηρίας.
ἔμ' ἔκδος Ἀργείοισιν ἀντὶ τῶνδ', ἄναξ,
καὶ μήτε κινδύνευε, σωθήτω τέ μοι
τέκν'· οὐ φιλεῖν δεῖ τὴν ἐμὴν ψυχήν· ἴτω.
μάλιστα δ' Εὐρυσθεύς με βούλοιτ' ἂν λαβὼν
τὸν Ἡράκλειον σύμμαχον καθυβρίσαι·
σκαιὸς γὰρ ἀνήρ· τοῖς σοφοῖς δ' εὐκτὸν σοφῷ
ἔχθραν συνάπτειν, μὴ ἀμαθεῖ φρονήματι.
460 πολλῆς γὰρ αἰδοῦς καὶ δίκης τις ἂν τύχοι.

ΧΟΡΟΣ

ὦ πρέσβυ, μή νυν τήνδ' ἐπαιτιῶ πόλιν·
τάχ' ἂν γὰρ ἡμῖν ψευδὲς ἀλλ' ὅμως κακὸν
γένοιτ' ὄνειδος ὡς ξένους προὐδώκαμεν.

ΔΗΜΟΦΩΝ

γενναῖα μὲν τάδ' εἶπας, ἀλλ' ἀμήχανα.
οὐ σοῦ χατίζων δεῦρ' ἄναξ στρατηλατεῖ.
τί γὰρ γέροντος ἀνδρὸς Εὐρυσθεῖ πλέον
θανόντος; ἀλλὰ τούσδε βούλεται κτανεῖν.
δεινὸν γὰρ ἐχθροῖς βλαστάνοντες εὐγενεῖς,
νεανίαι τε καὶ πατρὸς μεμνημένοι
470 λύμης· ἃ κεῖνον πάντα προσκοπεῖν χρεών.
ἀλλ' εἴ τιν' ἄλλην οἶσθα καιριωτέραν

I reck not of myself, if I must die,—
Except that o'er my death yon foes shall gloat;
But for you, babes, I weep in utter ruth,
And for your sire's grey mother, even Alcmena.
O lady, hapless in thy length of days!
And hapless I, who have greatly toiled in vain!
Doomed were we, doomed into a foeman's hands
To fall, and die in shame and agony! 450
King, help me!—wouldst know how?—not every hope
Of their deliverance hath fled my soul:—
Me to the Argives yield up in their stead.
So be unperilled thou, the lads be saved.
No right have I to love life: let it go!
Me would Eurystheus most rejoice to seize,—
Hercules' ally, me,—and evil-entreat;
For churl he is. Let wise men pray to strive
With wise men, not with graceless arrogance.
So, if one fall, he stoops to chivalrous foe. 460

CHORUS

O ancient, upon Athens cast not blame!
Haply 'twere false, yet foul reproach were this
That we abandoned stranger-suppliants.

DEMOPHON

Noble thine offer; yet it cannot be.
Not craving thee doth this king hither march;
For of what profit to Eurystheus were
An old man's death? Nay, these he lusts to slay.
For dangerous to foes are high-born youths
Growing to man, and brooding on sires' wrongs;
And all this he foresees, he needs must so. 470
If any rede thou knowest more than this

βουλήν, ἑτοίμαζ', ὡς ἔγωγ' ἀμήχανος
χρησμῶν ἀκούσας εἰμὶ καὶ φόβου πλέως.

ΜΑΚΑΡΙΑ

ξένοι, θράσος μοι μηδὲν ἐξόδοις ἐμαῖς
προσθῆτε· πρῶτον γὰρ τόδ' ἐξαιτήσομαι·
γυναικὶ γὰρ σιγή τε καὶ τὸ σωφρονεῖν
κάλλιστον, εἴσω θ' ἥσυχον μένειν δόμων.
τῶν σῶν δ' ἀκούσασ', Ἰόλεως, στεναγμάτων
ἐξῆλθον, οὐ ταχθεῖσα πρεσβεύειν γένους.
480 ἀλλ' εἰμὶ γάρ πως πρόσφορος, μέλει δέ μοι
μάλιστ' ἀδελφῶν τῶνδε, κἀμαυτῆς πέρι
θέλω πυθέσθαι, μὴ 'πὶ τοῖς πάλαι κακοῖς
προσκείμενόν τι πῆμα σὴν δάκνει φρένα.

ΙΟΛΑΟΣ

ὦ παῖ, μάλιστα σ' οὐ νεωστὶ δὴ τέκνων
τῶν Ἡρακλείων ἐνδίκως αἰνεῖν ἔχω.
ἡμῖν δὲ δόξας εὖ προχωρῆσαι δόμος
πάλιν μεθέστηκ' αὖθις εἰς τἀμήχανον·
χρησμῶν γὰρ ᾠδούς φησι σημαίνειν ὅδε,
οὐ ταῦρον οὐδὲ μόσχον, ἀλλὰ παρθένον
490 σφάξαι κόρῃ Δήμητρος ἥτις εὐγενής,
εἰ χρὴ μὲν ἡμᾶς, χρὴ δὲ τήνδ' εἶναι πόλιν.
ταῦτ' οὖν ἀμηχανοῦμεν· οὔτε γὰρ τέκνα
σφάζειν ὅδ' αὑτοῦ φησιν οὔτ' ἄλλου τινός,
κἀμοὶ λέγει μὲν οὐ σαφῶς, λέγει δέ πως,
εἰ μή τι τούτων ἐξαμηχανήσομεν,
ἡμᾶς μὲν ἄλλην γαῖαν εὑρίσκειν τινά,
αὐτὸς δὲ σῶσαι τήνδε βούλεται χθόνα.

ΜΑΚΑΡΙΑ

ἐν τῷδε κἀχόμεσθα σωθῆναι λόγῳ;

ΙΟΛΑΟΣ

ἐν τῷδε, τἄλλα γ' εὐτυχῶς πεπραγότες.

In season, set it forth: I am desperate,
Hearing these oracles, and full of fear.

Enter MACARIA *from the temple.*

MACARIA

Strangers, impute not for my coming forth
Boldness to me: this is my first request;
Since for a woman silence and discretion
Be fairest, and still tarrying in the home.
But, Iolaus, I heard thy moans, and came,—
Though I be not ordained mine house's head:
Yet in some sort it fits me, for I love 480
These brethren more than all: yea, mine own fate
Fain would I learn,—lest to the former ills
Some new pang added now torments thy soul.

IOLAUS

Daughter, long since have I had righteous cause
To praise thee chiefliest of Hercules' seed.
Our house, that seemed but now to prosper well,
Once more hath fallen into desperate case.
For oracle-chanters, saith this king, proclaim
That he must bid to slay nor bull nor calf,
But a maid, daughter of a high-born sire, 490
If we, if Athens, must not cease to be.
This then is our despair: the king refuseth
To slay his own or any other's child,
And saith to me,—albeit not in words,—
Except we find for this some remedy,
We must needs forth and seek another land;
But his own land he cannot chose but save.

MACARIA

On these terms hangeth our deliverance?

IOLAUS

On these,—if in all else our fortune speed.

ΜΑΚΑΡΙΑ

500 μή νυν τρέσῃς ἔτ' ἐχθρὸν Ἀργεῖον δόρυ·
ἐγὼ γὰρ αὐτὴ πρὶν κελευσθῆναι, γέρον,
θνῄσκειν ἑτοίμη καὶ παρίστασθαι σφαγῇ.
τί φήσομεν γάρ, εἰ πόλις μὲν ἀξιοῖ
κίνδυνον ἡμῶν εἵνεκ' αἴρεσθαι μέγαν,
αὐτοὶ δὲ προστιθέντες ἄλλοισιν πόνους,
παρόν σφε σῶσαι, φευξόμεσθα μὴ θανεῖν;
οὐ δῆτ', ἐπεί τοι καὶ γέλωτος ἄξια,
στένειν μὲν ἱκέτας δαιμόνων καθημένους,
πατρὸς δ' ἐκείνου φύντας οὗ πεφύκαμεν,
510 κακοὺς ὁρᾶσθαι· ποῦ τάδ' ἐν χρηστοῖς πρέπει;
κάλλιον, οἶμαι, τῆσδ', ἃ μὴ τύχοι ποτέ,
πόλεως ἁλούσης, χεῖρας εἰς ἐχθρῶν πεσεῖν,
κἄπειτα δεινά, πατρὸς οὖσαν εὐγενοῦς,
παθοῦσαν Ἅιδην μηδὲν ἧσσον εἰσιδεῖν.
ἀλλ' ἐκπεσοῦσα τῆσδ' ἀλητεύσω χθονός,
κοὐκ αἰσχυνοῦμαι δῆτ', ἐὰν δή τις λέγῃ·
τί δεῦρ' ἀφίκεσθ' ἱκεσίοισι σὺν κλάδοις
αὐτοὶ φιλοψυχοῦντες; ἔξιτε χθονός·
κακοὺς γὰρ ἡμεῖς οὐ προσωφελήσομεν.
520 ἀλλ' οὐδὲ μέντοι, τῶνδε μὲν τεθνηκότων,
αὐτὴ δὲ σωθεῖσ', ἐλπίδ' εὖ πράξειν ἔχω·
πολλοὶ γὰρ ἤδη τῇδε προὔδοσαν φίλους·
τίς γὰρ κόρην ἔρημον ἢ δάμαρτ' ἔχειν
ἢ παιδοποιεῖν ἐξ ἐμοῦ βουλήσεται;
οὔκουν θανεῖν ἄμεινον ἢ τούτων τυχεῖν
ἀναξίαν; ἄλλῃ δὲ καὶ πρέπει τινὶ
μᾶλλον τάδ', ἥτις μὴ 'πίσημος ὡς ἐγώ.
ἡγεῖσθ' ὅπου δεῖ σῶμα κατθανεῖν τόδε,
καὶ στεμματοῦτε καὶ κατάρχεσθ', εἰ δοκεῖ·
530 νικᾶτε δ' ἐχθρούς· ἥδε γὰρ ψυχὴ πάρα

MACARIA

Then dread no more the Argive foeman's spear. 500
Myself—I wait no bidding, ancient—am
Ready to die, and yield me to be slain.
What can we say, if Athens count it meet
To brave a mighty peril for our sake,
And we to others pass the struggle on,
And flee death, when that way deliverance lies?
Never!—a scoffing to us this should be,
To sit and moan on, suppliant to their Gods,
And—born of that sire of whose loins we sprang—
To show us craven! Is this like the brave? 510
Better, forsooth, this town—which God forbid!—
Were ta'en, that into hands of foes I fell,
And suffered—I, from hero-father sprung—
Horrors, and looked on Hades none the less!
Or, banished, shall I wander from this land,
And not be utterly shamed, if one should say,
"Wherefore come hither with your suppliant boughs,
O ye that so love life?—hence from our land!
For we to cravens will not render help?"

Nay, and not even if all these were slain 520
And I saved, have I hope of happy days;—
Many, so tempted, have betrayed their friends;—
For who would stoop to take a friendless girl
To wife, or care to raise up seed of me?
Better to die than light on such a doom
Unworthy! Haply this might well beseem
Another maid who hath not my renown.

Lead on to where this body needs must die:
Wreathe me, begin the rite, if this seem good.
Vanquish your foes; for ready is this life, 530

ἑκοῦσα κοὐκ ἄκουσα· κἀξαγγέλλομαι
θνῄσκειν ἀδελφῶν τῶνδε κἀμαυτῆς ὕπερ.
εὕρημα γάρ τοι μὴ φιλοψυχοῦσ' ἐγὼ
κάλλιστον ηὕρηκ', εὐκλεῶς λιπεῖν βίον.

ΧΟΡΟΣ

φεῦ φεῦ, τί λέξω παρθένου μέγαν λόγον
κλύων, ἀδελφῶν ἣ πάρος θέλει θανεῖν;
τούτων τίς ἂν λέξειε γενναίους λόγους
μᾶλλον, τίς ἂν δράσειεν ἀνθρώπων ἔτι;

ΙΟΛΑΟΣ

ὦ τέκνον, οὐκ ἔστ' ἄλλοθεν τὸ σὸν κάρα,
540 ἀλλ' ἐξ ἐκείνου σπέρμα τῆς θείας φρενὸς
πέφυκας Ἡράκλειος· οὐδ' αἰσχύνομαι
τοῖς σοῖς λόγοισι, τῇ τύχῃ δ' ἀλγύνομαι.
ἀλλ' ᾗ γένοιτ' ἂν ἐνδικωτέρως φράσω·
πάσας ἀδελφὰς τῆσδε δεῦρο χρὴ καλεῖν,
κᾆθ' ἡ λαχοῦσα θνῃσκέτω γένους ὕπερ·
σὲ δ' οὐ δίκαιον κατθανεῖν ἄνευ πάλου.

ΜΑΚΑΡΙΑ

οὐκ ἂν θάνοιμι τῇ τύχῃ λαχοῦσ' ἐγώ·
χάρις γὰρ οὐ πρόσεστι· μὴ λέξῃς, γέρον.
ἀλλ' εἰ μὲν ἐνδέχεσθε καὶ βούλεσθέ μοι
550 χρῆσθαι προθύμῳ, τὴν ἐμὴν ψυχὴν ἐγὼ
δίδωμ' ἑκοῦσα τοῖσδ', ἀναγκασθεῖσα δ' οὔ.

ΙΟΛΑΟΣ

φεῦ.
ὅδ' αὖ λόγος σοι τοῦ πρὶν εὐγενέστερος·
κἀκεῖνος ἦν ἄριστος, ἀλλ' ὑπερφέρεις
τόλμῃ τε τόλμαν καὶ λόγῳ χρηστῷ λόγον.
οὐ μὴν κελεύω γ' οὐδ' ἀπεννέπω, τέκνον,
θνῄσκειν σ'· ἀδελφοὺς δ' ὠφελεῖς θανοῦσα σούς.

Willing, ungrudging. Yea, I pledge me now
For these my brothers' sake, and mine, to die.
For treasure-trove most fair, by loving not
Life, have I found,—with glory to quit life.

CHORUS

What shall I say, who hear this maid's high words
Consenting for her brethren's sake to die?
What man could utter nobler words than these,
Or who do nobler deed henceforth for ever?

IOLAUS

O child, thine heart is of none other sire—
Thou art his own seed, of that godlike soul, 540
Hercules, sprung! Exceeding proud am I
For these thy words, but grieve for this hard fate.
Yet how 'twere done more justly will I tell:
Hither be all this maiden's sisters called;
Then for her house let whom the lot dooms die;
But that thou die without lot is not just.

MACARIA

I will not perish by the lot's doom, I;
For then is no free grace: thou, name it not.
But if ye will accept me, and consent
To take an eager victim, willingly 550
I give my life for these, nowise constrained.

IOLAUS

Ah, marvellous one!
Nobler thy latter speech is than thy first.
Perfect was that, but thou o'erpassest now
Courage with courage, word with noble word:
Yet, daughter, thee I bid not, nor forbid
To die:—thy brethren dost thou, dying, help.

ΜΑΚΑΡΙΑ

σοφῶς κελεύεις· μὴ τρέσῃς μιάσματος
τοὐμοῦ μετασχεῖν, ἀλλ' ἐλευθέρως θάνω.
560 ἕπου δέ, πρέσβυ· σῇ γὰρ ἐνθανεῖν χερὶ
θέλω· πέπλοις δὲ σῶμ' ἐμὸν κρύψον παρών·
ἐπεὶ σφαγῆς γε πρὸς τὸ δεινὸν εἶμ' ἐγώ,
εἴπερ πέφυκα πατρὸς οὗπερ εὔχομαι.

ΙΟΛΑΟΣ

οὐκ ἂν δυναίμην σῷ παρεστάναι μόρῳ.

ΜΑΚΑΡΙΑ

σὺ δ' ἀλλὰ τοῦδε χρῇζε, μή μ' ἐν ἀρσένων,
ἀλλ' ἐν γυναικῶν χερσὶν ἐκπνεῦσαι βίον.

ΔΗΜΟΦΩΝ

ἔσται τάδ', ὦ τάλαινα παρθένων· ἐπεὶ
κἀμοὶ τόδ' αἰσχρόν, μή σε κοσμεῖσθαι καλῶς,
πολλῶν ἕκατι, τῆς τε σῆς εὐψυχίας
570 καὶ τοῦ δικαίου· τλημονεστάτην δὲ σὲ
πασῶν γυναικῶν εἶδον ὀφθαλμοῖς ἐγώ.
ἀλλ' εἴ τι βούλει τούσδε τὸν γέροντά τε,
χώρει προσειποῦσ' ὑστάτοις προσφθέγμασιν.

ΜΑΚΑΡΙΑ

ὦ χαῖρε, πρέσβυ. χαῖρε καὶ δίδασκέ μοι
τοιούσδε τούσδε παῖδας εἰς τὸ πᾶν σοφούς
ὥσπερ σύ, μηδὲν μᾶλλον· ἀρκέσουσι γάρ.
πειρῶ δὲ σῶσαι μὴ θανεῖν, πρόθυμος ὤν·
σοὶ παῖδές ἐσμεν· σαῖν χεροῖν τεθράμμεθα.
ὁρᾷς δὲ κἀμὲ τὴν ἐμὴν ὥραν γάμου
580 διδοῦσαν ἀντὶ τῶνδε κατθανουμένην.
ὑμεῖς δ' ἀδελφῶν ἡ παροῦσ' ὁμιλία,
εὐδαιμονοῖτε, καὶ γένοιθ' ὑμῖν ὅσων
ἡμὴ πάροιθε καρδία σφαγήσεται.
καὶ τὸν γέροντα τήν τ' ἔσω γραῖαν δόμων

MACARIA

Thou dost bid—wisely. Fear not thou to take
Guilt-stain of me ; but let me die—die free.
Come with me, ancient : in thine arms to die 560
I ask. Be near me ; veil my corse with robes,
Since to the horror of the knife I pass—
If I be of the sire that I boast mine.

IOLAUS

I cannot stand and look upon thy doom.

MACARIA

At least ask thou the king that I may breathe
My last breath not in men's but women's hands.

DEMOPHON

This shall be, hapless among maidens : shame
Were mine to grace thee not with honour meet.
For causes manifold ; for thy great heart,
For justice' sake, and for that thou art brave 570
Above all women that mine eyes have seen.
Wouldst thou say aught to these, or this grey sire,
Speak thy last word, or ever thou depart. [*Exit.*

MACARIA

Farewell, old sire, farewell, and teach, O teach
These boys to be like thee, in all things wise
As thou art—no whit more : that shall suffice.
And strive from death to save them, loyal soul :
Thy children are we, fostered by thine hands.
Thou seëst how my bloom of spousal-tide
I yield up in the stead of these to die. 580
And ye, O band of brethren at my side,
Blessings on you ! May all be yours, for which
The cleaving of mine heart shall pay the price.
This old man, and the grey queen therewithin,

τιμᾶτε πατρὸς μητέρ' Ἀλκμήνην ἐμοῦ
ξένους τε τούσδε. κἂν ἀπαλλαγὴ πόνων
καὶ νόστος ὑμῖν εὑρεθῇ ποτ' ἐκ θεῶν,
μέμνησθε τὴν σώτειραν ὡς θάψαι χρεών·
κάλλιστά τοι δίκαιον· οὐ γὰρ ἐνδεὴς
590 ὑμῖν παρέστην, ἀλλὰ προὔθανον γένους.
τάδ' ἀντὶ παίδων ἐστί μοι κειμήλια
καὶ παρθενείας, εἴ τι δὴ κάτω χθονός·
εἴη γε μέντοι μηδέν· εἰ γὰρ ἕξομεν
κἀκεῖ μερίμνας οἱ θανούμενοι βροτῶν,
οὐκ οἶδ' ὅποι τις τρέψεται· τὸ γὰρ θανεῖν
κακῶν μέγιστον φάρμακον νομίζεται.

ΙΟΛΑΟΣ

ἀλλ', ὦ μέγιστον ἐκπρέπουσ' εὐψυχίᾳ
πασῶν γυναικῶν, ἴσθι, τιμιωτάτη
καὶ ζῶσ' ὑφ' ἡμῶν καὶ θανοῦσ' ἔσει πολύ·
600 καὶ χαῖρε· δυσφημεῖν γὰρ ἅζομαι θεάν,
ᾗ σὸν κατῆρκται σῶμα, Δήμητρος κόρην
ὦ παῖδες, οἰχόμεσθα· λύεται μέλη
λύπῃ· λάβεσθε κεἰς ἕδραν μ' ἐρείσατε
αὐτοῦ πέπλοισι τοῖσδε κρύψαντες, τέκνα.
ὡς οὔτε τούτοις ἥδομαι πεπραγμένοις,
χρησμοῦ τε μὴ κρανθέντος οὐ βιώσιμον·
μείζων γὰρ ἄτη, συμφορὰ δὲ καὶ τάδε.

ΧΟΡΟΣ

στρ.

οὔτινά φημι θεῶν ἄτερ ὄλβιον, οὐ βαρύποτμον,
ἄνδρα γενέσθαι,
610 οὐδὲ τὸν αὐτὸν ἀεὶ βεβάναι δόμον
εὐτυχίᾳ· παρὰ δ' ἄλλαν ἄλλα
μοῖρα διώκει·

Alcmena, my sire's mother, honour ye,
And these our hosts. If there be found of heaven
For you release from toils, and home-return,
Remember then your saviour's burial due,—
Fair burial, as is just. I have failed you naught,
Have stood your champion, for mine house have died. 590
My treasure this shall be, for babes unborn,
Spousals forgone ;—if in the grave aught be :
But ah that naught might be !—for if there too
We mortals who must die shall yet have cares,
I know not whither one shall turn ; since death
For sorrows is accounted chiefest balm.

IOLAUS

O thou who for high courage hast no peer,
Above all women, know, in life, in death,
Most chiefest honour shalt thou have of us.
Farewell ; for awe I dare not curse the Goddess, 600
Demeter's child, to whom thy life is sealed.

[*Exit* MACARIA. IOLAUS *sinks to the ground.*

O boys, we are undone !—faint fail my limbs
For anguish ! Take, upbear me to a seat
Hereby, and muffle with these robes, my sons.
For neither can I joy in these deeds done,
Nor might we live, the oracle unfulfilled.
This is calamity, that were deeper ruin.

CHORUS

(*Str.*)

Never man hath been blessed save by God's dispensation, nor bowed under sorrow :—
Lo, this do I cry :—
Nor the same house treads evermore in prosperity's [ways ; 610
But the fate of to-day is dogged by the feet of the fate of to-morrow
Ever treading anigh ;

τὸν μὲν ἀφ' ὑψηλῶν βραχὺν ᾤκισε,
τὸν δ' ἀτίταν[1] εὐδαίμονα τεύχει.
μόρσιμα δ' οὔτι φυγεῖν θέμις,
οὐ σοφίᾳ τις ἀπώσεται·
ἀλλὰ μάταν ὁ πρόθυμος ἀεὶ πόνον ἕξει.

ἀντ.

ἀλλὰ σὺ μὴ προπίτνων τὰ θεῶν φέρε μηδ' ὑπεράλγει
620 φροντίδα λύπᾳ·
εὐδόκιμον γὰρ ἔχει θανάτου μέρος
ἁ μελέα πρό τ' ἀδελφῶν καὶ γᾶς·
οὐδ' ἀκλεής νιν
δόξα πρὸς ἀνθρώπων ὑποδέξεται·
ἁ δ' ἀρετὰ βαίνει διὰ μόχθων.
ἄξια μὲν πατρός, ἄξια δ'
εὐγενίας τάδε γίγνεται·
εἰ δὲ σέβεις θανάτους ἀγαθῶν, μετέχω σοι.

ΘΕΡΑΠΩΝ

630 ὦ τέκνα, χαίρετ'· Ἰόλεως δὲ ποῦ γέρων
μήτηρ τε πατρὸς τῆσδ' ἕδρας ἀποστατεῖ;

ΙΟΛΑΟΣ

πάρεσμεν, οἵα δή γ' ἐμοῦ παρουσία.

ΘΕΡΑΠΩΝ

τί χρῆμα κεῖσαι καὶ κατηχὲς ὄμμ' ἔχεις;

ΙΟΛΑΟΣ

φροντίς τις ἦλθ' οἰκεῖος, ᾗ συνειχόμην.

[1] Lobeck: for MSS. ἀλήταν.

And him that was highly exalted it comes to abase,
And him that was nothing accounted it setteth on high.
Ye may flee not your doom, nor repel, though the buckler of wisdom ye borrow,
And whoso essayeth hath vain toil endlessly.

(*Ant.*)

Ah, cast thee not down, but endure heaven's stroke, nor thy spirit surrender
Unto anguished despair. 620
She hath won her a portion in death that the world shall praise,
Who hath out of her agony risen, her brethren's, our Athens' defender;
And a crown shall she wear
Of renown that the worship of men on her brows shall place;
For through tangle of trouble doth virtue unfaltering fare.
Of her sire is it worthily done, of her line's heroic splendour.
In thine homage to noble death mine heart hath share.

Enter HENCHMAN OF HYLLUS.

HENCHMAN

Hail, children! Where stay ancient Iolaus 630
And your sire's mother from their session here?

IOLAUS

Here am I—such as my poor presence is.

HENCHMAN

Why dost thou lie thus? Why these down-drooped eyes?

IOLAUS

A sorrow of this house is come to oppress me.

ΘΕΡΑΠΩΝ

ἔπαιρέ νυν σεαυτόν, ὄρθωσον κάρα.

ΙΟΛΑΟΣ

γέροντές ἐσμεν κοὐδαμῶς ἐρρώμεθα.

ΘΕΡΑΠΩΝ

ἥκω γε μέντοι χάρμα σοι φέρων μέγα.

ΙΟΛΑΟΣ

τίς δ᾿ εἶ σύ; ποῦ σοι συντυχὼν ἀμνημονῶ;

ΘΕΡΑΠΩΝ

Ὕλλου πενέστης· οὔ με γιγνώσκεις ὁρῶν;

ΙΟΛΑΟΣ

640 ὦ φίλταθ᾿, ἥκεις ἆρα νῷν σωτὴρ βλάβης;

ΘΕΡΑΠΩΝ

μάλιστα· καὶ πρός γ᾿ εὐτυχεῖς τὰ νῦν τάδε.

ΙΟΛΑΟΣ

ὦ μῆτερ ἐσθλοῦ παιδός, Ἀλκμήνην λέγω,
ἔξελθ᾿, ἄκουσον τούσδε φιλτάτους λόγους.
πάλαι γὰρ ὠδίνουσα τῶν ἀφιγμένων
ψυχὴν ἐτήκου νόστος εἰ γενήσεται.

ΑΛΚΜΗΝΗ

τί χρῆμ᾿ ἀϋτῆς πᾶν τόδ᾿ ἐπλήσθη στέγος;
Ἰόλαε, μῶν τίς σ᾿ αὖ βιάζεται παρὼν
κῆρυξ ἀπ᾿ Ἄργους; ἀσθενὴς μὲν ἥ γ᾿ ἐμὴ
ῥώμη, τοσόνδε δ᾿ εἰδέναι σε χρή, ξένε,
650 οὐκ ἔστ᾿ ἄγειν σε τούσδ᾿ ἐμοῦ ζώσης ποτέ.
ἢ τἄρ᾿ ἐκείνου μὴ νομιζοίμην ἐγὼ
μήτηρ ἔτ᾿· εἰ δὲ τῶνδε προσθίξει χερί,
δυοῖν γερόντοιν οὐ καλῶς ἀγωνιεῖ.

ΙΟΛΑΟΣ

θάρσει, γεραιά, μὴ τρέσῃς· οὐκ Ἀργόθεν
κῆρυξ ἀφῖκται πολεμίους λόγους ἔχων.

HENCHMAN

Yet now upraise thyself: uplift thine head.

IOLAUS

Old am I, and my strength is utter naught.

HENCHMAN

But bringing tidings of great joy I come.

IOLAUS

Who art thou?—where have I met thee unremembered?

HENCHMAN

I am Hyllus' vassal. Look, dost know me not?

IOLAUS

Friend, com'st thou our deliverer from bane? 640

HENCHMAN

Yea: therewithal thou art fortunate this day.

IOLAUS

Alcmena, mother of a hero-son,
Come forth, give ear to these most welcome words;
For travailing long in spirit hast thou fainted
Lest those which now are come should ne'er return.

Enter ALCMENA *from the temple.*

ALCMENA

What means this outcry filling all the house?
How, hath a herald from their Argos come
Again to outrage thee? My strength is weakness;
Yet of this thing, O stranger, be assured,
Never, while I live, shalt thou hale these hence; 650
Else be I counted mother of Hercules
No more; for thou, if thou lay hand on these,
With two old foes shalt have inglorious strife.

IOLAUS

Fear not, grey queen, nor quake: no herald he
From Argos cometh bearing hests of foes.

ΑΛΚΜΗΝΗ

τί γὰρ βοὴν ἔστησας ἄγγελον φόβου;

ΙΟΛΑΟΣ

σὺ πρόσθε ναοῦ τοῦδ' ὅπως βαίης πέλας.

ΑΛΚΜΗΝΗ

οὐκ ᾔσμεν ἡμεῖς ταῦτα· τίς γάρ ἐσθ' ὅδε;

ΙΟΛΑΟΣ

ἥκοντα παῖδα παιδὸς ἀγγέλλει σέθεν.

ΑΛΚΜΗΝΗ

660 ὦ χαῖρε καὶ σὺ τοῖσδε τοῖς ἀγγέλμασιν.
ἀτὰρ τί χώρᾳ τῇδε προσβαλὼν πόδα
ποῦ νῦν ἄπεστι; τίς νιν εἶργε συμφορὰ
σὺν σοὶ φανέντα δεῦρ' ἐμὴν τέρψαι φρένα;

ΘΕΡΑΠΩΝ

στρατὸν καθίζει τάσσεταί θ' ὃν ἦλθ' ἔχων.

ΑΛΚΜΗΝΗ

τοῦδ' οὐκέθ' ἡμῖν τοῦ λόγου μέτεστι δή.

ΙΟΛΑΟΣ

μέτεστιν· ἡμῶν δ' ἔργον ἱστορεῖν τάδε.

ΘΕΡΑΠΩΝ

τί δῆτα βούλει τῶν πεπραγμένων μαθεῖν;

ΙΟΛΑΟΣ

πόσον τι πλῆθος συμμάχων πάρεστ' ἔχων;

ΘΕΡΑΠΩΝ

πολλούς· ἀριθμὸν δ' ἄλλον οὐκ ἔχω φράσαι.

ΙΟΛΑΟΣ

670 ἴσασιν, οἶμαι, ταῦτ' Ἀθηναίων πρόμοι.

ΘΕΡΑΠΩΝ

ἴσασι· καὶ δὴ λαιὸν ἕστηκεν κέρας.

ΙΟΛΑΟΣ

ἤδη γὰρ ὡς εἰς ἔργον ὥπλισται στρατός;

ALCMENA

Why then didst raise a cry in-ushering fear?

IOLAUS

That thou before this temple might'st draw nigh.

ALCMENA

This was not in my thought:—now who is this?

IOLAUS

He bringeth tidings. Thy son's son is here.

ALCMENA

Hail also thou for this thine heralding! 660
But wherefore absent, if he hath set foot
In this land?—where?—what hap hath hindered him
From coming with thee to make glad mine heart?

HENCHMAN

The host he hath brought he camps, and marshals it.

ALCMENA

Such matter appertaineth not to me.

IOLAUS

It doth—though my part be to inquire thereof.

HENCHMAN

What wouldst thou know concerning things achieved?

IOLAUS

How great a host of allies hath he brought?

HENCHMAN

Many: their tale I cannot tell save thus.

IOLAUS

All this, I trow, the chiefs Athenian know? 670

HENCHMAN

They know: yea, on their left he stands arrayed.

IOLAUS

Ha, is the host already armed for fight?

ΘΕΡΑΠΩΝ

καὶ δὴ παρῆκται σφάγια τάξεων ἑκάς.

ΙΟΛΑΟΣ

πόσον τι δ' ἔστ' ἄπωθεν Ἀργεῖον δόρυ;

ΘΕΡΑΠΩΝ

ὥστ' ἐξορᾶσθαι τὸν στρατηγὸν ἐμφανῶς.

ΙΟΛΑΟΣ

τί δρῶντα; μῶν τάσσοντα πολεμίων στίχας;

ΘΕΡΑΠΩΝ

ᾐκάζομεν ταῦτ'· οὐ γὰρ ἐξηκούομεν.
ἀλλ' εἶμ'· ἐρήμους δεσπότας τοὐμὸν μέρος
οὐκ ἂν θέλοιμι πολεμίοισι συμβαλεῖν.

ΙΟΛΑΟΣ

680 κἄγωγε σὺν σοί· ταὐτὰ γὰρ φροντίζομεν,
φίλοις παρόντες, ὡς ἔοιγμεν, ὠφελεῖν.

ΘΕΡΑΠΩΝ

ἥκιστα πρὸς σοῦ μῶρον ἦν εἰπεῖν ἔπος.

ΙΟΛΑΟΣ

καὶ μὴ μετασχεῖν γ' ἀλκίμου μάχης φίλοις.

ΘΕΡΑΠΩΝ

οὐκ ἔστ' ἐν ὄψει τραῦμα μὴ δρώσης χερός.

ΙΟΛΑΟΣ

τί δ'; οὐ θένοιμι κἂν ἐγὼ δι' ἀσπίδος;

ΘΕΡΑΠΩΝ

θένοις ἄν, ἀλλὰ πρόσθεν αὐτὸς ἂν πέσοις.

ΙΟΛΑΟΣ

οὐδεὶς ἔμ' ἐχθρῶν προσβλέπων ἀνέξεται.

ΘΕΡΑΠΩΝ

οὐκ ἔστιν, ὦ τᾶν, ἥ ποτ' ἦν ῥώμη σέθεν.

ΙΟΛΑΟΣ

ἀλλ' οὖν μαχοῦμαί γ' ἀριθμὸν οὐκ ἐλάσσοσι.

HENCHMAN

Yea, and the victims brought without the ranks.

IOLAUS

And distant how far is the Argive spear?

HENCHMAN

So that thou plainly mayst discern their chief.

IOLAUS

What doth he?—marshals he the foemen's lines?

HENCHMAN

So made we guess: not plainly could we hear.
But I must go: I would not that without me,
Through fault of mine, my lords should clash with foes.

IOLAUS

And I with thee: my purpose is as thine,— 680
As meet is,—to be there and help my friends.

HENCHMAN

Nay, nowise worthy thee were idle talk!

IOLAUS

Nor worthy of me to help not friends in fight!

HENCHMAN

The glance can deal no wound, if hand strike not.

IOLAUS

How? Cannot I withal smite through a shield?

HENCHMAN

Smite?—yea, but thou thyself ere then mightst fall.

IOLAUS

There is no foe shall dare to meet mine eyes.

HENCHMAN

Thou hast not, good my lord, thine olden strength.

IOLAUS

Yet foes by tale not fewer will I fight.

ΘΕΡΑΠΩΝ

690 σμικρὸν τὸ σὸν σήκωμα προστίθης φίλοις.

ΙΟΛΑΟΣ

μή τοί μ' ἔρυκε δρᾶν παρεσκευασμένον.

ΘΕΡΑΠΩΝ

δρᾶν μὲν σύ γ' οὐχ οἷός τε, βούλεσθαι δ' ἴσως.

ΙΟΛΑΟΣ

ὡς μὴ μενοῦντα τἄλλα σοι λέγειν πάρα.

ΘΕΡΑΠΩΝ

πῶς οὖν ὁπλίτης τευχέων ἄτερ φανεῖ;

ΙΟΛΑΟΣ

ἔστ' ἐν δόμοισιν ἔνδον αἰχμάλωθ' ὅπλα
τοῖσδ', οἷσι χρησόμεσθα κἀποδώσομεν
ζῶντες· θανόντας δ' οὐκ ἀπαιτήσει θεός.
ἀλλ' εἴσιθ' εἴσω κἀπὸ πασσάλων ἑλὼν
ἔνεγκ' ὁπλίτην κόσμον ὡς τάχιστά μοι.
700 αἰσχρὸν γὰρ οἰκούρημα γίγνεται τόδε,
τοὺς μὲν μάχεσθαι, τοὺς δὲ δειλίᾳ μένειν.

ΧΟΡΟΣ

λῆμα μὲν οὔπω στόρνυσι χρόνος
τὸ σόν, ἀλλ' ἡβᾷ· σῶμα δὲ φροῦδον.
τί πονεῖς ἄλλως ἃ σὲ μὲν βλάψει,
σμικρὰ δ' ὀνήσει πόλιν ἡμετέραν;
χρῆν γνωσιμαχεῖν σὴν ἡλικίαν,
τὰ δ' ἀμήχαν' ἐᾶν· οὐκ ἔστιν ὅπως
ἥβην κτήσει πάλιν αὖθις.

ΑΛΚΜΗΝΗ

τί χρῆμα μέλλεις σῶν φρενῶν οὐκ ἔνδον ὢν
710 λιπεῖν μ' ἔρημον σὺν τέκνοισι τοῖς ἐμοῖς;

ΙΟΛΑΟΣ

ἀνδρῶν γὰρ ἀλκή· σοὶ δὲ χρὴ τούτων μέλειν.

HENCHMAN

Scant weight into thy friends' scale wilt thou cast. 690

IOLAUS

Hinder me not. I am wrought up for the deed.

HENCHMAN

For deeds no power thou hast;—hast will, perchance.

IOLAUS

Talk as thou wilt, so I bide not behind.

HENCHMAN

With mailed men how shalt thou unarmed appear?

IOLAUS

There hang within yon fane arms battle-won.
These will I use, and, if I live, restore;—
The God will not require them of the slain.
Pass thou within, and from the nails take down,
And bring with speed to me, that warrior-gear.

[*Exit* HENCHMAN.

Shameful it is—this loitering at home, 700
That some should fight, some, craven souls, hang back!

CHORUS

Not yet may the years quell thy spirit,
Young in heart, though thy strength be no more!
Why toil to thine hurt but in vain?
Small help of thee Athens should gain.
Let thine eld yet be wise, and refrain
From things hopeless: thou canst not inherit
Yet again the lost prowess of yore.

ALCMENA

Art thou beside thyself?—what, meanest thou
To leave me and my children thus forlorn? 710

IOLAUS

Yea, men must fight. For these must thou take thought.

ΑΛΚΜΗΝΗ

τί δ'; ἢν θάνῃς σύ, πῶς ἐγὼ σωθήσομαι;

ΙΟΛΑΟΣ

παιδὸς μελήσει παισὶ τοῖς λελειμμένοις.

ΑΛΚΜΗΝΗ

ἢν δ' οὖν, ὃ μὴ γένοιτο, χρήσωνται τύχῃ;

ΙΟΛΑΟΣ

οἵδ' οὐ προδώσουσίν σε, μὴ τρέσῃς, ξένοι.

ΑΛΚΜΗΝΗ

τοσόνδε γάρ τοι θάρσος, οὐδὲν ἄλλ' ἔχω.

ΙΟΛΑΟΣ

καὶ Ζηνὶ τῶν σῶν, οἶδ' ἐγώ, μέλει πόνων.

ΑΛΚΜΗΝΗ

φεῦ.
Ζεὺς ἐξ ἐμοῦ μὲν οὐκ ἀκούσεται κακῶς·
εἰ δ' ἐστὶν ὅσιος αὐτὸς οἶδεν εἰς ἐμέ.

ΘΕΡΑΠΩΝ

720 ὅπλων μὲν ἤδη τήνδ' ὁρᾷς παντευχίαν.
φθάνοις δ' ἂν οὐκ ἂν τοῖσδε συγκρύπτων δέμας·
ὡς ἐγγὺς ἀγών, καὶ μάλιστ' Ἄρης στυγεῖ
μέλλοντας· εἰ δὲ τευχέων φοβεῖ βάρος,
νῦν μὲν πορεύου γυμνός, ἐν δὲ τάξεσιν
κόσμῳ πυκάζου τῷδ'· ἐγὼ δ' οἴσω τέως.

ΙΟΛΑΟΣ

καλῶς ἔλεξας· ἀλλ' ἐμοὶ πρόχειρ' ἔχων
τεύχη κόμιζε, χειρὶ δ' ἔνθες ὀξύην,
λαιόν τ' ἔπαιρε πῆχυν, εὐθύνων πόδα.

ΘΕΡΑΠΩΝ

ἦ παιδαγωγεῖν γὰρ τὸν ὁπλίτην χρεών;

ΙΟΛΑΟΣ

730 ὄρνιθος εἵνεκ' ἀσφαλῶς πορευτέον.

ALCMENA

But, if thou perish, how shall I be saved?

IOLAUS

Thy son's sons which are left shall care for thee.

ALCMENA

But if—which God forbid—aught hap to them?

IOLAUS

Our hosts shall not forsake thee. Fear not thou.

ALCMENA

Mine heart's last stay are these: none else have I.

IOLAUS

Nay, Zeus, I know, remembereth thy griefs.

ALCMENA

Ah! (*sighs heavily.*)
Never of me shall ill be said of Zeus;
But is he just to me-ward? Himself knows!

[*Retires within temple.*

Re-enter HENCHMAN.

HENCHMAN

Lo, here thou seest a warrior's gear complete: 720
Make all speed to encase in these thy frame.
The fight is nigh, and most the War-god loathes
Loiterers. If thou fear the armour's weight,
Go mailless now, and lap thee mid the ranks
In this array: till then will I bear all.

IOLAUS

Well hast thou said: yet ready to mine hand
Bring on the arms: set in mine hand a spear:
Bear up my left arm, ordering my steps.

HENCHMAN

How, lead as a little child the man-at-arms!

IOLAUS

For the omen's sake unstumbling must I go. 730

ΘΕΡΑΠΩΝ

εἴθ' ἦσθα δυνατὸς δρᾶν ὅσον πρόθυμος εἶ.

ΙΟΛΑΟΣ

ἔπειγε· λειφθεὶς δεινὰ πείσομαι μάχης.

ΘΕΡΑΠΩΝ

σύ τοι βραδύνεις, οὐκ ἐγώ, δοκῶν τι δρᾶν.

ΙΟΛΑΟΣ

οὔκουν ὁρᾷς μου κῶλον ὡς ἐπείγεται;

ΘΕΡΑΠΩΝ

ὁρῶ δοκοῦντα μᾶλλον ἢ σπεύδοντά σε.

ΙΟΛΑΟΣ

οὐ ταῦτα λέξεις, ἡνίκ' ἂν λεύσσῃς μ' ἐκεῖ.

ΘΕΡΑΠΩΝ

τί δρῶντα; βουλοίμην δ' ἂν εὐτυχοῦντά γε.

ΙΟΛΑΟΣ

δι' ἀσπίδος θείνοντα πολεμίων τινά.

ΘΕΡΑΠΩΝ

εἰ δή ποθ' ἥξομέν γε· τοῦτο γὰρ φόβος.

ΙΟΛΑΟΣ

φεῦ·
740 εἴθ', ὦ βραχίων, οἷον ἡβήσαντά σε
μεμνήμεθ' ἡμεῖς, ἡνίκα ξὺν Ἡρακλεῖ
Σπάρτην ἐπόρθεις, σύμμαχος γένοιό μοι
τοιοῦτος· οἷος ἂν τροπὴν Εὐρυσθέως
θείμην· ἐπεί τοι καὶ κακὸς μένειν δόρυ.
ἔστιν δ' ἐν ὄλβῳ καὶ τόδ' οὐκ ὀρθῶς ἔχον,
εὐψυχίας δόκησις· οἰόμεσθα γὰρ
τὸν εὐτυχοῦντα πάντ' ἐπίστασθαι καλῶς.

ΧΟΡΟΣ

γᾶ καὶ παννύχιος σελάνα — στρ. α'
καὶ λαμπρόταται θεοῦ
750 φαεσίμβροτοι αὐγαί,
ἀγγελίαν μοι ἐνέγκαιτ'·

HENCHMAN

Would thou wert strong to do, as thou art fain!

IOLAUS

On!—woe, if I be laggard for the fray!

HENCHMAN

Not I, but thou art slow, who dream'st performance.

IOLAUS

Seëst thou not how onward speed my limbs?

HENCHMAN

More thine imagining see I than thy speed.

IOLAUS

Thou shalt not say so when thou seest me there—

HENCHMAN

Achieving what?—I fain would see thy triumph!

IOLAUS

Smiting some foeman, yea, clear through the shield.

HENCHMAN

If we win ever thither,—this I doubt.

IOLAUS

Would, O mine arm, that, as I call to mind 740
Thy young strength, when thou didst with Hercules
Smite Sparta, such a helper unto me
Thou wouldst become! How mightily would I rout
Eurystheus—craven he to abide the spear!
With high estate is this delusion linked,
Repute for courage high: for still we deem
That he who prospereth knoweth all things well.

[*Exeunt.*

CHORUS

(*Str.* 1)

Earth!—Moon, which reign'st the livelong night!—
O glorious radiancy
Of Him who giveth mortals light, 750
Flash tidings unto me!

ἰαχήσατε δ' οὐρανῷ
καὶ παρὰ θρόνον ἀρχέταν,
γλαυκᾶς τ' ἐν Ἀθάνας.
μέλλω τᾶς πατριώτιδος γᾶς,
μέλλω καὶ ὑπὲρ δόμων,
ἱκέτας ὑποδεχθείς,
κίνδυνον πολιῷ τεμεῖν σιδάρῳ.

δεινὸν μὲν πόλιν ὡς Μυκήνας — ἀντ. α'
760 εὐδαίμονα καὶ δορὸς
πολυαίνετον ἀλκᾷ
μῆνιν ἐμᾷ χθονὶ κεύθειν·
κακὸν δ', ὦ πόλις, εἰ ξένους
ἱκτῆρας παραδώσομεν
κελεύσμασιν Ἄργους.
Ζεύς μοι σύμμαχος, οὐ φοβοῦμαι,
Ζεύς μοι χάριν ἐνδίκως
ἔχει· οὔποτε θνατῶν
ἥσσονες παρ' ἐμοὶ θεοὶ[1] φανοῦνται.

770 ἀλλ', ὦ πότνια, σὸν γὰρ οὖδας — στρ. β
γᾶς, σὸν καὶ πόλις, ἇς σὺ μάτηρ
δέσποινά τε καὶ φύλαξ,
πόρευσον ἄλλᾳ τὸν οὐ δικαίως
τᾷδ' ἐπάγοντα δορυσσοῦν
στρατὸν Ἀργόθεν· οὐ γὰρ ἐμᾷ γ' ἀρετᾷ
δίκαιός εἰμ' ἐκπεσεῖν μελάθρων.

ἐπεί σοι πολύθυστος αἰεὶ — ἀντ. β'
τιμὰ κραίνεται, οὐδὲ λάθει
μηνῶν φθινὰς ἁμέρα,
780 νέων τ' ἀοιδαὶ χορῶν τε μολπαί.

[1] Dindorf: for MSS. ποτ' ἂν εἶτ' ἐμοῦ.

Shout triumph up through heaven's expansion,
Up to the throne of all men's Lord,
Up to grey-eyed Athena's mansion!
I for my land am battle-dight,
Arrayed for hearth and home to fight,
To shear through danger with the sword,
For right of sanctuary.

Dread peril, that Mycenae-town— (*Ant.* 1)
The mighty burg, whose hand 760
The wide world through hath spear-renown,—
Nurse wrath against my land!
Yet shame, O shame, were thine, my city,
If we must yield to Argos' hest
Suppliants,—if fear must cast out pity! . . . .
Zeus champions me; I tread fear down:
Zeus' favour is my right, my crown:
In mine esteem above the Blest
Never shall mortals stand.

(*Str.* 2)
But, O Queen,—for our soil, for our city is thine, 770
And to thee be we given—
O our Mother, our Mistress, O Warder Divine,
Yon despiser of heaven,
Who from Argos brings storm-rush of spearmen upon me, [won me
Chase afar!—no such guerdon hath righteousness
As from home to be driven!

(*Ant.* 2)
For the sacrifice-homage is rendered thee aye
When the month waneth, bringing
The day when young voices to thee chant the lay,
When the dancers are singing, 780

ἀνεμόεντι δ᾽ ἐπ᾽ ὄχθῳ
ὀλολύγματα παννυχίοις ὑπὸ παρ-
θένων ἰαχεῖ ποδῶν κρότοισιν.

ΘΕΡΑΠΩΝ

δέσποινα, μύθους σοί τε συντομωτάτους
κλύειν ἐμοί τε τῷδε καλλίστους φέρω.
νικῶμεν ἐχθροὺς καὶ τροπαῖ᾽ ἱδρύεται
παντευχίαν ἔχοντα πολεμίων σέθεν.

ΑΛΚΜΗΝΗ

ὦ φίλταθ᾽, ἥδε σ᾽ ἡμέρα διήλασεν
ἠλευθερῶσθαι τοῖσδε τοῖς ἀγγέλμασιν.
790 μιᾶς δέ μ᾽ οὔπω συμφορᾶς ἐλευθεροῖς·
φόβος γὰρ εἴ μοι ζῶσιν οὓς ἐγὼ θέλω.

ΘΕΡΑΠΩΝ

ζῶσιν μέγιστόν γ᾽ εὐκλεεῖς κατὰ στρατόν.

ΑΛΚΜΗΝΗ

ὁ μὲν γέρων οὖν ἔστιν Ἰόλεως ἔτι;

ΘΕΡΑΠΩΝ

μάλιστα· πράξας δ᾽ ἐκ θεῶν κάλλιστα δή.

ΑΛΚΜΗΝΗ

τί δ᾽ ἔστι; μῶν τι κεδνὸν ἠγωνίζετο;

ΘΕΡΑΠΩΝ

νέος μεθέστηκ᾽ ἐκ γέροντος αὖθις αὖ.

ΑΛΚΜΗΝΗ

θαυμάστ᾽ ἔλεξας· ἀλλά σ᾽ εὐτυχῆ φίλων
μάχης ἀγῶνα πρῶτον ἀγγεῖλαι θέλω.

ΘΕΡΑΠΩΝ

εἷς μου λόγος σοι πάντα σημανεῖ τάδε.
800 ἐπεὶ γὰρ ἀλλήλοισιν ὁπλίτην στρατὸν
κατὰ στόμ᾽ ἐκτείνοντες ἀντετάξαμεν,
ἐκβὰς τεθρίππων Ὕλλος ἁρμάτων πόδα

When the wind-haunted hill with the beat of the glancing [dancing
White feet of fair girls through the night-season
And with glad cries, is ringing.

ALCMENA *comes again out of the temple.* *Enter* SERVANT.

SERVANT

Mistress, I bring thee tidings passing brief
To hear, and passing fair for me to tell.
Our foes are smitten: trophies now are reared
Hung with war-harness of thine enemies.

ALCMENA

Dear friend, this day hath wrought thy severance
From bondage, for the tidings thou hast brought.
Yet from one ill not yet thou freest me— 790
Fear touching those I love, if yet they live.

SERVANT

They live, in all the host most high-renowned.

ALCMENA

The old man Iolaus—lives he yet?

SERVANT

Yea, and by Heaven's help hath done gloriously.

ALCMENA

What is it?—hath he wrought some knightly deed?

SERVANT

He from an old man hath become a youth.

ALCMENA

Marvels thou speakest: yet I pray thee tell
First how the fight was victory for our friends.

SERVANT

One speech of mine shall set forth all to thee.
When host against host we had ranged the array 800
Of men-at-arms far-stretching face to face,
Then from his chariot Hyllus lighted down,

ἔστη μέσοισιν ἐν μεταιχμίοις δορός.
κἄπειτ' ἔλεξεν· ὦ στρατήγ' ὃς Ἀργόθεν
ἥκεις, τί τήνδε γαῖαν οὐκ εἰάσαμεν;
καὶ τὰς Μυκήνας οὐδὲν ἐργάσει κακὸν
ἀνδρὸς στερήσας· ἀλλ' ἐμοὶ μόνος μόνῳ
μάχην συνάψας, ἢ κτανὼν ἄγου λαβὼν
τοὺς Ἡρακλείους παῖδας, ἢ θανὼν ἐμοὶ
810 τιμὰς πατρῴους καὶ δόμους ἔχειν ἄφες.
στρατὸς δ' ἐπῄνεσ', εἴς τ' ἀπαλλαγὰς πόνων
καλῶς λελέχθαι μῦθον εἴς τ' εὐψυχίαν.
ὁ δ' οὔτε τοὺς κλύοντας αἰδεσθεὶς λόγων
οὔτ' αὐτὸς αὑτοῦ δειλίαν στρατηγὸς ὤν,
ἐλθεῖν ἐτόλμησ' ἐγγὺς ἀλκίμου δορός,
ἀλλ' ἦν κάκιστος· εἶτα τοιοῦτος γεγὼς
τοὺς Ἡρακλείους ἦλθε δουλώσων γόνους.
Ὕλλος μὲν οὖν ἀπῴχετ' εἰς τάξιν πάλιν·
μάντεις δ', ἐπειδὴ μονομάχου δι' ἀσπίδος
820 διαλλαγὰς ἔγνωσαν οὐ τελουμένας,
ἔσφαζον, οὐκ ἔμελλον, ἀλλ' ἀφίεσαν
λαιμῶν † βροτείων [1] εὐθὺς οὔριον φόνον·
οἱ δ' ἅρματ' εἰσέβαινον, οἱ δ' ὑπ' ἀσπίδων
πλευροῖς ἔκρυπτον πλεύρ'· Ἀθηναίων δ' ἄναξ
στρατῷ παρήγγειλ' οἷα χρὴ τὸν εὐγενῆ·
ὦ ξυμπολῖται, τῇ τε βοσκούσῃ χθονὶ
καὶ τῇ τεκούσῃ νῦν τιν' ἀρκέσαι χρεών.
ὁ δ' αὖ τό τ' Ἄργος μὴ καταισχῦναι θέλειν
καὶ τὰς Μυκήνας συμμάχους ἐλίσσετο.
830 ἐπεὶ δ' ἐσήμην' ὄρθιον Τυρσηνικῇ
σάλπιγγι καὶ συνῆψαν ἀλλήλοις μάχην,
πόσον τιν' αὐχεῖς πάταγον ἀσπίδων βρέμειν

[1] An unlikely word here. Paley suggests **βοτείων**.

And midway stood between the spearmen-lines,
And cried, "O captain of the host, who hast come
From Argos, wherefore spare we not this land?
Lo, if thou rob Mycenae of one man,
Naught shalt thou hurt her:—come now, man to man
Fight thou with me: so, slaying, lead away
Hercules' sons; or, falling, leave to me
My father's honour and halls to have and hold." 810

"Yea!" the host shouted, counting this well said
For valour and for rest from battle-toil:
Yet he, unshamed for them that heard the challenge,
And his own cowardice, war-chief though he were,
Dared not draw nigh the essay of valour's spear,
But was sheer craven. And this dastard wretch
Came to enslave the sons of Hercules!
So to the ranks again went Hyllus back:
And the priests, knowing now that end of strife
Should not by clash of champion shields be attained, 820
Did sacrifice, nor tarried, but straightway
Spilled from the victims' throats the auspicious blood.

Then mounted these their cars: their shield-rims those
Before their bodies cast. But Athens' king
Cried to his host, as high-born chieftain should:
"Countrymen, now must each one play the man
For this land that hath borne and nurtured him!"
The while that other prayed his battle-aid
To brook not shame to Argos and Mycenae.
But when the Tuscan trumpet gave the sign 830
High-shrilling, and the war-hosts clashed in fight,
How mighty a crash of bucklers thundered then—

πόσον τινὰ στεναγμὸν οἰμωγήν θ' ὁμοῦ;
τὰ πρῶτα μέν νυν πίτυλος Ἀργείου δορὸς
ἐρρήξαθ' ἡμᾶς· εἶτ' ἐχώρησαν πάλιν.
τὸ δεύτερον δὲ ποὺς ἐπαλλαχθεὶς ποδί,
ἀνὴρ δ' ἐπ' ἀνδρὶ στὰς ἐκαρτέρει μάχῃ·
πολλοὶ δ' ἔπιπτον, ἦν δὲ δύο κελεύσματα·[1]
ὦ τὰς Ἀθήνας—ὦ τὸν Ἀργείων γύην
840 σπείροντες—οὐκ ἀρήξετ' αἰσχύνην πόλει;
μόλις δὲ πάντα δρῶντες οὐκ ἄτερ πόνων
ἐτρεψάμεσθ' Ἀργεῖον εἰς φυγὴν δόρυ.
κἀνταῦθ' ὁ πρέσβυς Ὕλλον ἐξορμώμενον
ἰδών, ὀρέξας ἱκέτευσε δεξιὰν
Ἰόλαος ἐμβῆσαί νιν ἵππειον δίφρον.
λαβὼν δὲ χερσὶν ἡνίας Εὐρυσθέως
πώλοις ἐπεῖχε. τἀπὸ τοῦδ' ἤδη κλύων
λέγοιμ' ἂν ἄλλων, δεῦρο δ' αὐτὸς εἰσιδών.
Παλληνίδος γὰρ σεμνὸν ἐκπερῶν πάγον
850 δίας Ἀθάνας, ἅρμ' ἰδὼν Εὐρυσθέως,
ἠράσαθ' Ἥβῃ Ζηνί θ', ἡμέραν μίαν
νέος γενέσθαι κἀποτίσασθαι δίκην
ἐχθρούς· κλύειν δὴ θαύματος πάρεστί σοι.
δισσὼ γὰρ ἀστέρ' ἱππικοῖς ἐπὶ ζυγοῖς
σταθέντ' ἔκρυψαν ἅρμα λυγαίῳ νέφει·
σὸν δὴ λέγουσι παῖδά γ' οἱ σοφώτεροι
Ἥβην θ'· ὁ δ' ὄρφνης ἐκ δυσαιθρίου νέων
βραχιόνων ἔδειξεν ἡβητὴν τύπον.
αἱρεῖ δ' ὁ κλεινὸς Ἰόλεως Εὐρυσθέως
860 τέτρωρον ἅρμα πρὸς πέτραις Σκειρωνίσι.
δεσμοῖς τε δήσας χεῖρας ἀκροθίνιον
κάλλιστον ἥκει τὸν στρατηλάτην ἄγων

[1] Dindorf: for MSS. τοῦ κελεύσματος.

Think'st thou?—what multitudinous groan and
shriek!
At first the onset of the Argive spear
Burst through our ranks: then gave they back again.
Anon foot stood in grapple locked with foot,
Man fronting man, hard-wrestling in the fray:
Fast, fast they fell. Cheers ever answered cheers—
"Dwellers in Athens!"—"Tillers of the land
Of Argos!"—"from dishonour save your town!" 840
With uttermost endeavour and strong strain
Scarce turned we unto flight the Argive spear.

Thereat old Iolaus, marking where
Hyllus charged on, with outstretched hand besought
That he would set him on a courser-car.
Then the reins grasped he, then the steeds he sped
After Eurystheus. All the rest I tell
From others' lips: the former things I saw.
For, as he passed beyond Pallene's Hill
Sacred to Pallas, spying Eurystheus' car 850
He prayed to Zeus and Hebe, for one day
To be made young, and wreak the vengeance due
On foes:—now shalt thou hear a miracle.
For two stars rested on the chariot-yoke,
And into gloom of shadow threw the car;
And these, diviners say, were thy great son
And Hebe. Then from out that murky gloom
He flashed—a youth, with mighty-moulded arms!

And glorious Iolaus overtook
By the Scironian Rocks Eurystheus' car. 860
He hath bound his hands with gyves, and hath returned
Bringing the crown of victory, that chief

τὸν ὄλβιον πάροιθε· τῇ δὲ νῦν τύχῃ
βροτοῖς ἅπασι λαμπρὰ κηρύσσει μαθεῖν,
τὸν εὐτυχεῖν δοκοῦντα μὴ ζηλοῦν, πρὶν ἂν
θανόντ' ἴδῃ τις· ὡς ἐφήμεροι τύχαι.

ΧΟΡΟΣ

ὦ Ζεῦ τροπαῖε, νῦν ἐμοὶ δεινοῦ φόβου
ἐλεύθερον πάρεστιν ἦμαρ εἰσιδεῖν.

ΑΛΚΜΗΝΗ

ὦ Ζεῦ, χρόνῳ μὲν τἄμ' ἐπεσκέψω κακά,
870 χάριν δ' ὅμως σοι τῶν πεπραγμένων ἔχω·
καὶ παῖδα τὸν ἐμὸν πρόσθεν οὐ δοκοῦσ' ἐγὼ
θεοῖς ὁμιλεῖν νῦν ἐπίσταμαι σαφῶς.
ὦ τέκνα, νῦν δὴ νῦν ἐλεύθεροι πόνων,
ἐλεύθεροι δὲ τοῦ κακῶς ὀλουμένου
Εὐρυσθέως ἔσεσθε καὶ πόλιν πατρὸς
ὄψεσθε, κλήρους δ' ἐμβατεύσετε χθονός,
καὶ θεοῖς πατρῴοις θύσεθ', ὧν ἀπειργμένοι
ξένοι πλανήτην εἴχετ' ἄθλιον βίον.
ἀτὰρ τί κεύθων Ἰόλεως σοφόν ποτε
880 Εὐρυσθέως ἐφείσαθ' ὥστε μὴ κτανεῖν;
λέξον· παρ' ἡμῖν μὲν γὰρ οὐ σοφὸν τόδε,
ἐχθροὺς λαβόντα μὴ ἀποτίσασθαι δίκην.

ΘΕΡΑΠΩΝ

τὸ σὸν προτιμῶν, ὥς νιν ὀφθαλμοῖς ἴδοις
ἁλόντα [1] καὶ σῇ δεσποτούμενον χερί.
οὐ μὴν ἑκόντα γ' αὐτόν, ἀλλὰ πρὸς βίαν
ἔζευξ' ἀνάγκῃ· καὶ γὰρ οὐκ ἐβούλετο
ζῶν εἰς σὸν ἐλθεῖν ὄμμα καὶ δοῦναι δίκην.
ἀλλ', ὦ γεραιά, χαῖρε καὶ μέμνησό μοι
ὃ πρῶτον εἶπας, ἡνίκ' ἠρχόμην λόγου,

[1] Heimsoeth: for MSS. κρατοῦντα. Reiske, κρατοῦσα.

So prosperous once; but by his fate this day
Clear warning to all men he publisheth
To envy not the seeming-fortunate, ere
He die, since fortune dureth but a day.

CHORUS

O Victory-wafter Zeus, now is it mine
To see a day from dark fear disenthralled!

ALCMENA

Zeus, late on mine affliction hast thou looked:
Yet thank I thee for all that thou hast wrought. 870
Now know I of a surety that my son
Dwelleth with Gods:—ere this I thought not so.
O children, now, yea now from trouble free,
And from Eurystheus, doomed to a dastard's death,
Free shall ye be, shall see your father's city,
And tread the lot of your inheritance,
And sacrifice to your fathers' Gods, from whom
Banned ye have known a wretched homeless life.
But for what veiled wise purpose Iolaus
Hath spared Eurystheus, that he slew him not, 880
Tell; for in our sight nothing wise is this
To capture foes and not requite their wrong.

SERVANT

Of thought for thee, that him thine eyes might see
Held in thy power, and subject to thine hand.
He bowed him 'neath the yoke of strong constraint
Sore loth to come, for nowise he desired
Living to meet thine eye and taste thy vengeance.
Farewell, grey queen: forget not that which erst
Thou saidst to me when I began my tale.

890 ἐλευθερώσειν μ᾿· ἐν δὲ τοῖς τοιοῖσδε χρὴ
ἀψευδὲς εἶναι τοῖσι γενναίοις στόμα.

ΧΟΡΟΣ

ἐμοὶ χορὸς μὲν ἡδύς, εἰ λίγεια — στρ. α′
λωτοῦ χάρις ἐνὶ δαιτί,
εἴη δ᾿ εὔχαρις Ἀφροδίτα·
τερπνὸν δέ τι καὶ φίλων ἆρ᾿
εὐτυχίαν ἰδέσθαι
τῶν πάρος οὐ δοκούντων.
πολλὰ γὰρ τίκτει
Μοῖρα τελεσσιδώτειρ᾿
900 Αἰών τε Κρόνου παῖς.

ἔχεις ὁδόν τιν᾿, ὦ πόλις, δίκαιον· — ἀντ. α′
οὐ χρή ποτε τοῦδ᾿ ἀφέσθαι,
τιμᾶν θεούς· ὁ δὲ μή σε φάσκων
ἐγγὺς μανιῶν ἐλαύνει,
δεικνυμένων ἐλέγχων
τῶνδ᾿· ἐπίσημα γάρ τοι
θεὸς παραγγέλλει,
τῶν ἀδίκων παραιρῶν
φρονήματος ἀεί.

910 ἔστιν ἐν οὐρανῷ βεβακὼς — στρ. β′
τεὸς γόνος, ὦ γεραιά·
φεύγω λόγον ὡς τὸν Ἅιδα
δόμον κατέβα, πυρὸς
δεινᾷ φλογὶ σῶμα δαισθείς·
Ἥβας τ᾿ ἐρατὸν χροΐζει
λέχος χρυσέαν κατ᾿ αὐλάν.
ὦ Ὑμέναιε, δισσοὺς
παῖδας Διὸς ἠξίωσας.

Make me free man ; for, touching suchlike boons, 890
The lips that lie not best beseem the noble. [*Exit.*

CHORUS

(*Str.* 1)

Sweet to me is the dance, when clear-pealing
Ring the flutes o'er the wine,
And when Love cometh sweetly in-stealing:
Yea, and gladness is mine
To look on my dear ones well-faring
Which aforetime were whelmed in despairing.
Many blessings fate cometh on-bearing,
With whom Time paceth on, bringing healing,
Cronos' offspring divine. 900

In justice, my land, thy path lieth : (*Ant.* 1)
This thy crown yield to none,
That thou fearest the Gods : who denieth,
Into madness hath run.
Lo, what sign is revealed for a token,
How the pride of wrong-doers is broken
Evermore, how to-day hath God spoken,
How the voice of Omnipotence crieth
In the deeds he hath done!

He hath died not!—to heaven hath risen (*Str.* 2) 910
Thy scion, grey queen.
Tell me never that Hades' dim prison
His long home hath been!
Nay, he soared through the flames leaping round
him;
And with honour the Spousal-god crowned him,
And to Hebe with love-links he bound him,—
Zeus' son to Zeus' daughter,—where glisten
Heaven's halls with gold-sheen.

συμφέρεται τὰ πολλὰ πολλοῖς· ἀντ. β'
920 καὶ γὰρ πατρὶ τῶνδ' Ἀθάναν
λέγουσ' ἐπίκουρον εἶναι,
καὶ τούσδε θεᾶς πόλις
καὶ λαὸς ἔσωσε κείνας,
ἔσχεν δ' ὕβριν ἀνδρός, ᾧ θυ-
μὸς ἦν πρὸ δίκας βίαιος.
μήποτ' ἐμοὶ φρόνημα
ψυχά τ' ἀκόρεστος εἴη.

ΑΓΓΕΛΟΣ

δέσποιν', ὁρᾷς μέν, ἀλλ' ὅμως εἰρήσεται,
Εὐρυσθέα σοι τόνδ' ἄγοντες ἥκομεν,
930 ἄελπτον ὄψιν, τῷδέ τ' οὐχ ἧσσον τύχην·
οὐ γάρ ποτ' ηὔχει χεῖρας ἵξεσθαι σέθεν,
ὅτ' ἐκ Μυκηνῶν πολυπόνῳ σὺν ἀσπίδι
ἔστειχε μεῖζον τῆς δίκης φρονῶν, πόλιν
πέρσων Ἀθάνας. ἀλλὰ τὴν ἐναντίαν
δαίμων ἔθηκε καὶ μετέστησεν τύχην.
Ὕλλος μὲν οὖν ὅ τ' ἐσθλὸς Ἰόλεως βρέτας
Διὸς τροπαίου καλλίνικον ἵστασαν·
ἐμοὶ δὲ πρὸς σὲ τόνδ' ἐπιστέλλουσ' ἄγειν,
τέρψαι θέλοντες σὴν φρέν'· ἐκ γὰρ εὐτυχοῦς
940 ἥδιστον ἐχθρὸν ἄνδρα δυστυχοῦνθ' ὁρᾶν.

ΑΛΚΜΗΝΗ

ὦ μῖσος, ἥκεις; εἷλέ σ' ἡ Δίκη χρόνῳ;
πρῶτον μὲν οὖν μοι δεῦρ' ἐπίστρεψον κάρα
καὶ τλῆθι τοὺς σοὺς προσβλέπειν ἐναντίον
ἐχθρούς· κρατεῖ γὰρ νῦν γε κοὐ κρατεῖς ἔτι.
ἐκεῖνος εἶ σύ, βούλομαι γὰρ εἰδέναι,
ὃς πολλὰ μὲν τὸν ὄνθ' ὅπου 'στὶ νῦν ἐμὸν

How oft be life's strands interwisted! (*Ant.* 2)
Of Athena, men say, 920
Was their sire in hard emprise assisted;
And the city this day,
And the folk of that Goddess hath saved them,
And hath curbed him whose blood-lust had craved them,
Whose tyranny fain had enslaved them.
In my cause never pride be enlisted
Insatiate for prey.

Enter MESSENGER *with guards leading* EURYSTHEUS *in chains.*

MESSENGER

O queen, thou seëst,—yet shall it be told,—
Leading Eurystheus unto thee we come,
A sight unhoped, which ne'er he looked should hap, 930
Who ne'er had thought to fall into thine hands,
When from Mycenae with vast shield-essay
He marched, his pride o'er justice soaring high,
To smite our Athens. But our destinies
Fortune reversed, and changed them, his for ours.
Hyllus I left and valiant Iolaus
Raising the victory-trophy unto Zeus;
But me they charge to bring this man to thee,
Being fain to glad thine heart; for 'tis most sweet
To see a foe triumphant once brought low 940

ALCMENA

Loathed wretch, art come? Justice at last hath trapped thee!
Nay then, first turn thou hitherward thine head,
And dare to look thine enemies in the face.
No more art thou the master, but the thrall!
Art thou he—for I would be certified—
Who didst presume to load thine outrages,

παῖδ' ἠξίωσας, ὦ πανοῦργ', ἐφυβρίσαι;
τί γὰρ σὺ κεῖνον οὐκ ἔτλης καθυβρίσαι;
ὃς καὶ παρ' Ἅιδην ζῶντά νιν κατήγαγες,
950 ὕδρας λέοντάς τ' ἐξαπολλύναι λέγων
ἔπεμπες. ἄλλα δ' οἷ' ἐμηχανῶ κακὰ
σιγῶ· μακρὸς γὰρ μῦθος ἂν γένοιτό μοι.
κοὐκ ἤρκεσέν σοι ταῦτα τολμῆσαι μόνον,
ἀλλ' ἐξ ἁπάσης κἀμὲ καὶ τέκν' Ἑλλάδος
ἤλαυνες ἱκέτας δαιμόνων καθημένους,
τοὺς μὲν γέροντας, τοὺς δὲ νηπίους ἔτι.
ἀλλ' ηὗρες ἄνδρας καὶ πόλισμ' ἐλεύθερον,
οἵ σ' οὐκ ἔδεισαν. δεῖ σε κατθανεῖν κακῶς,
καὶ κερδανεῖς ἅπαντα· χρῆν γὰρ οὐχ ἅπαξ
960 θνῄσκειν σὲ πολλὰ πήματ' ἐξειργασμένον.

ΧΟΡΟΣ

οὐκ ἔστ' ἀνυστὸν τόνδε σοι κατακτανεῖν.

ΑΓΓΕΛΟΣ

ἄλλως ἄρ' αὐτὸν αἰχμάλωτον εἵλομεν.

ΑΛΚΜΗΝΗ

εἴργει δὲ δὴ τίς τόνδε μὴ θανεῖν νόμος;

ΧΟΡΟΣ

τοῖς τῆσδε χώρας προστάταισιν οὐ δοκεῖ.

ΑΛΚΜΗΝΗ

τί δὴ τόδ'; ἐχθροὺς τοισίδ' οὐ καλὸν κτανεῖν;

ΧΟΡΟΣ

οὐχ ὅντιν' ἄν γε ζῶνθ' ἕλωσιν ἐν μάχῃ.

ΑΛΚΜΗΝΗ

καὶ ταῦτα δόξανθ' Ὕλλος ἐξηνέσχετο;

ΧΟΡΟΣ

χρῆν δ' αὐτόν, οἶμαι, τῇδ' ἀπιστῆσαι χθονί;

ΑΛΚΜΗΝΗ

χρῆν τόνδε μὴ ζῆν μηδ' ἔτ' εἰσορᾶν φάος.

Caitiff, on my son—whereso now he be?
For wherein didst thou fear to outrage him,
Who didst to Hades speed him living down,
Didst send him, bidding him destroy thee Hydras 950
And lions? All the ills thou didst devise
I name not, for the tale were all too long.
Nor yet sufficed thee this alone to dare;
But from all Hellas me and mine didst thou
Still hunt, though suppliant to the Gods we sat,
These stricken in years, those little children yet.
But men, and a free city, hast thou found,
Which feared thee not. Now die the dastard's death.
Yet is thy death all gain: thou ought'st to die
Not one death, who hast wrought ills manifold. 960

CHORUS

It may not be that thou shouldst slay this man!

MESSENGER

Captive in vain then have we taken him!

ALCMENA

Prithee what law witholdeth him from death?

CHORUS

It pleaseth not the rulers of this land.

ALCMENA

How?—do these count it shame to slay their foes?

CHORUS

Yea, such as they have ta'en in fight unslain.

ALCMENA

Ay so?—and this their doom hath Hyllus brooked?

CHORUS

Should he, forsooth, defy this nation's will?

ALCMENA

He should no more have lived, nor seen the light.

ΧΟΡΟΣ

970 τότ' ἠδικήθη πρῶτον οὐ θανὼν ὅδε.

ΑΛΚΜΗΝΗ

οὔκουν ἔτ' ἐστὶν ἐν καλῷ δοῦναι δίκην;

ΧΟΡΟΣ

οὐκ ἔστι τοῦτον ὅστις ἂν κατακτάνοι.

ΑΛΚΜΗΝΗ

ἔγωγε· καίτοι φημὶ κἄμ' εἶναί τινα.

ΧΟΡΟΣ

πολλὴν ἄρ' ἕξεις μέμψιν, εἰ δράσεις τόδε.

ΑΛΚΜΗΝΗ

φιλῶ πόλιν τήνδ'· οὐδὲν ἀντιλεκτέον.
τοῦτον δ', ἐπείπερ χεῖρας ἦλθεν εἰς ἐμάς,
οὐκ ἔστι θνητῶν ὅστις ἐξαιρήσεται.
πρὸς ταῦτα τὴν θρασεῖαν ὅστις ἂν θέλῃ
καὶ τὴν φρονοῦσαν μεῖζον ἢ γυναῖκα χρὴ
980 λέξει· τὸ δ' ἔργον τοῦτ' ἐμοὶ πεπράξεται.

ΧΟΡΟΣ

δεινόν τι καὶ συγγνωστόν, ὦ γύναι, σ' ἔχει
μῖσος πρὸς ἄνδρα τόνδε, γιγνώσκω καλῶς.

ΕΥΡΥΣΘΕΥΣ

γύναι, σάφ' ἴσθι μή με θωπεύσοντά σε,
μηδ' ἄλλο μηδὲν τῆς ἐμῆς ψυχῆς πέρι
λέξονθ' ὅθεν χρὴ δειλίαν ὀφλεῖν τινα.
ἐγὼ δὲ νεῖκος οὐχ ἑκὼν τόδ' ἠράμην·
ᾔδη γε σοὶ μὲν αὐτανέψιος γεγώς,
τῷ σῷ δὲ παιδὶ συγγενὴς Ἡρακλέει.
ἀλλ' εἴτ' ἔχρῃζον εἴτε μή, θεὸς γὰρ ἦν,
990 Ἥρα με κάμνειν τήνδ' ἔθηκε τὴν νόσον.
ἐπεὶ δ' ἐκείνῳ δυσμένειαν ἠράμην
κἄγνων ἀγῶνα τόνδ' ἀγωνιούμενος,
πολλῶν σοφιστὴς πημάτων ἐγιγνόμην

CHORUS

Then was he wronged—to die not at the first. 970

ALCMENA

So then 'twere just he suffered vengeance yet.

CHORUS

None is there, none, would put him now to death.

ALCMENA

That will I—some one I account myself.

CHORUS

Thou shalt have bitter blame, if this thou do.

ALCMENA

love this city; let no man gainsay :—
But, since this wretch hath come into mine hands,
There is of mortals none shall pluck him thence.
Wherefore who will shall rail on the overbold,
On her that nursed for woman thoughts too high;
Yet shall this deed by me be brought to pass. 980

CHORUS

A fearful hatred, yet a righteous, queen,
Thou hast against this man, I know full well.

EURYSTHEUS

Woman, be sure I will not cringe to thee,
Nor utter any word beside, to save
My life, whence cowardice might stain my name.
Yet of my will this feud I took not up.
knew myself born cousin unto thee,
And kinsman unto Hercules thy son.
But, would I or no, 'twas Heaven that thrust me on:
Hera with this affliction burdened me. 990
But when I had made him once mine enemy,
And knew that I must wrestle out this strife,
Deviser I became of many pains,

καὶ πόλλ' ἔτικτον, νυκτὶ συνθακῶν ἀεί,
ὅπως διώσας καὶ κατακτείνας ἐμοὺς
ἐχθροὺς τὸ λοιπὸν μὴ συνοικοίην φόβῳ,
εἰδὼς μὲν οὐκ ἀριθμὸν ἀλλ' ἐτητύμως
ἄνδρ' ὄντα τὸν σὸν παῖδα· καὶ γὰρ ἐχθρὸς ὢν
ἀκούσεται τά γ' ἐσθλὰ χρηστὸς ὢν ἀνήρ.
1000 κείνου δ' ἀπαλλαχθέντος οὐκ ἐχρῆν μ' ἄρα
μισούμενον πρὸς τῶνδε καὶ ξυνειδότα
ἔχθραν πατρῴαν, πάντα κινῆσαι πέτρον,
κτείνοντα κἀκβάλλοντα καὶ τεχνώμενον;
τοιαῦτα δρῶντι τἄμ' ἐγίγνετ' ἀσφαλῆ.
οὔκουν σύ γ' ἂν λαχοῦσα[1] τὰς ἐμὰς τύχας
ἐχθροῦ λέοντος δυσμενῆ βλαστήματα
ἤλαυνες ἂν κακοῖσιν, ἀλλὰ σωφρόνως
εἴασας οἰκεῖν Ἄργος; οὔτιν' ἂν πίθοις.
νῦν οὖν ἐπειδή μ' οὐ διώλεσαν τότε
1010 πρόθυμον ὄντα, τοῖσιν Ἑλλήνων νόμοις
οὐχ ἁγνός εἰμι τῷ κτανόντι κατθανών·
πόλις δ' ἀφῆκε σωφρονοῦσα, τὸν θεὸν
μεῖζον τίουσα τῆς ἐμῆς ἔχθρας πολύ.
ἅ γ' εἶπας ἀντήκουσας· ἐντεῦθεν δὲ χρὴ
τὸν προστρόπαιον τόν τε γενναῖον καλεῖν.
οὕτω γε μέντοι τἄμ' ἔχει· θανεῖν μὲν οὐ
χρῄζω, λιπὼν δ' ἂν οὐδὲν ἀχθοίμην βίον.

ΧΟΡΟΣ

παραινέσαι σοι σμικρόν, Ἀλκμήνη, θέλω,
τὸν ἄνδρ' ἀφεῖναι τόνδ', ἐπεὶ πόλει δοκεῖ.

ΑΛΚΜΗΝΗ

1020 τί δ', ἢν θάνῃ τε καὶ πόλει πιθώμεθα;

ΧΟΡΟΣ

τὰ λῷστ' ἂν εἴη· πῶς τάδ' οὖν γενήσεται;

[1] Wecklein: for MSS. ἀναλαβοῦσα.

Aye scheming—Night sat by, and counselled me—
How I might scatter and destroy my foes,
And have thenceforth for housemate fear no more,
Knowing thy son no cipher, but a man
In very deed; for, though he be my foe,
Praise shall he have, a very hero he.

But, rid of him, was I not even constrained— 1000
Abhorred of these, ware of that heritage
Of hate—to move each scorpion-hiding stone,
By slaying, banishing, and plotting still?
While this I did, my safety was assured.
But thou, forsooth, had but my lot been thine,
Hadst spared to persecute the infuriate whelps
Left of thy foe the lion,—wisely rather
Hadst let them dwell in Argos? I trow not.

Now therefore since, when I was fain to die,
They slew me not, by all the Hellene laws 1010
My death pollution brings on whoso slays.
Wisely did Athens spare me, honouring more
God, far above all enmity of me.
Thou art answered. I must be hereafter named
The Haunting Vengeance, and the Heroic Dead.
Thus is it with me—I long not for death,
Yet to forsake life nowise shall I grieve.

CHORUS

Suffer one word of exhortation, queen.
Let this man go; for so the city wills.

ALCMENA

But—if he die, and I obey her still? 1020

CHORUS

This should be best; yet how can this thing be?

ΑΛΚΜΗΝΗ

ἐγω διδάξω ῥᾳδίως· κτανοῦσα γὰρ
τονδ εἶτα νεκρὸν τοῖς μετελθοῦσιν φίλων
δώσω· τὸ γὰρ σῶμ' οὐκ ἀπιστήσω χθονί,
οὗτος δὲ δώσει τὴν δίκην θανὼν ἐμοί.

ΕΥΡΥΣΘΕΥΣ

κτεῖν', οὐ παραιτοῦμαί σε· τήνδε δὲ πτόλιν,
ἐπεί μ' ἀφῆκε καὶ κατῃδέσθη κτανεῖν,
χρησμῷ παλαιῷ Λοξίου δωρήσομαι,
ὃς ὠφελήσει μείζον' ἢ δοκεῖν χρόνῳ.
1030 θανόντα γάρ με θάψεθ' οὗ τὸ μόρσιμον,
δίας πάροιθε παρθένου Παλληνίδος·
καὶ σοὶ μὲν εὔνους καὶ πόλει σωτήριος
μέτοικος αἰεὶ κείσομαι κατὰ χθονός,
τοῖς τῶνδε δ' ἐκγόνοισι πολεμιώτατος,
ὅταν μόλωσι δεῦρο σὺν πολλῇ χερὶ
χάριν προδόντες τήνδε· τοιούτων ξένων
προὔστητε. πῶς οὖν ταῦτ' ἐγὼ πεπυσμένος
δεῦρ' ἦλθον, ἀλλ' οὐ χρησμὸν ᾐδούμην[1] θεοῦ;
Ἥραν νομίζων θεσφάτων κρείσσω πολύ,
1040 κοὐκ ἂν προδοῦναί μ'. ἀλλὰ μήτε μοι χοὰς
μήθ' αἷμ' ἐάσῃς εἰς ἐμὸν στάξαι τάφον.
κακὸν γὰρ αὐτοῖς νόστον ἀντὶ τῶνδ' ἐγὼ
δώσω· διπλοῦν δὲ κέρδος ἕξετ' ἐξ ἐμοῦ,
ὑμᾶς τ' ὀνήσω τούσδε τε βλάψω θανών.

ΑΛΚΜΗΝΗ

τί δῆτα μέλλετ', εἰ πόλει σωτηρίαν
κατεργάσασθαι τοῖσί τ' ἐξ ὑμῶν χρεών,
κτείνειν τὸν ἄνδρα τόνδ', ἀκούοντες τάδε;
δείκνυσι γὰρ κέλευθον ἀσφαλεστάτην.
ἐχθρὸς μὲν ἀνήρ, ὠφελεῖ δὲ κατθανών.

[1] Musgrave: for MSS. ᾐρόμην.

ALCMENA

This will I lightly teach thee :—I will slay,
Then yield him dead to friends that come for him.
Touching his corpse I will not cheat the state ;
But die he shall, and do me right for wrong.

EURYSTHEUS

Slay : I ask not thy grace. But I bestow
On Athens, who hath spared, who shamed to slay me,
An ancient oracle of Loxias,
Which in far days shall bless her more than seems.
Me shall ye bury where 'tis fate-ordained, 1030
Before the Virgin's shrine Pallenian ;
So I, thy friend and Athens' saviour aye,
A sojourner shall lie beneath your soil,
But to these and their children sternest foe
What time they march with war-hosts hitherward,
Traitors to this your kindness :—such the guests
Ye championed ! Wherefore then, if this I knew,
Came I, and feared not the God's oracles ?
Hera, methought, was mightier far than these,
And would not so forsake me. Shed not thou 1040
Drink-offerings nor blood upon my tomb !
Ill home-return will I give thy sons' sons
For this ! Of me shall ye have double gain,—
My death shall be your blessing and their curse.

ALCMENA

Why linger then—if so ye must achieve
Your city's safety and your children's weal—
To slay this man, who hear this prophecy ?
Himself the path of perfect safety points.
Your foe he is, yet is his death your gain.

1050 κομίζετ' αὐτόν, δμῶες, εἶτα χρὴ κυσ'
δοῦναι κτανόντας· μὴ γὰρ ἐλπίσῃς ὅπως
αὖθις πατρῴας ζῶν ἔμ' ἐκβαλεῖς χθονός.

ΧΟΡΟΣ

ταὐτὰ δοκεῖ μοι. στείχετ', ὀπαδοί.
τὰ γὰρ ἐξ ἡμῶν
καθαρῶς ἔσται βασιλεῦσιν.

Hence with him, thralls. When ye have slain him,
then 1050
To dogs 'twere good to cast him. Hope not thou
To live, and drive me again from fatherland.

[*Exeunt* GUARDS *with* EURYSTHEUS.

CHORUS

I also consent. On, henchman-train,
March on with the doomed. No blood-guilt
stain,
Proceeding of us, on our kings shall remain.

[*Exeunt* OMNES.

THE PHOENICIAN MAIDENS

ARGUMENT

WHEN *Oedipus, king of Thebes, was ware that he had fulfilled the oracle uttered ere he was born, in that he had slain his father, king Laïus, and wedded his mother Jocasta, he plucked out his own eyes in his shame and misery. So he ceased to be king; but, inasmuch as his two sons rendered to him neither love nor worship, he cursed them with this curse, "that they should divide their inheritance with the sword." But they essayed to escape this doom by covenanting to rule in turn, year by year. So Eteocles, being the elder, became king for the first year, and Polyneices his brother departed from the land, lest any occasion of offence should arise. But when after a year's space he returned, Eteocles refused to yield to him the kingdom. Then went he to Adrastus, king of Argos, who gave him his daughter to wife, and led forth a host of war under seven chiefs against Thebes.*

And herein is told how the brothers met in useless parley; by what strange sacrifice Thebes was saved; of the Argives' vain assault; and how the brothers slew each other in single combat.

ΤΑ ΤΟΥ ΔΡΑΜΑΤΟΣ ΠΡΟΣΩΠΑ

ΙΟΚΑΣΤΗ
ΠΑΙΔΑΓΩΓΟΣ
ΑΝΤΙΓΟΝΗ
ΧΟΡΟΣ
ΠΟΛΥΝΕΙΚΗΣ
ΕΤΕΟΚΛΗΣ
ΚΡΕΩΝ
ΤΕΙΡΕΣΙΑΣ
ΜΕΝΟΙΚΕΥΣ
ΑΓΓΕΛΟΣ
ΕΤΕΡΟΣ ΑΓΓΕΛΟΣ
ΟΙΔΙΠΟΥΣ

DRAMATIS PERSONAE

JOCASTA, *wife of Oedipus.*

OLD SERVANT, *attendant on Antigone.*

ANTIGONE, *daughter of Oedipus.*

POLYNEICES, *exiled son of Oedipus.*

ETEOCLES, *son of Oedipus, and king of Thebes.*

CREON, *brother of Jocasta.*

TEIRESIAS, *a blind prophet.*

MENOECEUS, *son of Creon.*

MESSENGER, *armour-bearer of Eteocles.*

OEDIPUS, *father of Eteocles and Polyneices.*

CHORUS, *consisting of Phoenician Maidens, dedicated by the Tyrians to the service of Apollo at Delphi, who, resting at Thebes on their journey, have been detained there by the siege.*

Daughter of Teiresias, guards of Eteocles, attendants of Jocasta and of Creon.

SCENE: In front of the Royal Palace at Thebes.

ΦΟΙΝΙΣΣΑΙ

ΙΟΚΑΣΤΗ

Ὦ τὴν ἐν ἄστροις οὐρανοῦ τέμνων ὁδὸν
καὶ χρυσοκολλήτοισιν ἐμβεβὼς δίφροις
Ἥλιε, θοαῖς ἵπποισιν εἱλίσσων φλόγα,
ὡς δυστυχῆ Θήβαισι τῇ τόθ' ἡμέρᾳ
ἀκτῖν' ἐφῆκας, Κάδμος ἡνίκ' ἦλθε γῆν
τήνδ', ἐκλιπὼν Φοίνισσαν ἐναλίαν χθόνα·
ὃς παῖδα γήμας Κύπριδος Ἁρμονίαν ποτὲ
Πολύδωρον ἐξέφυσε, τοῦ δὲ Λάβδακον
φῦναι λέγουσιν, ἐκ δὲ τοῦδε Λάιον,
10 ἐγὼ δὲ παῖς μὲν κλῄζομαι Μενοικέως,
Κρέων τ' ἀδελφὸς μητρὸς ἐκ μιᾶς ἔφυ·
καλοῦσι δ' Ἰοκάστην με, τοῦτο γὰρ πατὴρ
ἔθετο, γαμεῖ δὲ Λάιός μ'· ἐπεὶ δ' ἄπαις
ἦν χρόνια λέκτρα τἄμ' ἔχων ἐν δώμασιν,
ἐλθὼν ἐρωτᾷ Φοῖβον ἐξαιτεῖ θ' ἅμα
παίδων ἐς οἴκους ἀρσένων κοινωνίαν.
ὁ δ' εἶπεν· ὦ Θήβαισιν εὐίπποις ἄναξ,
μὴ σπεῖρε τέκνων ἄλοκα δαιμόνων βίᾳ·
εἰ γὰρ τεκνώσεις παῖδ', ἀποκτενεῖ σ' ὁ φύς,
20 καὶ πᾶς σὸς οἶκος βήσεται δι' αἵματος.
ὁ δ' ἡδονῇ δοὺς εἴς τε βακχεῖον πεσὼν
ἔσπειρεν ἡμῖν παῖδα, καὶ σπείρας βρέφος,[1]

[1] Probably corrupt: scholars propose φρενός, ἄφνω, ἄφαρ.

THE PHOENICIAN MAIDENS

Enter JOCASTA.

JOCASTA

O THOU who cleav'st thy path mid heaven's stars,
Who ridest on thy chariot golden-clamped,
Sun, whirling on with flying steeds thy fire,
What beams accurst on that day sheddest thou
O'er Thebes, when Cadmus came to this our land,
Leaving Phoenicia's sea-fringed realm afar!
He took to wife Harmonia, Cypris' child,
And begat Polydore, of whom, men say,
Sprang Labdacus, and Laïus of him.

I, daughter of Menoeceus am I named; 10
My brother Creon the selfsame mother bare.
Jocasta men call me: this name my sire
Gave; Laïus wedded me. But when long years
Of wedlock brought no child our halls within,
He went and questioned Phoebus, craved withal
For me, for him, male heirs unto his house.
The God spake: "King of chariot-glorious Thebes,
Beget not seed of sons in Heaven's despite.
If so thou do, thee shall thine issue slay,
And all thine house shall wade through seas of blood." 20
Yet he, to passion yielding, flushed with wine,
Begat a son; and when our babe was born,

γνοὺς τἀμπλάκημα τοῦ θεοῦ τε τὴν φάτιν,
λειμῶν' ἐς Ἥρας καὶ Κιθαιρῶνος λέπας
δίδωσι βουκόλοισιν ἐκθεῖναι βρέφος,
σφυρῶν σιδηρᾶ κέντρα διαπείρας μέσον·
ὅθεν νιν Ἑλλὰς ὠνόμαζεν Οἰδίπουν.
Πολύβου δέ νιν λαβόντες ἱπποβουκόλοι
φέρουσ' ἐς οἴκους εἴς τε δεσποίνης χέρας
30 ἔθηκαν. ἡ δὲ τὸν ἐμὸν ὠδίνων πόνον
μαστοῖς ὑφεῖτο καὶ πόσιν πείθει τεκεῖν.
ἤδη δὲ πυρσαῖς γένυσιν ἐξανδρούμενος
παῖς οὑμός, ἢ γνοὺς ἤ τινος μαθὼν πάρα,
ἔστειχε τοὺς φύσαντας ἐκμαθεῖν θέλων
πρὸς δῶμα Φοίβου, Λάιός θ', οὑμὸς πόσις,
τὸν ἐκτεθέντα παῖδα μαστεύων μαθεῖν,
εἰ μηκέτ' εἴη. καὶ ξυνάπτετον πόδα
εἰς ταὐτὸν ἄμφω Φωκίδος σχιστῆς ὁδοῦ.
καί νιν κελεύει Λαΐου τροχηλάτης·
40 ὦ ξένε, τυράννοις ἐκποδὼν μεθίστασο.
ὁ δ' εἶρπ' ἄναυδος, μέγα φρονῶν· πῶλοι δέ νιν
χηλαῖς τένοντας ἐξεφοίνισσον ποδῶν.
ὅθεν—τί τἀκτὸς τῶν κακῶν με δεῖ λέγειν;—
παῖς πατέρα καίνει καὶ λαβὼν ὀχήματα
Πολύβῳ τροφεῖ δίδωσιν. ὡς δ' ἐπεζάρει
Σφὶγξ ἁρπαγαῖσι πόλιν, ἐμός τ' οὐκ ἦν πόσις,
Κρέων ἀδελφὸς τἀμὰ κηρύσσει λέχη,
ὅστις σοφῆς αἴνιγμα παρθένου μάθοι,
τούτῳ ξυνάψειν λέκτρα. τυγχάνει δέ πως
50 μούσας ἐμὸς παῖς Οἰδίπους Σφιγγὸς μαθών,
ὅθεν τύραννος τῆσδε γῆς καθίσταται
καὶ σκῆπτρ' ἔπαθλα τῆσδε λαμβάνει χθονός.
γαμεῖ δὲ τὴν τεκοῦσαν οὐκ εἰδὼς τάλας
οὐδ' ἡ τεκοῦσα παιδὶ συγκοιμωμένη.

Ware of his sin, remembering the God's word,
He gave the babe to herdmen to cast forth
In Hera's Mead upon Cithaeron's ridge,
His ankles pierced clear through with iron spikes,
Whence Hellas named him *Swell-foot*—Oedipus.

But Polybus' horse-tenders found him there,
And bare him home, and in their mistress' hands
Laid. To my travail's fruit she gave her breast, 30
Telling her lord herself had borne the babe.
Now, grown to man with golden-bearded cheeks,
My son, divining, or of some one told,
Journeyed, resolved to find his parents forth,
To Phoebus' fane. Now Laïus my lord,
Seeking assurance of the babe exposed,
If dead he were, fared thither. And they met,
These twain, where parts the highway Phocis-ward.
Then Laïus' charioteer commanded him—
"Stand clear, man, from the pathway of a prince!" 40
Proudly he strode on, answering not. The steeds
Spurned with their hoofs his ankles, drawing blood.

Then—why tell aught beyond the sad event?—
Son slayeth father, takes the car, and gives
To Polybus, his fosterer. While the Sphinx
Was ravaging Thebes, when now my lord was not,
Creon my brother published that the man,
Whoso should read the riddle of that witch-maid,
Even he should wed me. Strangely it befell—
Oedipus, my son, read the Sphinx's song, 50
Whence he became the ruler of this land:
Yea, for his guerdon wins the throne of Thebes,
And weds his mother,—wretch!—unwitting he,
Unwitting she that she was her son's bride.

τίκτω δὲ παῖδας παιδὶ δύο μὲν ἄρσενας,
Ἐτεοκλέα κλεινήν τε Πολυνείκους βίαν,
κόρας δὲ δισσάς· τὴν μὲν Ἰσμήνην πατὴρ
ὠνόμασε, τὴν δὲ πρόσθεν Ἀντιγόνην ἐγώ.
μαθὼν δὲ τἀμὰ λέκτρα μητρῴων γάμων
60 ὁ πάντ' ἀνατλὰς Οἰδίπους παθήματα
εἰς ὄμμαθ' αὑτοῦ δεινὸν ἐμβάλλει φόνον,
χρυσηλάτοις πόρπαισιν αἱμάξας κόρας.

ἐπεὶ δὲ τέκνων γένυς ἐμῶν σκιάζεται,
κλῄθροις ἔκρυψαν πατέρ', ἵν' ἀμνήμων τύχη
γένοιτο πολλῶν δεομένη σοφισμάτων.
ζῶν δ' ἔστ' ἐν οἴκοις. πρὸς δὲ τῆς τύχης νοσῶν
ἀρὰς ἀρᾶται παισὶν ἀνοσιωτάτας,
θηκτῷ σιδήρῳ δῶμα διαλαχεῖν τόδε.
τὼ δ' εἰς φόβον πεσόντε, μὴ τελεσφόρους
70 εὐχὰς θεοὶ κραίνωσιν οἰκούντων ὁμοῦ,
ξυμβάντ' ἔταξαν τὸν νεώτερον πάρος
φεύγειν ἑκόντα τήνδε Πολυνείκην χθόνα,
Ἐτεοκλέα δὲ σκῆπτρ' ἔχειν μένοντα γῆς
ἐνιαυτὸν ἀλλάσσοντ'. ἐπεὶ δ' ἐπὶ ζυγοῖς
καθέζετ' ἀρχῆς, οὐ μεθίσταται θρόνων,
φυγάδα δ' ἀπωθεῖ τῆσδε Πολυνείκη χθονός.

ὁ δ' Ἄργος ἐλθών, κῆδος Ἀδράστου λαβών,
πολλὴν ἀθροίσας ἀσπίδ' Ἀργείων ἄγει·
ἐπ' αὐτὰ δ' ἐλθὼν ἑπτάπυλα τείχη τάδε,
80 πατρῷ' ἀπαιτεῖ σκῆπτρα καὶ μέρη χθονός.
ἐγὼ δ' ἔριν λύουσ' ὑπόσπονδον μολεῖν
ἔπεισα παιδὶ παῖδα πρὶν ψαῦσαι δορός.
ἥξειν δ' ὁ πεμφθείς φησιν αὐτὸν ἄγγελος.
ἀλλ' ὦ φαεννὰς οὐρανοῦ ναίων πτυχὰς
Ζεῦ, σῶσον ἡμᾶς, δὸς δὲ σύμβασιν τέκνοις.

And children to my son I bare, two sons,
Eteocles and famed Polyneices' might,
And daughters twain: the one the father named
Ismene, the elder I, Antigone.
But, when he knew me mother both and wife,
Oedipus, crushed 'neath utterest sufferings, 60
On his own eyes wrought ruin horrible,
Yea, with gold brooch-pin drenched their orbs with
blood.

Now, being to bearded manhood grown, my sons
Close-warded kept their sire, that his dark fate,
By manifold shifts scarce veiled, might be forgot.
Within he lives; but, by his fate distraught,
A curse most impious hurled he at his sons,
That they may share their heritage with the sword.
They, terror-stricken lest, if they should dwell
Together, Gods might bring the curse to pass, 70
Made covenant that Polyneices first,
The younger, self-exiled, should leave the land,
That Eteocles tarrying wear the crown
One year—then change. But, once in sovranty
Firm-seated, he would step not from the throne,
And thrust Polyneices banished forth the land.

To Argos fares he, weds Adrastus' child,
And bringeth huge war-muster of Argive shields.
To our very walls seven-gated hath he come,
Claiming his father's sceptre and his right. 80
And I, to allay their strife, persuaded son
In truce to meet son, ere they touch the spear:
And, saith the messenger I sent, he comes.
O dweller Zeus in heaven's veiling light,
Save us, grant reconciling to my sons!

χρὴ δ', εἰ σοφὸς πέφυκας, οὐκ ἐᾶν βροτὸν
τὸν αὐτὸν αἰεὶ δυστυχῆ καθεστάναι.

ΠΑΙΔΑΓΩΓΟΣ

ὦ κλεινὸν οἴκοις Ἀντιγόνη θάλος πατρί,
ἐπεί σε μήτηρ παρθενῶνας ἐκλιπεῖν
90 μεθῆκε μελάθρων ἐς διῆρες ἔσχατον
στράτευμ' ἰδεῖν Ἀργεῖον ἱκεσίαισι σαῖς,
ἐπίσχες, ὡς ἂν προὐξερευνήσω στίβον,
μή τις πολιτῶν ἐν τρίβῳ φαντάζεται,
κἀμοὶ μὲν ἔλθῃ φαῦλος ὡς δούλῳ ψόγος,
σοὶ δ' ὡς ἀνάσσῃ· πάντα δ' ἐξειδὼς φράσω
ἅ τ' εἶδον εἰσήκουσά τ' Ἀργείων πάρα,
σπονδὰς ὅτ' ἦλθον σῷ κασιγνήτῳ φέρων
ἐνθένδ' ἐκεῖσε δεῦρό τ' αὖ κείνου πάρα.
ἀλλ' οὔτις ἀστῶν τοῖσδε χρίμπτεται δόμοις,
100 κέδρου παλαιὰν κλίμακ' ἐκπέρα ποδί·
σκόπει δὲ πεδία καὶ παρ' Ἰσμηνοῦ ῥοὰς
Δίρκης τε νᾶμα, πολεμίων στράτευμ' ὅσον.

ΑΝΤΙΓΟΝΗ

ὄρεγέ νυν ὄρεγε γεραιὰν νέᾳ
χεῖρ', ἀπὸ κλιμάκων ποδὸς
ἴχνος ἐπαντέλλων.

ΠΑΙΔΑΓΩΓΟΣ

ἰδοὺ ξύναψον, παρθέν'· εἰς καιρὸν δ' ἔβης·
κινούμενον γὰρ τυγχάνει Πελασγικὸν
στράτευμα, χωρίζουσι δ' ἀλλήλων λόχους.

ΑΝΤΙΓΟΝΗ

ἰὼ πότνια παῖ Λατοῦς
110 Ἑκάτα, κατάχαλκον ἅπαν
πεδίον ἀστράπτει.

Thou oughtest not, so thou be wise, to leave
The same man evermore to be unblest. [*Exit.*

Enter, above, OLD SERVANT *and* ANTIGONE.

OLD SERVANT

Fair flower of thy sire's house, Antigone,
Albeit thy mother suffered thee to leave
Thy maiden-bower at thine entreaty, and mount 90
The palace-roof to view the Argive host,
Yet stay, that I may scan the highway first,
Lest on the path some citizen appear,
And scandal light—for me, the thrall, 'twere naught,—
On thee, the princess. This known, will I tell
All that I saw, and heard from Argive men,
When, to thy brother on truce-mission sent,
I passed hence thither, and then back from him . . . .
Nay, not a citizen draws nigh the halls.
Climb with thy feet the ancient cedar-stair; 100
Gaze o'er the plain, along Ismenus' stream
And Dirce's flow, on yon great host of foes.

ANTIGONE

Stretch it forth, stretch it forth, the old man's hand, unto me
The child, from the stair, and my feet upbear,
As upward I strain.

OLD SERVANT

Lo, maiden, grasp it: in good time thou com'st,
For yon Pelasgian host is moving now,
Battalion from battalion sundering.

ANTIGONE

O Queen, O Child of Latona, Hecate!
Lo, how the glare of the brass flashes there 110
Over all the plain!

ΠΑΙΔΑΓΩΓΟΣ

οὐ γάρ τι φαύλως ἦλθε Πολυνείκης χθόνα,
πολλοῖς μὲν ἵπποις, μυρίοις δ' ὅπλοις βρέμων.

ΑΝΤΙΓΟΝΗ

ἆρα πύλαι κλῄθροις χαλκόδετ' ἆρ' ἔμβολα
λαϊνέοισιν Ἀμφίονος ὀργάνοις
τείχεος ἥρμοσται;

ΠΑΙΔΑΓΩΓΟΣ

θάρσει· τά γ' ἔνδον ἀσφαλῶς ἔχει πόλις.
ἀλλ' εἰσόρα τὸν πρῶτον, εἰ βούλει μαθεῖν.

ΑΝΤΙΓΟΝΗ

τίς οὗτος ὁ λευκολόφας,
120 πρόπαρ ὃς ἁγεῖται στρατοῦ
πάγχαλκον ἀσπίδ' ἀμφὶ βρα-
χίονι κουφίζων;

ΠΑΙΔΑΓΩΓΟΣ

λοχαγός, ὦ δέσποινα.

ΑΝΤΙΓΟΝΗ

τίς πόθεν γεγώς;
αὔδασον, ὦ γεραιέ, τίς ὀνομάζεται;

ΠΑΙΔΑΓΩΓΟΣ

οὗτος Μυκηναῖος μὲν αὐδᾶται γένος,
Λερναῖα δ' οἰκεῖ νάμαθ', Ἱππομέδων ἄναξ.

ΑΝΤΙΓΟΝΗ

ἓ ἓ ὡς γαῦρος, ὡς φοβερὸς εἰσιδεῖν,
γίγαντι γηγενέτᾳ προσόμοιος
ἀστερωπὸς ἐν γραφαῖσιν, οὐχὶ πρόσφορος
130 ἁμερίῳ γέννᾳ.

ΠΑΙΔΑΓΩΓΟΣ

τὸν δ' ἐξαμείβοντ' οὐχ ὁρᾷς Δίρκης ὕδωρ;

OLD SERVANT

Ay, for not feebly Polyneices comes
With thunder of many a steed, with countless shields.

ANTIGONE

Ah, be the gates secure, be the brass-clamped bolts made sure
In the walls that Amphion in days bygone
Fashioned of stone?

OLD SERVANT

Fear not; the city wards all safe within.
Mark yonder foremost chief, if thou wouldst know him.

ANTIGONE

Who is he with the white helm-crest
Who marcheth in front of their war-array, 120
And a brazen buckler fencing his breast
Lightly his arm doth sway?

OLD SERVANT

A captain, princess.

ANTIGONE

What his land, his birth?
Make answer, ancient. What name beareth he?

OLD SERVANT

Yon chief proclaims him Mycenean-born:
By streams of Lerna King Hippomedon dwells.

ANTIGONE

Ah me, how haughty, how fearful he is to see,
Like to a Giant, a child of Earth!
Star-blazonry gleams on his shield: not like is he
Unto one of mortal birth. 130

OLD SERVANT

See'st thou not him who crosseth Dirce's flood?

ΑΝΤΙΓΟΝΗ

ἄλλος ἄλλος ὅδε τευχέων τρόπος.
τίς δ' ἐστὶν οὗτος;

ΠΑΙΔΑΓΩΓΟΣ

παῖς μὲν Οἰνέως ἔφυ
Τυδεύς, Ἄρη δ' Αἰτωλὸν ἐν στέρνοις ἔχει.

ΑΝΤΙΓΟΝΗ

οὗτος ὁ τᾶς Πολυνείκεος, ὦ γέρον,
αὐτοκασιγνήτας νύμφας
ὁμόγαμος κυρεῖ;
ὡς ἀλλόχρως ὅπλοισι μιξοβάρβαρος.

ΠΑΙΔΑΓΩΓΟΣ

σακεσφόροι γὰρ πάντες Αἰτωλοί, τέκνον,
140 λόγχαις τ' ἀκοντιστῆρες εὐστοχώτατοι.

ΑΝΤΙΓΟΝΗ

σὺ δ', ὦ γέρον, πῶς αἰσθάνει σαφῶς τάδε;

ΠΑΙΔΑΓΩΓΟΣ

σημεῖ' ἰδὼν τότ' ἀσπίδων ἐγνώρισα,
σπονδὰς ὅτ' ἦλθον σῷ κασιγνήτῳ φέρων·
ἃ προσδεδορκὼς οἶδα τοὺς ὡπλισμένους.

ΑΝΤΙΓΟΝΗ

τίς δ' οὗτος ἀμφὶ μνῆμα τὸ Ζήθου περᾷ
καταβόστρυχος, ὄμμασι γοργὸς εἰσ-
ιδεῖν νεανίας,
λοχαγός, ὡς ὄχλος νιν ὑστέρῳ ποδὶ
πάνοπλος ἀμφέπει;

ΠΑΙΔΑΓΩΓΟΣ

150 ὅδ' ἐστὶ Παρθενοπαῖος, Ἀταλάντης γόνος.

ΑΝΤΙΓΟΝΗ

ἀλλά νιν ἁ κατ' ὄρη μετὰ ματέρος
Ἄρτεμις ἱεμένα τόξοις δαμάσασ' ὀλέσειεν,
ὃς ἐπ' ἐμὰν πόλιν ἔβα πέρσων.

ANTIGONE

Of other, of stranger fashion his armour shows!
Who is he?

OLD SERVANT

Tydeus he, of Oeneus' blood.
Aetolia's battle-fire in the breast of him glows.

ANTIGONE

Is this he, ancient, by spousal-ties
Unto mine own Polyneices allied,
Whose wife's fair sister he won for his bride?
How half barbaric his harness, of no Greek guise!

OLD SERVANT

Nay, child, shield-bearers all Aetolians are,
And most unerring hurlers of the lance. 140

ANTIGONE

And thou, how know'st thou, ancient, all so well?

OLD SERVANT

Even then I noted their shield-blazonry,
When to thy brother with truce-pact I fared:
I marked them, and I know their bearers well.

ANTIGONE

Who is this by Zethus' sepulchre going, [flowing?
With the keen, stern eyes and the curls long-
A warrior young,
Yet a chief—for in armour brazen-glowing
See his followers throng!

OLD SERVANT

Parthenopaeus, Atalanta's son. 150

ANTIGONE

Now may Artemis, over the mountains hasting
With his mother, smite with her bow, and in death
lay yon man low,
Who is hitherward come for my city's wasting!

ΠΑΙΔΑΓΩΓΟΣ

εἴη τάδ', ὦ παῖ· σὺν δίκῃ δ' ἥκουσι γῆν,
ὃ καὶ δέδοικα μὴ σκοπῶσ' ὀρθῶς θεοί.

ΑΝΤΙΓΟΝΗ

ποῦ δ' ὃς ἐμοὶ μιᾶς ἐγένετ' ἐκ ματρὸς
πολυπόνῳ μοίρᾳ;
ὦ φίλτατ', εἰπέ, ποῦ 'στι Πολυνείκης, γέρον.

ΠΑΙΔΑΓΩΓΟΣ

ἐκεῖνος ἑπτὰ παρθένων τάφου πέλας
160 *Νιόβης Ἀδράστῳ πλησίον παραστατεῖ.*
ὁρᾷς;

ΑΝΤΙΓΟΝΗ

ὁρῶ δῆτ' οὐ σαφῶς, ὁρῶ δέ πως
μορφῆς τύπωμα στέρνα τ' ἐξῃκασμένα.
ἀνεμώκεος εἴθε δρόμον νεφέλας
ποσὶν ἐξανύσαιμι δι' αἰθέρος
πρὸς ἐμὸν ὁμογενέτορα, περὶ δ' ὠλένας
δέρᾳ φιλτάτᾳ βάλοιμι χρόνῳ
φυγάδα μέλεον. ὡς
ὅπλοισι χρυσέοισιν ἐκπρεπής, γέρον,
ἑῴοις ὅμοια φλεγέθων βολαῖς ἁλίου.

ΠΑΙΔΑΓΩΓΟΣ

170 *ἥξει δόμους τούσδ', ὥστε σ' ἐμπλῆσαι χαρᾶς,*
ἔνσπονδος.

ΑΝΤΙΓΟΝΗ

οὗτος δ', ὦ γεραιέ, τίς κυρεῖ,
ὃς ἅρμα λευκὸν ἡνιοστροφεῖ βεβώς;

ΠΑΙΔΑΓΩΓΟΣ

ὁ μάντις Ἀμφιάραος, ὦ δέσποιν', ὅδε·
σφάγια δ' ἅμ' αὐτῷ, γῆς φιλαίματοι ῥοαί.

OLD SERVANT

So be it, child: yet for the right they come;
Wherefore I dread lest God defend the right.

ANTIGONE

And where is he whom the selfsame mother bore
With me, to a doom of travail sore?
Dear ancient, where is Polyneices, tell.

OLD SERVANT

He standeth near Adrastus, near the tomb
Of Niobe's unwedded daughters seven. 160
See'st thou?

ANTIGONE

I see—not clearly—yet, half-guessed,
Discern the outline of his frame and chest.
O that as wind-driven clouds swift-racing
I might speed with my feet through the air, and light [embracing
By my brother, mine own, and with arms
Might hold but his dear neck close-enfolden—
So long an exile in dolorous plight!
Lo, how he flasheth in armour golden,
Like the morning shafts of the sun bright-blazing!

OLD SERVANT

Hither with joy to fill thee shall he come 170
By truce.

ANTIGONE

But yon chief, ancient, who is he,
Car-borne, who sways the reins of horses white?

OLD SERVANT

The prophet Amphiaraus, Lady, is this.
With him are victims, Earth's blood-offerings.

ΑΝΤΙΓΟΝΗ

ὦ λιπαροζώνου θύγατερ Ἀελίου
Σελαναία, χρυσεόκυκλον φέγγος,
ὡς ἀτρεμαῖα κέντρα καὶ σώφρονα
πώλοις μεταφέρων ἰθύνει.
180 ποῦ δ' ὃς τὰ δεινὰ τῇδ' ἐφυβρίζει πόλει
Καπανεύς;

ΠΑΙΔΑΓΩΓΟΣ

ἐκεῖνος προσβάσεις τεκμαίρεται
πύργων ἄνω τε καὶ κάτω τείχη μετρῶν.

ΑΝΤΙΓΟΝΗ

ἰώ,
Νέμεσι καὶ Διὸς βαρύβρομοι βρονταί,
κεραυνῶν τε φῶς αἰθαλόεν, σύ τοι
μεγαλαγορίαν ὑπεράνορα κοιμίζεις·
ὅδ' ἐστίν, αἰχμαλωτίδας
ὃς δορὶ Θηβαίας Μυκηνηΐσιν
Λερναίᾳ τε δώσειν τριαίνᾳ,
Ποσειδανίοις Ἀμυμωνίοις
ὕδασι, δουλείαν περιβαλών, [λέγει]·
190 μήποτε μήποτε τάνδ', ὦ πότνια,
χρυσεοβόστρυχον ὦ Διὸς ἔρνος
Ἄρτεμι, δουλοσύναν τλαίην.

ΠΑΙΔΑΓΩΓΟΣ

ὦ τέκνον, εἴσβα δῶμα καὶ κατὰ στέγας
ἐν παρθενῶσι μίμνε σοῖς, ἐπεὶ πόθου
εἰς τέρψιν ἦλθες ὧν ἔχρῃζες εἰσιδεῖν.
ὄχλος γάρ, ὡς ταραγμὸς εἰσῆλθεν πόλιν,
χωρεῖ γυναικῶν πρὸς δόμους τυραννικούς·
φιλόψογον δὲ χρῆμα θηλειῶν ἔφυ,
σμικράς τ' ἀφορμὰς ἢν λάβωσι τῶν λόγων,

ANTIGONE

O Child of the Sun-god, the Lord of the radiant zone,
O Moon, thou golden-rounded gleam,
How calmly, how soberly ever he driveth on,
One after other goading his team!
And where is Capaneus—he who hurls at Thebes 180
Insult of threats?

OLD SERVANT

There:—he counts up and down
The wall-stones, gauging our towers' scaling-height.

ANTIGONE

O Nemesis, O ye thunders rolling deep
Of Zeus, thou flaming light of his levin,
Overweening vaunts dost thou hush into endless sleep!
And is this the hero by whom shall be given
Into bondage to dames of Mycenae the spear-won daughters
Of Thebes,—to the Trident of Lerna, the fountain-[waters
Amymonian, at stroke of Poseidon that leapt,—
When his net of thraldom around them is swept?
Never, ah never, O Artemis Queen, 190
Zeus' child, with the tresses of golden sheen,
Bowed under bondage may I be seen!

OLD SERVANT

Daughter, pass in, and 'neath the roofs abide
Thy maiden bowers within; for thy desire
Hast thou attained, even all thou fain wouldst see.
Lo, to the royal halls a woman-throng
Comes, now confusion through the town hath passed.
And scandal-loving still is womankind;
For, so they find slight cause for idle talk,

200 πλείους ἐπεισφέρουσιν· ἡδονὴ δέ τις
γυναιξὶ μηδὲν ὑγιὲς ἀλλήλας λέγειν.

ΧΟΡΟΣ

Τύριον οἶδμα λιποῦσ' ἔβαν *στρ. α'*
ἀκροθίνια Λοξίᾳ
Φοινίσσας ἀπὸ νάσου
Φοίβῳ δούλα μελάθρων,
ἵν' ὑπὸ δειράσι νιφοβόλοις
Παρνασοῦ κατενάσθη,
Ἰόνιον κατὰ πόντον ἐλά-
τᾳ πλεύσασα περιρρύτων
210 ὑπὲρ ἀκαρπίστων πεδίων
Σικελίας Ζεφύρου πνοαῖς
ἱππεύσαντος ἐν οὐρανῷ
κάλλιστον κελάδημα.

πόλεος ἐκπροκριθεῖσ' ἐμᾶς *ἀντ. α'*
καλλιστεύματα Λοξίᾳ
Καδμείων ἔμολον γᾶν,
κλεινῶν Ἀγηνοριδᾶν
ὁμογενεῖς ἐπὶ Λαΐου
πεμφθεῖσ' ἐνθάδε πύργους.
220 ἴσα δ' ἀγάλμασι χρυσοτεύ-
κτοις Φοίβῳ γενόμαν λάτρις.
ἔτι δὲ Κασταλίας ὕδωρ
περιμένει με κόμας ἐμᾶς
δεῦσαι παρθένιον χλιδὰν
Φοιβείαισι λατρείαις.

ὦ λάμπουσα πέτρα πυρὸς *μεσῳδ.*
δικόρυφον σέλας ὑπὲρ ἄκρων
Βακχείων Διονύσου,

More they invent. Strange pleasure women take 200
To speak of sister-women nothing good.

[*Exeunt* OLD SERVANT *and* ANTIGONE.

Enter CHORUS

(*Str.* 1)

Afar from the tides against Tyre's walls swelling,
For Loxias chosen an offering,
From the Isle of Phoenicia I came, to be thrall
Unto Phoebus, to serve in his palace-hall,
Where 'neath crags of Parnassus, with arrowy fall
Of the snow oversprent, he hath made him a dwelling.
O'er Ionian seas did it waft me, the wing
Of the oar, while the West-wind's chariot sped
Over the furrows unharvested 210
That from Sicily roughened;—before him fled
Music, till all the heavens were telling
The glory of beauty his breathings bring.

The choice of my city's virgin-flowers, (*Ant.* 1)
A gift of beauty to Loxias made,
To the land of the children of Cadmus we came,
To the sons of Agenor of ancient fame,
Hither brought to a people by lineage the same
With my fathers, even to Laïus' towers.
But as gold-wrought statues to stand arrayed 220
For the service of Phoebus appointed we were;
And Castaly's fount yet waiteth us there,
That my maiden glory of shining hair
May be oversprayed by its hallowing showers,
Ere for Phoebus's service its tresses I braid.

Hail, rock that flashest a splendour of light (*Mesode*)
From the cloven tongue of thy flame o'er the height
Of the Bacchic peak Dionysus haunteth!

οἶνα θ', ἃ καθαμέριον
230 στάζεις τὸν πολύκαρπον
οἰνάνθας ἱεῖσα βότρυν,
ζάθεά τ' ἄντρα δράκοντος οὔ-
ρειαί τε σκοπιαὶ θεῶν
νιφόβολόν τ' ὄρος ἱερόν, εἱ-
λίσσων ἀθανάτας θεοῦ
χορὸς γενοίμαν ἄφοβος
παρὰ μεσόμφαλα γύαλα Φοί-
βου Δίρκαν προλιποῦσα.

νῦν δέ μοι πρὸ τειχέων — στρ. β'
240 θούριος μολὼν Ἄρης
αἷμα δάιον φλέγει
τᾷδ', ὃ μὴ τύχοι, πόλει·
κοινὰ γὰρ φίλων ἄχη·
κοινὰ δ', εἴ τι πείσεται
καλλίπυργος ἅδε γᾶ
Φοινίσσᾳ χώρᾳ. φεῦ φεῦ.
κοινὸν αἷμα, κοινὰ τέκεα
τᾶς κερασφόρου πέφυκεν Ἰοῦς·
ὧν μέτεστί μοι πόνων.

250 ἀμφὶ δὲ πτόλιν νέφος — ἀντ. β'
ἀσπίδων πυκνὸν φλέγει
σῆμα φοινίου μάχης,
ἃν Ἄρης τάχ' εἴσεται
παισὶν Οἰδίπου φέρων
πημονὰν Ἐρινύων.
Ἄργος ὦ Πελασγικόν,

Hail, vine that with each morn offerest up
Thy giant cluster to brim the cup 230
That never the mystic ritual wanteth![1]
Hail, cavern revered where the Dragon abode!
Hail, watchtower scaur of the Archer-god!
Hail, snow-smitten ridges by mortal untrod!
O that the wreaths of the dance I were weaving,
With soul unafraid, to the Goddess undying,
These fear-stricken waters of Dirce leaving
For Apollo's dells by the world's heart lying!

But this day before the wall (*Str.* 2)
Furious Ares comes; his hand 240
Lights for Thebes the slaughter-brand—
God forfend his will befall!
Friend with friend is one in pain;
And Phoenicia with all bane
Of the stately-towered land
Shall condole, a mourning nation.
One our lineage, one our blood;
All be hornèd Io's brood:
Mine is all your tribulation.

Round the town a shield-array (*Ant.* 2) 250
Cloudlike flashes levin-light—
Grim presentment of red fight!
Yet shall Ares rue the day
If the Avengers' curse he bring
On the sons of that blind king.
Argos, thy Pelasgian might

[1] In the temple of Dionysus on Parnassus was a vine yielding one ripe cluster daily, to furnish the libation for the God.

δειμαίνω τὰν σὰν ἀλκὰν
καὶ τὸ θεόθεν· οὐ γὰρ ἄδικον
εἰς ἀγῶνα τόνδ' ἔνοπλος ὁρμᾷ
260 παῖς μετέρχεται δόμους.

ΠΟΛΥΝΕΙΚΗΣ

τὰ μὲν πυλωρῶν κλῇθρά μ' εἰσεδέξατο
δι' εὐπετείας τειχέων εἴσω μολεῖν.
ὃ καὶ δέδοικα μή με δικτύων ἔσω
λαβόντες οὐκ ἐκφρῶσ' ἀναίμακτον χρόα.
ὧν εἵνεκ' ὄμμα πανταχῇ διοιστέον
κἀκεῖσε καὶ τὸ δεῦρο, μὴ δόλος τις ᾖ.
ὡπλισμένος δὲ χεῖρα τῷδε φασγάνῳ
τὰ πίστ' ἐμαυτῷ τοῦ θράσους παρέξομαι.
ὠὴ τίς οὗτος; ἢ κτύπον φοβούμεθα;
270 ἅπαντα γὰρ τολμῶσι δεινὰ φαίνεται,
ὅταν δι' ἐχθρᾶς πους ἀμείβηται χθονός.
πέποιθα μέντοι μητρί, κοὐ πέποιθ' ἅμα,
ἥτις μ' ἔπεισε δεῦρ' ὑπόσπονδον μολεῖν.
ἀλλ' ἐγγὺς ἀλκή· βώμιοι γὰρ ἐσχάραι
πέλας πάρεισι, κοὐκ ἔρημα δώματα.
φέρ' ἐς σκοτεινὰς περιβολὰς μεθῶ ξίφος
καὶ τάσδ' ἔρωμαι, τίνες ἐφεστᾶσιν δόμοις.
ξέναι γυναῖκες, εἴπατ', ἐκ ποίας πάτρας
Ἑλληνικοῖσι δώμασιν πελάζετε;

ΧΟΡΟΣ

280 Φοίνισσα μὲν γῆ πατρὶς ἡ θρέψασά με,
Ἀγήνορος δὲ παῖδες ἐκ παίδων δορὸς
Φοίβῳ μ' ἔπεμψαν ἐνθάδ' ἀκροθίνιον.
μέλλων δὲ πέμπειν μ' Οἰδίπου κλεινὸς γόνος
μαντεῖα σεμνὰ Λοξίου τ' ἐπ' ἐσχάρας,
ἐν τῷδ' ἐπεστράτευσαν Ἀργεῖοι πόλιν.

Dread I, and the hand of Heaven!
For the strife of him who comes
Mail-clad to the ancient homes
Will with Justice' help be striven. 260

Enter POLYNEICES.

POLYNEICES

Lightly, too lightly, have the warders' bolts
Made way for me to pass within the walls.
Wherefore I fear lest, once within their net,
They shall not let me 'scape but with my blood.
Needs must I then turn every way mine eye
Hither and thither, lest some treachery lurk.
Mine hand with this blade armed shall give to me
The assurance of a desperate courage born.
Ha! who goes there?—or fear I but a sound?
All perilous seems to them that venture all, 270
Soon as their feet are set on hostile soil.
Yet do I trust my mother—and mistrust,—
Who drew me to come hither under truce.
But help is nigh; for lo, the altar-hearth
At hand; nor void the palace is of folk.
Into its dark sheath let me plunge my sword,
And ask these by the palace who they be.
Ye alien women, say, from what far land
Unto the homes of Hellas are ye come?

CHORUS

Phoenician was the land that fostered me. 280
Agenor's sons' sons sent me hitherward
To Phoebus, firstfruits of their battle-spoil.
When Oedipus' famed son would speed me on
To Loxias' awful oracle and hearths,
Even then the Argives marched against the town.

σὺ δ' ἀντάμειψαί μ', ὅστις ὢν ἐλήλυθας
ἑπτάστομον πύργωμα Θηβαίας πόλεως.

ΠΟΛΥΝΕΙΚΗΣ

πατὴρ μὲν ἡμῖν Οἰδίπους ὁ Λαΐου,
ἔτικτε δ' Ἰοκάστη με, παῖς Μενοικέως·
290 καλεῖ δὲ Πολυνείκη με Θηβαῖος λεώς.

ΧΟΡΟΣ

ὦ συγγένεια τῶν Ἀγήνορος τέκνων,
ἐμῶν τυράννων, ὧν ἀπεστάλην ὕπο—
γουπετεῖς ἕδρας προσπίτνω σ', ἄναξ,
τὸν οἴκοθεν νόμον σέβουσα—
ἔβας ὦ χρόνῳ γᾶν πατρῴαν.
ἰὼ ἰώ· πότνια, μόλε πρόδομος,
ἀμπέτασον πύλας.
κλύεις, ὦ τεκοῦσα τόνδε μᾶτερ;
τί μέλλεις ὑπώροφα μέλαθρα περᾶν,
300 θιγεῖν τ' ὠλέναις τέκνου;

ΙΟΚΑΣΤΗ

Φοίνισσαν βοὰν
κλύουσ', ὦ νεάνιδες, γηραιὸν
πόδ' ἕλκω, τρομερὰν βάσιν.[1]

ἰὼ τέκνον,
χρόνῳ σὸν ὄμμα μυρίαις ἐν ἁμέραις
προσεῖδον· ἀμφίβαλλε μα-
στὸν ὠλέναισι ματέρος,

[1] Murray: for MSS. γεραιῷ ποδὶ τρομερὰν ἕλκω (παιδὶ) ποδὸς βάσιν.

But thou, make answer, who art thou that com'st
Into this fortress of seven-gated Thebes?

POLYNEICES

Oedipus, son of Laïus, was my sire;
Menoeceus' child Jocasta gave me birth;
And me the Theban folk Polyneices name. 290

CHORUS

O kinsmen thou of old Agenor's race,
My rulers, who forth sent me to this place!—
Low on my knees in obeisance I fall,
After the wont of my people, O king!—
Thou art come at the last, to the land of thy fathers comest thou!
What ho, Queen, ho! fare forth of the hall!
Wide let the palace-portals swing.
Mother that barest him, hear'st thou my call?
Why dost thou linger to pass from thine high-roofed bowers now,
And around thy son with thine arms to cling? 300

Enter JOCASTA.

JOCASTA

Your Tyrian accents ringing clear
Smote, O ye maidens, on mine ear, [near.
And lo, my tottering feet, for eld slow-trailed, draw

Catches sight of POLYNEICES.

O my son, I behold
Thy face at the last,
After days untold,
O my son!—now cast
Thine arms round thy mother, and bosom to bosom enfold me fast.

παρηίδων τ' ὄρεγμα βο-
στρύχων τε κυανόχρωτα χαί-
τας πλόκαμον, σκιάζων δέραν ἀμάν.

310 ἰὼ ἰώ, μόλις φανεὶς
ἄελπτα κἀδόκητα ματρὸς ὠλέναις.
τί φῶ σε; πῶς ἅπαντα
καὶ χερσὶ καὶ λόγοισι
πολυέλικτον ἁδονὰν
ἐκεῖσε καὶ τὸ δεῦρο
περιχορεύουσα τέρψιν παλαιᾶν λάβω
χαρμονᾶν; ἰὼ τέκος,
ἔρημον πατρῷον ἔλιπες δόμον
φυγὰς ἀποσταλεὶς ὁμαίμου λώβᾳ,
320 ἦ ποθεινὸς φίλοις,
ἦ ποθεινὸς Θήβαις.

ὅθεν ἐμάν τε λευκόχροα κείρομαι
δακρυόεσσ' ἀνεῖσα πένθει κόμαν,
ἄπεπλος φαρέων λευκῶν, τέκνον,
δυσόρφναια δ' ἀμφὶ τρύχη τάδε
σκότι' ἀμείβομαι.

ὁ δ' ἐν δόμοισι πρέσβυς ὀμματοστερὴς
ἀπήνας ὁμοπτέρου τᾶς ἀπο-
ζυγείσας δόμων
330 πόθον ἀμφιδάκρυτον ἀεὶ κατέχων

Stoop to me, stoop,
Dear face, from above!
Let the dark head droop
The tresses thereof,
Overshadowing my neck with its clustering curls, with the banner of love.
Hopes, dreams, they were past 310
As a tale that is told;
Yet thou comest at last
For mine arms to enfold!
What shall I say to thee?—how shall I grasp it, the rapture of old?
By assurance of word,
Or by hands that embrace,
Or by feet that are stirred,
Or by body that sways,
Hitherward, thitherward, tossed as the dance intertwineth its maze?

Ah son, thy father's desolate home forsaking,
Wast thou by thine own brother's tyrannous wrong
Exiled!—for thee thy lovers' hearts were aching, 320
Thebes' heart for thee ached long.

Therefore my white hair have I shorn for mourning,
With weeping let it fall for thee, my son:
Of white robes disarrayed, for all adorning
These night-hued rags I don;

While in our halls the sightless ancient, ever
Yearning and weeping o'er that noble twain
Whom from home's yoke of love did hatred sever,
Rushed, eager to be slain 330

ἀνῇξε μὲν ξίφους
ἐπ' αὐτόχειρά τε σφαγάν,
ὑπὲρ τέραμνά τ' ἀγχόνας,
στενάζων ἀρὰς τέκνοις·
σὺν ἀλαλαῖσι δ' αἰὲν αἰαγμάτων
σκότια κρύπτεται.

σὲ δ', ὦ τέκνον, καὶ γάμοισι δὴ
κλύω ζυγέντα παιδοποιὸν ἁδονὰν
ξένοισιν ἐν δόμοις ἔχειν
340 ξένον τε κῆδος ἀμφέπειν,
ἄλαστα ματρὶ τᾷδε Λα-
ΐῳ τε τῷ παλαιγενεῖ,
γάμων ἐπακτὸν ἄταν.
ἐγὼ δ' οὔτε σοι πυρὸς ἀνῆψα φῶς
νόμιμον ἐν γάμοις
[ὡς πρέπει] ματέρι μακαρίᾳ·
ἀνυμέναια δ' Ἰσμηνὸς ἐκηδεύθη
λουτροφόρου χλιδᾶς· ἀνὰ δὲ Θηβαίαν
πόλιν ἐσιγάθη σᾶς ἔσοδοι νύμφας.

350 ὄλοιτο τάδ', εἴτε σίδαρος
εἴτ' ἔρις εἴτε πατὴρ ὁ σὸς αἴτιος,
εἴτε τὸ δαιμόνιον κατεκώμασε
δώμασιν Οἰδιπόδα·
πρὸς ἐμὲ γὰρ κακῶν ἔμολε τῶνδ' ἄχη.

ΧΟΡΟΣ

δεινὸν γυναιξὶν αἱ δι' ὠδίνων γοναί,
καὶ φιλότεκνόν πως πᾶν γυναικεῖον γένος.

By his own hand, with sword, with noose down-trailing
From rafters dim,—now groaning o'er the doom
His malison brought on you, and ever wailing
With anguish, hides in gloom.

But thou, my son, men say, hast made affiance
With strangers: children gotten in thine halls
Gladden thee, yea, thou soughtest strange alliance! 340
Son, on thy mother falls

Thine alien bridal curse to haunt her ever.
Thee shall a voice from Laïus' grave accuse.
The spousal torch for thee I kindled never,
As happy mothers use;

Nor for thy bridal did Ismenus bring thee
Joy of the bath; nor at the entering-in
Of this thy bride did Theban maidens sing thee.
A curse be on that sin,

Whether from spell of steel born,[1] from thy father, 350
Or lust of strife, or whether revel rose
Of demons in yon halls!—on mine head gather
All tortures of these woes.

CHORUS

Mighty with women is their travail's fruit;
Yea, dear the child is to all womankind.

[1] "The spell of the steel itself draws men on to fight."—*Od.* xix. 13.

ΠΟΛΥΝΕΙΚΗΣ

μῆτερ, φρονῶν εὖ κοὐ φρονῶν ἀφικόμην
ἐχθροὺς ἐς ἄνδρας· ἀλλ' ἀναγκαίως ἔχει
πατρίδος ἐρᾶν ἅπαντας· ὃς δ' ἄλλως λέγει,
360 λόγοισι χαίρει, τὸν δὲ νοῦν ἐκεῖσ' ἔχει.
οὕτω δὲ τάρβους εἰς φόβον τ' ἀφικόμην,
μή τις δόλος με πρὸς κασιγνήτου κτάνῃ,
ὥστε ξιφήρη χεῖρ' ἔχων δι' ἄστεως
κυκλῶν πρόσωπον ἦλθον. ἓν δέ μ' ὠφελεῖ,
σπονδαί τε καὶ σὴ πίστις, ἥ μ' ἐσήγαγε
τείχη πατρῷα· πολύδακρυς δ' ἀφικόμην,
χρόνιος ἰδὼν μέλαθρα καὶ βωμοὺς θεῶν
γυμνάσιά θ' οἷσιν ἐνετράφην, Δίρκης θ' ὕδωρ
ὧν οὐ δικαίως ἀπελαθεὶς ξένην πόλιν
370 ναίω, δι' ὄσσων ὄμμ' ἔχων δακρυρροοῦν.

ἀλλ' ἐκ γὰρ ἄλγους ἄλγος αὖ σὲ δέρκομαι
[κάρα ξυρῆκες καὶ πέπλους μελαγχίμους]
ἔχουσαν, οἴμοι τῶν ἐμῶν ἐγὼ κακῶν.
ὡς δεινὸν ἔχθρα, μῆτερ, οἰκείων φίλων
καὶ δυσλύτους ἔχουσα τὰς διαλλαγάς.
τί γὰρ πατήρ μοι πρέσβυς ἐν δόμοισι δρᾷ,
σκότον δεδορκώς; τί δὲ κασίγνηται δύο;
ἦ που στένουσι τλήμονας φυγὰς ἐμάς;

ΙΟΚΑΣΤΗ

κακῶς θεῶν τις Οἰδίπου φθείρει γένος·
380 οὕτω γὰρ ἤρξατ', ἄνομα μὲν τεκεῖν ἐμέ,
κακῶς δὲ γῆμαι πατέρα σὸν φῦναί τε σέ.
ἀτὰρ τί ταῦτα; δεῖ φέρειν τὰ τῶν θεῶν.
ὅπως δ' ἔρωμαι, μή τι σὴν δάκω φρένα,
δέδοιχ', ἃ χρῄζω· διὰ πόθου δ' ἐλήλυθα.

POLYNEICES

Wisely, and yet not wisely, have I come,
Mother, mid foes: yet all men are constrained
To love their fatherland; who saith not so,
Sporteth with words, his heart is otherwhere. 360
In such misgiving came I, in such dread
Lest treachery slay me, of my brother framed,
That through the city sword in hand I passed,
Aye keenly glancing round. One stay I had:—
The truce and thy fair faith drew me within
These walls ancestral. Full of tears I came,
So late to see home, altars of the Gods,
The athlete-stead that trained me, Dirce's spring,
Whence banished wrongfully, in a strange town
I dwell, mine eyes a fountain ever of tears. 370

Thee too, for sorrow's crown of sorrow, I see
With shaven head, and in dark mourning robes
Clad—woe is me for my calamities!
Mother, how dire is strife betwixt near kin,
How hopeless reconciliation is!
What doth mine ancient father in his halls,
Whose light is darkness? And my sisters twain—
Do these bemoan mine exile's misery?

JOCASTA

Foully doth some God ruin Oedipus' line.
Thus it began—I bare forfended issue; 380
Wed under curse thy sire,—and thou wast born!
Yet wherefore this? The Gods' will must we bear.
But how to ask the thing I would I fear,
Lest I should gall thy soul, yet long for this.

ΠΟΛΥΝΕΙΚΗΣ

ἀλλ' ἐξερώτα, μηδὲν ἐνδεὲς λίπῃς·
ἃ γὰρ σὺ βούλει, ταὔτ' ἐμοί, μῆτερ, φίλα.

ΙΟΚΑΣΤΗ

καὶ δή σ' ἐρωτῶ πρῶτον ὧν χρῄζω τυχεῖν,
τί τὸ στέρεσθαι πατρίδος; ἦ κακὸν μέγα;

ΠΟΛΥΝΕΙΚΗΣ

μέγιστον· ἔργῳ δ' ἐστὶ μεῖζον ἢ λόγῳ.

ΙΟΚΑΣΤΗ

390 τίς ὁ τρόπος αὐτοῦ; τί φυγάσιν τὸ δυσχερές;

ΠΟΛΥΝΕΙΚΗΣ

ἓν μὲν μέγιστον, οὐκ ἔχει παρρησίαν.

ΙΟΚΑΣΤΗ

δούλου τόδ' εἶπας, μὴ λέγειν ἅ τις φρονεῖ.

ΠΟΛΥΝΕΙΚΗΣ

τὰς τῶν κρατούντων ἀμαθίας φέρειν χρεών.

ΙΟΚΑΣΤΗ

καὶ τοῦτο λυπρόν, συνασοφεῖν τοῖς μὴ σοφοῖς.

ΠΟΛΥΝΕΙΚΗΣ

ἀλλ' εἰς τὸ κέρδος παρὰ φύσιν δουλευτέον.

ΙΟΚΑΣΤΗ

αἱ δ' ἐλπίδες βόσκουσι φυγάδας, ὡς λόγος.

ΠΟΛΥΝΕΙΚΗΣ

καλοῖς βλέπουσαί γ' ὄμμασιν, μέλλουσι δέ.

ΙΟΚΑΣΤΗ

οὐδ' ὁ χρόνος αὐτὰς διεσάφησ' οὔσας κενάς;

ΠΟΛΥΝΕΙΚΗΣ

ἔχουσιν ἀφροδίτην τιν' ἡδεῖαν κακῶν.

ΙΟΚΑΣΤΗ

400 πόθεν δ' ἐβόσκου πρὶν γάμοις εὑρεῖν βίον;

POLYNEICES

Nay, ask; leave no desire unsatisfied;
For, mother, that thou wouldst is dear to me.

JOCASTA

First, then, I ask thee that I fain would learn.
What meaneth exile? Is it a sore ill?

POLYNEICES

The sorest. In deed sorer than in word.

JOCASTA

In what wise? Where for exiles lies its sting? 390

POLYNEICES

This most of all—a curb is on the tongue.

JOCASTA

That is the slave's lot, not to speak one's thought!

POLYNEICES

The unwisdom of his rulers must one bear

JOCASTA

Hard this, that one partake in folly of fools!

POLYNEICES

Yokes nature loathes must be for profit borne.

JOCASTA

Yet hopes be exiles' meat, so runs the saw.

POLYNEICES

Hopes look with kind eyes, yet they long delay.

JOCASTA

But doth not time lay bare their emptiness?

POLYNEICES

Ah, but sweet witchery mid ills have they!

JOCASTA

Whence wast thou fed, ere marriage brought thee substance? 400

ΠΟΛΥΝΕΙΚΗΣ

ποτὲ μὲν ἐπ' ἦμαρ εἶχον, εἶτ' οὐκ εἶχον ἄν.

ΙΟΚΑΣΤΗ

φίλοι δὲ πατρὸς καὶ ξένοι σ' οὐκ ὠφέλουν;

ΠΟΛΥΝΕΙΚΗΣ

εὖ πρᾶσσε· τὰ φίλων δ' οὐδέν, ἤν τι δυστυχῇς.

ΙΟΚΑΣΤΗ

οὐδ' ηὑγένειά σ' ἦρεν εἰς ὕψος μέγα;

ΠΟΛΥΝΕΙΚΗΣ

κακὸν τὸ μὴ ἔχειν· τὸ γένος οὐκ ἔβοσκέ με.

ΙΟΚΑΣΤΗ

ἡ πατρίς, ὡς ἔοικε, φίλτατον βροτοῖς.

ΠΟΛΥΝΕΙΚΗΣ

οὐδ' ὀνομάσαι δύναι' ἂν ὡς ἐστὶν φίλον.

ΙΟΚΑΣΤΗ

πῶς δ' ἦλθες Ἄργος; τίν' ἐπίνοιαν ἔσχεθες;

ΠΟΛΥΝΕΙΚΗΣ

οὐκ οἶδ'· ὁ δαίμων μ' ἐκάλεσεν πρὸς τὴν τύχην.

ΙΟΚΑΣΤΗ

σοφὸς γὰρ ὁ θεός· τίνι τρόπῳ δ' ἔσχες λέχος;

ΠΟΛΥΝΕΙΚΗΣ

ἔχρησ' Ἀδράστῳ Λοξίας χρησμόν τινα.

ΙΟΚΑΣΤΗ

410 ποῖον; τί τοῦτ' ἔλεξας; οὐκ ἔχω μαθεῖν.

ΠΟΛΥΝΕΙΚΗΣ

κάπρῳ λέοντί θ' ἁρμόσαι παίδων γάμους.

ΙΟΚΑΣΤΗ

καὶ σοὶ τί θηρῶν ὀνόματος μετῆν, τέκνον;

ΠΟΛΥΝΕΙΚΗΣ

νὺξ ἦν, Ἀδράστου δ' ἦλθον εἰς παραστάδας.

POLYNEICES

Whiles had I daily bread, and whiles had not.

JOCASTA

Helped they not thee, thy father's friends and guests?

POLYNEICES

Prosper:—friends vanish if thou prosper not.

JOCASTA

Did high birth bring thee not to high estate?

POLYNEICES

A curse is penury. Birth fed me not.

JOCASTA

Most dear, meseems, to men is fatherland.

POLYNEICES

How dear, thou couldst not even utter it.

JOCASTA

To Argos how cam'st thou? With what intent?

POLYNEICES

I know not. Heaven to my fate summoned me.

JOCASTA

Wise is the God. How didst thou win thy bride?

POLYNEICES

To Adrastus Loxias spake an oracle.

JOCASTA

What was it? How mean'st thou? I cannot guess. 410

POLYNEICES

"Thy daughters wed to a lion and a boar."

JOCASTA

Son, with a brute's name what hadst thou to do?

POLYNEICES

'Twas night: to Adrastus' palace-porch I came.

ΙΟΚΑΣΤΗ

κοίτας ματεύων ἢ φυγὰς πλανώμενος;

ΠΟΛΥΝΕΙΚΗΣ

ἦν ταῦτα· κᾆτά γ' ἦλθεν ἄλλος αὖ φυγάς.

ΙΟΚΑΣΤΗ

τίς οὗτος; ὡς ἄρ' ἄθλιος κἀκεῖνος ἦν.

ΠΟΛΥΝΕΙΚΗΣ

Τυδεύς, ὃν Οἰνέως φασὶν ἐκφῦναι πατρός.

ΙΟΚΑΣΤΗ

420 τί θηρσὶν ὑμᾶς δῆτ' Ἄδραστος ᾔκασεν;

ΠΟΛΥΝΕΙΚΗΣ

στρωμνῆς ἐς ἀλκὴν οὕνεκ' ἤλθομεν πέρι.

ΙΟΚΑΣΤΗ

ἐνταῦθα Ταλαοῦ παῖς συνῆκε θέσφατα;

ΠΟΛΥΝΕΙΚΗΣ

κἄδωκεν ἡμῖν δύο δυοῖν νεάνιδας.

ΙΟΚΑΣΤΗ

ἆρ' εὐτυχεῖς οὖν τοῖς γάμοις ἢ δυστυχεῖς;

ΠΟΛΥΝΕΙΚΗΣ

οὐ μεμπτὸς ἡμῖν ὁ γάμος εἰς τόδ' ἡμέρας.

ΙΟΚΑΣΤΗ

πῶς δ' ἐξέπεισας δεῦρό σοι σπέσθαι στρατόν;

ΠΟΛΥΝΕΙΚΗΣ

δισσοῖς Ἄδραστος ὤμοσεν γαμβροῖς τόδε,
[Τυδεῖ τε κἀμοί· σύγγαμος γάρ ἐστ' ἐμός,]
ἄμφω κατάξειν εἰς πάτραν, πρόσθεν δ' ἐμέ.
430 πολλοὶ δὲ Δαναῶν καὶ Μυκηναίων ἄκροι
πάρεισι, λυπρὰν χάριν, ἀναγκαίαν δ' ἐμοὶ
διδόντες· ἐπὶ γὰρ τὴν ἐμὴν στρατεύομαι
πόλιν. θεοὺς δ' ἐπώμοσ' ὡς ἀκουσίως
τοῖς φιλτάτοις τοκεῦσιν ἠράμην δόρυ.
ἀλλ' εἰς σὲ τείνει τῶνδε διάλυσις κακῶν,

JOCASTA

Seeking a couch, as homeless exiles roam?

POLYNEICES

Even that. Another exile thither came.

JOCASTA

Who? In what hapless plight was he withal!

POLYNEICES

Tydeus, who sprang, men say, of Oeneus' loins.

JOCASTA

Why to Adrastus seemed ye as wild beasts? 420

POLYNEICES

For that we fell to fighting for our couch.

JOCASTA

Then Talaus' son read right the oracle?

POLYNEICES

Yea—to us twain gave his young daughters twain.

JOCASTA

Blest or unblest, then, art thou in thy bride?

POLYNEICES

Unto this day I find no fault in her.

JOCASTA

How didst thou win yon host to follow thee?

POLYNEICES

To his two daughters' husbands swore Adrastus,
Tydeus and me,—my marriage-kinsman he,—
To bring both home from exile, me the first.
Danaan and Mycenean chiefs be here 430
Many—a needful, yet a mournful grace
To me, for I against my country march.
And, by the Gods I swear, unwillingly
I lift the spear against my father's house.
But with thee rests the assuaging of these ills,

μῆτερ, διαλλάξασαν ὁμογενεῖς φίλους
παῦσαι πόνων με καὶ σὲ καὶ πᾶσαν πόλιν.
πάλαι μὲν οὖν ὑμνηθέν, ἀλλ' ὅμως ἐρῶ·
τὰ χρήματ' ἀνθρώποισι τιμιώτατα
440 δύναμίν τε πλείστην τῶν ἐν ἀνθρώποις ἔχει.
ἁγὼ μεθήκω δεῦρο μυρίαν ἄγων
λόγχην· πένης γὰρ οὐδὲν εὐγενὴς ἀνήρ.

ΧΟΡΟΣ

καὶ μὴν Ἐτεοκλῆς εἰς διαλλαγὰς ὅδε
χωρεῖ· σὸν ἔργον, μῆτερ Ἰοκάστη, λέγειν
τοιούσδε μύθους οἷς διαλλάξεις τέκνα.

ΕΤΕΟΚΛΗΣ

μῆτερ, πάρειμι· τήνδε σοὶ χάριν διδοὺς
ἦλθον. τί χρὴ δρᾶν; ἀρχέτω δέ τις λόγου.
ὡς ἀμφὶ τείχη καὶ ξυνωρίδας λόχων
τάσσων ἐπέσχον πόλιν, ὅπως κλύοιμί σου
450 κοινὰς βραβείας, αἷς ὑπόσπονδον μολεῖν
τόνδ' εἰσεδέξω τειχέων πείσασά με.

ΙΟΚΑΣΤΗ

ἐπίσχες· οὔτοι τὸ ταχὺ τὴν δίκην ἔχει·
βραδεῖς δὲ μῦθοι πλεῖστον ἀνύουσιν σοφόν.
σχάσον δὲ δεινὸν ὄμμα καὶ θυμοῦ πνοάς·
οὐ γὰρ τὸ λαιμότμητον εἰσορᾷς κάρα
Γοργόνος, ἀδελφὸν δ' εἰσορᾷς ἥκοντα σόν.
σύ τ' αὖ πρόσωπον πρὸς κασίγνητον στρέφε,
Πολύνεικες· εἰς γὰρ ταὐτὸν ὄμμασι βλέπων
λέξεις τ' ἄμεινον τοῦδέ τ' ἐνδέξει λόγους.
460 παραινέσαι δὲ σφῷν τι βούλομαι σοφόν·
ὅταν φίλος τις ἀνδρὶ θυμωθεὶς φίλῳ
εἰς ἓν συνελθὼν ὄμματ' ὄμμασιν διδῷ,
ἐφ' οἷσιν ἥκει, ταῦτα χρὴ μόνον σκοπεῖν,
κακῶν δὲ τῶν πρὶν μηδενὸς μνείαν ἔχειν.

Mother, to set at one those one in blood,
And end mine, thine, and all the city's toils.
Old is the saw,—yet will I utter it:—
Wealth in men's eyes is honoured most of all,
And of all things on earth hath chiefest power. 440
Captaining countless spears for this I come;
For the high-born in poverty is naught.

CHORUS

Lo, unto parley Eteocles comes.
Mother Jocasta, thine the task to speak
Words whereby thou shalt set thy sons at one.

Enter ETEOCLES.

ETEOCLES

Here am I, mother—all for grace to thee
I come. What needs to do? Be speech begun.
For I have stayed from marshalling round the walls
The close-linked cordon of defence, to hear
Thy mediation for the which thou hast wrought 450
On me to admit this man within our walls.

JOCASTA

Forbear: haste brings not justice in its train:
But slow speech winneth oftenest wisdom's end.
Refrain fierce look and passion's stormy breath:
The Gorgon's severed head thou seëst not;
Thou seëst thine own brother hither come.
And thou, unto thy brother turn thy face,
Polyneices; for, if thou but meet his eye,
Thou shalt the better speak, and hear his words.
Fain would I wisely counsel thee, and thee. 460
When he whose wrath is hot against his friend
Cometh to meet him, standeth eye to eye,
Let him look only at that for which he came,
And cherish no remembrance of old wrongs.

λόγος μὲν οὖν σὸς πρόσθε, Πολύνεικες τέκνον·
σὺ γὰρ στράτευμα Δαναϊδῶν ἥκεις ἄγων,
ἄδικα πεπονθώς, ὡς σὺ φής· κριτὴς δέ τις
θεῶν γένοιτο καὶ διαλλακτὴς κακῶν.

ΠΟΛΥΝΕΙΚΗΣ

ἁπλοῦς ὁ μῦθος τῆς ἀληθείας ἔφυ,
470 κοὐ ποικίλων δεῖ τἄνδιχ' ἑρμηνευμάτων.
ἔχει γὰρ αὐτὰ καιρόν· ὁ δ' ἄδικος λόγος
νοσῶν ἐν αὑτῷ φαρμάκων δεῖται σοφῶν.
ἐγὼ δὲ πατρὸς δωμάτων προὐσκεψάμην
τοὐμόν τε καὶ τοῦδ', ἐκφυγεῖν χρῄζων ἀρὰς
ἃς Οἰδίπους ἐφθέγξατ' εἰς ἡμᾶς ποτε,
ἐξῆλθον ἔξω τῆσδ' ἑκὼν αὐτὸς χθονός,
δοὺς τῷδ' ἀνάσσειν πατρίδος ἐνιαυτοῦ κύκλον,
ὥστ' αὐτὸς ἄρχειν αὖθις ἀνὰ μέρος λαβὼν
καὶ μὴ δι' ἔχθρας τῷδε καὶ φόνου μολὼν
480 κακόν τι δρᾶσαι καὶ παθεῖν, ἃ γίγνεται.
ὁ δ' αἰνέσας ταῦθ' ὁρκίους τε δοὺς θεούς,
ἔδρασεν οὐδὲν ὧν ὑπέσχετ', ἀλλ' ἔχει
τυραννίδ' αὐτὸς καὶ δόμων ἐμὸν μέρος.
καὶ νῦν ἕτοιμός εἰμι τἀμαυτοῦ λαβὼν
στρατὸν μὲν ἔξω τῆσδ' ἀποστεῖλαι χθονός,
οἰκεῖν δὲ τὸν ἐμὸν οἶκον ἀνὰ μέρος λαβὼν
καὶ τῷδ' ἀφεῖναι τὸν ἴσον αὖθις αὖ χρόνον,
καὶ μήτε πορθεῖν πατρίδα μήτε προσφέρειν
πύργοισι πηκτῶν κλιμάκων προσαμβάσεις,
490 ἃ μὴ κυρήσας τῆς δίκης πειράσομαι
δρᾶν. μάρτυρας δὲ τῶνδε δαίμονας καλῶ,
ὡς πάντα πράσσων σὺν δίκῃ, δίκης ἄτερ
ἀποστεροῦμαι πατρίδος ἀνοσιώτατα.
ταῦτ' αὔθ' ἕκαστα, μῆτερ, οὐχὶ περιπλοκὰς

Son Polyneices, be the first word thine,
For thou hast brought yon host of Danaus' sons,
Wronged, as thou pleadest. Now be some God judge
Hereof, and reconciler of these ills.

POLYNEICES

Plain and unvarnished is the tale of truth,
And justice needs no subtle sophistries: 470
Itself hath fitness; but the unrighteous plea,
Having no soundness, needeth cunning salves.

I had regard unto my father's house,
My weal, and this man's: fain to 'scape the curse
Uttered of Oedipus against us once,
Of mine own will I went from this realm forth,
Left him for one year's round to rule our land,
Myself in turn to take the sovereignty,
And not in hate and bloodshed clash with him,
And do and suffer ill—as now befalls. 480
And he consented, in the Gods' sight swore,
Yet no whit keepeth troth, but holdeth still
The kingship and mine half the heritage.

Now ready am I, so I receive mine own,
Forth from this land to send my war-array,
To take mine house, in turn therein to dwell,
And for like space to yield it him again,
And not to waste my fatherland, nor bring
Assault of scaling-ladders to her towers,
Which, save I win my right, will I essay 490
To do. I call the Gods to witness this—
That, wholly dealing justly, robbed am I
Of fatherland, unjustly, impiously.
These things have I said, mother, point by point,

λόγων ἀθροίσας εἶπον, ἀλλὰ καὶ σοφοῖς
καὶ τοῖσι φαύλοις ἔνδιχ', ὡς ἐμοὶ δοκεῖ.

ΧΟΡΟΣ

ἐμοὶ μέν, εἰ καὶ μὴ καθ' Ἑλλήνων χθόνα
τεθράμμεθ', ἀλλ' οὖν ξυνετά μοι δοκεῖς λέγειν.

ΕΤΕΟΚΛΗΣ

εἰ πᾶσι ταὐτὸ καλὸν ἔφυ σοφόν θ' ἅμα,
500 οὐκ ἦν ἂν ἀμφίλεκτος ἀνθρώποις ἔρις·
νῦν δ' οὔθ' ὅμοιον οὐδὲν οὔτ' ἴσον βροτοῖς,
πλὴν ὀνόμασιν, τὸ δ' ἔργον οὐκ ἔστιν τόδε.
ἐγὼ γὰρ οὐδέν, μῆτερ, ἀποκρύψας ἐρῶ·
ἄστρων ἂν ἔλθοιμ' ἡλίου πρὸς ἀντολὰς
καὶ γῆς ἔνερθε δυνατὸς ὢν δρᾶσαι τάδε,
τὴν θεῶν μεγίστην ὥστ' ἔχειν Τυραννίδα.
τοῦτ' οὖν τὸ χρηστόν, μῆτερ, οὐχὶ βούλομαι
ἄλλῳ παρεῖναι μᾶλλον ἢ σῴζειν ἐμοί·
ἀνανδρία γάρ, τὸ πλέον ὅστις ἀπολέσας
510 τοὔλασσον ἔλαβε. πρὸς δὲ τοῖσδ' αἰσχύνομαι,
ἐλθόντα σὺν ὅπλοις τόνδε καὶ πορθοῦντα γῆν
τυχεῖν ἃ χρῄζει· καὶ γὰρ ἂν Θήβαις τόδε
γένοιτ' ὄνειδος, εἰ Μυκηναίου δορὸς
φόβῳ παρείην σκῆπτρα τἀμὰ τῷδ' ἔχειν.
χρὴν δ' αὐτὸν οὐχ ὅπλοισι τὰς διαλλαγάς,
μῆτερ, ποιεῖσθαι· πᾶν γὰρ ἐξαιρεῖ λόγος
ὃ καὶ σίδηρος πολεμίων δράσειεν ἄν.
ἀλλ' εἰ μὲν ἄλλως τήνδε γῆν οἰκεῖν θέλει,
ἔξεστ'· ἐκεῖνο δ' οὐχ ἑκὼν μεθήσομαι,
520 ἄρχειν παρόν μοι, τῷδε δουλεῦσαί ποτε.
πρὸς ταῦτ' ἴτω μὲν πῦρ, ἴτω δὲ φάσγανα,
ζεύγνυσθε δ' ἵππους, πεδία πίμπλαθ' ἁρμάτων,
ὡς οὐ παρήσω τῷδ' ἐμὴν τυραννίδα.

Not wrapped in webs of words, but, in the eyes
Of wise or simple, naked right, meseems.

CHORUS

To me—albeit Hellas nursed me not,
Yet to me soundly seemest thou to plead.

ETEOCLES

Were wisdom gauged alike of all, and honour,
No strife of warring words were known to men. 500
But "fairness," "equal rights"—men know them not.
They name their names : no being they have as things.

Now, mother, nothing feigning will I speak :—
I would mount to the risings of the stars
Or sun, would plunge 'neath earth, if this I could,
So to win Power, diviner than all gods.
This precious thing, my mother, will I not
Yield to another, when myself might keep.
No man's part this, to let the better slip
And grasp the worse! Nay more—I think foul shame 510
That *he* should come with arms, lay waste the land,
And win his heart's desire. This were reproach
To Thebes, if I, by spears of Argos cowed,
Should yield my sceptre up for him to hold.
With arms should he not come in quest of peace,
Mother; for parley can accomplish all
That even steel of foes can bring to pass.
If he on other terms will dwell in Thebes,
That may he. *This* consent I not to yield.
I, who may rule, shall I be thrall to him? 520

Wherefore let fire and sword have free course now!
Yoke ye the steeds, with chariots fill the plains :—
I will not render him my sovereignty.

εἴπερ γὰρ ἀδικεῖν χρή, τυραννίδος πέρι
κάλλιστον ἀδικεῖν, τἄλλα δ' εὐσεβεῖν χρεών.

ΧΟΡΟΣ

οὐκ εὖ λέγειν χρὴ μὴ 'πὶ τοῖς ἔργοις καλοῖς,
οὐ γὰρ καλὸν τοῦτ', ἀλλὰ τῇ δίκῃ πικρόν.

ΙΟΚΑΣΤΗ

ὦ τέκνον, οὐχ ἅπαντα τῷ γήρᾳ κακά,
Ἐτεόκλεες, πρόσεστιν· ἀλλ' ἡμπειρία
530 ἔχει τι λέξαι τῶν νέων σοφώτερον.
τί τῆς κακίστης δαιμόνων ἐφίεσαι
Φιλοτιμίας, παῖ; μὴ σύ γ'· ἄδικος ἡ θεός·
πολλοὺς δ' ἐς οἴκους καὶ πόλεις εὐδαίμονας
εἰσῆλθε κἀξῆλθ' ἐπ' ὀλέθρῳ τῶν χρωμένων·
ἐφ' ᾗ σὺ μαίνει. κεῖνο κάλλιον, τέκνον,
Ἰσότητα τιμᾶν, ἣ φίλους ἀεὶ φίλοις
πόλεις τε πόλεσι συμμάχους τε συμμάχοις
συνδεῖ· τὸ γὰρ ἴσον νόμιμον ἀνθρώποις ἔφυ,
τῷ πλέονι δ' ἀεὶ πολέμιον καθίσταται
540 τοὔλασσον ἐχθρᾶς θ' ἡμέρας κατάρχεται.
καὶ γὰρ μέτρ' ἀνθρώποισι καὶ μέρη σταθμῶν
Ἰσότης ἔταξε κἀριθμὸν διώρισε,
νυκτός τ' ἀφεγγὲς βλέφαρον ἡλίου τε φῶς
ἴσον βαδίζει τὸν ἐνιαύσιον κύκλον,
κοὐδέτερον αὐτῶν φθόνον ἔχει νικώμενον.
εἶθ' ἥλιος μὲν νύξ τε δουλεύει βροτοῖς,
σὺ δ' οὐκ ἀνέξει δωμάτων ἔχων ἴσον
καὶ τῷδ' ἀπονέμειν; κᾆτα ποῦ 'στιν ἡ δίκη;
τί τὴν τυραννίδ', ἀδικίαν εὐδαίμονα,
550 τιμᾷς ὑπέρφευ, καὶ μέγ' ἥγησαι τόδε;
περιβλέπεσθαι τίμιον; κενὸν μὲν οὖν.
ἢ πολλὰ μοχθεῖν πόλλ' ἔχων εὐδαίμονα
βούλει; τί δ' ἔστι τὸ πλέον; ὄνομ' ἔχει μόνον·

If wrong may e'er be right, for a throne's sake
Were wrong most right:—be God in all else feared!

CHORUS

Befits not fair speech glozing deeds unfair:
Not fair it is, but an offence to justice.

JOCASTA

My son Eteocles, evil unalloyed
Cleaves not to old age: nay, experience
Can plead more wisely than the lips of youth. 530
Why at Ambition, worst of deities,
Son, graspest thou? Do not: she is Queen of Wrong.
Homes many and happy cities enters she,
Nor leaves till ruined are her votaries.
Thou art mad for her!—better to honour, son,
Equality, which knitteth friends to friends,
Cities to cities, allies unto allies.
Nature gave men the law of equal rights,
And the less, ever marshalled foe against
The greater, ushers in the dawn of hate. 540
Measures for men Equality ordained,
Meting of weights and number she assigned.
The sightless face of night, and the sun's beam
Equally pace along their yearly round,
Nor either envieth that it must give place.
Sun, then, and night are servants unto men:
Shalt thou not brook to halve your heritage
And share with him? . . . Ah, where is justice then?
Why overmuch dost thou prize Sovranty—
Injustice throned!—and count it some great thing? 550
Is worship precious? Nay, 'tis vanity.
Wouldst have, with great wealth in thine halls, great travail?
What is thy profit?—profit but in name;

ἐπεὶ τά γ' ἀρκοῦνθ' ἱκανὰ τοῖς γε σώφροσιν.
οὔτοι τὰ χρήματ' ἴδια κέκτηνται βροτοί,
τὰ τῶν θεῶν δ' ἔχοντες ἐπιμελούμεθα·
ὅταν δὲ χρῄζωσ', αὔτ' ἀφαιροῦνται πάλιν.
[ὁ δ' ὄλβος οὐ βέβαιος, ἀλλ' ἐφήμερος.]
ἄγ', ἤν σ' ἔρωμαι δύο λόγω προθεῖσ' ἅμα,
560 πότερα τυραννεῖν ἢ πόλιν σῶσαι θέλεις,
ἐρεῖς τυραννεῖν; ἢν δὲ νικήσῃ σ' ὅδε
Ἀργεῖά τ' ἔγχη δόρυ τὸ Καδμείων ἕλῃ,
ὄψει δαμασθὲν ἄστυ Θηβαῖον τόδε,
ὄψει δὲ πολλὰς αἰχμαλωτίδας κόρας
βίᾳ πρὸς ἀνδρῶν πολεμίων πορθουμένας.
ὀδυνηρὸς ἆρ' ὁ πλοῦτος, ὃν ζητεῖς ἔχειν,
γενήσεται Θήβαισι, φιλότιμος δὲ σύ.
σοὶ μὲν τάδ' αὐδῶ. σοὶ δὲ Πολύνεικες λέγω·
ἀμαθεῖς Ἄδραστος χάριτας εἴς σ' ἀνήψατο,
570 ἀσύνετα δ' ἦλθες καὶ σὺ πορθήσων πόλιν.
φέρ', ἢν ἕλῃς γῆν τήνδ', ὃ μὴ τύχοι ποτέ,
πρὸς θεῶν, τρόπαια πῶς ἀναστήσεις Διί;
πῶς δ' αὖ κατάρξει θυμάτων, ἑλὼν πάτραν,
καὶ σκῦλα γράψεις πῶς ἐπ' Ἰνάχου ῥοαῖς;
Θήβας πυρώσας τάσδε Πολυνείκης θεοῖς
ἀσπίδας ἔθηκε; μήποτ', ὦ τέκνον, κλέος
τοιόνδε σοι γένοιθ' ὑφ' Ἑλλήνων λαβεῖν.
ἢν δ' αὖ κρατηθῇς καὶ τὰ τοῦδ' ὑπερδράμῃ,
πῶς Ἄργος ἥξεις μυρίους λιπὼν νεκρούς;
580 ἐρεῖ δὲ δή τις· ὦ κακὰ μνηστεύματα
Ἄδραστε προσθείς, διὰ μιᾶς νύμφης γάμον
ἀπωλόμεσθα. δύο κακὼ σπεύδεις, τέκνον,
κείνων στέρεσθαι, τῶνδέ τ' ἐν μέσῳ πεσεῖν.
μέθετον τὸ λίαν, μέθετον· ἀμαθίαι δυοῖν,
εἰς ταὔθ' ὅταν μόλητον, ἔχθιστον κακόν.

Seeing enough sufficeth for the wise.
Mortals hold their possessions not in fee:
We are but stewards of the gifts of God:
Whene'er he will, he claims his own again.
And wealth abides not, 'tis but for a day.

Come, if I set two things before thee, and ask,
"Wouldst thou be lord or saviour of thy Thebes?" 560
Wilt thou say, "Lord?" But if this man prevail,
And Argos' spears bear down Cadmean might,
Then conquered shalt thou see this city of Thebes,
And many captive maidens shalt thou see
Dishonoured with foul outrage by the foe.
Yea, all this wealth thou covetest shall become
Thebes' curse, and thou shalt be ambition's fool.

This to thee; and to thee, Polyneices, this:—
A foolish grace Adrastus did to thee;
Madly thou too hast marched to ravage Thebes. 570
Come, if thou smite this land,—which God forbid,—
'Fore heaven, how wilt thou set Zeus' trophies up?
How sacrifice for fatherland o'ercome?
And how at Inachus' streams inscribe the spoils?—
"*Polyneices hath burnt Thebes, and to the Gods*
Offers these shields"—thus? Never, son, be it thine
To win from lips of Hellenes such renown!
But, he triumphant, vanquished thou, to Argos
How canst thou come, here leaving myriads dead?
And one shall say, "O cursed betrothal made 580
By thee, Adrastus! For one bridal's sake
We are ruined!" Evils twain thou draw'st on thee,—
There, to lose all, here, fail mid thine emprise.
Forbear, forbear your vehemence! When meet
Two headstrong fools, the issue is foulest ill.

ΧΟΡΟΣ

ὦ θεοί, γένοισθε τῶνδ' ἀπότροποι κακῶν
καὶ ξύμβασίν τιν' Οἰδίπου τέκνοις δότε.

ΕΤΕΟΚΛΗΣ

μῆτερ, οὐ λόγων ἔθ' ἀγών, ἀλλ' ἀνήλωται χρόνος
οὑν μέσῳ μάτην, περαίνει δ' οὐδὲν ἡ προθυμία·
590 οὐ γὰρ ἂν ξυμβαῖμεν ἄλλως ἢ 'πὶ τοῖς εἰρημένοις,
ὥστ' ἐμὲ σκήπτρων κρατοῦντα τῆσδ' ἄνακτ' εἶναι χθονός.
τῶν μακρῶν δ' ἀπαλλαγεῖσα νουθετημάτων μ' ἔα.
καὶ σὺ τῶνδ' ἔξω κομίζου τειχέων, ἢ κατθανεῖ.

ΠΟΛΥΝΕΙΚΗΣ

πρὸς τίνος; τίς ὧδ' ἄτρωτος, ὅστις εἰς ἡμᾶς ξίφος
φόνιον ἐμβαλὼν τὸν αὐτὸν οὐκ ἀποίσεται μόρον;

ΕΤΕΟΚΛΗΣ

ἐγγύς, οὐ πρόσω βέβηκεν· εἰς χέρας λεύσσεις ἐμάς;

ΠΟΛΥΝΕΙΚΗΣ

εἰσορῶ· δειλὸν δ' ὁ πλοῦτος καὶ φιλόψυχοι κακόν.

ΕΤΕΟΚΛΗΣ

κᾆτα σὺν πολλοῖσιν ἦλθες πρὸς τὸν οὐδὲν ἐς μάχην;

ΠΟΛΥΝΕΙΚΗΣ

ἀσφαλὴς γάρ ἐστ' ἀμείνων ἢ θρασὺς στρατηλάτης.

ΕΤΕΟΚΛΗΣ

600 κομπὸς εἶ σπονδαῖς πεποιθώς, αἵ σε σῴζουσιν θανεῖν.

CHORUS

Ah Gods, be ye averters of these ills,
And set at one the sons of Oedipus!

ETEOCLES

Mother, 'tis too late for parley; nay, the time in dallying spent [good intent.
Doth but run to waste, nor aught availeth this thy
Never shall we be at one, except as I have laid it down, [wear the crown. 590
That in lordship over Thebes I sway the sceptre,
Have thou done with tedious admonitions then, and let me be; [death shall light on thee.
And, for thee, thou get thee forth these walls, ere

POLYNEICES

Death?—of whom?—what man so woundless, as to plunge his murderous sword [reward?
Into this my body, and not win himself the like

ETEOCLES

Nigh he is: not far he standeth: lo, these hands—hast eyes to see?

POLYNEICES

Yea—and know how shrinks from death that craven curse, prosperity!

ETEOCLES

Yet against a battle-blencher thou must lead yon huge array!

POLYNEICES

Yea, for better than the reckless is the prudent captain aye.

ETEOCLES

Safe behind the truce, from death that screens thee, vaunting dost thou stand! 600

ΠΟΛΥΝΕΙΚΗΣ

καὶ σέ· δεύτερον δ' ἀπαιτῶ σκῆπτρα καὶ μέρη χθονός.

ΕΤΕΟΚΛΗΣ

οὐκ ἀπαιτούμεσθ'· ἐγὼ γὰρ τὸν ἐμὸν οἰκήσω δόμον.

ΠΟΛΥΝΕΙΚΗΣ

τοῦ μέρους ἔχων τὸ πλεῖον;

ΕΤΕΟΚΛΗΣ

φήμ'· ἀπαλλάσσου δὲ γῆς.

ΠΟΛΥΝΕΙΚΗΣ

ὦ θεῶν βωμοὶ πατρῴων—

ΕΤΕΟΚΛΗΣ

οὓς σὺ πορθήσων πάρει.

ΠΟΛΥΝΕΙΚΗΣ

κλύετέ μου—

ΕΤΕΟΚΛΗΣ

τίς δ' ἂν κλύοι σου πατρίδ' ἐπεστρατευμένου;

ΠΟΛΥΝΕΙΚΗΣ

καὶ θεῶν τῶν λευκοπώλων δώμαθ',

ΕΤΕΟΚΛΗΣ

οἳ στυγοῦσί σε.

ΠΟΛΥΝΕΙΚΗΣ

ἐξελαυνόμεσθα πατρίδος,

ΕΤΕΟΚΛΗΣ

καὶ γὰρ ἦλθες ἐξελῶν.

ΠΟΛΥΝΕΙΚΗΣ

ἀδικίᾳ γ', ὦ θεοί.

ΕΤΕΟΚΛΗΣ

Μυκήναις, μὴ 'νθάδ' ἀνακάλει θεούς

POLYNEICES

Ay, and screens thee!—once again my crown, mine heritage I claim.

ETEOCLES

Naught to me are claims; for I will dwell in this mine house—mine own.

POLYNEICES

Grasping more than thine is?

ETEOCLES

Ay!—now get thee forth the land—begone!

POLYNEICES

Altars of our Gods ancestral,—

ETEOCLES

Whom to ravage thou art come!

POLYNEICES

Hear ye me!—

ETEOCLES

And who shall hear thee, bringer of war against thine home?

POLYNEICES

And ye temples of the Gods of Stainless Steeds!—

ETEOCLES

Who loathe thy name!

POLYNEICES

I am banished from my country!—

ETEOCLES

He that to destroy it came.

POLYNEICES

Wrongfully, ye Gods!

ETEOCLES

To Gods not here, but at Mycenae, cry.

ΠΟΛΥΝΕΙΚΗΣ

ἀνόσιος πέφυκας,

ΕΤΕΟΚΛΗΣ

ἀλλ' οὐ πατρίδος, ὡς σύ, πολέμιος·

ΠΟΛΥΝΕΙΚΗΣ

ὅς μ' ἄμοιρον ἐξελαύνεις.

ΕΤΕΟΚΛΗΣ

610 καὶ κατακτενῶ γε πρός.

ΠΟΛΥΝΕΙΚΗΣ

ὦ πάτερ, κλύεις ἃ πάσχω;

ΕΤΕΟΚΛΗΣ

καὶ γὰρ οἷα δρᾷς κλύει.

ΠΟΛΥΝΕΙΚΗΣ

καὶ σύ, μῆτερ;

ΕΤΕΟΚΛΗΣ

ἀθέμιτόν σοι μητρὸς ὀνομάζειν κάρα.

ΠΟΛΥΝΕΙΚΗΣ

ὦ πόλις.

ΕΤΕΟΚΛΗΣ

μολὼν ἐς Ἄργος ἀνακάλει Λέρνης ὕδωρ.

ΠΟΛΥΝΕΙΚΗΣ

εἶμι, μὴ πόνει· σὲ δ' αἰνῶ, μῆτερ.

ΕΤΕΟΚΛΗΣ

ἔξιθι χθονός.

ΠΟΛΥΝΕΙΚΗΣ

ἔξιμεν· πατέρα δέ μοι δὸς εἰσιδεῖν.

ΕΤΕΟΚΛΗΣ

οὐκ ἂν τύχοις.

ΠΟΛΥΝΕΙΚΗΣ

ἀλλὰ παρθένους ἀδελφάς.

ΕΤΕΟΚΛΗΣ

οὐδὲ τάσδ' ὄψει ποτέ.

POLYNEICES

Impious art thou—

ETEOCLES

Yea?—but not my country's foe, as thou, am I.

POLYNEICES

Who dost drive me forth defrauded!

ETEOCLES

Death withal I'll deal to thee. 610

POLYNEICES

Father, hear'st thou what I suffer?

ETEOCLES

Nay, thy *doings* heareth he.

POLYNEICES

And thou, mother?

ETEOCLES

That thou name our mother, sacrilege it were.

POLYNEICES

O my city!

ETEOCLES

Hence to Argos: call on Lerna's water there.

POLYNEICES

Fret thee not—I go. I thank thee, mother.

ETEOCLES

Forth the city! Go!

POLYNEICES

Forth I go: yet on my father let me look!

ETEOCLES

Thou see him! No!

POLYNEICES

Nay then, but my maiden sisters.

ETEOCLES

These thou never more shalt see.

ΠΟΛΥΝΕΙΚΗΣ

ὦ κασιγνηται.

ΕΤΕΟΚΛΗΣ

τί ταύτας ἀνακαλεῖς ἔχθιστος ὤν;

ΠΟΛΥΝΕΙΚΗΣ

μῆτερ, ἀλλά μοι σὺ χαῖρε.

ΙΟΚΑΣΤΗ

χαρτὰ γοῦν πάσχω, τέκνον.

ΠΟΛΥΝΕΙΚΗΣ

οὐκέτ' εἰμὶ παῖς σός.

ΙΟΚΑΣΤΗ

εἰς πόλλ' ἀθλία πέφυκ' ἐγώ.

ΠΟΛΥΝΕΙΚΗΣ

ὅδε γὰρ εἰς ἡμᾶς ὑβρίζει.

ΕΤΕΟΚΛΗΣ

620 καὶ γὰρ ἀνθυβρίζομαι.

ΠΟΛΥΝΕΙΚΗΣ

ποῦ ποτε στήσει πρὸ πύργων;

ΕΤΕΟΚΛΗΣ

ὡς τί μ' ἱστορεῖς τόδε;

ΠΟΛΥΝΕΙΚΗΣ

ἀντιτάξομαι κτενῶν σε.

ΕΤΕΟΚΛΗΣ

κἀμὲ τοῦδ' ἔρως ἔχει.

ΙΟΚΑΣΤΗ

ὦ τάλαιν' ἐγώ. τί δράσετ', ὦ τέκν';

ΠΟΛΥΝΕΙΚΗΣ

αὐτὸ σημανεῖ.

ΙΟΚΑΣΤΗ

πατρὸς οὐ φεύξεσθ' Ἐρινῦς;

ΕΤΕΟΚΛΗΣ

ἐρρέτω πρόπας δόμος.

POLYNEICES

O my sisters!

ETEOCLES

Why dost call on these, their bitterest enemy?

POLYNEICES

Farewell, O my mother?

JOCASTA

Sooth, my son, I *fare well,* thus forlorn!

POLYNEICES

Son of thine no more!—

JOCASTA

To many a sorrow was thy mother born!

POLYNEICES

Since he doth me foul despite!

ETEOCLES

For foul despite received, I wis! 620

POLYNEICES

Where before the towers wilt plant thee?

ETEOCLES

Wherefore dost thou question this?

POLYNEICES

I will face thee there to slay thee.

ETEOCLES

Ha! I long to have it so!

JOCASTA

Woe is me! what will ye do, my sons?

POLYNEICES

The issue's self shall show.

JOCASTA

Flee, O flee your father's curses!

ETEOCLES

All our house let ruin seize!

ΠΟΛΥΝΕΙΚΗΣ

ὡς τάχ' οὐκέθ' αἱματηρὸν τοὐμὸν ἀργήσει ξίφος.
τὴν δὲ θρέψασάν με γαῖαν καὶ θεοὺς μαρτύρομαι
ὡς ἄτιμος οἰκτρὰ πάσχων ἐξελαύνομαι χθονός,
δοῦλος ὥς, ἀλλ' οὐχὶ ταὐτοῦ πατρὸς Οἰδίπου
γεγώς·
κἄν τί σοι, πόλις, γένηται, μὴ 'μέ, τόνδε δ' αἰτιῶ.
630 οὐχ ἑκὼν γὰρ ἦλθον, ἄκων δ' ἐξελαύνομαι χθονός.
καὶ σύ, Φοῖβ' ἄναξ Ἀγυιεῦ, καὶ μέλαθρα χαίρετε,
ἥλικές θ' οὑμοί, θεῶν τε δεξίμηλ' ἀγάλματα.
οὐ γὰρ οἶδ' εἴ μοι προσειπεῖν αὖθις ἔσθ' ὑμᾶς
ποτε·
ἐλπίδες δ' οὔπω καθεύδουσ', αἷς πέποιθα σὺν
θεοῖς
τόνδ' ἀποκτείνας κρατήσειν τῆσδε Θηβαίας
χθονός.

ΕΤΕΟΚΛΗΣ

ἔξιθ' ἐκ χώρας· ἀληθῶς δ' ὄνομα Πολυνείκη
πατὴρ
ἔθετό σοι θείᾳ προνοίᾳ νεικέων ἐπώνυμον.

ΧΟΡΟΣ

Κάδμος ἔμολε τάνδε γᾶν στρ.
Τύριος, ᾧ τετρασκελὴς
640 μόσχος ἀδάματος πέσημα
δίκε τελεσφόρον διδοῦσα
χρησμόν, οὗ κατοικίσαι
πεδία νιν τὸ θέσφατον
πυροφόρ' Ἀόνων[1] ἔχρη,
καλλιπόταμος ὕδατος ἵνα τε
νοτὶς ἐπέρχεται ῥυτᾶς
Δίρκας χλοηφόρους

[1] Valckenaer: for MSS. δόμων.

POLYNEICES

Soon my sword, blood-reddened, shall abide no more in deedless ease. [Gods in heaven,
But I call to witness earth that nursed me, witness
How with shame and piteous usage from the homeland I am driven, [Oedipus, came.
Like a bondman, not a son that of one father,
City, whatsoe'er befall thee, blame not me: yon tyrant blame. [willingly.
Willingly I came not, from the land am cast un- 630
Farewell, Phoebus, Highway-king, O palace-bowers, farewell ye! [where sheep are slain!
Friends of youth, farewell, and statues of the Gods
For I know not if to me 'tis given to speak to you again. [with Gods to aid,
But my hope not yet doth sleep, wherein I trust,
Him to slay, and hold the land of Thebes beneath my sceptre swayed.

ETEOCLES

Get thee forth! Ha, truly Polyneices, "Man of many a feud," [thy feuds endued!
Named thy father thee, with heavenly prescience of

[*Exit* POLYNEICES.

CHORUS

To this land from Phoenicia Cadmus speeding (*Str.*)
Came, till the heifer unbroken, leading
The wanderer, cast her to earthward, telling 640
That so was accomplished the oracle spoken
When the God for the place of his rest gave token,
Bidding take the Aonian plains for his dwelling,
Where the golden spears of the wheat-ranks quiver,
Where the outgushing flood of the lovely river
Forth flashes from fountains of Dirce welling

καὶ βαθυσπόρους γύας,
Βρόμιον ἔνθα τέκετο μά-
650 τηρ Διὸς γάμοισι,
κισσὸς ὃν περιστεφὴς
ἑλικτὸς εὐθὺς ἔτι βρέφος
χλοηφόροισιν ἔρνεσιν
κατασκίοισιν ὀλβίσας ἐνώτισεν,
Βάκχιον χόρευμα παρθένοισι Θηβαίαισι
καὶ γυναιξὶν εὐίοις.

ἔνθα φόνιος ἦν δράκων **ἀντ.**
Ἄρεος, ὠμόφρων φύλαξ
νάματ' ἔνυδρα καὶ ῥέεθρα
660 χλοερὰ δεργμάτων κόραισι
πολυπλάνοις ἐπισκοπῶν·
ὃν ἐπὶ χέρνιβας μολὼν
Κάδμος ὄλεσε μαρμάρῳ,
κρᾶτα φόνιον ὀλεσίθηρος
ὠλένας δικὼν βολαῖς,
δίας ἀμάτορος δ'
669 εἰς βαθυσπόρους γύας
668 γαπετεῖς δικὼν ὀδόν-
667 τας Παλλάδος φραδαῖσιν·[1]
670 ἔνθεν ἐξανῆκε γᾶ
πάνοπλον ὄψιν ὑπὲρ ἄκρων
ὅρων χθονός· σιδαρόφρων
δέ νιν φόνος πάλιν ξυνῆψε γᾷ φίλᾳ.
αἵματος δ' ἔδευσε γαῖαν, ἅ νιν εὐηλίοισι
δεῖξεν αἰθέρος πνοαῖς.

καὶ σὲ τὸν προμάτορος ἐπῳδ.
Ἰοῦς ποτ' ἔκγονον

[1] Murray's arrangement, securing metrical correspondence.

Over meadows and tilth-lands harvest-teeming,
Where sprang, from the spousals levin-gleaming
  Of Zeus, the God of the shout wild-ringing; 650
And the ivy arching its bowers around him,
With the fairy chains of its greenness bound him,
  To the babe with its sudden tendrils clinging,
Overmantling with shadow the Blessing-laden,
For a theme of the Bacchanal dance unto maiden
  Of Thebes, and to matron evoë-singing.

There on the hallowed fountain's border (*Ant.*)
Was the dragon of Ares, a ruthless warder;
  And the glare of his eyeballs fearful-flashing
Wandered in restless-roving keenness
O'er the brimming runnels, the mirrored greenness: 660
  Then came to the spring for the lustral washing
Cadmus, and hurled at the monster, and slew it;
For he snatched a boulder, his strong arm threw it
  Down on the head of the slaughterer crashing.
Then, of Pallas, the motherless Goddess, bidden,
O'er the deep-furrowed earth, in her breast to be hidden,
  He scattered the teeth from the grim jaws parted.
And the travailing glebe flung up bright blossom 670
Of mail-clad warriors over the bosom
  Of the earth; but slaughter the iron-hearted
Again with the earth their mother blent them,
And drenched with their blood the breast which had sent them
  Forth, when to sun-quickened air they upstarted.

Unto thee too, Epaphus, scion (*Epode.*)
  Of our first mother Io, I moan,

Ἔπαφον, ὦ Διὸς γένεθλον,
ἐκάλεσ' ἐκάλεσα βαρβάρῳ βοᾷ,
680 ἰώ, βαρβάροις λιταῖς,
βᾶθι βᾶθι τάνδε γᾶν·
σοί νιν ἔκγονοι κτίσαν,
ἂν διώνυμοι θεαί,
Περσέφασσα καὶ φίλα
Δαμάτηρ θεά,
πάντων ἄνασσα, πάντων δὲ Γᾶ τροφός,
ἐκτήσαντο· πέμπε πυρφόρους
θεάς, ἄμυνε τᾷδε γᾷ·
πάντα δ' εὐπετῆ θεοῖς.

ΕΤΕΟΚΛΗΣ

690 χώρει σὺ καὶ κόμιζε τὸν Μενοικέως
Κρέοντ', ἀδελφὸν μητρὸς Ἰοκάστης ἐμῆς,
λέγων τάδ', ὡς οἰκεῖα καὶ κοινὰ χθονὸς
θέλω πρὸς αὐτὸν συμβαλεῖν βουλεύματα,
πρὶν εἰς μάχην τε καὶ δορὸς τάξιν μολεῖν.
καίτοι ποδῶν σῶν μόχθον ἐκλύει παρών·
ὁρῶ γὰρ αὐτὸν πρὸς δόμους στείχοντ' ἐμούς.

ΚΡΕΩΝ

ἦ πόλλ' ἐπῆλθον εἰσιδεῖν χρῄζων σ', ἄναξ
Ἐτεόκλεες, πέριξ δὲ Καδμείων πύλας
φύλακάς τ' ἐπῆλθον σὸν δέμας θηρώμενος.

ΕΤΕΟΚΛΗΣ

700 καὶ μὴν ἐγὼ σ' ἔχρῃζον εἰσιδεῖν, Κρέον·
πολλῷ γὰρ ηὗρον ἐνδεεῖς διαλλαγάς,
ὡς εἰς λόγους συνῆψα Πολυνείκει μολών.

ΚΡΕΩΝ

ἤκουσα μεῖζον αὐτὸν ἢ Θήβας φρονεῖν,
κήδει τ' Ἀδράστου καὶ στρατῷ πεποιθότα.

Unto thee, of our lord Zeus sprung,
With my alien chant upflung
And with prayers of an alien tongue! 680
Thy sons, who reared Thebes to thee, cry on
Their father—O come to thine own!
For Demeter, Persephone, wearing
Twin names, have our land in ward—
Even gracious Demeter All-queen,
Who is Earth, nurse of all that hath been,—
O send them, thy people to screen
From the evil, the Queens Torch bearing!—
Is there aught for the Gods too hard?

ETEOCLES (*to attendant*)

Go thou, and Creon bring, Menoeceus' son, 690
Who is my mother's, even Jocasta's brother.
This tell him, that I would commune with him
Touching our own advantage and the land's,
Ere we go battleward and range the spears.
But lo, he cometh, sparing thy foot's toil.
Myself behold him drawing nigh mine halls.

Enter CREON.

CREON

Seeking to see thee, far I have wended, King
Eteocles; round to all Cadmean gates
And guards, still searching for thy face, I passed.

ETEOCLES

Sooth, Creon, fain was I to look on thee: 700
For little worth I found his terms of peace,
When I for parley Polyneices met.

CREON

Beyond Thebes his ambition soars, I hear,
By Adrastus' kinship, and his host, puffed up.

ἀλλ' εἰς θεοὺς χρὴ ταῦτ' ἀναρτήσαντ' ἔχειν·
ἃ δ' ἐμποδὼν μάλιστα, ταῦθ' ἥκω φράσων.

ΕΤΕΟΚΛΗΣ

τὰ ποῖα ταῦτα; τὸν λόγον γὰρ ἀγνοῶ.

ΚΡΕΩΝ

ἥκει τις αἰχμάλωτος Ἀργείων πάρα.

ΕΤΕΟΚΛΗΣ

λέγει δὲ δὴ τί τῶν ἐκεῖ νεώτερον;

ΚΡΕΩΝ

710 μέλλειν [πέριξ πύργοισι Καδμείων πόλιν
ὅπλοις] ἑλίξειν αὐτίκ' Ἀργείων στρατόν.

ΕΤΕΟΚΛΗΣ

ἐξοιστέον τἄρ' ὅπλα Καδμείων πόλει.

ΚΡΕΩΝ

ποῖ; μῶν νεάζων οὐχ ὁρᾷς ἃ χρῆν σ' ὁρᾶν;

ΕΤΕΟΚΛΗΣ

ἐκτὸς τάφρων τῶνδ', ὡς μαχουμένους τάχα.

ΚΡΕΩΝ

σμικρὸν τὸ πλῆθος τῆσδε γῆς, οἱ δ' ἄφθονοι.

ΕΤΕΟΚΛΗΣ

ἐγᾦδα κείνους τοῖς λόγοις ὄντας θρασεῖς.

ΚΡΕΩΝ

ἔχει τιν' ὄγκον Ἄργος Ἑλλήνων πάρα.

ΕΤΕΟΚΛΗΣ

θάρσει· τάχ' αὐτῶν πεδίον ἐμπλήσω φόνου.

ΚΡΕΩΝ

θέλοιμ' ἄν· ἀλλὰ τοῦθ' ὁρῶ πολλοῦ πόνου.

ΕΤΕΟΚΛΗΣ

720 ὡς οὐ καθέξω τειχέων εἴσω στρατόν.

ΚΡΕΩΝ

καὶ μὴν τὸ νικᾶν ἐστι πᾶν εὐβουλία.

But these things in the Gods' hands must we leave.
Of our main stumblingblock I came to tell.

ETEOCLES

What shall this be? Thy drift is dark to me.

CREON

A captive from the Argive host is come.

ETEOCLES

What tidings bringeth he of dealings there?

CREON

That Argos' host will straightway wind the net 710
Of arms round Cadmus' burg and all her towers.

ETEOCLES

Then Cadmus' burg must lead forth her array,—

CREON

Whither? Sees not thy rash youth what it should?

ETEOCLES

Across yon trenches, as to fight forthwith.

CREON

Small is the host of this land, countless theirs.

ETEOCLES

I know them for tongue-valiant warriors.

CREON

Argos hath high repute mid Hellas' sons.

ETEOCLES

Fear not: their slaughter soon shall load the plain.

CREON

That would I: yet herein I see grim toil.

ETEOCLES

Not I will pen mine host within the walls! 720

CREON

Yet wholly in good counsel victory lies.

ΕΤΕΟΚΛΗΣ
βούλει τράπωμαι δῆθ' ὁδοὺς ἄλλας τινάς;
ΚΡΕΩΝ
πάσας γε, πρὶν κίνδυνον εἰς ἅπαξ μολεῖν.
ΕΤΕΟΚΛΗΣ
εἰ νυκτὸς αὐτοῖς προσβάλοιμεν ἐκ λόχου;
ΚΡΕΩΝ
εἴπερ σφαλείς γε δεῦρο σωθήσει πάλιν.
ΕΤΕΟΚΛΗΣ
ἴσον φέρει νύξ, τοῖς δὲ τολμῶσιν πλέον.
ΚΡΕΩΝ
ἐνδυστυχῆσαι δεινὸν εὐφρόνης κνέφας.
ΕΤΕΟΚΛΗΣ
ἀλλ' ἀμφὶ δεῖπνον οὖσι προσβάλω δόρυ;
ΚΡΕΩΝ
ἔκπληξις ἂν γένοιτο· νικῆσαι δὲ δεῖ.
ΕΤΕΟΚΛΗΣ
730 βαθύς γέ τοι Διρκαῖος ἀναχωρεῖν πόρος.
ΚΡΕΩΝ
ἅπαν κάκιον τοῦ φυλάσσεσθαι καλῶς.
ΕΤΕΟΚΛΗΣ
τί δ', εἰ καθιππεύσαιμεν Ἀργείων στρατόν;
ΚΡΕΩΝ
κἀκεῖ πέφρακται λαὸς ἅρμασιν πέριξ.
ΕΤΕΟΚΛΗΣ
τί δῆτα δράσω; πολεμίοισι δῶ πόλιν;
ΚΡΕΩΝ
μὴ δῆτα· βουλεύου δ', ἐπείπερ εἶ σοφός.
ΕΤΕΟΚΛΗΣ
τίς οὖν πρόνοια γίγνεται σοφωτέρα;
ΚΡΕΩΝ
ἕπτ' ἄνδρας αὐτοῖς φασιν, ὡς ἤκουσ' ἐγώ,—

ETEOCLES

Wouldst thou I turned me unto other paths?

CREON

Any path, ere on one cast all be staked.

ETEOCLES

How if by night we fall on them from ambush?

CREON

Yea,—if, miscarrying, safe thou mayst return.

ETEOCLES

Night equals all, yet helps the venturous most.

CREON

Yet, for ill-speed, night's gloom is terrible.

ETEOCLES

Shall I make onset even as they sup?

CREON

A brief alarm:—'tis victory we need.

ETEOCLES

Dirce's deep ford should hamper their retreat. 730

CREON

Naught were so good as ward us warily.

ETEOCLES

How, if our horse charge down on Argos' host?

CREON

There too their lines be fenced with chariots round.

ETEOCLES

What shall I do then?—yield our town to foes?

CREON

Never. Take thought, if prudent chief thou art.

ETEOCLES

What counsel is more prudent, then, than mine?

CREON

Seven champions are there with them, have I heard,—

ΕΤΕΟΚΛΗΣ
τί προστετάχθαι δρᾶν; τὸ γὰρ σθένος βραχύ.

ΚΡΕΩΝ
λόχων ἀνάσσειν ἑπτὰ προσκεῖσθαι πύλαις.

ΕΤΕΟΚΛΗΣ
740 τί δῆτα δρῶμεν; ἀπορίαν γὰρ οὐ μενῶ.

ΚΡΕΩΝ
ἕπτ᾽ ἄνδρας αὐτοῖς καὶ σὺ πρὸς πύλαις ἑλοῦ.

ΕΤΕΟΚΛΗΣ
λόχων ἀνάσσειν ἢ μονοστόλου δορός;

ΚΡΕΩΝ
λόχων, προκρίνας οἵπερ ἀλκιμώτατοι,

ΕΤΕΟΚΛΗΣ
ξυνῆκ᾽· ἀμύνειν τειχέων προσαμβάσεις.

ΚΡΕΩΝ
καὶ ξυστρατήγους· εἷς δ᾽ ἀνὴρ οὐ πάνθ᾽ ὁρᾷ.

ΕΤΕΟΚΛΗΣ
θάρσει προκρίνας ἢ φρενῶν εὐβουλίᾳ;

ΚΡΕΩΝ
ἀμφότερον· ἀπολειφθὲν γὰρ οὐδὲν θάτερον.

ΕΤΕΟΚΛΗΣ
ἔσται τάδ᾽· ἐλθὼν δ᾽ ἑπτάπυργον ἐς πόλιν
τάξω λοχαγοὺς πρὸς πύλαισιν, ὡς λέγεις,
750 ἴσους ἴσοισι πολεμίοισιν ἀντιθείς.
ὄνομα δ᾽ ἑκάστου διατριβὴ πολλὴ λέγειν,
ἐχθρῶν ὑπ᾽ αὐτοῖς τείχεσιν καθημένων.
ἀλλ᾽ εἶμ᾽, ὅπως ἂν μὴ καταργῶμεν χέρα.
καί μοι γένοιτ᾽ ἀδελφὸν ἀντήρη λαβεῖν
καὶ ξυσταθέντα διὰ μάχης ἑλεῖν δορί,
κτανεῖν θ᾽ ὃς ἦλθε πατρίδα πορθήσων ἐμήν.
γάμους δ᾽ ἀδελφῆς Ἀντιγόνης παιδός τε σοῦ
Αἵμονος, ἐάν τι τῆς τύχης ἐγὼ σφαλῶ,

ETEOCLES

Whereto appointed? Seven men's might were small!

CREON

To lead their bands to assail our seven gates.

ETEOCLES

What then? I wait not counsels of despair. 740

CREON

Seven choose thou too to front them at the gates.

ETEOCLES

To lead our bands, or fight with single spear?

CREON

To lead our bands: choose thou our mightiest;—

ETEOCLES

Ay so—to avert the scaling of the walls.

CREON

And under-captains: one man sees not all.

ETEOCLES

For valour chosen, or for prudent wit?

CREON

Nay, both: without its fellow, each is naught.

ETEOCLES

This shall be. Now to the seven towers will I,
And plant chiefs, as thou biddest, at the gates,
Champion for champion, ranged against the foe. 750
To tell each o'er, were costly waste of time,
When foes be camped beneath our very walls.
But I will go, that mine hands loiter not.
God grant I meet my brother face to face,
Clash in the grapple, and slay him with the spear—
Slay him, who came to lay my country waste!
But, for Antigone's marriage with thy son
Haemon,—if aught untoward hap to me,—

σοὶ χρὴ μέλεσθαι· τὴν δόσιν δ' ἐχέγγυον
760 τὴν πρόσθε ποιῶ νῦν ἐπ' ἐξόδοις ἐμαῖς.
μητέρος ἀδελφὸς εἶ· τί δεῖ μακρηγορεῖν;
τρέφ' ἀξίως νιν σοῦ τε τήν τ' ἐμὴν χάριν.
πατὴρ δ' ἐς αὑτὸν ἀμαθίαν ὀφλισκάνει,
ὄψιν τυφλώσας· οὐκ ἄγαν σφ' ἐπῄνεσα·
ἡμᾶς τ' ἀραῖσιν, ἢν τύχῃ, κατακτενεῖ.
ἓν δ' ἐστὶν ἡμῖν ἀργόν, εἴ τι θέσφατον
οἰωνόμαντις Τειρεσίας ἔχει φράσαι,
τοῦδ' ἐκπυθέσθαι ταῦτ'· ἐγὼ δὲ παῖδα σὸν
Μενοικέα, σοῦ πατρὸς αὐτεπώνυμον,
770 ἄξοντα πέμψω δεῦρο Τειρεσίαν, Κρέον·
σοὶ μὲν γὰρ ἡδὺς εἰς λόγους ἀφίξεται·
ἐγὼ δὲ τέχνην μαντικὴν ἐμεμψάμην
ἤδη πρὸς αὐτόν, ὥστε μοι μομφὰς ἔχειν.
πόλει δὲ καὶ σοὶ ταῦτ' ἐπισκήπτω, Κρέον·
ἤνπερ κρατήσῃ τἀμά, Πολυνείκους νέκυν
μήποτε ταφῆναι τῇδε Θηβαίᾳ χθονί·
θνῄσκειν δὲ τὸν θάψαντα, κἂν φίλων τις ᾖ.
σοὶ μὲν τάδ' αὐδῶ· προσπόλοις δ' ἐμοῖς λέγω.
ἐκφέρετε τεύχη πάνοπλά τ' ἀμφιβλήματα,
780 ὡς εἰς ἀγῶνα τὸν προκείμενον δορὸς
ὁρμώμεθ' ἤδη ξὺν δίκῃ νικηφόρῳ.
τῇ δ' Εὐλαβείᾳ χρησιμωτάτῃ θεῶν
προσευχόμεσθα τήνδε διασῴζειν πόλιν.

ΧΟΡΟΣ

ὦ πολύμοχθος Ἄρης, τί ποθ' αἵματι στρ.
καὶ θανάτῳ κατέχει Βρομίου παράμουσος ἑορταῖς;
οὐκ ἐπὶ καλλιχόροις στεφάνοισι νεάνιδος ὥρας
βόστρυχον ἀμπετάσας, λωτοῦ κατὰ πνεύματα
μέλπει

See thou to this. Their late betrothal-plight
Now, as I go forth, do I ratify. 760
Thou art my mother's brother: why waste words
Give her fair nurture, for thy sake and mine.
My father hath wrought folly against himself,
Blinding his eyes;—scant praise of mine he hath;—
And us his curse shall slay, if so it hap.

One thing abides undone, to ask the seer
Teiresias touching this, if aught he hath
Of oracles to tell; and I will send
Thy son Menoeceus, of thy father named,
Creon, to bring Teiresias hitherward. 770
With a good will shall he commune with thee:
But the seer's art in time past have I mocked
Unto his face; so he may bear me grudge.

This, Creon, is mine hest to Thebes and thee:—
If my cause conquer, never bury ye
Polyneices' corpse upon this Theban soil.
Who buries him—though near and dear—must die.
This to thee:—to mine henchmen now I speak.
Bring forth my arms, mine harness-panoply,
That to the imminent conflict of the spear 780
I may set forth, with Right to crown mine arms.
To Heedfulness, of all Gods helpfullest,
That she will save this city, now we pray. [*Exit.*

CHORUS

Ares the troublous, O whence is thy passion (*Str.*)
For blood and for death, unattuned to the feasts of the Revelry-king? [ginal fashion
Not for the dances, the circlings of beauty, in vir-
Tossed are thy tresses abroad, nor to breathings of flutes dost thou sing

μοῦσαν, ἐν ᾇ χάριτες χοροποιοί,
ἀλλὰ σὺν ὁπλοφόροις στρατὸν Ἀργείων ἐπι-
πνεύσας
790 αἵματι Θήβαις
κῶμον ἀναυλότατον προχορεύεις.
οὐδ' ὑπὸ θυρσομανεῖ νεβρίδων μέτα δίνᾳ,
ἅρμασι καὶ ψαλίοις τετραβάμοσι μώνυχα πῶλον,
ἱππείαις ἐπὶ χεύμασι βαίνων
Ἰσμηνοῖο θοάζεις, Ἀργείοις ἐπιπνεύσας
Σπαρτῶν γένναν,
ἀσπιδοφέρμονα θίασον ἔνοπλον,
ἀντίπαλον κατὰ λάινα τείχεα
χαλκῷ κοσμήσας.
ἦ δεινά τις Ἔρις θεός, ἃ τάδε
μήσατο πήματα γᾶς βασιλεῦσιν,
800 Λαβδακίδαις πολυμόχθοις.

ὦ ζαθέων πετάλων πολυθηρότα- ἀντ.
τον νάπος, Ἀρτέμιδος χιονοτρόφον ὄμμα Κιθαι-
ρών,
μήποτε τὸν θανάτῳ προτεθέντα, λόχευμ' Ἰοκά-
στας,
ὤφελες Οἰδιπόδαν θρέψαι βρέφος ἔκβολον οἴκων,
χρυσοδέτοις περόναις ἐπίσαμον·
μηδὲ τὸ παρθένιον πτερόν, οὔρειον τέρας, ἐλθεῖν
πένθεα γαίας,
Σφίγγ', ἀπομουσοτάταισι σὺν ᾠδαῖς,
ἅ ποτε Καδμογενῆ τετραβάμοσι χαλαῖς

A strain to whose witchery dances are wreathing:
But with clangour of harness of fight through the
Argive array art thou breathing
War-lust for the blood of our Thebes athirst, 790
As thou leadest the dance of a revel accurst
Where no flutes ring.
Thou art found not where fawnskin and thyrsus in
mad reel mingle and sunder,
But with chariots and clashing of bits and with war-
horses' footfall of thunder
By Ismenus' brimming marge
With the rushing of steeds dost thou charge,
Into Argives breathing the battle-hate
Against the sons of the Dragon-state;
And with harness of brass and with targe,
Fronting our ramparts of stone, dost array
A host for the fray.
A fearful Goddess in sooth is Strife,
By whose devising the troublous life
Of the Labdacid kings of the land is anguish-rife. 800

Gorges mysterious of frondage, Cithaeron (*Ant.*)
Beast-haunted, O birth-bed of snows, O thou apple
of Artemis' eye, [Jocasta, to rear on
Ah that thou ne'er hadst received him, the babe of
Thy lap such a fosterling, Oedipus, thrust from his
home as to die,
Life-marked with the brooch-pin golden-looping!
And O that the portent, the wings of the Sphinx
from the mountain swooping,
Down on the land for its woe had not come,
The maiden that sang us a chant of doom,
An untuneable cry,
When with talons of feet and of hands on the ram-
parts of Cadmus she darted,

τείχεσι χριμπτομένα φέρεν αἰθέρος εἰς ἄβατον
φῶς
810 γένναν, ἃν ὁ κατὰ χθονὸς Ἅιδας
Καδμείοις ἐπιπέμπει· δυσδαίμων δ᾽ ἔρις ἄλλα
θάλλει παίδων
Οἰδιπόδα κατὰ δώματα καὶ πόλιν.
οὐ γὰρ ὃ μὴ καλὸν οὔποτ᾽ ἔφυ καλόν,
οὐδ᾽ οἱ μὴ νόμιμοι† παῖδες
ματρὶ λόχευμα, μίασμα πατρὸς δὲ συν-
αίμονος εἰς λέχος ἦλθεν.†

ἔτεκες, ὦ γᾶ, ἔτεκές ποτε, ἐπῳδ.
βάρβαρον ὡς ἀκοὰν ἐδάην ἐδάην ποτ᾽ ἐν οἴκοις,
820 τὰν ἀπὸ θηροτρόφου φοινικολόφοιο δράκοντος
γένναν ὀδοντοφυῆ, Θήβαις κάλλιστον ὄνειδος·
Ἁρμονίας δέ ποτ᾽ εἰς ὑμεναίους
ἤλυθον οὐρανίδαι, φόρμιγγί τε τείχεα Θήβας
τᾶς Ἀμφιονίας τε λύρας ὕπο πύργος ἀνέστα
διδύμων ποταμῶν πόρον ἀμφὶ μέσον
Δίρκας, χλοεροτρόφον ἃ πεδίον
πρόπαρ Ἰσμηνοῦ καταδεύει·
Ἰώ θ᾽ ἁ κερόεσσα προμάτωρ
Καδμείων βασιλῆας ἐγείνατο,
830 μυριάδας δ᾽ ἀγαθῶν ἑτέροις ἑτέ-
ρας μεταμειβομένα πόλις ἅδ᾽ ἐπ᾽ ἄ-
κροις ἕστακεν Ἀρή-
οις στεφάνοισιν.

And bearing his offspring to sun-litten cloudland untrodden departed,
She whom Hades from dens of the dead 810
Against Cadmus' children sped!
But a new curse lights upon Thebes and her halls;
For 'twixt Oedipus' sons the hell-seed falls
Of strife, and it blossometh red.
O, never may aught that is utter shame
Bear honour's name;
Nay, nor the unblest spousal's fruit
Are sons true-born, but with stain they pollute
Their begetter, the stock that sprang from the selfsame root.

(*Epode*)

Thou didst bear, O land, thou didst bear of old—
For I heard, yea, I heard in mine home, in an alien tongue, the story—
From the dragon of crimson crest that battened on beasts of the wold 820
[and her glory.
A race of the seed of his teeth, to be Thebes' reproach
To Harmonia's bridal descended of yore[1]
The Children of Heaven; and Thebes' walls rose to the harp's voice singing,
[her brows' enringing,
When the spell of Amphion's lyre fashioned towers for
In the space 'twixt the rivers twain that pour
Out of Dirce, whose dews drift greenness, shedding
Life o'er the plain by Ismenus spreading.
And our ancestress Io of hornèd brows
Was mother of kings unto Cadmus' house.
Lo, how hath this city, through line on line 830
Of blessings unnumbered, attained to the height
Where the War-god's crowns of victory-might
Shine!

[1] Cadmus wedded Harmonia, Ares' daughter.

ΤΕΙΡΕΣΙΑΣ

ἡγοῦ πάροιθε, θύγατερ· ὡς τυφλῷ ποδὶ
ὀφθαλμὸς εἶ σύ, ναυβάταισιν ἄστρον ὥς·
δεῦρ' εἰς τὸ λευρὸν πέδον ἴχνος τιθεῖσ' ἐμόν,
πρόβαινε, μὴ σφαλῶμεν· ἀσθενὴς πατήρ·
κλήρους τέ μοι φύλασσε παρθένῳ χερί,
οὓς ἔλαβον οἰωνίσματ' ὀρνίθων μαθὼν
840 θάκοισιν ἐν ἱεροῖσιν, οὗ μαντεύομαι.
τέκνον Μενοικεῦ, παῖ Κρέοντος, εἰπέ μοι
πόση τις ἡ 'πίλοιπος ἄστεως ὁδὸς
πρὸς πατέρα τὸν σόν· ὡς ἐμὸν κάμνει γόνυ,
πυκνὴν δὲ βαίνων ἤλυσιν μόλις περῶ.

ΚΡΕΩΝ

θάρσει. πέλας γάρ, Τειρεσία, φίλοισι σοῖς
ἐξωρμίσαι σὸν πόδα· λαβοῦ δ' αὐτοῦ, τέκνον·
ὡς πᾶσ' ἀπήνη πούς τε πρεσβύτου φιλεῖ
χειρὸς θυραίας ἀναμένειν κουφίσματα.

ΤΕΙΡΕΣΙΑΣ

εἶεν, πάρεσμεν· τί με καλεῖς σπουδῇ, Κρέον;

ΚΡΕΩΝ

850 οὔπω λελήσμεθ'· ἀλλὰ σύλλεξαι σθένος
καὶ πνεῦμ' ἄθροισον, αἶπος ἐκβαλὼν ὁδοῦ.

ΤΕΙΡΕΣΙΑΣ

κόπῳ παρεῖμαι γοῦν Ἐρεχθειδῶν ἄπο
δεῦρ' ἐκκομισθεὶς τῆς πάροιθεν ἡμέρας·
κἀκεῖ γὰρ ἦν τις πόλεμος Εὐμόλπου δορός,
οὗ καλλινίκους Κεκροπίδας ἔθηκ' ἐγώ·
καὶ τόνδε χρυσοῦν στέφανον, ὡς ὁρᾷς, ἔχω
λαβὼν ἀπαρχὰς πολεμίων σκυλευμάτων.

ΚΡΕΩΝ

οἰωνὸν ἐθέμην καλλίνικα σὰ στέφη·
ἐν γὰρ κλύδωνι κείμεθ', ὥσπερ οἶσθα σύ,

Enter TEIRESIAS *led by his* DAUGHTER, *with* MENOECEUS.

TEIRESIAS

Lead on, my daughter: to my sightless feet
As eyes art thou, as star to mariners.
Hither, on even ground, plant thou my steps.
Guide, lest I stumble: strengthless is thy sire.
Guard in thy maiden hand the augury-lots
Which, when I marked the bodings of the birds,
In the holy seat I took, where I divine. 840
Thou child Menoeceus, son of Creon, tell
How much remaineth of the townward way
To where thy father waits. Faint wax my knees:
Journeying so long, scarce have I strength to go.

CREON

Take heart, Teiresias, thou art nigh thy friends,
And thy foot's anchorage. Grasp his hand, my child.
Mule-car and agèd foot alike are wont
To await the upbearing of another's hand.

TEIRESIAS

Here am I. Why this instant summons, Creon?

CREON

We have not forgotten. Gather strength, regain 850
Thy breath, cast off thy journey's toil and strain.

TEIRESIAS

Sooth am I spent with toil, brought hitherward
But yesterday from King Erechtheus' folk.
There too was war, against Eumolpus' spear,
Where I to Cecrops' sons gave victory.
This crown of gold, as thou mayst see, have I
As firstfruits of the foemen's spoils received.

CREON

I take thy triumph-crown for omen fair;
For we are, as thou knowest, in mid-surge

860 δορὸς Δαναϊδῶν, καὶ μέγας Θήβαις ἀγών.
βασιλεὺς μὲν οὖν βέβηκε κοσμηθεὶς ὅπλοις
ἤδη πρὸς ἀλκὴν Ἐτεοκλῆς Μυκηνίδα·
ἐμοὶ δ' ἐπέσταλκ' ἐκμαθεῖν σέθεν πάρα,
τί δρῶντες ἂν μάλιστα σώσαιμεν πόλιν.

ΤΕΙΡΕΣΙΑΣ

Ἐτεοκλέους μὲν εἵνεκ' ἂν κλῄσας στόμα
χρησμοὺς ἐπέσχον· σοὶ δ', ἐπεὶ χρῄζεις μαθεῖν,
λέξω. νοσεῖ γὰρ ἥδε γῆ πάλαι, Κρέον,
ἐξ οὗ 'τεκνώθη Λάιος βίᾳ θεῶν
πόσιν τ' ἔφυσε μητρὶ μέλεον Οἰδίπουν·
870 αἵ θ' αἱματωποὶ δεργμάτων διαφθοραὶ
θεῶν σόφισμα κἀπίδειξις Ἑλλάδι.
ἃ συγκαλύψαι παῖδες Οἰδίπου χρόνῳ
χρῄζοντες, ὡς δὴ θεοὺς ὑπεκδραμούμενοι,
ἥμαρτον ἀμαθῶς· οὔτε γὰρ γέρα πατρὶ
οὔτ' ἔξοδον διδόντες ἄνδρα δυστυχῆ
ἐξηγρίωσαν· ἐκ δ' ἔπνευσ' αὐτοῖς ἀρὰς
δεινάς, νοσῶν τε καὶ πρὸς ἠτιμασμένος.
ἁγὼ τί οὐ δρῶν, ποῖα δ' οὐ λέγων ἔπη,
εἰς ἔχθος ἦλθον παισὶ τοῖσιν Οἰδίπου.
880 ἐγγὺς δὲ θάνατος αὐτόχειρ αὐτοῖς, Κρέον·
πολλοὶ δὲ νεκροὶ περὶ νεκροῖς πεπτωκότες
Ἀργεῖα καὶ Καδμεῖα μίξαντες βέλη
πικροὺς γόους δώσουσι Θηβαίᾳ χθονί.
σύ τ' ὦ τάλαινα συγκατασκάπτει πόλι,
εἰ μὴ λόγοις τις τοῖς ἐμοῖσι πείσεται.
ἐκεῖνο μὲν γὰρ πρῶτον ἦν, τῶν Οἰδίπου
μηδένα πολίτην μηδ' ἄνακτ' εἶναι χθονός,
ὡς δαιμονῶντας κἀνατρέψοντας πόλιν.
ἐπεὶ δὲ κρεῖσσον τὸ κακόν ἐστι τἀγαθοῦ,
890 μί' ἔστιν ἄλλη μηχανὴ σωτηρίας.

Of Danaïd war, and Thebes must wrestle hard. 860
King Eteocles, clad in war-array,
Even now is gone to face Mycenae's might;
But to me gave in charge to inquire of thee
What deeds of ours shall best deliver Thebes.

TEIRESIAS

For Eteocles sealed my lips had been,
The oracles withheld:—since *thou* wouldst know,
I tell thee. Creon, long this land hath ailed
Since Laïus in heaven's despite begat
Oedipus, his own mother's wretched spouse.
Yea, and the gory ruin of his eyes 870
Was heaven's device, for warning unto Greece.

And Oedipus' sons, who fain had cloaked it o'er
With time, as though they could outrun the Gods,
In folly erred: vouchsafing to their sire
Nor honour nor free air, they stung to fury
His misery: dread malison he breathed
Against them, suffering and shamed withal.
What did I not? What warnings spake I not?—
And had for guerdon hate of Oedipus' sons.
But nigh them, Creon, mutual slaughter looms; 880
And corpses many upon corpses piled,
Transfixed with Argive and Cadmean shafts,
With bitter wails shall dower the Theban land.

Thou, hapless town, art made a ruin-heap—
Except unto my bodings one give heed!
This had been best, that none of Oedipus' line
Remained in Thebes, nor citizen nor king:
They are fiend-possessed and doomed to wreck the
state.
But, seeing the evil hath o'erborne the good,
One other way of safety yet remains; 890

ἀλλ'—οὐ γὰρ εἰπεῖν οὔτ' ἐμοὶ τόδ' ἀσφαλὲς
πικρόν τε τοῖσι τὴν τύχην κεκτημένοις
πόλει παρασχεῖν φάρμακον σωτηρίας—
ἄπειμι, χαίρεθ'· εἷς γὰρ ὢν πολλῶν μέτα
τὸ μέλλον, εἰ χρή, πείσομαι· τί γὰρ πάθω;

ΚΡΕΩΝ

ἐπίσχες αὐτοῦ, πρέσβυ.

ΤΕΙΡΕΣΙΑΣ

μὴ 'πιλαμβάνου.

ΚΡΕΩΝ

μεῖνον, τί φεύγεις;

ΤΕΙΡΕΣΙΑΣ

ἡ τύχη σ', ἀλλ' οὐκ ἐγώ.

ΚΡΕΩΝ

φράσον πολίταις καὶ πόλει σωτηρίαν.

ΤΕΙΡΕΣΙΑΣ

βούλει σὺ μέντοι κοὐχὶ βουλήσει τάχα.

ΚΡΕΩΝ

900 καὶ πῶς πατρῴαν γαῖαν οὐ σῶσαι θέλω;

ΤΕΙΡΕΣΙΑΣ

θέλεις ἀκοῦσαι δῆτα καὶ σπουδὴν ἔχεις;

ΚΡΕΩΝ

εἰς γὰρ τί μᾶλλον δεῖ προθυμίαν ἔχειν;

ΤΕΙΡΕΣΙΑΣ

κλύοις ἂν ἤδη τῶν ἐμῶν θεσπισμάτων.
πρῶτον δ' ἐκεῖνο βούλομαι σαφῶς μαθεῖν,
ποῦ 'στιν Μενοικεύς, ὅς με δεῦρ' ἐπήγαγεν;

ΚΡΕΩΝ

ὅδ' οὐ μακρὰν ἄπεστι, πλησίον δέ σου.

ΤΕΙΡΕΣΙΑΣ

ἀπελθέτω νυν θεσφάτων ἐμῶν ἑκάς.

But this to tell, for me were all unsafe,
And bitter unto those whom fate endows
With power to give their city safety's balm.
I go. Farewell! What must befall will I—
One midst a multitude—endure. What help?
[*Turns to go.*

CREON

Abide here, ancient!

TEIRESIAS

Lay not hold on me.

CREON

Tarry: why flee?

TEIRESIAS

Thy fortune flees, not I.

CREON

Tell citizens and city safety's path.

TEIRESIAS

Ay, fain art thou!—but loth thou soon shalt be.

CREON

How?—not desire to save my fatherland? 900

TEIRESIAS

Wouldst thou indeed hear? Art thou set thereon?

CREON

Yea: whereunto more earnest should I be?

TEIRESIAS

Then straightway shalt thou hear mine oracles.
But of this first would I be certified—
Where is Menoeceus, who hath led me hither?

CREON

He stands not far, but even at thy side.

TEIRESIAS

Let him withdraw then from my bodings far.

ΚΡΕΩΝ

ἐμὸς πεφυκὼς παῖς ἃ δεῖ σιγήσεται.

ΤΕΙΡΕΣΙΑΣ

βούλει παρόντος δῆτά σοι τούτου φράσω;

ΚΡΕΩΝ

910 κλύων γὰρ ἂν τέρποιτο τῆς σωτηρίας.

ΤΕΙΡΕΣΙΑΣ

ἄκουε δή νυν θεσφάτων ἐμῶν ὁδόν·
[ἃ δρῶντες ἂν σώσαιτε Καδμείων πόλιν.]
σφάξαι Μενοικῆ τόνδε δεῖ σ' ὑπὲρ πάτρας
σὸν παῖδ', ἐπειδὴ τὴν τύχην αὐτὸς καλεῖς.

ΚΡΕΩΝ

τί φής; τίν' εἶπας τόνδε μῦθον, ὦ γέρον;

ΤΕΙΡΕΣΙΑΣ

ἅπερ πέφυκε, ταῦτα κἀνάγκη σε δρᾶν.

ΚΡΕΩΝ

ὦ πολλὰ λέξας ἐν βραχεῖ χρόνῳ κακά.

ΤΕΙΡΕΣΙΑΣ

σοί γ', ἀλλὰ πατρίδι μεγάλα καὶ σωτήρια.

ΚΡΕΩΝ

οὐκ ἔκλυον, οὐκ ἤκουσα· χαιρέτω πόλις.

ΤΕΙΡΕΣΙΑΣ

920 ἀνὴρ ὅδ' οὐκέθ' αὑτός, ἐκνεύει πάλιν.

ΚΡΕΩΝ

χαίρων ἴθ'· οὐ γὰρ σῶν με δεῖ μαντευμάτων.

ΤΕΙΡΕΣΙΑΣ

ἀπόλωλεν ἀλήθει', ἐπεὶ σὺ δυστυχεῖς;

ΚΡΕΩΝ

ὦ πρός σε γονάτων καὶ γερασμίου τριχός,

ΤΕΙΡΕΣΙΑΣ

τί προσπίτνεις με; δυσφύλακτ' αἰτεῖ κακά.

CREON

He is my son, will keep what must be secret.

TEIRESIAS

Wilt thou indeed I speak before his face?

CREON

Yea; of this safety gladly shall he hear. 910

TEIRESIAS

Hear then the tenor of mine oracle,
What deed of yours shall save the Thebans' town.
Menoeceus must thou slay for fatherland,
Thy son—since thou thyself demandest fate.

CREON

How say'st thou? Ancient, what was this thy word?

TEIRESIAS

As hath been doomed, even this thou needs must do.

CREON

Oh countless ills in one short moment told!

TEIRESIAS

Thine ills—but great salvation for thy land.

CREON

I heard not!—hearkened not!—away, thou Thebes!

TEIRESIAS

Not the same man is this: he flincheth now. 920

CREON

Depart in peace: thy bodings need I not.

TEIRESIAS

Is truth dead, for that thou art fortune-crost?

CREON

Oh, by thy knees, and by thy reverend hair!—

TEIRESIAS

Why kneel? Thou prayest for ruin inevitable.

ΚΡΕΩΝ

σίγα· πόλει δὲ τούσδε μὴ λέξῃς λόγους.

ΤΕΙΡΕΣΙΑΣ

ἀδικεῖν κελεύεις μ'· οὐ σιωπήσαιμεν ἄν.

ΚΡΕΩΝ

τί δή με δράσεις; παῖδά μου κατακτενεῖς;

ΤΕΙΡΕΣΙΑΣ

ἄλλοις μελήσει ταῦτ', ἐμοὶ δ' εἰρήσεται.

ΚΡΕΩΝ

ἐκ τοῦ δ' ἐμοὶ τόδ' ἦλθε καὶ τέκνῳ κακόν;

ΤΕΙΡΕΣΙΑΣ

930 ὀρθῶς μ' ἐρωτᾷς κεἰς ἀγῶν' ἔρχει λόγων.
δεῖ τόνδε θαλάμαις, οὗ δράκων ὁ γηγενὴς
ἐγένετο Δίρκης ναμάτων ἐπίσκοπος,
σφαγέντα φόνιον αἷμα γῇ δοῦναι χοάς,
Κάδμου παλαιῶν Ἄρεος ἐκ μηνιμάτων,
ὃς γηγενεῖ δράκοντι τιμωρεῖ φόνον.
καὶ ταῦτα δρῶντες σύμμαχον κτήσεσθ' Ἄρη.
χθὼν δ' ἀντὶ καρποῦ καρπὸν ἀντί θ' αἵματος
αἷμ' ἢν λάβῃ βρότειον, ἕξετ' εὐμενῆ
γῆν, ἥ ποθ' ἡμῖν χρυσοπήληκα στάχυν
940 σπαρτῶν ἀνῆκεν· ἐκ γένους δὲ δεῖ θανεῖν
τοῦδ', ὃς δράκοντος γένυος ἐκπέφυκε παῖς.
σὺ δ' ἐνθάδ' ἡμῖν λοιπὸς εἶ σπαρτῶν γένους
ἀκέραιος, ἔκ τε μητρὸς ἀρσένων τ' ἄπο,
οἱ σοί τε παῖδες. Αἵμονος μὲν οὖν γάμοι
σφαγὰς ἀπείργουσ'· οὐ γάρ ἐστιν ἤθεος·
κεἰ μὴ γὰρ εὐνῆς ἥψατ', ἀλλ' ἔχει λέχος·
οὗτος δὲ πῶλος τῇδ' ἀνειμένος πόλει
θανὼν πατρῴαν γαῖαν ἐκσώσειεν ἄν.
πικρὸν δ' Ἀδράστῳ νόστον Ἀργείοισί τε
950 θήσει, μέλαιναν κῆρ' ἐπ' ὄμμασιν βαλών,

CREON

Keep silence: to the city tell not this.

TEIRESIAS

Thou bidd'st me sin: I will not hold my peace.

CREON

What wilt thou do to me?—wilt slay my son?

TEIRESIAS

Others shall see to that. 'Tis mine to speak.

CREON

Whence came on me this curse, and on my son?

TEIRESIAS

Fair question and demand that I show cause. 930
In that den where the earth-born dragon lay
Watching the streams of Dirce, must he yield,
Slaughtered, a blood-oblation to the earth;
For Ares, nursing wrath 'gainst Cadmus long,
Now would avenge his earth-born dragon's death.
Do this, and Ares for your champion win.

If earth for seed gain seed, and human blood
For blood, then kindly shall ye prove the earth
Which once sent up a harvest golden-helmed
Of Sown-men. And it needeth that one die 940
Born of the lineage of the Dragon's Teeth;
And sole survivor art thou of the Sown
Of pure blood both on sire's and mother's side,
Thou and thy two sons. Haemon's spousals bar
His slaughter, for he is not virgin man.
Though sealed the rite be not, betrothed is he.

But this lad, to his city consecrate,
Dying, should yet redeem his fatherland,
And for Adrastus and the Argives make
Bitter return, their eyes with black death palled, 950

κλεινάς τε Θήβας. τοῖνδ᾽ ἑλοῦ δυοῖν πότμοιν
τὸν ἕτερον· ἢ γὰρ παῖδα σῶσον ἢ πόλιν.
τὰ μὲν παρ᾽ ἡμῶν πάντ᾽ ἔχεις· ἡγοῦ, τέκνον,
πρὸς οἶκον. ὅστις δ᾽ ἐμπύρῳ χρῆται τέχνῃ,
μάταιος· ἢν μὲν ἐχθρὰ σημήνας τύχῃ,
πικρὸς καθέστηχ᾽ οἷς ἂν οἰωνοσκοπῇ·
ψευδῆ δ᾽ ὑπ᾽ οἴκτου τοῖσι χρωμένοις λέγων
ἀδικεῖ τὰ τῶν θεῶν. Φοῖβον ἀνθρώποις μόνον
χρῆν θεσπιῳδεῖν, ὃς δέδοικεν οὐδένα.

ΧΟΡΟΣ

960 Κρέον, τί σιγᾷς γῆρυν ἄφθογγον σχάσας;
κἀμοὶ γὰρ οὐδὲν ἧσσον ἔκπληξις πάρα.

ΚΡΕΩΝ

τί δ᾽ ἄν τις εἴποι; δῆλον οἵ γ᾽ ἐμοὶ λόγοι.
ἐγὼ γὰρ οὔποτ᾽ εἰς τόδ᾽ εἶμι συμφορᾶς,
ὥστε σφαγέντα παῖδα προσθεῖναι πόλει.
πᾶσιν γὰρ ἀνθρώποισι φιλότεκνος βίος,
οὐδ᾽ ἂν τὸν αὑτοῦ παῖδά τις δοίη κτανεῖν.
μή μ᾽ εὐλογείτω τἀμά τις κτείνων τέκνα.
αὐτὸς δ᾽, ἐν ὡραίῳ γὰρ ἕσταμεν βίου,
θνῄσκειν ἕτοιμος πατρίδος ἐκλυτήριον.
970 ἀλλ᾽ εἶα, τέκνον, πρὶν μαθεῖν πᾶσαν πόλιν,
ἀκόλαστ᾽ ἐάσας μάντεων θεσπίσματα,
φεῦγ᾽ ὡς τάχιστα τῆσδ᾽ ἀπαλλαχθεὶς χθονός·
λέξει γὰρ ἀρχαῖς καὶ στρατηλάταις τάδε,
πύλας ἐφ᾽ ἑπτὰ καὶ λοχαγέτας μολών·
κἂν μὲν φθάσωμεν, ἔστι σοι σωτηρία·
ἢν δ᾽ ὑστερήσῃς, οἰχόμεσθα, κατθανεῖ.

ΜΕΝΟΙΚΕΥΣ

ποῖ δῆτα φεύγω; τίνα πόλιν; τίνα ξένων;

ΚΡΕΩΝ

ὅπου χθονὸς τῆσδ᾽ ἐκποδὼν μάλιστ᾽ ἔσει.

And make Thebes glorious. One of these two fates
Choose: either save the city, or thy son.
Now hast thou all my tale. Lead on, my child,
Homeward. Who useth the diviner's art
Is foolish. If he heraldeth ill things,
He is loathed of those to whom he prophesies.
If, pitying them that seek to him, he lie,
He wrongs the Gods. Sole prophet unto men
Ought Phoebus to have been, who feareth none.

[*Exit.*

CHORUS

Why silent, Creon, with lips held from speech? 960
On me, too, consternation weighs no less.

CREON

What should one say? . . . . But clear mine answer is:
Never such depth of misery will I seek,
As offer for my city a slaughtered son!
For love of children filleth all men's life,
And none to death would yield up his own child.
Let no man praise me while he slays my sons!
Myself—who have reached the ripeness of my years—
For death stand ready, to redeem my land.
But up, my child, ere all the city hear: 970
Heed not the reckless words of soothsayers,
But fly—with all speed get thee from the land!
To the seven gates, the captains, will he go,
And tell the rulers and the chieftains this.
Yet, may we but forestall him, thou art saved;
But if thou lag, undone we are—thou diest.

MENOECEUS

But whither flee?—what city seek?—what friend?

CREON

Where thou from this land's reach shalt farthest be.

ΜΕΝΟΙΚΕΥΣ

οὔκουν σὲ φράζειν εἰκός, ἐκπονεῖν δ' ἐμέ;

ΚΡΕΩΝ

Δελφοὺς περάσας—

ΜΕΝΟΙΚΕΥΣ

980 ποῖ με χρή, πάτερ, μολεῖν;

ΚΡΕΩΝ

Αἰτωλίδ' εἰς γῆν.

ΜΕΝΟΙΚΕΥΣ

ἐκ δὲ τῆσδε ποῖ περῶ;

ΚΡΕΩΝ

Θεσπρωτὸν οὖδας.

ΜΕΝΟΙΚΕΥΣ

σεμνὰ Δωδώνης βάθρα;

ΚΡΕΩΝ

ἔγνως.

ΜΕΝΟΙΚΕΥΣ

τί δὴ τόδ' ἔρυμά μοι γενήσεται;

ΚΡΕΩΝ

πόμπιμος ὁ δαίμων.

ΜΕΝΟΙΚΕΥΣ

χρημάτων δὲ τίς πόρος;

ΚΡΕΩΝ

ἐγὼ πορεύσω χρυσόν.

ΜΕΝΟΙΚΕΥΣ

εὖ λέγεις, πάτερ.

χώρει νυν· ὡς σὴν πρὸς κασιγνήτην μολών,
ἧς πρῶτα μαστὸν εἵλκυσ', Ἰοκάστην λέγω,
μητρὸς στερηθεὶς ὀρφανός τ' ἀποζυγείς,
προσηγορήσων εἶμι καὶ σώσων βίον.
990 ἀλλ' εἶα, χώρει. μὴ τὸ σὸν κωλυέτω.

MENOECEUS

It best beseems that thou tell, I perform.

CREON

Pass Delphi—

MENOECEUS

Whither, father, must I go? 980

CREON

Unto Aetolia.

MENOECEUS

Whither journey thence?

CREON

Thesprotia's soil.

MENOECEUS

Dodona's hallowed floor?

CREON

Thou say'st.

MENOECEUS

What shall be my protection there?

CREON

The God shall speed thee.

MENOECEUS

How supply my need?

CREON

I will find gold.

MENOECEUS

Father, thou sayest well:
Haste then. Unto thy sister will I go,—
Jocasta, on whose bosom first I lay,
Reft of my mother, left an orphan lone,—
To bid her farewell, ere I flee for life.
On then: pass in, be hindrance not in thee. 990

[*Exit* CREON.

γυναῖκες, ὡς εὖ πατρὸς ἐξεῖλον φόβον
κλέψας λόγοισιν, ὥσθ' ἃ βούλομαι τυχεῖν·
ὅς μ' ἐκκομίζει, πόλιν ἀποστερῶν τύχης,
καὶ δειλίᾳ δίδωσι. καὶ συγγνωστὰ μὲν
γέροντι· τοὐμὸν δ' οὐχὶ συγγνώμην ἔχει,
προδότην γενέσθαι πατρίδος ἥ μ' ἐγείνατο.
ὡς οὖν ἂν εἰδῆτ', εἶμι καὶ σώσω πόλιν
ψυχήν τε δώσω τῆσδ' ὑπερθανεῖν χθονός.
αἰσχρὸν γάρ, οἱ μὲν θεσφάτων ἐλεύθεροι
1000 κοὐκ εἰς ἀνάγκην δαιμόνων ἀφιγμένοι
στάντες παρ' ἀσπίδ' οὐκ ὀκνήσουσιν θανεῖν,
πύργων πάροιθε μαχόμενοι πάτρας ὕπερ·
ἐγὼ δέ, πατέρα καὶ κασίγνητον προδοὺς
πόλιν τ' ἐμαυτοῦ, δειλὸς ὣς ἔξω χθονὸς
ἄπειμ'· ὅπου δ' ἂν ζῶ, κακὸς φανήσομαι.
μὰ τὸν μετ' ἄστρων Ζῆν' Ἄρη τε φοίνιον,
ὃς τοὺς ὑπερτείλαντας ἐκ γαίας ποτὲ
Σπαρτοὺς ἄνακτας τῆσδε γῆς ἱδρύσατο.
ἀλλ' εἶμι καὶ στὰς ἐξ ἐπάλξεων ἄκρων
1010 σφάξας ἐμαυτὸν σηκὸν ἐς μελαμβαθῆ
δράκοντος, ἔνθ' ὁ μάντις ἐξηγήσατο,
ἐλευθερώσω γαῖαν· εἴρηται λόγος.
στείχω δέ, θανάτου δῶρον οὐκ αἰσχρὸν πόλει
δώσων, νόσου δὲ τήνδ' ἀπαλλάξω χθόνα.
εἰ γὰρ λαβὼν ἕκαστος ὅ τι δύναιτό τις
χρηστὸν διέλθοι τοῦτο κεἰς κοινὸν φέροι
πατρίδι, κακῶν ἂν αἱ πόλεις ἐλασσόνων
πειρώμεναι τὸ λοιπὸν εὐτυχοῖεν ἄν.

ΧΟΡΟΣ

ἔβας ἔβας, *στρ.*
1020 ὦ πτεροῦσσα, γᾶς λόχευμα

Maidens, how well I have stilled my father's fear
By guileful words, to attain the end I would!
Me would he steal hence, robbing Thebes of hope,
Branding me coward! This might one forgive
In age; but no forgiveness should be mine
If I betray the city of my birth.
Doubt not but I will go and save the town,
And give my soul to death for this land's sake.
'Twere shame that men no oracles constrain,
Who have not fall'n into the net of fate, 1000
Shoulder to shoulder stand, blench not from death,
Fighting before the towers for fatherland,
And I, betraying father, brother, yea,
My city, craven-like flee forth the land—
A dastard manifest, where'er I dwell!

By Zeus star-throned, by Ares, slaughter's lord,
Who set on high in kingship over Thebes
The Dragon-brood that cleft the womb of earth,
Go will I, on the ramparts' height will stand,
And o'er the Dragon's gloomy chasm-cave, 1010
Whereof the seer spake, will I slay myself,
And make my country free. The word is said.

I go, to give my country no mean gift,
My life, from ruin so to save the land:
For, if each man would take his all of good,
Lavish it, lay it at his country's feet,
Then fewer evils should the nations prove,
And should through days to come be prosperous.

[*Exit.*

CHORUS

Thou camest, camest, O thou wingèd doom, (*Str.*)
Fruit of Earth's travailing, 1020

νερτέρου τ' Ἐχίδνας,
Καδμείων ἁρπαγά,
πολύφθορος πολύστονος,
μιξοπάρθενος,
δάιον τέρας,
φοιτάσι πτεροῖς
χαλαῖσί τ' ὠμοσίτοις·
Διρκαίων ἅ ποτ' ἐκ
τόπων νέους πεδαίρουσ'
ἄλυρον ἀμφὶ μοῦσαν
ὀλομέναν τ' Ἐρινὺν
1030 ἔφερες ἔφερες ἄχεα πατρίδι
φόνια· φόνιος ἐκ θεῶν
ὃς τάδ' ἦν ὁ πράξας.
ἰάλεμοι δὲ ματέρων,
ἰάλεμοι δὲ παρθένων
ἐστέναζον οἴκοις·
ἰήιον βοὰν βοάν,
ἰήιον μέλος μέλος
ἄλλος ἄλλ' ἐπωτότυζε
διαδοχαῖς ἀνὰ πτόλιν.
βροντᾷ δὲ στεναγμὸς
1040 ἀχά τ' ἦν ὅμοιος,
ὁπότε πόλεος ἀφανίσειεν
ἁ πτεροῦσσα παρθένος τιν' ἀνδρῶν.

χρόνῳ δ' ἔβα ἀντ.
Πυθίαις ἀποστολαῖσιν
Οἰδίπους ὁ τλάμων
Θηβαίαν τάνδε γᾶν
τότ' ἀσμένοις, πάλιν δ' ἄχη·
ματρὶ γὰρ γάμους

Begotten of the Worm of Nether-gloom,
On Cadmus' sons to spring
Death-fraught, and fraught with moanings for the dead,
Half maiden, half brute-beast,
Monster of roving pinions, talons red
From that raw-ravening feast,
Snatching from Dirce's meads her young men, shrieking
O'er them thy dissonant knell,
Anguish of slaughter on our country wreaking,
Wreaking a curse-doom fell! 1030
Ah, murderous God, these ills for us who fashioned!
Moanings of mothers filled
The shuddering homes, and maidens' moanings passioned:
And wail to wail aye thrilled,
And dirge to death-dirge, each to each replying
The stricken city through—
A nation's pang—as thunder pealed their crying, 1040
When the winged maid with each new victim flying
From earth, was lost to view.

(*Ant.*)

At last was Oedipus, woe-fated, bound
From Pytho, hither led,—
Our joy, but soon our grief,—who, triumph-crowned
From that dark riddle read,
Wretch, in foul bridal made his mother wife,

δυσγάμους τάλας
καλλίνικος ὢν
αἰνιγμάτων συνάπτει,
1050 μιαίνει δὲ πτόλιν·
δι' αἱμάτων δ' ἀμείβει
μυσαρὸν εἰς ἀγῶνα
καταβαλὼν ἀραῖσι
τέκεα μέλεος. ἀγάμεθ' ἀγάμεθ',
ὃς ἐπὶ θάνατον οἴχεται
γᾶς ὑπὲρ πατρῴας,
Κρέοντι μὲν λιπὼν γόους,
τὰ δ' ἑπτάπυργα κλῆθρα γᾶς
καλλίνικα θήσων.
1060 γενοίμεθ' ὧδε ματέρες
γενοίμεθ' εὔτεκνοι, φίλα
Παλλάς, ἃ δράκοντος αἷμα
λιθόβολον κατειργάσω,
Καδμείαν μέριμναν
ὁρμήσασ' ἐπ' ἔργον,
ὅθεν ἐπέσυτο τάνδε γαῖαν
ἁρπαγαῖσι δαιμόνων τις ἄτα.

ΑΓΓΕΛΟΣ

ὠή, τίς ἐν πύλαισι δωμάτων κυρεῖ;
ἀνοίγετ', ἐκπορεύετ' Ἰοκάστην δόμων.
ὠὴ μάλ' αὖθις· διὰ μακροῦ μέν, ἀλλ' ὅμως
1070 ἔξελθ', ἄκουσον, Οἰδίπου κλεινὴ δάμαρ,
λήξασ' ὀδυρμῶν πενθίμων τε δακρύων.

ΙΟΚΑΣΤΗ

ὦ φίλτατ', ἦ που ξυμφορὰν ἥκεις φέρων
Ἐτεοκλέους θανόντος, οὗ παρ' ἀσπίδα
βέβηκας ἀεὶ πολεμίων εἴργων βέλη;

Polluted Thebes, and banned 1050
His sons to stain in this accursèd strife
With brother-blood the hand.
Praise to him, praise, who unto death is faring,
Yea, for his land to die,
Leaving to Creon moans of love's despairing,
But setting victory
For crown upon the city seven-gated!
Ah, may such noble son
To bless mine happy motherhood be fated,
O Pallas, gracious one!— 1060
Pallas, of whom the sudden stone leapt, spilling
The dragon-warder's blood:
Thou gav'st the thought the heart of Cadmus thrilling
To dare the deed whence rushed, with ravin filling
The land, a God's curse-flood.

Enter MESSENGER.

MESSENGER

Ho there! Who standeth at the palace-gate?
Open ye, bring Jocasta forth her bowers.
Ho there, again! Though late, yet come thou forth:
Hearken, renownèd wife of Oedipus; 1070
Cease from thy wailings and thy tears of grief.

Enter JOCASTA.

JOCASTA

Friend—friend!—thou com'st not sure with ill news fraught
Of Eteocles' death, by whose shield aye
Thou marchedst, warding him from foemen's darts?

[τί μοί ποθ' ἥκεις καινὸν ἀγγελῶν ἔπος;]
τέθνηκεν ἢ ζῇ παῖς ἐμός; σήμαινέ μοι.

ΑΓΓΕΛΟΣ
ζῇ, μὴ τρέσῃς τόδ', ὥς σ' ἀπαλλάξω φόβου.

ΙΟΚΑΣΤΗ
τί δ', ἑπτάπυργοι πῶς ἔχουσι περιβολαί;

ΑΓΓΕΛΟΣ
ἑστᾶσ' ἄθραυστοι, κοὐκ ἀνήρπασται πόλις.

ΙΟΚΑΣΤΗ
1080 ἦλθον δὲ πρὸς κίνδυνον Ἀργείου δορός;

ΑΓΓΕΛΟΣ
ἀκμήν γ' ἐπ' αὐτήν· ἀλλ' ὁ Καδμείων Ἄρης
κρείσσων κατέστη τοῦ Μυκηναίου δορός.

ΙΟΚΑΣΤΗ
ἓν εἰπὲ πρὸς θεῶν, εἴ τι Πολυνείκους πέρι
οἶσθ', ὡς μέλει μοι καὶ τόδ', εἰ λεύσσει φάος.

ΑΓΓΕΛΟΣ
ζῇ σοι ξυνωρὶς εἰς τόδ' ἡμέρας τέκνων.

ΙΟΚΑΣΤΗ
εὐδαιμονοίης. πῶς γὰρ Ἀργείων δόρυ
πυλῶν ἀπεστήσασθε πυργηρούμενοι;
λέξον, γέροντα τυφλὸν ὡς κατὰ στέγας
ἐλθοῦσα τέρψω, τῆσδε γῆς σεσωσμένης.

ΑΓΓΕΛΟΣ
1090 ἐπεὶ Κρέοντος παῖς ὁ γῆς ὑπερθανὼν
πύργων ἐπ' ἄκρων στὰς μελάνδετον ξίφος
λαιμῶν διῆκε τῇδε γῇ σωτήριον,
λόχους ἔνειμεν ἑπτὰ καὶ λοχαγέτας
πύλας ἐφ' ἑπτά, φύλακας Ἀργείου δορός,
σὸς παῖς, ἐφέδρους δ' ἱππότας μὲν ἱππόταις
ἔταξ', ὁπλίτας δ' ἀσπιδηφόροις ἔπι,

What word of tidings bringest thou to me?
Dead is my son, or liveth he?—declare.

MESSENGER

He lives. Fear not! I rid thee so of dread.

JOCASTA

And the seven towers, how fares the fence thereof?

MESSENGER

They stand unshattered: Thebes not yet is spoiled.

JOCASTA

Were they sore perilled of the Argive spear? 1080

MESSENGER

At ruin's brink: but stronger proved the might
Of Cadmus' people than Mycenae's spear.

JOCASTA

One thing, by heaven!—of Polyneices aught
Canst tell? I yearn for this? Doth he see light?

MESSENGER

Liveth thus far thy chariot-yoke of sons.

JOCASTA

Blessings on thee! How did ye thrust the spear
Of Argos back from your beleaguered gates?
Tell, that I may rejoice the blind old man
The halls within, with news of this land saved.

MESSENGER

When Creon's son, who for his country died, 1090
Climbing a tower's height, had thrust the sword
Black-hafted through his throat to save the land,
Seven bands with captains to the seven gates,
For watch and ward against the Argive spear,
Thy son set, horsemen covering horsemen ranged,
And men-at-arms behind the shield-bearers,

ὡς τῷ νοσοῦντι τειχέων εἴη δορὸς
ἀλκὴ δι᾿ ὀλίγου. περγάμων δ᾿ ἀπ᾿ ὀρθίων
λεύκασπιν εἰσορῶμεν Ἀργείων στρατὸν
1100 Τευμησὸν ἐκλιπόντα· καὶ τάφρου πέλας
δρόμῳ συνῆψεν ἄστυ Καδμείας χθονός.
παιὰν δὲ καὶ σάλπιγγες ἐκελάδουν ὁμοῦ
ἐκεῖθεν ἔκ τε τειχέων ἡμῶν πάρα.
καὶ πρῶτα μὲν προσῆγε Νηίσταις πύλαις
λόχον πυκναῖσιν ἀσπίσιν πεφρικότα
ὁ τῆς κυναγοῦ Παρθενοπαῖος ἔκγονος,
ἐπίσημ᾿ ἔχων οἰκεῖον ἐν μέσῳ σάκει,
ἑκηβόλοις τόξοισιν Ἀταλάντην κάπρον
χειρουμένην Αἰτωλόν. εἰς δὲ Προιτίδας
1110 πύλας ἐχώρει σφάγι᾿ ἔχων ἐφ᾿ ἅρματι
ὁ μάντις Ἀμφιάραος, οὐ σημεῖ᾿ ἔχων
ὑβρισμέν᾿, ἀλλὰ σωφρόνως ἄσημ᾿ ὅπλα.
Ὠγύγια δ᾿ εἰς πυλώμαθ᾿ Ἱππομέδων ἄναξ
ἔστειχ᾿ ἔχων σημεῖον ἐν μέσῳ σάκει
στικτοῖς Πανόπτην ὄμμασιν δεδορκότα,
τὰ μὲν σὺν ἄστρων ἐπιτολαῖσιν ὄμματα
βλέποντα, τὰ δὲ κρύπτοντα δυνόντων μέτα,
ὡς ὕστερον θανόντος εἰσορᾶν παρῆν.
Ὁμολωίσιν δὲ τάξιν εἶχε πρὸς πύλαις
1120 Τυδεύς, λέοντος δέρος ἔχων ἐπ᾿ ἀσπίδι
χαίτῃ πεφρικός· δεξιᾷ δὲ λαμπάδα
Τιτὰν Προμηθεὺς ἔφερεν ὡς πρήσων πόλιν.
ὁ σὸς δὲ Κρηναίαισι Πολυνείκης πύλαις
Ἄρη προσῆγε· Ποτνιάδες δ᾿ ἐπ᾿ ἀσπίδι
ἐπίσημα πῶλοι δρομάδες ἐσκίρτων φόβῳ,
εὖ πως στρόφιγξιν ἔνδοθεν κυκλούμεναι
πόρπαχ᾿ ὑπ᾿ αὐτόν, ὥστε μαίνεσθαι δοκεῖν.
ὁ δ᾿ οὐκ ἔλασσον Ἄρεος εἰς μάχην φρονῶν

That, where the wall's defence failed, succour of spears
Might be hard by. Then from the soaring towers
We marked the white shields of the Argive host
Leaving Teumessus. Having neared the foss, 1100
Suddenly charging closed they on Cadmus' burg.
Then paean swelled, and shattering trumpet shrilled,
All blended, from the foe and from the walls.

Parthenopaeus, that famed huntress' son,
First led against the Gate Neïstian
A squadron horrent all with serried shields,
On his mid-targe the blazon of his house,
Atalanta slaying the Aetolian boar
With shafts far-smiting. Against Proetus' Gate,
Slain victims on his chariot, marched the seer 1110
Amphiaraus, with no proud device,
But sober weapons void of blazonry.
The gates Ogygian King Hippomedon
Assailed, in mid-targe bearing for device
Argus, with gemmy eyes for aye at gaze,
Some with the rising of the stars aglare,
While, as the stars set, some were slumber-veiled,
As might be seen thereafter, he being slain.
Against the Gate of Homole Tydeus took
His stand, his shield draped with a lion's hide 1120
All shaggy-haired: Titan Prometheus bore
A torch in hand there, as to burn the town.

Thy son Polyneices at the Fountain Gate
Led on the war. Upon his shield the steeds
Of Potniae racing in fear-frenzy sprang,
Wheeled round within by pivots cunningly
Hard by the hand-grip, that they seemed distraught.
High-stomached for the fight as Ares' self,

Καπανεὺς προσῆγε λόχον ἐπ' Ἠλέκτραις πύλαις·
1130 σιδηρονώτοις δ' ἀσπίδος τύποις ἐπῆν
γίγας ἐπ' ὤμοις γηγενὴς ὅλην πόλιν
φέρων μοχλοῖσιν ἐξανασπάσας βάθρων,
ὑπόνοιαν ἡμῖν οἷα πείσεται πόλις.
ταῖς δ' ἑβδόμαις Ἄδραστος ἐν πύλαισιν ἦν,
ἑκατὸν ἐχίδναις ἀσπίδ' ἐκπληρῶν γραφῇ
ὕδρας ἔχων λαιοῖσιν ἐν βραχίοσιν
Ἀργεῖον αὔχημ'· ἐκ δὲ τειχέων μέσων
δράκοντες ἔφερον τέκνα Καδμείων γνάθοις.
παρῆν δ' ἑκάστου τῶνδέ μοι θεάματα
1140 ξύνθημα παραφέροντι ποιμέσιν λόχων.
καὶ πρῶτα μὲν τόξοισι καὶ μεσαγκύλοις
ἐμαρνάμεσθα σφενδόναις θ' ἑκηβόλοις
πετρῶν τ' ἀραγμοῖς· ὡς δ' ἐνικῶμεν μάχῃ,
ἔκλαγξε Τυδεὺς χὠ σὸς ἐξαίφνης γόνος·
ὦ τέκνα Δαναῶν, πρὶν κατεξάνθαι βολαῖς,
τί μέλλετ' ἄρδην πάντες ἐμπίπτειν πύλαις,
γυμνῆτες ἱππῆς ἁρμάτων τ' ἐπιστάται;
ἠχῆς δ' ὅπως ἤκουσαν, οὔτις ἀργὸς ἦν·
πολλοὶ δ' ἔπιπτον κρᾶτας αἱματούμενοι,
1150 ἡμῶν τ' ἐς οὖδας εἶδες ἂν πρὸ τειχέων
πυκνοὺς κυβιστητῆρας ἐκπεπνευκότας,
ξηρὰν δ' ἔδευον γαῖαν αἵματος ῥοαῖς.
ὁ δ' Ἀρκάς, οὐκ Ἀργεῖος, Ἀταλάντης γόνος
τυφὼς πύλαισιν ὥς τις ἐμπεσὼν βοᾷ
πῦρ καὶ δικέλλας, ὡς κατασκάψων πόλιν·
ἀλλ' ἔσχε μαργῶντ' αὐτὸν ἐναλίου θεοῦ
Περικλύμενος παῖς λᾶαν ἐμβαλὼν κάρᾳ
ἁμαξοπληθῆ, γεῖσ' ἐπάλξεων ἄπο·
ξανθὸν δὲ κρᾶτα διεπάλυνε καὶ ῥαφὰς
1160 ἔρρηξεν ὀστέων, ἄρτι δ' οἰνωπὸν γένυν

Led Capaneus his troop to Electra's Gate;
And, for his iron-faced buckler's blazonry, 1130
An earth-born giant on his shoulders bore
A whole town from its basement lever-wrenched,
As token for us of our city's fate.
And at the seventh gate Adrastus was,
His graven shield with five-score vipers thronged
Swung on his left arm, even the Argive vaunt,
The Hydra; and its serpents from our walls
Were snatching Cadmus' children in their jaws.
Each chief's device I well might mark, who bare
The watchword to the leaders of our bands. 1140

Then first with bows and thong-sped javelins
We battled, and with slings that smote from far,
And crashing stones. But when we 'gan prevail,
Suddenly shouted Tydeus and thy son:
"Sons of the Danaans, ere their bolts quell you,
Why do ye tarry, onward-hurling all,
To assault their gates—light-armed, horse, chariot-
lords?"
Soon as they heard that cry, was none hung back.
Many, with heads blood-dashed, were falling fast;
And of us many earthward flung thou hadst seen 1150
Before the walls, like divers plunging, dead,
Drenching the thirsty soil with streams of gore.

But Atalanta's son—no Argive he—
Hurls like a whirlwind at the gates, and shouts
For fire and mattocks, as to raze the town.
But his mid-fury Periclymenus stayed,
The Sea-god's son, who hurled a wain-load crag,
A battlement-coping, down upon his shield,
Spattered abroad the golden head, and rent
The knittings of its bones: the cheeks dark-flushed 1160

καθημάτωσεν· οὐδ' ἀποίσεται βίον
τῇ καλλιτόξῳ μητρὶ Μαινάλου κόρη.
ἐπεὶ δὲ τάσδ' εἰσεῖδεν εὐτυχεῖς πύλας,
ἄλλας ἐπῄει παῖς σός, εἰπόμην δ' ἐγώ.
ὁρῶ δὲ Τυδῆ καὶ παρασπιστὰς πυκνοὺς
Αἰτωλίσιν λόγχαισιν εἰς ἄκρον στόμα
πύργων ἀκοντίζοντας, ὥστ' ἐπάλξεων
λιπεῖν ἐρίπνας φυγάδας· ἀλλά νιν πάλιν,
κυναγὸς ὡσεί, παῖς σὸς ἐξαθροίζεται,
1170 πύργοις δ' ἐπέστησ' αὖθις. εἰς δ' ἄλλας πύλας
ἠπειγόμεσθα, τοῦτο παύσαντες νοσοῦν.
Καπανεὺς δὲ πῶς εἴποιμ' ἂν ὡς ἐμαίνετο;
μακραύχενος γὰρ κλίμακος προσαμβάσεις
ἔχων ἐχώρει, καὶ τοσόνδ' ἐκόμπασε,
μηδ' ἂν τὸ σεμνὸν πῦρ νιν εἰργαθεῖν Διὸς
τὸ μὴ οὐ κατ' ἄκρων περγάμων ἑλεῖν πόλιν.
καὶ ταῦθ' ἅμ' ἠγόρευε καὶ πετρούμενος
ἀνεῖρφ' ὑπ' αὐτὴν ἀσπίδ' εἱλίξας δέμας,
κλίμακος ἀμείβων ξέστ' ἐνηλάτων βάθρα.
1180 ἤδη δ' ὑπερβαίνοντα γεῖσα τειχέων
βάλλει κεραυνῷ Ζεύς νιν. ἐκτύπησε δὲ
χθών, ὥστε δεῖσαι πάντας· ἐκ δὲ κλιμάκων
ἐσφενδονᾶτο χωρὶς ἀλλήλων μέλη,
κόμαι μὲν εἰς Ὄλυμπον, αἷμα δ' εἰς χθόνα,
χεῖρες δὲ καὶ κῶλ' ὡς κύκλωμ' Ἰξίονος
εἱλίσσετ'· εἰς γῆν δ' ἔμπυρος πίπτει νεκρός.
ὡς δ' εἶδ' Ἄδραστος Ζῆνα πολέμιον στρατῷ,
ἔξω τάφρου καθῖσεν Ἀργείων στρατόν.
οἱ δ' αὖ παρ' ἡμῶν δεξιὸν Διὸς τέρας
1190 ἰδόντες ἐξήλαυνον ἁρμάτων ὄχους
ἱππῆς· ὁπλῖταί τ' εἰς μέσ' Ἀργείων ὅπλα
συνῆψαν ἔγχη, πάντα δ' ἦν ὁμοῦ κακά·

Dashed he with blood. No life shall he bear back
To his archer-mother, Maid of Maenalus.
Then, marking how at this gate all went well,
Passed to the next thy son, I following still.
There saw I Tydeus with his serried shields,
With spears Aetolian javelining the height
Of the roofless towers, that from the rampart's crest
Ours fled in panic. But thy son again
Rallies them, as the hunter cheers his hounds;
So manned the walls anew. To other gates 1170
On pressed we, having stayed the mischief there.

But how the madness tell of Capaneus?
For, grasping the long ladder's scaling rounds,
On came he, and thus haughtily vaunted he,
That not Zeus' awful fire should hold him back
From razing from her topmost towers the town.
Thus crying, ever as hailed the stones on him,
He climbed, with body gathered 'neath his targe,
Aye stepping from smooth ladder-rung to rung.
But, even as o'er the ramparts rose his head, 1180
Zeus smiteth him with lightning: rang again
The earth, that all quailed. From the ladder flew
His limbs abroad wide-whirling slingstone-like:
Heavenward his hair streamed, earthward rained his blood:
Hands, feet—Ixion on his wheel seemed he—
Whirled round. To earth he fell, a corpse flame-blasted.
Adrastus, seeing Zeus his army's foe,
Without the trench drew off the Argive host.
Then, marking Zeus's portent fair for us,
Forth of the gates our horse their chariots drave: 1190
Our footmen crashed through Argos' mid-array
With levelled spears;—'twas turmoiled ruin all—

ἔθνῃσκον ἐξέπιπτον ἀντύγων ἄπο,
τροχοί τ' ἐπήδων ἄξονές τ' ἐπ' ἄξοσι,
νεκροὶ δὲ νεκροῖς ἐξεσωρεύονθ' ὁμοῦ.
πύργων μὲν οὖν γῆς ἔσχομεν κατασκαφὰς
εἰς τὴν παροῦσαν ἡμέραν· εἰ δ' εὐτυχὴς
ἔσται τὸ λοιπὸν ἥδε γῆ, θεοῖς μέλει·
καὶ νῦν γὰρ αὐτὴν δαιμόνων ἔσωσέ τις.

ΧΟΡΟΣ

1200 καλὸν τὸ νικᾶν· εἰ δ' ἀμείνον' οἱ θεοὶ
γνώμην ἔχουσιν—εὐτυχὴς εἴην ἐγώ.

ΙΟΚΑΣΤΗ

καλῶς τὰ τῶν θεῶν καὶ τὰ τῆς τύχης ἔχει·
παῖδές τε γάρ μοι ζῶσι κἀκπέφευγε γῆ.
Κρέων δ' ἔοικε τῶν ἐμῶν νυμφευμάτων
τῶν τ' Οἰδίπου δύστηνος ἀπολαῦσαι κακῶν,
παιδὸς στερηθείς, τῇ πόλει μὲν εὐτυχῶς,
ἰδίᾳ δὲ λυπρῶς. ἀλλ' ἄνελθέ μοι πάλιν,
τί τἀπὶ τούτοις παῖδ' ἐμὼ δρασείετον.

ΑΓΓΕΛΟΣ

ἔα τὰ λοιπά· δεῦρ' ἀεὶ γὰρ εὐτυχεῖς.

ΙΟΚΑΣΤΗ

1210 τοῦτ' εἰς ὕποπτον εἶπας· οὐκ ἐατέον.

ΑΓΓΕΛΟΣ

μεῖζόν τι χρῄζεις παῖδας ἢ σεσωσμένους;

ΙΟΚΑΣΤΗ

καὶ τἀπίλοιπά γ' εἰ καλῶς πράσσω κλύειν.

ΑΓΓΕΛΟΣ

μέθες μ'· ἔρημος παῖς ὑπασπιστοῦ σέθεν.

ΙΟΚΑΣΤΗ

κακόν τι κεύθεις καὶ στέγεις ὑπὸ σκότῳ.

ΑΓΓΕΛΟΣ

οὐκ ἄν γε λέξαιμ' ἐπ' ἀγαθοῖσί σοι κακά.

Men dying—falling o'er the chariot-rails—
Wheels leaping—axles upon axles dashed,
And corpses heaped on corpses all confused.

So then for this day have we barred the fall
Of our land's towers; but if good fortune waits
On Thebes henceforth, this resteth with the Gods:
Only a God's hand rescued her to-day.

CHORUS

Glorious is victory: if more favours yet 1200
The Gods intend—ah, may I so be blest!

JOCASTA

Fair are the dealings of the Gods and Fate:
For lo, my sons live, and the land hath 'scaped.
But Creon hath, meseems, reaped evil fruit
Of mine and Oedipus' marriage—hapless sire,
Reft of his son, for blessing unto Thebes,
But grief to him! Take up the tale again,
And tell what now my sons are bent to do.

MESSENGER

Forbear the rest. Thus far 'tis well with thee.

JOCASTA

Thou stirr'st surmisings! I can not forbear! 1210

MESSENGER

How, wouldst thou more than know thy sons are safe?

JOCASTA

Yea, know if things to come be well for me.

MESSENGER

Now let me go: thy son his henchman lacks.

JOCASTA

Some ill thou hid'st—in darkness veilest it!

MESSENGER

I would not tell thee evil blent with good.

ΙΟΚΑΣΤΗ

ἣν μή γε φεύγων ἐκφύγῃς πρὸς αἰθέρα.

ΑΓΓΕΛΟΣ

αἰαῖ· τί μ' οὐκ εἴασας ἐξ εὐαγγέλου
φήμης ἀπελθεῖν, ἀλλὰ μηνῦσαι κακά;
τὼ παῖδε τὼ σὼ μέλλετον, τολμήματα
1220 αἴσχιστα, χωρὶς μονομαχεῖν παντὸς στρατοῦ,
λέξαντες Ἀργείοισι Καδμείοισί τε
εἰς κοινὸν οἷον μήποτ' ὤφελον λόγον.
Ἐτεοκλέης δ' ὑπῆρξ' ἀπ' ὀρθίου σταθεὶς
πύργου, κελεύσας σῖγα κηρῦξαι στρατῷ·
[ἔλεξε δ'· ὦ γῆς Ἑλλάδος στρατηλάται]
Δαναῶν ἀριστῆς, οἵπερ ἤλθετ' ἐνθάδε,
Κάδμου τε λαός, μήτε Πολυνείκους χάριν
ψυχὰς ἀπεμπολᾶτε μήθ' ἡμῶν ὕπερ.
ἐγὼ γὰρ αὐτὸς τόνδε κίνδυνον μεθεὶς
1230 μόνος συνάψω συγγόνῳ τὠμῷ μάχην·
κἂν μὲν κτάνω τόνδ', οἶκον οἰκήσω μόνος,
ἡσσώμενος δὲ τῷδε παραδώσω μόνῳ.
ὑμεῖς δ' ἀγῶν' ἀφέντες, Ἀργεῖοι, χθόνα
νίσσεσθε, βίοτον μὴ λιπόντες ἐνθάδε,
Σπαρτῶν τε λαὸς ἅλις ὅσος κεῖται νεκρός.
τοσαῦτ' ἔλεξε· σὸς δὲ Πολυνείκης γόνος
ἐκ τάξεων ὤρουσε κἀπῄνει λόγους.
πάντες δ' ἐπερρόθησαν Ἀργεῖοι τάδε
Κάδμου τε λαὸς ὡς δίκαι' ἡγούμενοι.
1240 ἐπὶ τοῖσδε δ' ἐσπείσαντο, κἀν μεταιχμίοις
ὅρκους συνῆψαν ἐμμενεῖν στρατηλάται.
ἤδη δ' ἔκρυπτον σῶμα παγχάλκοις ὅπλοις
δισσοὶ γέροντος Οἰδίπου νεανίαι·
φίλοι δ' ἐκόσμουν, τῆσδε μὲν πρόμον χθονὸς
Σπαρτῶν ἀριστῆς, τὸν δὲ Δαναϊδῶν ἄκροι.

JOCASTA

That shalt thou—except to heaven thou wing thy flight.

MESSENGER

Alas! why couldst thou let me not go hence
After good tidings, but wouldst have the ill?
Thy two sons purpose single fight, apart
From all the host—a desperate deed of shame! 1220
To Argives and Cadmeans one and all
They spake that which would God they had left unsaid!
Eteocles from a lofty tower began—
Having bid publish silence to the host—
And said: "O battle-chiefs of Hellas-land,
Lords of the Danaans who have hither come,
And Cadmus' folk—for Polyneices' sake
Sell not your lives, nor sell them in my cause.
For I myself will free you of this risk,
And with my brother grapple alone in fight. 1230
If I slay him, mine halls I hold alone:
O'erthrown, I yield them up to him alone.
Argives, forbear the struggle, and return
Unto your land, not leaving here your lives;
And of the Sown suffice the already dead."
Thus spake he; Polyneices then, thy son,
Leapt from the ranks, and hailed the challenge-word;
And all the Argives shouted yea to this,
And Cadmus' folk, as righteous in their eyes.
On these terms made they truce, and in mid-space 1240
The chiefs took oaths whereby they should abide.
Then ancient Oedipus' two sons straightway
'Gan case their bodies in all-brazen mail,
Holpen of friends; by Theban lords the king
Of this land, and by Danaan chiefs his brother.

ἔσταν δὲ λαμπρώ, χρῶμά τ' οὐκ ἠλλαξάτην
μαργῶντ' ἐπ' ἀλλήλοισιν ἱέναι δόρυ.
παρεξιόντες δ' ἄλλος ἄλλοθεν φίλων
λόγοισι θαρσύνοντες ἐξηύδων τάδε·
1250 Πολύνεικες, ἐν σοὶ Ζηνὸς ὀρθῶσαι βρέτας
τρόπαιον Ἄργει τ' εὐκλεᾶ δοῦναι λόγον·
Ἐτεοκλέα δ' αὖ· νῦν πόλεως ὑπερμαχεῖς,
σὺ καλλίνικος γενόμενος σκήπτρων κρατεῖς.
τάδ' ἠγόρευον παρακαλοῦντες εἰς μάχην.
μάντεις δὲ μῆλ' ἔσφαζον, ἐμπύρους τ' ἀκμὰς
ῥήξεις τ' ἐνώμων, ὑγρότητ' ἐναντίαν,
ἄκραν τε λαμπάδ', ἣ δυοῖν ὅρους ἔχει,
νίκης τε σῆμα καὶ τὸ τῶν ἡσσωμένων.
ἀλλ' εἴ τιν' ἀλκὴν ἢ σοφοὺς ἔχεις λόγους
1260 ἢ φίλτρ' ἐπῳδῶν, στεῖχ', ἐρήτυσον τέκνα
δεινῆς ἁμίλλης, ὡς ὁ κίνδυνος μέγας·
κἄπαθλα δεινὰ δάκρυά σοι γενήσεται
δισσοῖν στερείσῃ τῇδ' ἐν ἡμέρᾳ τέκνοιν.

ΙΟΚΑΣΤΗ

ὦ τέκνον, ἔξελθ', Ἀντιγόνη, δόμων πάρος·
οὐκ ἐν χορείαις οὐδὲ παρθενεύμασι
νῦν σοι προχωρεῖ δαιμόνων κατάστασις,
ἀλλ' ἄνδρ' ἀρίστω καὶ κασιγνήτω σέθεν
εἰς θάνατον ἐκνεύοντε κωλῦσαί σε δεῖ
ξὺν μητρὶ τῇ σῇ μὴ πρὸς ἀλλήλοιν θανεῖν.

ΑΝΤΙΓΟΝΗ

1270 τίν', ὦ τεκοῦσα μῆτερ, ἔκπληξιν νέαν
φίλοις ἀυτεῖς τῶνδε δωμάτων πάρος;

ΙΟΚΑΣΤΗ

ὦ θύγατερ, ἔρρει σῶν κασιγνήτων βίος

There stood they gleaming,--never paled their cheeks,—
Each panting at his foe to dart the spear.
On this side and on that their friends drew nigh,
With heartening words thus speaking unto them;
"Thine, Polyneices, is it to set up 1250
Zeus' trophy-statue, and give Argos fame";
To Eteocles—"Thou for Thebes dost fight:
Now triumph, and thou hold'st her sceptre fast."
So did they hail them, cheering them to fight.
And the priests slew the sheep: flame tongue they marked,
And flame-cleft, steamy reek that bodeth ill,
The pointed flame, which hath decisions twain,
Betokening victory or overthrow.
If any power thou hast or cunning words,
Or spell of charms, go, pluck thou back thy sons 1260
From that dread strife; for grim the peril is;
And, for dread guerdon, tears shall be thy portion,
If thou of two sons be this day bereaved. [*Exit.*

JOCASTA

Daughter Antigone, come forth the house!
No dances, neither toils of maiden hands,
Beseem thee in this hour of heaven's doom;
But heroes twain, yea, brethren unto thee,
Now deathward reeling, with thy mother thou
Must hold from dying, each by other slain.

Enter ANTIGONE.

ANTIGONE

Mother that bare me, what strange terror-cry 1270
Before these halls to thy friends utterest thou?

JOCASTA

Daughter, thy brethren's life is come to naught.

ΑΝΤΙΓΟΝΗ

πῶς εἶπας;

ΙΟΚΑΣΤΗ

αἰχμὴν ἐς μίαν καθέστατον.

ΑΝΤΙΓΟΝΗ

οἳ 'γώ, τί λέξεις, μῆτερ;

ΙΟΚΑΣΤΗ

οὐ φίλ', ἀλλ' ἕπου.

ΑΝΤΙΓΟΝΗ

ποῖ, παρθενῶνας ἐκλιποῦσ';

ΙΟΚΑΣΤΗ

ἀνὰ στρατόν.

ΑΝΤΙΓΟΝΗ

αἰδούμεθ' ὄχλον.

ΙΟΚΑΣΤΗ

οὐκ ἐν αἰσχύνῃ τὰ σά.

ΑΝΤΙΓΟΝΗ

δράσω δὲ δὴ τί;

ΙΟΚΑΣΤΗ

συγγόνων λύσεις ἔριν.

ΑΝΤΙΓΟΝΗ

τί δρῶσα, μῆτερ;

ΙΟΚΑΣΤΗ

προσπίτνουσ' ἐμοῦ μέτα.

ΑΝΤΙΓΟΝΗ

ἡγοῦ σὺ πρὸς μεταίχμι', οὐ μελλητέον.

ΙΟΚΑΣΤΗ

1280 ἔπειγ' ἔπειγε, θύγατερ· ὡς ἢν μὲν φθάσω
παῖδας πρὸ λόγχης, οὑμὸς ἐν φάει βίος·
θανοῦσι δ' αὐτοῖς συνθανοῦσα κείσομαι.

ANTIGONE

How say'st thou?

JOCASTA

Met they are for single fight.

ANTIGONE

Woe! what wilt say?

JOCASTA

Naught welcome. Follow me.

ANTIGONE

Whither, from maiden-bowers?

JOCASTA

Through the host.

ANTIGONE

I shrink from throngs!

JOCASTA

No time for modesty this!

ANTIGONE

I—what can I do?

JOCASTA

Part thy brethren's strife.

ANTIGONE

Mother, whereby?

JOCASTA

Fall at their feet with me.

ANTIGONE

Lead to the mid-space! We may tarry not.

JOCASTA

Haste, daughter, haste: for, may I but forestall 1280
My sons ere fighting, light of life is mine:
If they be dead, dead with them will I lie. [*Exeunt.*

ΧΟΡΟΣ

αἰαῖ αἰαῖ, *στρ.*
τρομερὰν φρίκᾳ τρομερὰν φρέν᾽ ἔχω·
διὰ σάρκα δ᾽ ἐμὰν
ἔλεος ἔλεος ἔμολε ματέρος δειλαίας.
δίδυμα τέκεα πότερος ἄρα πότερον αἱμάξει—
ἰώ μοι πόνων,
1290 *ἰὼ Ζεῦ, ἰὼ γᾶ—*
ὁμογενῆ δέραν, ὁμογενῆ ψυχὰν
δι᾽ ἀσπίδων, δι᾽ αἱμάτων;
τάλαιν᾽ ἐγὼ τάλαινα,
πότερον ἄρα νέκυν ὀλόμενον ἀχήσω;

φεῦ δᾶ φεῦ δᾶ, *ἀντ.*
δίδυμοι θῆρες, φόνιαι ψυχαὶ
δορὶ παλλόμεναι
πέσεα πέσεα δάι᾽ αὐτίχ᾽ αἱμάξετον.
1300 *τάλανες, ὅ τι ποτὲ μονομάχον ἐπὶ φρέν᾽ ἠλθέτην,*
βοᾷ βαρβάρῳ
ἰαχὰν στενακτὰν
μελομέναν νεκροῖς δάκρυσι θρηνήσω.
σχεδὸν τύχα πέλας φόνου·
κρινεῖ ξίφος[1] *τὸ μέλλον.*
ἄποτμος ἄποτμος ὁ φόνος ἕνεκ᾽ Ἐρινύων.

ἀλλὰ γὰρ Κρέοντα λεύσσω τόνδε δεῦρο συννεφῆ
πρὸς δόμους στείχοντα, παύσω τοὺς παρεστῶτας
γόους.

ΚΡΕΩΝ

1310 *οἴμοι, τί δράσω; πότερ᾽ ἐμαυτὸν ἢ πόλιν*
στένω δακρύσας, ἣν πέριξ ἔχει νέφος

[1] Hermann: for *φάος* of MSS.

CHORUS

Alas and alas ! (*Str.*)
Shuddering, shuddering horror of soul have I :
Through the very flesh of me pass
Compassion-thrills for a mother in misery. [lie—
Two sons—who, slain of the other, in blood shall
Woe, anguish, and dismay !
Zeus !—Earth !—to you I pray !— 1290
With his throat pierced, his life by a brother sped,
His shield cleft, and his blood by a brother shed ?
Woe's me and well-a day !
For whom shall I uplift my voice to wail him dead ?

O land, O land ! (*Ant.*)
Two ravening beasts, two spirits of murderous mood,
With the battle-lust quivering they stand ;
But brother shall soon lay brother low in his blood !
Wretches, that ever on duel bent they stood ! 1300
With wail of alien tongue
Shall my wild dirge be sung,
Tears for the dead, and lamentation's cry.
Fate presseth nearer, murder is hard by,
In the sword's balance hung :—
Curst slaughter, curst, the work of Vengeance-destiny !

Ha, 'tis Creon I behold, that hitherward with clouded brow [but now.
Hasteth to the palace. I will hush the wail begun

Enter CREON, *with* ATTENDANTS *bearing the body of* MENOECEUS

CREON

What shall I do ? Weeping shall I bemoan 1310
Myself, or Thebes whom such a cloud o'erpalls

τοιοῦτον ὥστε δι' Ἀχέροντος ἰέναι;
ἐμός τε γὰρ παῖς γῆς ὄλωλ' ὑπερθανών,
τοὔνομα λαβὼν γενναῖον, ἀνιαρὸν δ' ἐμοί·
ὃν ἄρτι κρημνῶν ἐκ δρακοντείων ἑλὼν
αὐτοσφαγῆ δύστηνος ἐκόμισ' ἐν χεροῖν,
βοᾷ δὲ δῶμα πᾶν· ἐγὼ δ' ἥκω μετὰ
γέρων ἀδελφὴν γραῖαν Ἰοκάστην, ὅπως
λούσῃ προθῆταί τ' οὐκέτ' ὄντα παῖδ' ἐμόν.
1320 τοῖς γὰρ θανοῦσι χρὴ τὸν οὐ τεθνηκότα
τιμὰς διδόντα χθόνιον εὐσεβεῖν θεόν.

ΧΟΡΟΣ

βέβηκ' ἀδελφὴ σή, Κρέων, ἔξω δόμων
κόρη τε μητρὸς Ἀντιγόνη κοινῷ ποδί.

ΚΡΕΩΝ

ποῖ κἀπὶ ποίαν συμφοράν; σήμαινέ μοι.

ΧΟΡΟΣ

ἤκουσε τέκνα μονομάχῳ μέλλειν δορὶ
εἰς ἀσπίδ' ἥξειν βασιλικῶν δόμων ὕπερ.

ΚΡΕΩΝ

πῶς φής; νέκυν τοι παιδὸς ἀγαπάζων ἐμοῦ
οὐκ εἰς τόδ' ἦλθον ὥστε καὶ τάδ' εἰδέναι.

ΧΟΡΟΣ

ἀλλ' οἴχεται μὲν σὴ κασιγνήτη πάλαι·
1330 δοκῶ δ' ἀγῶνα τὸν περὶ ψυχῆς, Κρέον,
ἤδη πεπρᾶχθαι παισὶ τοῖσιν Οἰδίπου.

ΚΡΕΩΝ

οἴμοι, τὸ μὲν σημεῖον εἰσορῶ τόδε,
σκυθρωπὸν ὄμμα καὶ πρόσωπον ἀγγέλου
στείχοντος, ὃς πᾶν ἀγγελεῖ τὸ δρώμενον.

ΑΓΓΕΛΟΣ

ὦ τάλας ἐγώ, τίν' εἴπω μῦθον ἢ τίνας γόους;

As through the gloom of Acheron drifts her now?
Dead is my son! He died for fatherland,
Winning a glorious name, but woe for me.
Him from the Dragon's crags but now I caught
Self-slain, and woefully bare him in mine arms.
My whole house wails. I for my sister come,
Jocasta,—come, the old to seek the old,—
To bathe and lay out this no more my son.
For he who hath not died must reverence 1320
The Nether-gods by honouring the dead.

CHORUS

Gone is thy sister, Creon, forth the house;
And with her went her child Antigone.

CREON

Whither?—for what mischance? Declare to me.

CHORUS

The purpose of her sons she heard, to fight
In single combat for the royal halls.

CREON

How sayest thou? Lo, tending my son's corse,
I came not to the knowledge of this deed.

CHORUS

Yea, hence thy sister parted long agone:
And that death-struggle, Creon, now, meseems, 1330
Is ended 'twixt the sons of Oedipus.

CREON

Ah me! a token yonder do I see,
The joyless eye and face of one who comes
A messenger, to tell all horrors done.

Enter MESSENGER.

MESSENGER

Woe is me! what story can I tell, or utter forth what
wail?

ΚΡΕΩΝ

οἰχόμεσθ'· οὐκ εὐπροσώποις φροιμίοις ἄρχει λόγου.

ΑΓΓΕΛΟΣ

ὦ τάλας, δισσῶς ἀυτῶ· μεγάλα γὰρ φέρω κακά.

ΚΡΕΩΝ

πρὸς πεπραγμένοισιν ἄλλοις πήμασιν; λέγεις δὲ τί;

ΑΓΓΕΛΟΣ

οὐκέτ' εἰσὶ σῆς ἀδελφῆς παῖδες ἐν φάει, Κρέον.

ΚΡΕΩΝ

1340 αἰαῖ.
μεγάλα μοι θροεῖς πάθεα καὶ πόλει.
ὦ δώματ' εἰσηκούσατ' Οἰδίπου τάδε
παίδων ὁμοίαις συμφοραῖς ὀλωλότων;

ΧΟΡΟΣ

ὥστ' ἂν δακρῦσαί γ', εἰ φρονοῦντ' ἐτύγχανεν.

ΚΡΕΩΝ

οἴμοι ξυμφορᾶς βαρυποτμωτάτας,
οἴμοι κακῶν δύστηνος· ὦ τάλας ἐγώ.

ΑΓΓΕΛΟΣ

εἰ καὶ τὰ πρὸς τούτοισί γ' εἰδείης κακά.

ΚΡΕΩΝ

καὶ πῶς γένοιτ' ἂν τῶνδε δυσποτμώτερα;

ΑΓΓΕΛΟΣ

τέθνηκ' ἀδελφὴ σὴ δυοῖν παίδοιν μέτα.

ΧΟΡΟΣ

1350 ἀνάγετ' ἀνάγετε κωκυτόν,
ἐπὶ κάρα τε λευκοπήχεις κτύπους χεροῖν.

CREON

Ah, undone! With no fair-seeming prelude thou beginn'st thy tale.

MESSENGER

Woe! Again I cry it, for I bring a burden of dismay—

CREON

Heaped upon calamities already wrought? What wouldst thou say?

MESSENGER

Creon, those thy sister's sons behold no more the light of day.

CREON

Alas! 1340
Terrible ills for me and for Thebes dost thou tell—
O halls of Oedipus, have ye heard this?—
Dost tell of sons that by one doom have died!

CHORUS

Their very walls might weep, could they but know.

CREON

Woe's me, the disaster, when fate's stroke heavily fell!
Woe for my sorrows! Ah unhappy I!

MESSENGER

Ah, didst thou know the evils more than these!

CREON

What can be more calamitous than these?

MESSENGER

Dead is thy sister—dead with her two sons.

CHORUS

Upraise, upraise the lamentation-strain, 1350
Down on the head let blows of white hands rain!

ΚΡΕΩΝ

ὦ τλῆμον, οἷον τέρμον', Ἰοκάστη, βίου
γάμων τε τῶν σῶν Σφιγγὸς αἰνιγμοῖς ἔτλης.
πῶς καὶ πέπρακται διπτύχων παίδων φόνος
ἀρᾶς τ' ἀγώνισμ' Οἰδίπου; σήμαινέ μοι.

ΑΓΓΕΛΟΣ

τὰ μὲν πρὸ πύργων εὐτυχήματα χθονὸς
οἶσθ'· οὐ μακρὰν γὰρ τειχέων περιπτυχαί.
[ὥστ' οὐχ ἅπαντά σ' εἰδέναι τὰ δρώμενα.]
ἐπεὶ δὲ χαλκέοις σῶμ' ἐκοσμήσανθ' ὅπλοις
1360 οἱ τοῦ γέροντος Οἰδίπου νεανίαι,
ἔστησαν ἐλθόντ' εἰς μέσον μεταίχμιον
[δισσὼ στρατηγὼ καὶ διπλὼ στρατηλάτα]
ὡς εἰς ἀγῶνα μονομάχου τ' ἀλκὴν δορός.
βλέψας δ' ἐς Ἄργος ἧκε Πολυνείκης ἀράς·
ὦ πότνι' Ἥρα, σὸς γάρ εἰμ', ἐπεὶ γάμοις
ἔζευξ' Ἀδράστου παῖδα καὶ ναίω χθόνα,
δός μοι κτανεῖν ἀδελφόν, ἀντήρη δ' ἐμὴν
καθαιματῶσαι δεξιὰν νικηφόρον·
[αἴσχιστον αἰτῶν στέφανον, ὁμογενῆ κτανεῖν.
1370 πολλοῖς δ' ἐπῄει δάκρυα τῆς τύχης ὅση,
κἄβλεψαν ἀλλήλοισι διαδόντες κόρας.]
Ἐτεοκλέης δὲ Παλλάδος χρυσάσπιδος
βλέψας πρὸς οἶκον ηὔξατ'· ὦ Διὸς κόρη,
δὸς ἔγχος ἡμῖν καλλίνικον ἐκ χερὸς
εἰς στέρν' ἀδελφοῦ τῆσδ' ἀπ' ὠλένης βαλεῖν,
κτανεῖν θ' ὃς ἦλθε πατρίδα πορθήσων ἐμήν.
ἐπεὶ δ' ἀφείθη πυρσὸς ὣς Τυρσηνικῆς
σάλπιγγος ἠχή, σῆμα φοινίου μάχης,
ᾖξαν δρόμημα δεινὸν ἀλλήλοις ἔπι·
1380 κάπροι δ' ὅπως θήγοντες ἀγρίαν γένυν
ξυνῆψαν, ἀφρῷ διάβροχοι γενειάδας·

CREON

Hapless Jocasta, what an end of life
And marriage hast thou proved the Sphinx's riddle!
How came to pass the death of her two sons,
The strife, of Oedipus' curse that came?—declare.

MESSENGER

The land's fair fortune in her towers' defence
Thou know'st: the girdling walls be not so far
But that thou mayest know whate'er is done.
Now when in brazen mail they had clad their limbs,
Those princes, sons of ancient Oedipus, 1360
Into the mid-space went they forth and stood,
Those chieftains two, those battle-leaders twain,
As for the grapple and strife of single fight.

Then, gazing Argos-ward, Polyneices prayed:
"Queen Hera,—for thine am I since I wed
Adrastus' child, and dwell within thy land,—
Grant me to slay my brother, and to stain
My warring hand with blood of victory!"—
Asking a crown of shame, to slay a brother.
Tears sprang from many an eye at that dread fate, 1370
And each on other did men look askance.
But unto golden-shielded Pallas' fane
Eteocles looked, and prayed: "Daughter of Zeus,
Grant that the conquering spear, of mine hand sped,
Yea, from this arm, may smite my brother's breast,
And slay him who hath come to waste my land!"

Then, when the Tuscan trump, like signal-torch,
Rang forth the token of the bloody fray,
Forth darted each at other in terrible rush;
And, like wild boars that whet the tameless tusk, 1380
Clashed they, foam-flakes beslavering their beards.

ἧσσον δὲ λόγχαις· ἀλλ' ὑφίζανον κύκλοις,
ὅπως σίδηρος ἐξολισθάνοι μάτην.
εἰ δ' ὄμμ' ὑπερσχὸν ἴτυος ἅτερος μάθοι,
λόγχην ἐνώμα, στόματι προφθῆναι θέλων.
ἀλλ' εὖ προσῆγον ἀσπίδων κεγχρώμασιν
ὀφθαλμόν, ἀργὸν ὥστε γίγνεσθαι δόρυ.
πᾶσιν δὲ τοῖς ὁρῶσιν ἐστάλασσ' ἱδρὼς
ἢ τοῖσι δρῶσι, διὰ φίλων ὀρρωδίαν.
1390 Ἐτεοκλέης δὲ ποδὶ μεταψαίρων πέτρον
ἴχνους ὑπόδρομον, κῶλον ἐκτὸς ἀσπίδος
τίθησι· Πολυνείκης δ' ἀπήντησεν δορί,
πληγὴν σιδήρῳ παραδοθεῖσαν εἰσιδών,
κνήμης τε διεπέρασεν Ἀργεῖον δόρυ·
στρατὸς δ' ἀνηλάλαξε Δαναϊδῶν ἅπας.
κἀν τῷδε μόχθῳ γυμνὸν ὦμον εἰσιδὼν
ὁ πρόσθε τρωθεὶς στέρνα Πολυνείκους βίᾳ
διῆκε λόγχην, κἀπέδωκεν ἡδονὰς
Κάδμου πολίταις, ἀπὸ δ' ἔθραυσ' ἄκρον δόρυ.
1400 εἰς δ' ἄπορον ἥκων δορὸς ἐπὶ σκέλος πάλιν
χωρεῖ, λαβὼν δ' ἀφῆκε μάρμαρον πέτρον,
μέσον δ' ἄκοντ' ἔθραυσεν· ἐξ ἴσου δ' Ἄρης
ἦν, κάμακος ἀμφοῖν χεῖρ' ἀπεστερημένοιν.
ἔνθεν δὲ κώπας ἁρπάσαντε φασγάνων
ἐς ταὐτὸν ἧκον, συμβαλόντε δ' ἀσπίδας
πολὺν ταραγμὸν ἀμφιβάντ' εἶχον μάχης.
καί πως νοήσας Ἐτεοκλῆς τὸ Θεσσαλὸν
εἰσήγαγεν σόφισμ' ὁμιλίᾳ χθονός·
ἐξαλλαγεὶς γὰρ τοῦ παρεστῶτος πόνου,
1410 λαιὸν μὲν εἰς τοὔπισθεν ἀμφέρει πόδα,
πρόσω τὰ κοῖλα γαστρὸς εὐλαβούμενος·
προβὰς δὲ κῶλον δεξιὸν δι' ὀμφαλοῦ
καθῆκεν ἔγχος σφονδύλοις τ' ἐνήρμοσεν.

With spears they lunged: yet crouched behind their shields,
That so the steel might bootless glance aside.
And, if one saw foe's eye peer o'er the targe,
Aye thrust he, fain to overreach his fence.
Yet cunningly through eyelets of their shields
They glanced, that naught awhile the spear achieved,
While more from all beholders trickled sweat,
Of fear for friends, than from the champions' selves.
But Eteocles, spurning aside a stone 1390
That rolled beneath his tread, without his shield
Showed glimpse of fenceless limb. Polyneices lunged,
Marking the stroke so offered to the steel;
And through the shank clear passed the Argive lance.
Loud cheered the whole array of Danaus' sons.

But his foe's shoulder by that effort bared
The stricken marked, and Polyneices' breast
Pierced with a strong spear-thrust, and gave back joy
To Cadmus' folk; yet brake his spear-head short.
So, his lance lost, back fell he step by step, 1400
Caught up a rugged rock, and sped its flight,
Snapping his foe's spear thwart. Now was the fray
Equal, since either's hand was spear-bereft.
Thereupon snatched they at their falchion-hilts,
Closed, clashing shields, and, traversing to and fro,
Made rage the stormy clangour of the fight.
But, having learnt it visiting Thessaly,
Eteocles used the northern warriors' feint:
For, from the instant grapple springing clear,
Back on his left foot, backward still, he sinks, 1410
Watching the while his foe's waist: leaping then,
The right foot foremost, through the navel plunged
His sword, and 'twixt the spine-bones wedged the point.

ὁμοῦ δὲ κάμψας πλευρὰ καὶ νηδὺν τάλας
σὺν αἱματηραῖς σταγόσι Πολυνείκης πίτνει.
ὁ δ', ὡς κρατῶν δὴ καὶ νενικηκὼς μάχῃ,
ξίφος δικὼν εἰς γαῖαν ἐσκύλευέ νιν,
τὸν νοῦν πρὸς αὑτὸν οὐκ ἔχων, ἐκεῖσε δέ·
ὃ καί νιν ἔσφηλ'· ἔτι γὰρ ἐμπνέων βραχύ,
1420 σῴζων σίδηρον ἐν λυγρῷ πεσήματι,
μόλις μέν, ἐξέτεινε δ' εἰς ἧπαρ ξίφος
Ἐτεοκλέους ὁ πρόσθε Πολυνείκης πεσών.
γαῖαν δ' ὀδὰξ ἑλόντες ἀλλήλων πέλας
πίπτουσιν ἄμφω κοὐ διώρισαν κράτος.

ΧΟΡΟΣ

φεῦ φεῦ, κακῶν σῶν, Οἰδίπου, σ' ὅσων στένω·
τὰς σὰς δ' ἀρὰς ἔοικεν ἐκπλῆσαι θεός.

ΑΓΓΕΛΟΣ

ἄκουε δή νυν καὶ τὰ πρὸς τούτοις κακά.
ὡς γὰρ τέκνω πεσόντ' ἐλειπέτην βίον,
ἐν τῷδε μήτηρ ἡ τάλαινα προσπίτνει
1430 σὺν παρθένῳ τε καὶ προθυμίᾳ ποδός.
τετρωμένους δ' ἰδοῦσα καιρίους σφαγὰς
ᾤμωξεν· ὦ τέκν', ὑστέρα βοηδρόμος
πάρειμι. προσπίτνουσα δ' ἐν μέρει τέκνα
ἔκλαι', ἐθρήνει τὸν πολὺν μάτην πόνον
στένουσ', ἀδελφή θ' ἡ παρασπίζουσ' ὁμοῦ·
ὦ γηροβοσκὼ μητρός, ὦ γάμους ἐμοὺς
προδόντ' ἀδελφὼ φιλτάτω. στέρνων δ' ἄπο
φύσημ' ἀνεὶς δύσθνητον Ἐτεοκλῆς ἄναξ
ἤκουσε μητρός, κἀπιθεὶς ὑγρὰν χέρα
1440 φωνὴν μὲν οὐκ ἀφῆκεν, ὀμμάτων δ' ἄπο
προσεῖπε δακρύοις, ὥστε σημῆναι φίλα.
ὁ δ' ἦν ἔτ' ἔμπνους, πρὸς κασιγνήτην δ' ἰδὼν
γραῖάν τε μητέρ' εἶπε Πολυνείκης τάδε·

Then, ribs and belly inarched in anguish-throe,
Down-raining blood-gouts, Polyneices falls.
Our king, as victor, winner of the fight,
Casting his sword down, fell to spoiling him,
Heeding but that, nor recking his own risk;
Which thing undid him. Faintly breathing yet,
Still grasping in his grievous fall his sword, 1420
First-fallen Polyneices with hard strain
Plunged into Eteocles' heart the blade.
Gnashing in dust their teeth, there side by side
They lie, those twain, the victory doubtful still.

CHORUS

Alas! I wail thy sore griefs, Oedipus!
Thy malisons, I wot, hath God fulfilled.

MESSENGER

Ah, but hear now what woes remain to tell.
Even as her fallen sons were leaving life,
Their wretched mother rusheth on the scene,—
She and the maid, with haste of eager feet; 1430
And, seeing them stricken with their mortal wounds,
She wailed, "Ah sons, too late for help I come!"

Then, falling on her sons, on each in turn,
She wept, she wailed, her long vain nursing-toil
Bemoaning: and their sister at her side—
"Props of your mother's age, dear brethren, who
Leave me a bride unwed!" One dying gasp
Hard-heaving from his breast, King Eteocles
His mother heard, touched her with clammy hand,
Uttered no word, but from his eyes he spake 1440
With tears, as giving token of his love.
But Polyneices breathing yet, and gazing
On sister and on agèd mother, spake:

ἀπωλόμεσθα, μῆτερ· οἰκτείρω δὲ σὲ
καὶ τήνδ' ἀδελφὴν καὶ κασίγνητον νεκρόν.
φίλος γὰρ ἐχθρὸς ἐγένετ', ἀλλ' ὅμως φίλος.
θάψον δέ μ', ὦ τεκοῦσα, καὶ σύ, σύγγονε,
ἐν γῇ πατρῴᾳ, καὶ πόλιν θυμουμένην
παρηγορεῖτον, ὡς τοσόνδε γοῦν τύχω
1450 χθονὸς πατρῴας, κεἰ δόμους ἀπώλεσα.
ξυνάρμοσον δὲ βλέφαρά μου τῇ σῇ χερί,
μῆτερ — τίθησι δ' αὐτὸς ὀμμάτων ἔπι —
καὶ χαίρετ'· ἤδη γάρ με περιβάλλει σκότος.
ἄμφω δ' ἅμ' ἐξέπνευσαν ἄθλιον βίον.
μήτηρ δ', ὅπως ἐσεῖδε τήνδε συμφοράν,
ὑπερπαθήσασ' ἥρπασ' ἐκ νεκρῶν ξίφος
κἄπραξε δεινά· διὰ μέσου γὰρ αὐχένος
ὠθεῖ σίδηρον, ἐν δὲ τοῖσι φιλτάτοις
θανοῦσα κεῖται περιβαλοῦσ' ἀμφοῖν χέρας.
1460 ἀνῇξε δ' ὀρθὸς λαὸς εἰς ἔριν λόγων,
ἡμεῖς μὲν ὡς νικῶντα δεσπότην ἐμόν,
οἱ δ' ὡς ἐκεῖνον. ἦν δ' ἔρις στρατηλάταις,
οἱ μὲν πατάξαι πρόσθε Πολυνείκην δορί,
οἱ δ' ὡς θανόντων οὐδαμοῦ νίκη πέλοι.
κἀν τῷδ' ὑπεξῆλθ' Ἀντιγόνη στρατοῦ δίχα.
οἱ δ' εἰς ὅπλ' ᾖσσον· εὖ δέ πως προμηθίᾳ
καθῆστο Κάδμου λαὸς ἀσπίδων ἔπι·
κἄφθημεν οὔπω τεύχεσιν πεφραγμένον
Ἀργεῖον εἰσπεσόντες ἐξαίφνης στρατόν.
1470 κοὐδεὶς ὑπέστη, πεδία δ' ἐξεπίμπλασαν
φεύγοντες, ἔρρει δ' αἷμα μυρίων νεκρῶν
λόγχαις πιτνόντων. ὡς δ' ἐνικῶμεν μάχῃ,
οἱ μὲν Διὸς τροπαῖον ἵστασαν βρέτας,
οἱ δ' ἀσπίδας συλῶντες Ἀργείων νεκρῶν
σκυλεύματ' εἴσω τειχέων ἐπέμπομεν.

"Mother, our death is this. I pity thee,
And thee, my sister, and my brother dead.
Loved, he became my foe: but loved—yet loved!
Bury me, mother, and thou, sister mine,
In native soil, and our chafed city's wrath
Appease ye, that I win thus much at least
Of fatherland, though I have lost mine home. 1450
And close thou up mine eyelids with thine hand,
Mother;"—himself on his eyes layeth it—
"And fare ye well: the darkness wraps me round."
So both together breathed their sad life forth.

And when the mother saw this woeful chance,
Grief-frenzied, from the dead she snatched a sword,
And wrought a horror: for through her mid-neck
She drives the steel, and with her best-beloved
Lies dead, embracing with her arms the twain.
Leapt to their feet the hosts with wrangling cries,— 1460
We shouting that our lord was conqueror,
They, theirs. And strife there was between the chiefs,
These crying, "First smote Polyneices' spear!"
Those, "Both be dead: with none the victory rests!"
Antigone from the field had stol'n the while.

Then rushed the foe to arms: but Cadmus' folk
By happy forethought under shield had halted;
So we forestalled the Argive host, and fell
Suddenly on them yet unfenced for fight.
Was none withstood us: huddled o'er the plain 1470
Fled they, and streamed the blood from slain untold
By spears laid low. So, victors in the fight,
Our triumph-trophy some 'gan rear to Zeus;
And, some from Argive corpses stripping shields,
Within our battlements the spoils we sent.

ἄλλοι δὲ τοὺς θανόντας Ἀντιγόνης μέτα
νεκροὺς φέρουσιν ἐνθάδ' οἰκτίσαι φίλοις.
πόλει δ' ἀγῶνες οἱ μὲν εὐτυχέστατοι
τῇδ' ἐξέβησαν, οἱ δὲ δυστυχέστατοι.

ΧΟΡΟΣ

1480 οὐκ εἰς ἀκοὰς ἔτι δυστυχία
δώματος ἥκει· πάρα γὰρ λεύσσειν
πτώματα νεκρῶν τρισσῶν ἤδη
τάδε πρὸς μελάθροις κοινῷ θανάτῳ
σκοτίαν αἰῶνα λαχόντων.

ΑΝΤΙΓΟΝΗ

οὐ προκαλυπτομένα βοτρυχώδεος
ἁβρὰ παρηίδος οὐδ' ὑπὸ
παρθενίας τὸν ὑπὸ βλεφάροις
φοίνικ', ἐρύθημα προσώπου,
αἰδομένα φέρομαι βάκχα νεκύων,
1490 κράδεμνα δικοῦσα κόμας ἀπ' ἐμᾶς,
στολίδος κροκόεσσαν ἀνεῖσα τρυφάν,
ἁγεμόνευμα νεκροῖσι πολύστονον. αἰαῖ, ἰώ μοι.
ὦ Πολύνεικες, ἔφυς ἄρ' ἐπώνυμος, ὤμοι, Θῆβαι·
σὰ δ' ἔρις οὐκ ἔρις, ἀλλὰ φόνῳ φόνος
Οἰδιπόδα δόμον ὤλεσε κρανθεὶς
αἵματι δεινῷ, αἵματι λυγρῷ.
τίνα προσῳδὸν
ἢ τίνα μουσοπόλον στοναχὰν ἐπὶ
1500 δάκρυσι δάκρυσιν, ὦ δόμος ὦ δόμος,
ἀγκαλέσωμαι,
τρισσὰ φέρουσα τάδε σώματα σύγγονα,
ματέρα καὶ τέκνα, χάρματ' Ἐρινύος;

And others with Antigone bear on
The dead twain hither for their friends to mourn.
So hath the strife had end for Thebes in part
Most happily, in part most haplessly.

CHORUS

Not a grief for the hearing alone 1480
Is the bale of the house: ye may see
Here, now, yon corpses three
By the palace, in death as one
To the life that is darkness gone.

Enter procession bearing corpses, with CREON *and* ANTIGONE.

ANTIGONE

Never a veil o'er the tresses I threw
O'er my soft cheek sweeping,
Nor for maidenhood's shrinking I hid from view
The hot blood leaping
'Neath mine eyes, when I rushed in the bacchanal dance for the dead, [head,
When I cast on the earth the tiring that bound mine 1490
Loose flinging my bright robe saffron of hue—
I, by whom corpses with wailing are graveward led.
Polyneices, "the man of much strife"—well named! Woe's me!—
No strife was thy strife: it was murder by murder brought [fraught
To accomplishment, ruin to Oedipus' house, and
With bloodshed of horror, with bloodshed of misery.
On what bard shall I call?
What harper of dirges shall I bid come
To wail the lament,—O home, mine home!— 1500
While the tears, the tears fall,
As I bear three bodies of kindred slain,
Mother and sons, while the Fiend gloats over our woe

ἃ δόμον Οἰδιπόδα πρόπαν ὤλεσε,
τᾶς ἀγρίας ὅτε
δυσξύνετον ξυνετὸς μέλος ἔγνω
Σφιγγὸς ἀοιδοῦ σῶμα φονεύσας.
ἰώ μοι, πάτερ,
τίς Ἑλλὰς ἢ βάρβαρος ἢ
1510 τῶν προπάροιθ' εὐγενετᾶν ἕτερος
ἔτλα κακῶν τοσῶνδ'
αἵματος ἁμερίου
τοιάδ' ἄχεα φανερά;

τάλαιν', ὡς ἐλελίζει.
τίς ἄρ' ὄρνις ἢ δρυὸς ἢ ἐλάτας
ἀκροκόμοις ἀμφὶ κλάδοις
ἑζομένα μονομάτορος ὀδυρμοῖς
ἐμοῖς ἄχεσι συνῳδός;
αἴλινον αἰάγμασιν ἃ
1520 τοῖσδε προκλαίω μονάδ' αἰῶνα
διάξουσα τὸν ἀεὶ χρόνον ἐν
λειβομένοισιν δακρύοισιν.

τίν' ἰαχήσω;
τίν' ἐπὶ πρῶτον ἀπὸ χαίτας
σπαραγμοῖς ἀπαρχὰς βάλω;
ματρὸς ἐμᾶς διδύ-
μοισι γάλακτος παρὰ μαστοῖς,
ἢ πρὸς ἀδελφῶν
οὐλόμεν' αἰκίσματα νεκρῶν;

1530 ὀτοτοτοῖ· λεῖπε σοὺς δόμους,
ἀλαὸν ὄμμα φέρων,
πάτερ γεραιέ, δεῖξον,
Οἰδιπόδα, σὸν αἰῶνα μέλεον, ὃς ἐπὶ

Who brought in ruin the house of Oedipus low,
In the day when the Songstress Sphinx's strain,
So hard to read, by his wisdom was read,
And the fierce shape down unto death was sped?
Woe for me, father mine!
Who hath borne griefs like unto thine?
What Hellene, or alien, or who that sprang 1510
Of the ancient blood of a high-born line,
Whose race in a day is run, hath endured in the sight of the sun
Such bitter pang?

Woe's me for my dirge wild-ringing!
What song-bird that rocketh on high,
Mid the boughs of the oak-tree swinging,
Or the pine-tree, will echo my cry,
The moans of the motherless maiden,
Who wail for the life without friend 1520
I must know, who shall weep sorrow-laden
Tears without end?

Over whom shall I make lamentation?
Unto whom with rendings of hair
Shall I first give sorrow's oblation?
Shall I cast them, mine offerings, there
Where the twin breasts are of my mother,
Where a suckling babe I have lain,
Or on ghastliest wounds of a brother
Cruelly slain?

Come forth of thy chambers, blind father; 1530
Ancient, thy sorrows lay bare,
Who didst cause mist-darkness to gather
On thine own eyes, thou who dost wear

δώμασιν ἀέριον σκότον ὄμμασι
σοῖσι βαλὼν ἕλκεις μακρόπνουν ζωάν.
κλύεις, ὦ κατ' αὐλὰν ἀλαίνων γεραιὸν
πόδα δεμνίοις
δύστανος ἰαύων;

ΟΙΔΙΠΟΥΣ

τί μ', ὦ παρθένε, βακτρεύμασι τυ-
1540 φλοῦ ποδὸς ἐξάγαγες εἰς φῶς
λεχήρη σκοτίων ἐκ θαλάμων
οἰκτροτάτοισιν δακρύοισιν,
πολιὸν αἰθέρος ἀφανὲς εἴδωλον ἢ
νέκυν ἔνερθεν ἢ
πτανὸν ὄνειρον;

ΑΝΤΙΓΟΝΗ

δυστυχὲς ἀγγελίας ἔπος οἴσει·
πάτερ, οὐκέτι σοι τέκνα λεύσσει
φάος οὐδ' ἄλοχος, παραβάκτροις
ἃ πόδα σὸν τυφλόπουν θεραπεύμασιν αἰὲν ἐμόχθει,
1550 ὦ πάτερ, ὤμοι.

ΟΙΔΙΠΟΥΣ

ὤμοι ἐμῶν παθέων· πάρα γὰρ στενάχειν τάδ',
ἀυτεῖν.
τρισσαὶ ψυχαὶ ποίᾳ μοίρᾳ
πῶς ἔλιπον φάος; ὦ τέκνον, αὔδα.

ΑΝΤΙΓΟΝΗ

οὐκ ἐπ' ὀνείδεσιν οὐδ' ἐπιχάρμασιν,
ἀλλ' ὀδύναισι λέγω· σὸς ἀλάστωρ
ξίφεσιν βρίθων
καὶ πυρὶ καὶ σχετλίαισι μάχαις ἐπὶ παῖδας ἔβα
σούς,
ὦ πάτερ, ὤμοι.

Wearifull days out. O hearken,
Whose old feet grope through the hall,
Who in gloom that no night-tide can darken
On thy pallet dost fall.

Enter OEDIPUS.

OEDIPUS

Why hast thou drawn me, my child, to the light,
Whose sightless hand to thine hand's prop clings, 1540
Who was bowed on my bed amid chambers of night,—
Hast drawn by a wail through tears that rings,—
A white haired shape, like a phantom that fades
On the sight, or a ghost from the underworld shades,
Or a dream that hath wings?

ANTIGONE

Woe is the word of my tidings to thee!
Father, thy sons behold no more
The light, nor thy wife, who aye upbore
Thy blind limbs tirelessly, tenderly,
O father, ah me! 1550

OEDIPUS

Ah me for my woes! Full well may I shriek, full well may I moan!
By what doom have the spirits of these three flown
From the light of life? O child, make known.

ANTIGONE

Not as reproaching, nor mocking, I tell,
But in anguish. Thy curse, with its vengeance of hell,
With swords laden, and fire,
And ruthless contention, on thy sons fell:
Woe's me, my sire!

ΟΙΔΙΠΟΥΣ

αἰαῖ.

ΑΝΤΙΓΟΝΗ

1560 τί τάδε καταστένεις;

ΟΙΔΙΠΟΥΣ

τέκνα.

ΑΝΤΙΓΟΝΗ

δι' ὀδύνας ἔβας·
εἰ δὲ τὰ τέθριππά γ' ἐς ἅρματα λεύσσων
ἀελίου τάδε σώματα νεκρῶν
ὄμματος αὐγαῖς σαῖς ἐπενώμας.

ΟΙΔΙΠΟΥΣ

τῶν μὲν ἐμῶν τεκέων φανερὸν κακόν·
ἁ δὲ τάλαιν' ἄλοχος τίνι μοι, τέκνον, ὤλετο
μοίρᾳ;

ΑΝΤΙΓΟΝΗ

δάκρυα γοερὰ φανερὰ πᾶσι τιθεμένα,
τέκεσι μαστὸν
ἔφερεν ἔφερεν ἱκέτις ἱκέτιν ὀρομένα.
1570 ηὗρε δ' ἐν Ἠλέκτραισι πύλαις τέκνα
λωτοτρόφον κατὰ λείμακα
λόγχαις κοινὸν ἐνυάλιον
μάτηρ, ὥστε λέοντας ἐναύλους,
μαρναμένους ἐπὶ τραύμασιν, αἵματος
ἤδη ψυχρὰν λοιβὰν φονίαν,
ἂν ἔλαχ' Ἅιδας, ὤπασε δ' Ἄρης·
χαλκόκροτον δὲ λαβοῦσα νεκρῶν πάρα φάσγανον
εἴσω
σαρκὸς ἔβαψεν, ἄχει δὲ τέκνων ἔπεσ' ἀμφὶ
τέκνοισιν.
πάντα δ' ἐν ἄματι τῷδε συνάγαγεν,
1580 ὦ πάτερ, ἁμετέροισι δόμοισιν ἄχη θεὸς
ὃς τάδε τελευτᾷ.

OEDIPUS

Alas for me!

ANTIGONE

Wherefore thy deep-drawn sigh? 1560

OEDIPUS

For my children!

ANTIGONE

Thine hath been agony:—
But oh, to the Sun-god's car couldst thou raise
Thine eyes, couldst thou on these bodies gaze,
Dead where they lie!

OEDIPUS

For the evil fate of my sons, it is all too plain!
But ah, mine unhappiest wife!—by what doom, O my child, was she slain?

ANTIGONE

Weeping and wailing, that all of her coming were ware,
Hasted she. Unto her children she bare, O she bare
Sacredest breasts of a mother with suppliant prayer.
And she found her sons at Electra's portal, 1570
In the mead with the clover fair,
Closing with spears in the combat mortal:
As lions that strive in their lair
They grappled, with falchions ruthless-gashing:
Yea, now the oblation of death fell plashing
Which Ares giveth when Hades the spoil will share.
And she snatched from the dead, and the bronze-hammered blade through her bosom she thrust;
And in grief for her children, enclasping her children, she fell in the dust.
Lo, all the griefs of our line, one marshalled array,
Have been gathered, O father, against our house this day 1580
Of the God in whose hands their accomplishment lay.

ΧΟΡΟΣ

πολλῶν κακῶν κατῆρξεν Οἰδίπου δόμοις
τόδ' ἦμαρ· εἴη δ' εὐτυχέστερος βίος.

ΚΡΕΩΝ

οἴκτων μὲν ἤδη λήγεθ', ὡς ὥρα τάφου
μνήμην τίθεσθαι· τῶνδε δ', Οἰδίπου, λόγων
ἄκουσον· ἀρχὰς τῆσδε γῆς ἔδωκέ μοι
Ἐτεοκλέης παῖς σός, γάμων φερνὰς διδοὺς
Αἵμονι κόρης τε λέκτρον Ἀντιγόνης σέθεν.
οὐκ οὖν σ' ἐάσω τήνδε γῆν οἰκεῖν ἔτι·
1590 σαφῶς γὰρ εἶπε Τειρεσίας οὐ μή ποτε
σοῦ τήνδε γῆν οἰκοῦντος εὖ πράξειν πόλιν.
ἀλλ' ἐκκομίζου. καὶ τάδ' οὐχ ὕβρει λέγω
οὐδ' ἐχθρὸς ὢν σός, διὰ δὲ τοὺς ἀλάστορας
τοὺς σοὺς δεδοικὼς μή τι γῆ πάθῃ κακόν.

ΟΙΔΙΠΟΥΣ

ὦ μοῖρ', ἀπ' ἀρχῆς ὥς μ' ἔφυσας ἄθλιον
καὶ τλήμον', εἴ τις ἄλλος ἀνθρώπων ἔφυ·
ὃν καὶ πρὶν εἰς φῶς μητρὸς ἐκ γονῆς μολεῖν,
ἄγονον Ἀπόλλων Λαΐῳ μ' ἐθέσπισε
φονέα γενέσθαι πατρός· ὦ τάλας ἐγώ.
1600 ἐπεὶ δ' ἐγενόμην, αὐτὸς ὁ σπείρας πατὴρ
κτείνει με νομίσας πολέμιον πεφυκέναι·
χρῆν γὰρ θανεῖν νιν ἐξ ἐμοῦ· πέμπει δέ με
μαστὸν ποθοῦντα θηρσὶν ἄθλιον βοράν·
οὗ σῳζόμεσθα. Ταρτάρου γὰρ ὤφελεν
ἐλθεῖν Κιθαιρὼν εἰς ἄβυσσα χάσματα,
ὅς μ' οὐ διώλεσ', ἀλλὰ δουλεῦσαί γέ μοι
δαίμων ἔδωκε Πόλυβον ἀμφὶ δεσπότην.
κτανὼν δ' ἐμαυτοῦ πατέρ' ὁ δυσδαίμων ἐγὼ
εἰς μητρὸς ἦλθον τῆς ταλαιπώρου λέχος,
1610 παῖδάς τ' ἀδελφοὺς ἔτεκον, οὓς ἀπώλεσα,

CHORUS

Many an ill to Oedipus' house this day
Brings forth. May happier life be yet in store!

CREON

Refrain laments: time is it we gave heed
To burial. Unto these words, Oedipus,
Hearken: thy son Eteocles gave me rule
O'er this land, making it a marriage-dower
To Haemon with thy child Antigone.
Therefore thou mayest dwell therein no more;
For plainly spake Teiresias—never Thebes 1590
Shall prosper while thou dwellest in the land.
Then get thee forth: this not despiteously
I speak, nor as thy foe, but fearing hurt
To Thebes by reason of thy vengeance-fiends.

OEDIPUS

Fate, from the first to grief thou barest me,
And pain, beyond all men that ever were.
Ere from my mother's womb I came to light,
Phoebus to Laïus spake me, yet unborn,
My father's murderer—ah, woe is me!
When I was born, my father, my begetter,— 1600
Doomed by mine hand to die,—accounting me
From birth his foe, would slay me, sent me forth,
A suckling yet, a wretched prey to beasts.

Yet was I saved. Oh had Cithaeron sunk
Down to the bottomless chasms of Tartarus,
For that it slew me not!—but Fate gave me
To be a bondman, Polybus my lord.
So mine own father did I slay, and came,—
Ah wretch!—unto mine hapless mother's couch.
Sons I begat, my brethren, and destroyed, 1610

ἀρὰς παραλαβὼν Λαΐου καὶ παισὶ δούς.
οὐ γὰρ τοσοῦτον ἀσύνετος πέφυκ' ἐγὼ
ὥστ' εἰς ἔμ' ὄμματ' εἴς τ' ἐμῶν παίδων βίον
ἄνευ θεῶν του ταῦτ' ἐμηχανησάμην.
εἶεν· τί δράσω δῆθ' ὁ δυσδαίμων ἐγώ;
τίς ἡγεμών μοι ποδὸς ὁμαρτήσει τυφλοῦ;
ἥδ' ἡ θανοῦσα; ζῶσά γ' ἂν σάφ' οἶδ' ὅτι.
ἀλλ' εὔτεκνος ξυνωρίς; ἀλλ' οὐκ ἔστι μοι.
ἀλλ' ἔτι νεάζων αὐτὸς εὕροιμ' ἂν βίον;
1620 πόθεν; τί μ' ἄρδην ὧδ' ἀποκτείνεις, Κρέον;
ἀποκτενεῖς γάρ, εἴ με γῆς ἔξω βαλεῖς.
οὐ μὴν ἑλίξας γ' ἀμφὶ σὸν χεῖρας γόνυ
κακὸς φανοῦμαι· τὸ γὰρ ἐμόν ποτ' εὐγενὲς
οὐκ ἂν προδοίην, οὐδέ περ πράσσων κακῶς.

ΚΡΕΩΝ

σοί τ' εὖ λέλεκται γόνατα μὴ χρῴζειν ἐμά,
ἐγώ τε ναίειν σ' οὐκ ἐάσαιμ' ἂν χθόνα.
νεκρῶν δὲ τῶνδε τὸν μὲν εἰς δόμους χρεὼν
ἤδη κομίζειν, τόνδε δ', ὃς πέρσων πόλιν
πατρίδα σὺν ἄλλοις ἦλθε, Πολυνείκους νέκυν
1630 ἐκβάλετ' ἄθαπτον τῆσδ' ὅρων ἔξω χθονός.
κηρύξεται δὲ πᾶσι Καδμείοις τάδε,
ὃς ἂν νεκρὸν τόνδ' ἢ καταστέφων ἁλῷ
ἢ γῇ καλύπτων, θάνατον ἀνταλλάξεται.
ἐᾶν δ' ἄκλαυστον, ἄταφον, οἰωνοῖς βοράν.
σὺ δ' ἐκλιποῦσα τριπτύχων θρήνους νεκρῶν
κόμιζε σαυτήν, Ἀντιγόνη, δόμων ἔσω,
καὶ παρθενεύου τὴν ἰοῦσαν ἡμέραν
μένουσ' ἐν ᾗ σε λέκτρον Αἵμονος μένει.

ΑΝΤΙΓΟΝΗ

ὦ πάτερ, ἐν οἵοις κείμεθ' ἄθλιοι κακοῖς.
1640 ὥς σε στενάζω τῶν τεθνηκότων πλέον·

Passing to them the curse of Laïus.
For not so witless am I from the birth,
As to devise these things against mine eyes
And my sons' life, but by the finger of God.
Let be :—what shall I do, the fortune-crost?
Who shall companion me, my blind steps guide?
She who is dead? O yea, were she alive!
My sons, a goodly pair? Nay, I have none.
Am I yet young, to win me livelihood?
Whence? Wherefore, Creon, slay me utterly? 1620
For thou wilt slay, if forth the land thou cast.
Yet never twining round thy knee mine hands
A coward will I show me, to betray
My noble birth, how ill soe'er I fare.

CREON

Well hast thou said thou wilt not clasp my knees:
I cannot let thee dwell within the land.
Of these dead twain, be this within the halls
Borne straightway: that—the corpse of him who came
With aliens to smite his father's city—
Forth of the land's bounds tombless shall be cast. 1630
To all Cadmeans shall this be proclaimed :—
"Whoso on this corpse laying wreaths is found,
Or with earth hiding, death shall be his meed.
Unwept, unburied, leave him meat for birds."
But thou thy mourning for the corpses three,
Antigone, leave, and get thee within doors.
Thy maiden state until the morrow keep,
Whereon the couch of Haemon waiteth thee.

ANTIGONE

Father, in what ills is our misery whelmed!
For thee I make moan more than for the dead. 1640

οὐ γὰρ τὸ μέν σοι βαρὺ κακῶν, τὸ δ' οὐ βαρύ,
ἀλλ' εἰς ἅπαντα δυστυχὴς ἔφυς, πάτερ.
ἀτὰρ σ' ἐρωτῶ τὸν νεωστὶ κοίρανον·
[τί τόνδ' ὑβρίζεις πατέρ' ἀποστέλλων χθονός;]
τί θεσμοποιεῖς ἐπὶ ταλαιπώρῳ νεκρῷ;

ΚΡΕΩΝ

Ἐτεοκλέους βουλεύματ', οὐχ ἡμῶν τάδε.

ΑΝΤΙΓΟΝΗ

ἄφρονά γε, καὶ σὺ μῶρος ὃς ἐπίθου τάδε.

ΚΡΕΩΝ

πῶς; τἀντεταλμέν' οὐ δίκαιον ἐκπονεῖν;

ΑΝΤΙΓΟΝΗ

οὔκ, ἢν πονηρά γ' ᾖ κακῶς τ' εἰρημένα.

ΚΡΕΩΝ

1650 τί δ'; οὐ δικαίως ὅδε κυσὶν δοθήσεται;

ΑΝΤΙΓΟΝΗ

οὐκ ἔννομον γὰρ τὴν δίκην πράσσεσθέ νιν.

ΚΡΕΩΝ

εἴπερ γε πόλεως ἐχθρὸς ἦν, οὐκ ἐχθρὸς ὤν.

ΑΝΤΙΓΟΝΗ

οὔκουν ἔδωκε τῇ τύχῃ τὸν δαίμονα;

ΚΡΕΩΝ

καὶ τῷ τάφῳ νυν τὴν δίκην παρασχέτω.

ΑΝΤΙΓΟΝΗ

τι πλημμελήσας, τὸ μέρος εἰ μετῆλθε γῆς;

ΚΡΕΩΝ

ἄταφος ὅδ' ἀνήρ, ὡς μάθῃς, γενήσεται.

ΑΝΤΙΓΟΝΗ

ἐγώ σφε θάψω, κἂν ἀπεννέπῃ πόλις.

ΚΡΕΩΝ

σαυτὴν ἄρ' ἐγγὺς τῷδε συνθάψεις νεκρῷ.

Thine ills are not part heavy and part light,
But in all things art thou in woeful case.
But thee I question, new-created king,
[Why outrage thus my sire with banishment?]
Wherefore make laws touching a hapless corse?

CREON

Eteocles' ordinance, not mine, is this.

ANTIGONE

'Tis senseless—witless thou who giv'st it force.

CREON

How, were't not just to carry out his hests?

ANTIGONE

If they be wrong, in malice spoken—no!

CREON

How, were't not just to cast yon man to dogs? 1650

ANTIGONE

Nay: so ye wreak on him no lawful vengeance

CREON

Yea, if to Thebes a foe, no foe by birth.

ANTIGONE

Hath he not unto fate paid forfeit life?

CREON

Forfeit of burial now too let him pay.

ANTIGONE

Wherein sinned he, who came to claim his own?

CREON

This man shall have no burial, be thou sure

ANTIGONE

I, though the state forbid, will bury him.

CREON

Thyself then shalt thou bury with thy dead.

ΑΝΤΙΓΟΝΗ
ἀλλ᾽ εὐκλεές τοι δύο φίλω κεῖσθαι πέλας.

ΚΡΕΩΝ
1660 λάζυσθε τήνδε κεἰς δόμους κομίζετε.

ΑΝΤΙΓΟΝΗ
οὐ δῆτ᾽, ἐπεὶ τοῦδ᾽ οὐ μεθήσομαι νεκροῦ.

ΚΡΕΩΝ
ἔκριν᾽ ὁ δαίμων, παρθέν᾽, οὐχ ἃ σοὶ δοκεῖ.

ΑΝΤΙΓΟΝΗ
κἀκεῖνο κέκριται, μὴ ἐφυβρίζεσθαι νεκρούς.

ΚΡΕΩΝ
ὡς οὔτις ἀμφὶ τῷδ᾽ ὑγρὰν θήσει κόνιν.

ΑΝΤΙΓΟΝΗ
ναὶ πρός σε τῆσδε μητρὸς Ἰοκάστης, Κρέον.

ΚΡΕΩΝ
μάταια μοχθεῖς· οὐ γὰρ ἂν τύχοις τάδε.

ΑΝΤΙΓΟΝΗ
σὺ δ᾽ ἀλλὰ νεκρῷ λουτρὰ περιβαλεῖν μ᾽ ἔα.

ΚΡΕΩΝ
ἓν τοῦτ᾽ ἂν εἴη τῶν ἀπορρήτων πόλει.

ΑΝΤΙΓΟΝΗ
ἀλλ᾽ ἀμφὶ τραύματ᾽ ἄγρια τελαμῶνας βαλεῖν.

ΚΡΕΩΝ
1670 οὐκ ἔσθ᾽ ὅπως σὺ τόνδε τιμήσεις νέκυν.

ΑΝΤΙΓΟΝΗ
ὦ φίλτατ᾽, ἀλλὰ στόμα γε σὸν προσπτύξομαι.

ΚΡΕΩΝ
οὐ μὴ ἐς γάμους σοὺς συμφορὰν κτήσῃ γόοις.

ΑΝΤΙΓΟΝΗ
ἦ γὰρ γαμοῦμαι ζῶσα παιδὶ σῷ ποτε;

ΚΡΕΩΝ
πολλή γ᾽ ἀνάγκη· ποῖ γὰρ ἐκφεύξει λέχος;

ANTIGONE

'Tis glorious that two friends lie side by side.

CREON

Seize ye this girl, and hale her within doors! 1660

ANTIGONE

Never! for I will not unclasp this corpse.

CREON

God hath decreed, girl, not as seems thee good.

ANTIGONE

Yea—hath decreed this, *Outrage not the dead!*

CREON

Know, none shall spread the damp dust over him.

ANTIGONE

Nay!—for Jocasta's, for his mother's sake!

CREON

Vain is thy labour: this thou shalt not win.

ANTIGONE

Suffer at least that I may bathe the corpse.

CREON

This shall be of the things the state forbids.

ANTIGONE

Let me at least bind up his cruel wounds.

CREON

Thou shalt in no wise honour this dead man. 1670

ANTIGONE

Belovèd! on thy lips this kiss at least—

CREON

Mar not thy bridal's fortune by laments.

ANTIGONE

How! living shall I e'er wed son of thine?

CREON

Needs must thou. Whither from the couch wilt flee?

ΑΝΤΙΓΟΝΗ

νὺξ ἆρ' ἐκείνη Δαναΐδων μ' ἕξει μίαν.

ΚΡΕΩΝ

εἶδες τὸ τόλμημ' οἷον ἐξωνείδισεν;

ΑΝΤΙΓΟΝΗ

ἴστω σίδηρος ὅρκιόν τέ μοι ξίφος.

ΚΡΕΩΝ

τί δ' ἐκπροθυμεῖ τῶνδ' ἀπηλλάχθαι γάμων;

ΑΝΤΙΓΟΝΗ

συμφεύξομαι τῷδ' ἀθλιωτάτῳ πατρί.

ΚΡΕΩΝ

1680 γενναιότης σοι, μωρία δ' ἔνεστί τις.

ΑΝΤΙΓΟΝΗ

καὶ ξυνθανοῦμαί γ', ὡς μάθῃς περαιτέρω.

ΚΡΕΩΝ

ἴθ, οὐ φονεύσεις παῖδ' ἐμόν, λίπε χθόνα.

ΟΙΔΙΠΟΥΣ

ὦ θύγατερ, αἰνῶ μέν σε τῆς προθυμίας.

ΑΝΤΙΓΟΝΗ

ἀλλ' εἰ γαμοίμην, σὺ δὲ μόνος φεύγοις, πάτερ;

ΟΙΔΙΠΟΥΣ

μέν' εὐτυχοῦσα, τἄμ' ἐγὼ στέρξω κακά.

ΑΝΤΙΓΟΝΗ

καὶ τίς σε τυφλὸν ὄντα θεραπεύσει, πάτερ;

ΟΙΔΙΠΟΥΣ

πεσὼν ὅπου μοι μοῖρα κείσομαι πέδῳ.

ΑΝΤΙΓΟΝΗ

ὁ δ' Οἰδίπους ποῦ καὶ τὰ κλείν' αἰνίγματα;

ΟΙΔΙΠΟΥΣ

ὄλωλ'· ἓν ἦμάρ μ' ὤλβισ', ἓν δ' ἀπώλεσεν.

ANTIGONE

That night shall prove me one of Danaus' Daughters[1]!

CREON (*to* OEDIPUS)

Dost mark how rails she in her recklessness?

ANTIGONE (*raising* POLYNEICES' *sword*)

Witness the steel—this sword whereby I swear.

CREON

Wherefore so eager to avoid this bridal?

ANTIGONE

I will share exile with mine hapless sire.

CREON

Noble thy spirit, yet lurks folly there. 1680

ANTIGONE

Yea, and with him will die. Know this withal.

CREON

Thou shalt not slay my son. Hence, leave the land!

[*Exit.*

OEDIPUS

Daughter, for thy devotion thank I thee.

ANTIGONE

I marry, father,—thou in exile lone!

OEDIPUS

Ah stay: be happy. I will bear mine ills.

ANTIGONE

Who then will minister to thy blindness, father?

OEDIPUS

Where my weird is, there shall I fall, there lie.

ANTIGONE

Ah, where is Oedipus?—where that riddle famed?

OEDIPUS

Lost. One day blessed me, one hath ruined me.

[1] Who slew the husbands whom they wedded perforce.

ΑΝΤΙΓΟΝΗ

1690 οὔκουν μετασχεῖν κἀμὲ δεῖ τῶν σῶν κακῶν;

ΟΙΔΙΠΟΥΣ

αἰσχρὰ φυγὴ θυγατρὶ σὺν τυφλῷ πατρί.

ΑΝΤΙΓΟΝΗ

οὔ, σωφρονούσῃ γ,' ἀλλὰ γενναία, πάτερ.

ΟΙΔΙΠΟΥΣ

προσάγαγέ νύν με, μητρὸς ὡς ψαύσω σέθεν.

ΑΝΤΙΓΟΝΗ

ἰδού, γεραιᾶς φιλτάτης ψαῦσον χερί.

ΟΙΔΙΠΟΥΣ

ὦ μῆτερ, ὦ ξυνάορ' ἀθλιωτάτη.

ΑΝΤΙΓΟΝΗ

οἰκτρὰ πρόκειται, πάντ' ἔχουσ' ὁμοῦ κακά.

ΟΙΔΙΠΟΥΣ

'Ετεοκλέους δὲ πτῶμα Πολυνείκους τε ποῦ;

ΑΝΤΙΓΟΝΗ

τώδ' ἐκτάδην σοι κεῖσθον ἀλλήλοιν πέλας.

ΟΙΔΙΠΟΥΣ

πρόσθες τυφλὴν χεῖρ' ἐπὶ πρόσωπα δυστυχῆ.

ΑΝΤΙΓΟΝΗ

1700 ἰδού, θανόντων σῶν τέκνων ἅπτου χερί.

ΟΙΔΙΠΟΥΣ

ὦ φίλα πεσήματ' ἄθλι' ἀθλίου πατρός.

ΑΝΤΙΓΟΝΗ

ὦ φίλτατον δῆτ' ὄνομα Πολυνείκους ἐμοί.

ΟΙΔΙΠΟΥΣ

νῦν χρησμός, ὦ παῖ, Λοξίου περαίνεται.

ΑΝΤΙΓΟΝΗ

ὁ ποῖος; ἀλλ' ἦ πρὸς κακοῖς ἐρεῖς κακά;

ΟΙΔΙΠΟΥΣ

ἐν ταῖς 'Αθήναις κατθανεῖν μ' ἀλώμενον.

ANTIGONE

Is it not then my due to share thine ills? 1690

OEDIPUS

'Twere a maid's shame,—exile with her blind sire!

ANTIGONE

Nay, but—so she be wise—her glory, father.

OEDIPUS

That I may touch thy mother, guide me now.

ANTIGONE

Lo, touch her with thine hand—so old, so dear!

OEDIPUS

Ah mother! Ah, most hapless helpmeet mine!

ANTIGONE

Piteous she lies, with all ills crowned at once.

OEDIPUS

Eteocles' corse, and Polyneices'—where?

ANTIGONE

Here lie they, each by other's side outstretched.

OEDIPUS

Lay my blind hand upon their ill-starred brows.

ANTIGONE

Lo there: touch with thine hand thy children slain. 1700

OEDIPUS

Dear hapless dead sons of a hapless sire!

ANTIGONE

Ah Polyneices, name most dear to me!

OEDIPUS

Now, child, doth Loxias' oracle come to pass,—

ANTIGONE

What? Wilt thou tell new ills beside the old?

OEDIPUS

That I, a wanderer, should in Athens die.

ΑΝΤΙΓΟΝΗ

ποῦ; τίς σε πύργος Ἀτθίδος προσδέξεται;

ΟΙΔΙΠΟΥΣ

ἱερὸς Κολωνός, δώμαθ' ἱππίου θεοῦ.
ἀλλ' εἶα, τυφλῷ τῷδ' ὑπηρέτει πατρί,
ἐπεὶ προθυμεῖ τῆσδε κοινοῦσθαι φυγῆς.

ΑΝΤΙΓΟΝΗ

1710 ἴθ' εἰς φυγὰν τάλαιναν· ὄρεγε χέρα φίλαν,
πάτερ γεραιέ, πομπίμαν
ἔχων ἔμ' ὥστε ναυσίπομπον αὔραν.

ΟΙΔΙΠΟΥΣ

ἰδοὺ πορεύομαι, τέκνον·
σύ μοι ποδαγὸς ἀθλία γενοῦ.

ΑΝΤΙΓΟΝΗ

γενόμεθα γενόμεθ' ἄθλιαί
γε δῆτα Θηβαιᾶν μάλιστα παρθένων.

ΟΙΔΙΠΟΥΣ

πόθι γεραιὸν ἴχνος τίθημι;
βάκτρα πρόσφερ', ὦ τέκνον.

ΑΝΤΙΓΟΝΗ

1720 τᾷδε τᾷδε βᾶθί μοι,
τᾷδε τᾷδε πόδα τίθει
ὥστ' ὄνειρον ἰσχύν.

ΟΙΔΙΠΟΥΣ

ἰὼ ἰώ, δυστυχεστάτας φυγὰς
ἐλαύνων τὸν γέροντά μ' ἐκ πάτρας.
ἰὼ ἰώ, δεινὰ δείν' ἐγὼ τλάς.

ΑΝΤΙΓΟΝΗ

τί τλάς; τί τλάς; οὐχ ὁρᾷ Δίκα κακούς,
οὐδ' ἀμείβεται βροτῶν ἀσυνεσίας.

ANTIGONE

Where? What Athenian burg shall harbour thee?

OEDIPUS

Hallowed Colonus, Chariot-father's[1] home.
On then: to this thy blind sire minister,
Since thou art fixed to share my banishment.

ANTIGONE

To woeful exile pass away. 1710
Stretch forth, O father hoary-grey,
Thy dear hand: grasp me. Thee I lead,
As breeze wafts on the galley's speed.

OEDIPUS

Lo, daughter, I pass on:
Thou guide me, hapless one.

ANTIGONE

Hapless I am—thou sayest well—
Above all maids in Thebes that dwell.

OEDIPUS

Where shall I plant mine old feet now?
Reach me my staff, O daughter, thou.

ANTIGONE

Hitherward, hitherward, tread: 1720
Let thy feet follow hither mine hand,
O strengthless as dream of the night!

OEDIPUS

Ah thou who on wretchedest exile hast sped
The old man forth of his fatherland!
Ah woes I have borne! Ah horror's height!

ANTIGONE

Thou hast borne?—thou hast borne?—doth Justice regard not then
The sinner? Requiteth she not the follies of men?

[1] Poseidon, the Sea-god, who created the first war-horse.

ΟΙΔΙΠΟΥΣ

ὅδ' εἰμὶ μοῦσαν ὃς ἐπὶ καλ-
λίνικον οὐράνιον ἔβαν
1730 παρθένου κόρας αἴ-
νιγμ' ἀσύνετον εὑρών.

ΑΝΤΙΓΟΝΗ

Σφιγγὸς ἀναφέρεις ὄνειδος.
ἄπαγε τὰ πάρος εὐτυχήματ' αὐδῶν.
τάδε σ' ἐπέμενε μέλεα πάθεα
φυγάδα πατρίδος ἄπο γενόμενον,
ὦ πάτερ, θανεῖν που.
ποθεινὰ δάκρυα παρὰ φίλαισι παρθένοις
λιποῦσ' ἄπειμι πατρίδος ἀποπρὸ γαίας
ἀπαρθένευτ' ἀλωμένα.

ΟΙΔΙΠΟΥΣ

1740 φεῦ τὸ χρήσιμον φρενῶν.

ΑΝΤΙΓΟΝΗ

εἰς πατρός γε συμφορὰς
εὐκλεᾶ με θήσει·
τάλαιν' ἐγὼ [σῶν] συγγόνου θ' ὑβρισμάτων,
ὃς ἐκ δόμων νέκυς ἄθαπτος οἴχεται
μέλεος, ὅν, εἴ με καὶ θανεῖν, πάτερ, χρεών,
σκότια γᾷ καλύψω.

ΟΙΔΙΠΟΥΣ

πρὸς ἥλικας φάνηθι σάς.

ΑΝΤΙΓΟΝΗ

ἅλις ὀδυρμάτων ἐμῶν.

ΟΙΔΙΠΟΥΣ

σὺ δ' ἀμφὶ βωμίους λιτάς—

ΑΝΤΙΓΟΝΗ

1750 κόρον ἔχουσ' ἐμῶν κακῶν.

OEDIPUS

Lo, I am he on breath
Of song upraised to heaven,
When that dark riddle of the Maid of Death 1730
To me to read was giver

ANTIGONE

Why raise the ghost of shame, the Sphinx's story?
Forbear to vaunt too late that faded glory.
For thee this anguish lay the while in wait,
Far from thy land to know the exile's fate,
And, father, in some place unknown to die.
To maids who love me leaving tears of yearning,
From fatherland an exile unreturning
I wander far in plight unmaidenly.

OEDIPUS

Woe for the heart where duty's fire is burning! 1740

ANTIGONE

Twined with my father's sad renown
This shall be mine unfading crown.
Woe for thy wrongs! Brother, alas for thine,
Who from thine home a tombless corse art thrust,
Hapless! Though death, my sire, for this be mine,
Yet will I veil him secretly with dust.

OEDIPUS

Show thee again to thy companions' eyes.

ANTIGONE

Why should they weep? Mine own laments suffice.

OEDIPUS

At the Gods' altars then with suppliant cry—

ANTIGONE

They weary of my tale of misery. 1750

ΟΙΔΙΠΟΥΣ

ἴθ' ἀλλὰ Βρόμιος ἵνα τε ση-
κὸς ἄβατος ὄρεσι μαινάδων.

ΑΝΤΙΓΟΝΗ

Καδμείαν ᾧ
νεβρίδα στολιδωσαμένα ποτ' ἐγὼ
Σεμέλας θίασον
ἱερὸν ὄρεσιν ἀνεχόρευσα,
χάριν ἀχάριτον εἰς θεοὺς διδοῦσα;

ΟΙΔΙΠΟΥΣ

ὦ πάτρας κλεινῆς πολῖται, λεύσσετ', Οἰδίπους ὅδε,
ὃς τὰ κλείν' αἰνίγματ' ἔγνω καὶ μέγιστος ἦν ἀνήρ,
1760 ὃς μόνος Σφιγγὸς κατέσχον τῆς μιαιφόνου κράτη,
νῦν ἄτιμος αὐτὸς οἰκτρὸς ἐξελαύνομαι χθονός.
ἀλλὰ γὰρ τί ταῦτα θρηνῶ καὶ μάτην ὀδύρομαι;
τὰς γὰρ ἐκ θεῶν ἀνάγκας θνητὸν ὄντα δεῖ φέρειν.

ΧΟΡΟΣ

ὦ μέγα σεμνὴ Νίκη, τὸν ἐμὸν
βίοτον κατέχοις,
καὶ μὴ λήγοις στεφανοῦσα.

OEDIPUS

Seek at the least the haunt of the Clamour-god
Mid hills of the Maenads by foot profane untrod.

ANTIGONE

How !—render homage without heart
To Him, for whom erstwhile arrayed
In Theban fawnskins, I had part
In Semele's holy dance that swayed
By hill, by glade ?

OEDIPUS

People of a glorious nation, mark me—Oedipus am I,
He who read the riddle world-renowned, the man once set on high,
He whose single prowess quelled the Sphinx's blood-polluted might. 1760
Now dishonoured am I banished from the land in piteous plight.
Yet what boots it thus to wail ? What profits vainly to lament ?
Whoso is but mortal needs must bear the fate of heaven sent. [*Exeunt* OEDIPUS *and* ANTIGONE.

CHORUS

Hail, reverèd Victory !
Rest upon my life ; and me
Crown, and crown eternally !

[*Exeunt* OMNES.

SUPPLIANTS

ARGUMENT

In *the days when Theseus ruled in Athens, there was war between Argos and Thebes. For the two sons of Oedipus, being mindful of their father's curse, that they should divide their inheritance with the sword, covenanted to rule in turn, year by year, over Thebes. So Eteocles, being the elder, became king for the first year, and Polyneices his brother departed from the land, lest any occasion of offence should arise. But when after a year's space he returned, Eteocles refused to yield to him the kingdom. Then went he to Adrastus, king of Argos, who gave him his daughter to wife, and led forth a host of war under seven chiefs against Thebes. But, forasmuch as in going he set at naught oracles and seers, his array was utterly broken in battle, and of those seven captains none returned, but Adrastus only. Thereafter, according to the sacred custom of Hellas, and the law of war, the Argives sent to require the Thebans to suffer them to bear away their slain that they might bury them. For, among the Greeks, if a man being dead obtained not burial, this was accounted a calamity worse than death, forasmuch as he was thereby made homeless and accurst in Hades. Yet did the Thebans impiously and despitefully reject that claim, being minded to wreak vengeance on their enemies after death. Then king Adrastus, with the mothers of the slain chiefs, came to Eleusis in Attica, and made supplication at the altar of Demeter to Aethra the mother of Theseus, and to the king's self. So Theseus consented to their prayer, and led the array of Athens against Thebes, and there fought and prevailed, and so brought back the bodies of those chiefs, and rendered to them the death-rites at Eleusis.*

ΤΑ ΤΟΥ ΔΡΑΜΑΤΟΣ ΠΡΟΣΩΠΑ.

ΑΙΘΡΑ

ΧΟΡΟΣ

ΘΗΣΕΥΣ

ΑΔΡΑΣΤΟΣ

ΚΗΡΥΞ

ΑΓΓΕΛΟΣ

ΕΥΑΔΝΗ

ΙΦΙΣ

ΠΑΙΔΕΣ

ΑΘΗΝΑ

DRAMATIS PERSONAE

AETHRA, *mother of Theseus.*

THESEUS, *son of Aegeus, king of Athens.*

ADRASTUS, *king of Argos.*

HERALD, *from Creon king of Thebes.*

MESSENGER *from the army of Theseus before Thebes.*

EVADNE, *wife of Capaneus one of the seven chiefs.*

IPHIS, *father of Evadne.*

SONS *of the slain chiefs.*

ATHENA, *Patron-goddess of Athens.*

CHORUS, *consisting of the mothers of the slain chiefs, with their handmaids.*

Athenian herald, guards, attendants, Athenian soldiers.

SCENE: In the forecourt of the temple of Demeter and Persephone at Eleusis. The great altar stands in the midst

ΙΚΕΤΙΔΕΣ

ΑΙΘΡΑ

Δήμητερ ἑστιοῦχ' Ἐλευσῖνος χθονὸς
τῆσδ', οἵ τε ναοὺς ἔχετε πρόσπολοι θεᾶς,
εὐδαιμονεῖν με Θησέα τε παῖδ' ἐμὸν
πόλιν τ' Ἀθηνῶν τήν τε Πιτθέως χθόνα,
ἐν ᾗ με θρέψας ὀλβίοις ἐν δώμασιν
Αἴθραν πατὴρ δίδωσι τῷ Πανδίονος
Αἰγεῖ δάμαρτα, Λοξίου μαντεύμασιν.
εἰς τάσδε γὰρ βλέψασ' ἐπηυξάμην τάδε
γραῦς, αἳ λιποῦσαι δώματ' Ἀργείας χθονὸς
10 ἱκτῆρι θαλλῷ προσπίτνουσ' ἐμὸν γόνυ
πάθος παθοῦσαι δεινόν· ἀμφὶ γὰρ πύλας
Κάδμου θανόντων ἑπτὰ γενναίων τέκνων
ἄπαιδές εἰσιν, οὕς ποτ' Ἀργείων ἄναξ
Ἄδραστος ἤγαγ', Οἰδίπου παγκληρίας
μέρος κατασχεῖν φυγάδι Πολυνείκει θέλων
γαμβρῷ. νεκροὺς δὲ τοὺς ὀλωλότας δορὶ
θάψαι θέλουσι τῶνδε μητέρες χθονί·
εἴργουσι δ' οἱ κρατοῦντες οὐδ' ἀναίρεσιν
δοῦναι θέλουσι, νόμιμ' ἀτίζοντες θεῶν.

SUPPLIANTS

On the steps of the altar AETHRA *is seated ; and around her sit the members of the* CHORUS. *The olive-boughs of suppliance lie upon the altar, and from these are stretched woollen fillets, attaching them to* AETHRA *and the* CHORUS. ADRASTUS *lies prostrate on the earth, apart from these.*

AETHRA

DEMETER, warder of Eleusis-land,
And ye which keep and serve the Goddess' fanes,
Grant me and my son Theseus prosperous days,
Grant them to Athens and to Pittheus' land,
Where in a happy home my sire nursed me,
Aethra, and gave me to Pandion's son
Aegeus, to wife, by Loxias' oracles.

Thus pray I as on these grey dames I look,
These which have left their homes in Argos-land,
And fall with suppliant bough before my knee, 10
Stricken with grievous stroke : for round the gates
Of Cadmus lying are their seven sons dead,
Sons of the childless, they whom Argos' king
Adrastus led, in Oedipus' heritage
To win his share for exiled Polyneices,
His daughter's lord. The mothers now of these,
The spear-slain, fain would lay them in the grave,
Wherefrom the victors let them, and refuse
The corpses, setting the Gods' laws at naught.

20 κοινὸν δὲ φόρτον ταῖσδ' ἔχων χρείας ἐμῆς
Ἄδραστος ὄμμα δάκρυσιν τέγγων ὅδε
κεῖται, τό τ' ἔγχος τήν τε δυστυχεστάτην
στένων στρατείαν ἣν ἔπεμψεν ἐκ δόμων·
ὅς μ' ἐξοτρύνει παῖδ' ἐμὸν πεῖσαι λιταῖς
νεκρῶν κομιστὴν ἢ λόγοισιν ἢ δορὸς
ῥώμῃ γενέσθαι καὶ τάφου μεταίτιον,
μόνον τόδ' ἔργον προστιθεὶς ἐμῷ τέκνῳ
πόλει τ' Ἀθηνῶν. τυγχάνω δ' ὑπὲρ χθονὸς
ἀρότου προθύουσ' ἐκ δόμων ἐλθοῦσ' ἐμῶν
30 πρὸς τόνδε σηκόν, ἔνθα πρῶτα φαίνεται
φρίξας ὑπὲρ γῆς τῆσδε κάρπιμος στάχυς.
δεσμὸν δ' ἄδεσμον τόνδ' ἔχουσα φυλλάδος
μένω πρὸς ἁγναῖς ἐσχάραις δυοῖν θεαῖν
Κόρης τε καὶ Δήμητρος, οἰκτείρουσα μὲν
πολιὰς ἄπαιδας τάσδε μητέρας τέκνων,
σέβουσα δ' ἱερὰ στέμματ'. οἴχεται δέ μοι
κῆρυξ πρὸς ἄστυ δεῦρο Θησέα καλῶν,
ὡς ἢ τὸ τούτων λυπρὸν ἐξέλῃ χθονός,
ἢ τάσδ' ἀνάγκας ἱκεσίους λύσῃ, θεοὺς
40 ὅσιόν τι δράσας· πάντα γὰρ δι' ἀρσένων
γυναιξὶ πράσσειν εἰκός, αἵτινες σοφαί.

ΧΟΡΟΣ

ἱκετεύω σε, γεραιά, στρ. α'
γεραιῶν ἐκ στομάτων,
πρὸς γόνυ πίπτουσα τὸ σόν·
ἄνα μοι τέκνα λῦσαι φθιμένων

Sharing the burden of their need of me, 20
Adrastus lieth here, his eyes with tears
Drowned, mourning for the battle-shivered spear
And that ill-starred array led forth of him.
Sore pleadeth he with me to bend by prayers
My son to be redeemer of the dead
By speech or spear, and helper to the grave,
Laying this charge alone upon my son
And Athens. Now it chanceth that I come
For the land's harvest's sake from forth mine halls
To this god's acre, where first rose to light
Above the earth's face bristling ears of corn. 30

And, bound in this strong gossamer-chain of leaves,[1]
At the two Goddesses' holy hearths I stay,
Demeter's and her Daughter's, both for ruth
Of these unchilded mothers silver-haired,
And awe of the holy bands. To Athens sped
Mine herald is, to summon Theseus hither,
That he may banish from the land these mourners,[2]
Or loose this strong constraint of suppliance
By rendering heaven its due. Seemly it is 40
That women, which be wise, still act through men.

CHORUS

(*Str.* 1)

Reverend Queen, with agèd lips do I implore thee;
In my suppliance at thy knee I fall before thee.
O redeem thou unto me from that assemblage of the dead

[1] The woollen fillets and boughs could not be removed without sacrilege.

[2] The presence of such, especially at the temple of Demeter, was ominous of evil, which the king only could avert, either by granting their request, or by refusing it and ordering them to depart.

νεκύων, οἳ καταλείπουσι μέλη
θανάτῳ λυσιμελεῖ θηρσὶν ὀρείοισι βοράν·

ἐσιδοῦσ' οἰκτρὰ μὲν ὅσσων — ἀντ. α'
δάκρυ' ἀμφ' βλεφάροις,
50 ῥυσὰ δὲ σαρκῶν πολιᾶν
καταδρύμματα χειρῶν· τί γάρ; ἃ
φθιμένους παῖδας ἐμοὺς οὔτε δόμοις
προθέμαν, οὔτε τάφων χώματα γαίας ἐσορῶ.

ἔτεκες καὶ σύ ποτ', ὦ πότνια, κοῦρον — στρ. β'
φίλα ποιησαμένα
λέκτρα πόσει σῷ· μέτα νυν
δὸς ἐμοὶ σᾶς διανοίας,
μετάδος δ', ὅσσον ἐπαλγῶ μελέα
τῶν φθιμένων οὓς ἔτεκον·
60 παράπεισον δὲ τὸ σόν, λισσόμεθ', ἐλθεῖν
τέκνον Ἰσμηνὸν ἐμάν τ' εἰς χέρα θεῖναι
νεκύων θαλερῶν σώματ' ἀλαίνοντ' ἄταφα.[1]

ὁσίως οὔχ, ὑπ' ἀνάγκας δὲ προπίπτου- — ἀντ. β'
σα προσαιτοῦσ' ἔμολον
δεξιπύρους θεῶν θυμέλας·
ἔχομεν δ' ἔνδικα· καὶ σοί
τι πάρεστι σθένος ὥστ' εὐτεκνίᾳ
δυστυχίαν τὰν παρ' ἐμοὶ
καθελεῖν· οἰκτρὰ δὲ πάσχουσ' ἱκετεύω

[1] Murray: for λάινον τάφον.

My belovèd, from the harvest that the hand of death hath spread
For the mountain-beasts to ravin on the children of [my womb!

(*Ant.* 1)

Look upon me:—from mine eyes in my despairing
Tears are streaming, and my frenzied hands are tearing 50
Crimson furrows on my wrinkled cheeks. What [should I do but mourn,
Who have laid not out my dead unto their burial to be borne,
And who see not any heaping of the earth-mound [for their tomb?

(*Str.* 2)

Thou hast borne a little one, thou hast given a princely son
To thy lord, that marriage-treasure made his heart to [joy in thee:
Let the full soul deal its bread to the sad ones famishèd:
Give according to the measure of my childless agony.
Bend the spirit of thy son, that he may go, whose help we crave, 60
To Ismenus, that our hands may lay the bodies of [our dead—
Who are outcasts now in Hades, being tombless—in the grave.

(*Ant.* 2)

Not according unto rite,[1] but as overmastering might
Of Necessity constraineth, at the altars do I bend
Whence to heaven leaps the flame; and the right is that I claim.
Thou art strong, thy son remaineth;—thou canst make my sorrows end.
Out of depths of sorest anguish rings my supplication [wild

[1] There was no place in the temple-ritual for mourning.

τὸν ἐμὸν παῖδα τάλαιν' ἐν χερὶ θεῖναι
70 νέκυν, ἀμφιβαλεῖν λυγρὰ μέλη παιδὸς ἐμοῦ.

ἀγὼν ὅδ' ἄλλος ἔρχεται γόων γόοις στρ. γ'
διάδοχος· ἀχοῦσιν προπόλων χέρες.
ἴτ' ὦ ξυνῳδοὶ κακοῖς,
ἴτ' ὦ ξυναλγηδόνες,
χορὸν τὸν Ἅιδας σέβει,
διὰ παρῆδος ὄνυχα λευκὸν
αἱματοῦτε χρῶτά τε φόνιον·
τὰ γὰρ φθιτῶν τοῖς ὁρῶσι κόσμος.

ἄπληστος ἅδε μ' ἐξάγει χάρις γόων ἀντ. γ'
80 πολύπονος, ὡς ἐξ ἀλιβάτου πέτρας
ὑγρὰ ῥέουσα σταγών,
ἄπαυστος ἀεὶ γόων·
τὸ γὰρ θανόντων τέκνων
ἐπίπονόν τι κατὰ γυναῖκας
εἰς γόους πέφυκε πάθος. ἒ ἔ·
θανοῦσα τῶνδ' ἀλγέων λαθοίμαν.

ΘΗΣΕΥΣ

τίνων γόων ἤκουσα καὶ στέρνων κτύπον
νεκρῶν τε θρήνους, τῶνδ' ἀνακτόρων ἄπο
ἠχοῦς ἰούσης; ὡς φόβος μ' ἀναπτεροῖ
90 μή μοί τι μήτηρ, ἣν μεταστείχω ποδὶ
χρονίαν ἀποῦσαν ἐκ δόμων, ἔχῃ νέον.
ἔα·
τί χρῆμα; καινὰς εἰσβολὰς ὁρῶ λόγων·
μητέρα γεραιὰν βωμίαν ἐφημένην
ξένας θ' ὁμοῦ γυναῖκας, οὐχ ἕνα ῥυθμὸν

That thou give me but a corpse, in mine embrace to hold the same,
And to fling mine arms around the piteous body of my child. 70

The attendant HANDMAIDS, *beating their breasts and marring their faces, wail in unison with the* MOTHERS.

O hearken yon wails to our wailing replying, (*Str.* 3)
To the hands of our handmaidens smiting hard
On their bosoms ! Come, ye that re-echo our crying
With a burden of mourning, who sigh with our sighing—
Come ye to the one dance Death doth regard ;
Rend, rend ye the cheek, till the red stains streak
White fingers :—the dues that our dear dead seek
Shall be all our reward.

Unsatisfied mourning my soul is enthralling (*Ant.* 3)
Sorrow-burdened, as forth from a precipice flows 80
A spring with its rain ever flashing and falling.
Unrestingly wailing to wailing is calling ;
For the heart's love of woman but one path knows,
Nor can choose but to moan for the dear dead son :—
And oh that the days of my life were done,
And forgotten my woes !

Enter THESEUS.

THESEUS

What wailings heard I, smitings upon breasts,
And dirges for the dead, as rang the sound
From the holy place ? How throbs mine heart with fear
Lest to my mother, who hath drawn me hither 90
By her long absence, some mischance betide.
Ha !
What see I here ? What strange tale is to tell ?
At the altar sitting my grey mother is,
And alien dames with her in diverse guise

κακῶν ἐχούσας· ἔκ τε γὰρ γερασμίων
ὄσσων ἐλαύνουσ᾽ οἰκτρὸν εἰς γαῖαν δάκρυ,
κουραὶ δὲ καὶ πεπλώματ᾽ οὐ θεωρικά.
τί ταῦτα, μῆτερ; σὸν τὸ μηνύειν ἐμοί,
ἡμῶν δ᾽ ἀκούειν· προσδοκῶ τι γὰρ νέον.

ΑΙΘΡΑ

100 *ὦ παῖ, γυναῖκες αἵδε μητέρες τέκνων*
τῶν κατθανόντων ἀμφὶ Καδμείας πύλας
ἑπτὰ στρατηγῶν· ἱκεσίοις δὲ σὺν κλάδοις
φρουροῦσί μ᾽, ὡς δέδορκας, ἐν κύκλῳ, τέκνον.

ΘΗΣΕΥΣ

τίς δ᾽ ὁ στενάζων οἰκτρὸν ἐν πύλαις ὅδε;

ΑΙΘΡΑ

Ἄδραστος, ὡς λέγουσιν, Ἀργείων ἄναξ.

ΘΗΣΕΥΣ

οἱ δ᾽ ἀμφὶ τόνδε παῖδες ἢ τούτου τέκνα;

ΑΙΘΡΑ

οὔκ, ἀλλὰ νεκρῶν τῶν ὀλωλότων κόροι.

ΘΗΣΕΥΣ

τί γὰρ πρὸς ἡμᾶς ἦλθον ἱκεσίᾳ χερί;

ΑΙΘΡΑ

οἶδ᾽· ἀλλὰ τῶνδε μῦθος οὑντεῦθεν, τέκνον.

ΘΗΣΕΥΣ

110 *σὲ τὸν κατήρη χλανιδίοις ἀνιστορῶ.*
λέγ᾽ ἐκκαλύψας κρᾶτα καὶ πάρες γόον·
πέρας γὰρ οὐδὲν μὴ διὰ γλώσσης ἰόν.

ΑΔΡΑΣΤΟΣ

ὦ καλλίνικε γῆς Ἀθηναίων ἄναξ,
Θησεῦ, σὸς ἱκέτης καὶ πόλεως ἥκω σέθεν.

ΘΗΣΕΥΣ

τί χρῆμα θηρῶν καὶ τίνος χρείαν ἔχων;

Of sore affliction; for the piteous tear
Unto the ground from agèd eyes they drop.
Shorn hair and garb unmeet for worshippers!
What means it, mother? 'Tis thy part to tell,
And mine to hear. I look for some strange thing.

AETHRA

My son, these dames the mothers are of those, 100
The chieftains seven, that in battle fell
By gates Cadmean. And with suppliant boughs
Compassed they hold me, captive, as thou seest.

THESEUS

Who yonder at the gates makes piteous moan?

AETHRA

Adrastus, as they tell, the Argive king.

THESEUS

And yon lads at his side, his boys are they?

AETHRA

Nay, but the sons of those dead which have died.

THESEUS

Wherefore to us came they with suppliant hand?

AETHRA

I know:—but these must tell the rest, my son.

THESEUS

Thee, in thy mantle muffled close, I ask— 110
Unshroud thine head, speak, let thy mourning be;
Naught shalt thou profit, if naught pass thy tongue.

ADRASTUS

O triumph-glorious king of Athens' land,
Theseus, I come thy suppliant and thy city's.

THESEUS

What seekest thou, and whereof hast thou need?

ΑΔΡΑΣΤΟΣ

οἶσθ' ἣν στρατείαν ἐστράτευσ' ὀλεθρίαν.

ΘΗΣΕΥΣ

οὐ γάρ τι σιγῇ διεπέρασας Ἑλλάδα.

ΑΔΡΑΣΤΟΣ

ἐνταῦθ' ἀπώλεσ' ἄνδρας Ἀργείων ἄκρους.

ΘΗΣΕΥΣ

τοιαῦθ' ὁ τλήμων πόλεμος ἐξεργάζεται.

ΑΔΡΑΣΤΟΣ

120 τούτους θανόντας ἦλθον ἐξαιτῶν πόλιν.

ΘΗΣΕΥΣ

κήρυξιν Ἑρμοῦ πίσυνος, ὡς θάψῃς νεκρούς;

ΑΔΡΑΣΤΟΣ

κἄπειτά γ' οἱ κτανόντες οὐκ ἐῶσί με.

ΘΗΣΕΥΣ

τί γὰρ λέγουσιν, ὅσια χρῄζοντος σέθεν;

ΑΔΡΑΣΤΟΣ

τί δ'; εὐτυχοῦντες οὐκ ἐπίστανται φέρειν.

ΘΗΣΕΥΣ

ξύμβουλον οὖν μ' ἐπῆλθες; ἢ τίνος χάριν;

ΑΔΡΑΣΤΟΣ

κομίσαι σε, Θησεῦ, παῖδας Ἀργείων θέλων.

ΘΗΣΕΥΣ

τὸ δ' Ἄργος ὑμῖν ποῦ 'στιν; ἢ κόμποι μάτην;

ΑΔΡΑΣΤΟΣ

σφαλέντες οἰχόμεσθα. πρὸς σὲ δ' ἥκομεν.

ΘΗΣΕΥΣ

ἰδίᾳ δοκῆσάν σοι τόδ' ἢ πάσῃ πόλει;

ΑΔΡΑΣΤΟΣ

130 πάντες σ' ἱκνοῦνται Δαναΐδαι θάψαι νεκρούς.

ΘΗΣΕΥΣ

ἐκ τοῦ δ' ἐλαύνεις ἑπτὰ πρὸς Θήβας λόχους;

ADRASTUS

Thou know'st what host I to destruction led.

THESEUS

Yea, not in silence passedst thou through Greece.

ADRASTUS

The chiefest men of Argos lost I there.

THESEUS

Such desolation worketh woeful war.

ADRASTUS

And these my dead I went to ask of Thebes. 120

THESEUS

Did heralds sanctify thy burial-claim?

ADRASTUS

Yea: even so the slayers grant them not.

THESEUS

What say they to thy plea of holy right?

ADRASTUS

Ay, what?—prosperity hath puffed them up.

THESEUS

For counsel com'st thou then, or what wouldst thou?

ADRASTUS

That thou shouldst rescue, Theseus, Argos' sons.

THESEUS

Where is your Argos? Is her vaunting vain?

ADRASTUS

We are fallen and undone. To thee we come.

THESEUS

Dost thou alone will this, or all thy state?

ADRASTUS

All Danaus' sons beseech thee entomb their dead. 130

THESEUS

Why didst thou march those seven hosts to Thebes?

ΑΔΡΑΣΤΟΣ

δισσοῖσι γαμβροῖς τήνδε πορσύνων χάριν.

ΘΗΣΕΥΣ

τῷ δ' ἐξέδωκας παῖδας Ἀργείων σέθεν;

ΑΔΡΑΣΤΟΣ

οὐκ ἐγγενῆ συνῆψα κηδείαν δόμοις.

ΘΗΣΕΥΣ

ἀλλὰ ξένοις ἔδωκας Ἀργείας κόρας;

ΑΔΡΑΣΤΟΣ

Τυδεῖ γε Πολυνείκει τε τῷ Θηβαγενεῖ.

ΘΗΣΕΥΣ

τίν' εἰς ἔρωτα τῆσδε κηδείας μολών;

ΑΔΡΑΣΤΟΣ

Φοίβου μ' ὑπῆλθε δυστόπαστ' αἰνίγματα.

ΘΗΣΕΥΣ

τί δ' εἶπ' Ἀπόλλων παρθένοις κραίνων γάμον;

ΑΔΡΑΣΤΟΣ

140 κάπρῳ με δοῦναι καὶ λέοντι παῖδ' ἐμώ.

ΘΗΣΕΥΣ

σὺ δ' ἐξελίσσεις πῶς θεοῦ θεσπίσματα;

ΑΔΡΑΣΤΟΣ

ἐλθόντε φυγάδε νυκτὸς εἰς ἐμὰς πύλας,

ΘΗΣΕΥΣ

τίς καὶ τίς; εἰπέ· δύο γὰρ ἐξαυδᾷς ἅμα.

ΑΔΡΑΣΤΟΣ

Τυδεὺς μάχην ξυνῆψε Πολυνείκης θ' ἅμα.

ΘΗΣΕΥΣ

ἦ τοῖσδ' ἔδωκας θηρσὶν ὣς κόρας σέθεν;

ΑΔΡΑΣΤΟΣ

μάχην γε δισσοῖν κνωδάλοιν ἀπεικάσας.

ADRASTUS

To my two daughters' lords this grace I showed.

THESEUS

Thy daughters? To what Argives gav'st thou them?

ADRASTUS

With no man native-born I linked mine house.

THESEUS

Ha! gavest thou to aliens Argive maids?

ADRASTUS

To Tydeus, and to Thebes' son Polyneices.

THESEUS

Whence thy strong love for such affinity?

ADRASTUS

Phoebus' dark saying wrought upon my mind.

THESEUS

What spake Apollo to control their marriage?

ADRASTUS

"*Thy daughters give to a lion and a boar.*" 140

THESEUS

And the God's precept how unfoldest thou?

ADRASTUS

There came by night two exiles to my gates.

THESEUS

Who this, who that?—for thou dost speak of twain.

ADRASTUS

Tydeus and Polyneices: there they fought.

THESEUS

To these, as those wild beasts, gav'st thou thy daughters?

ADRASTUS

Yea: like those monsters twain, methought, they strove.

ΘΗΣΕΥΣ
ἦλθον δὲ δὴ πῶς πατρίδος ἐκλιπόνθ' ὅρους ;

ΑΔΡΑΣΤΟΣ
Τυδεὺς μὲν αἷμα συγγενὲς φεύγων χθονός.

ΘΗΣΕΥΣ
ὁ δ' Οἰδίπου παῖς τίνι τρόπῳ Θήβας λιπών ;

ΑΔΡΑΣΤΟΣ
150 ἀραῖς πατρῴαις, μὴ κασίγνητον κτάνοι.

ΘΗΣΕΥΣ
σοφήν γ' ἔλεξας τήνδ' ἑκούσιον φυγήν.

ΑΔΡΑΣΤΟΣ
ἀλλ' οἱ μένοντες τοὺς ἀπόντας ἠδίκουν.

ΘΗΣΕΥΣ
ἦ πού σφ' ἀδελφὸς χρημάτων νοσφίζεται ;

ΑΔΡΑΣΤΟΣ
ταῦτ' ἐκδικάζων ἦλθον· εἶτ' ἀπωλόμην.

ΘΗΣΕΥΣ
μάντεις δ' ἐπῆλθες ἐμπύρων τ' εἶδες φλόγα ;

ΑΔΡΑΣΤΟΣ
οἴμοι· διώκεις μ' ᾗ μάλιστ' ἐγὼ 'σφάλην.

ΘΗΣΕΥΣ
οὐκ ἦλθες, ὡς ἔοικεν, εὐνοίᾳ θεῶν.

ΑΔΡΑΣΤΟΣ
τὸ δὲ πλέον, ἦλθον Ἀμφιάρεώ γε πρὸς βίαν.

ΘΗΣΕΥΣ
οὕτω τὸ θεῖον ῥᾳδίως ἀπεστράφης ;

ΑΔΡΑΣΤΟΣ
160 νέων γὰρ ἀνδρῶν θόρυβος ἐξέπλησσέ με.

ΘΗΣΕΥΣ
εὐψυχίαν ἔσπευσας ἀντ' εὐβουλίας.

THESEUS

How left they home-land's bounds, and came to thee?

ADRASTUS

Tydeus, for shedding blood of kin exiled.

THESEUS

And Oedipus' son, for what cause left he Thebes?

ADRASTUS

His father's curse, lest he should slay his brother. 150

THESEUS

Wise was that self-sought exile, named of thee.

ADRASTUS

But they that tarried wrought the absent wrong.

THESEUS

Ha! did his brother take his heritage?

ADRASTUS

To claim his right I came—and found my ruin.

THESEUS

Didst seek to seers, and gaze on altar-flames?

ADRASTUS

Ah me! thou pressest me where most I erred!

THESEUS

Not with heaven's blessing didst thou go, methinks

ADRASTUS

Nay, worse; in Amphiaraus' despite I went.

THESEUS

Didst thou thus lightly flout the will divine?

ADRASTUS

The clamour of the young men daunted me. 160

THESEUS

Valour instead of wisdom favouredst thou.

ΑΔΡΑΣΤΟΣ

ὃ δή γε πολλοὺς ὤλεσε στρατηλάτας.
ἀλλ᾽ ὦ καθ᾽ Ἑλλάδ᾽ ἀλκιμώτατον κάρα,
ἄναξ Ἀθηνῶν, ἐν μὲν αἰσχύναις ἔχω
πίτνων πρὸς οὖδας γόνυ σὸν ἀμπίσχειν χερί,
πολιὸς ἀνὴρ τύραννος εὐδαίμων πάρος·
ὅμως δ᾽ ἀνάγκη συμφοραῖς εἴκειν ἐμαῖς.

σῶσον νεκρούς μοι τἀμά τ᾽ οἰκτείρας κακὰ
καὶ τῶν θανόντων τάσδε μητέρας τέκνων,
170 αἷς γῆρας ἥκει πολιὸν εἰς ἀπαιδίαν,
ἐλθεῖν δ᾽ ἔτλησαν δεῦρο καὶ ξένον πόδα
θεῖναι μόλις γεραιὰ κινοῦσαι μέλη,
πρεσβεύματ᾽ οὐ Δήμητρος εἰς μυστήρια,
ἀλλ᾽ ὡς νεκροὺς θάψωσιν, ἃς αὐτὰς ἐχρῆν
κείνων ταφείσας χερσὶν ὡραίων τυχεῖν.
σοφὸν δὲ πενίαν τ᾽ εἰσορᾶν τὸν ὄλβιον,
πένητά τ᾽ εἰς τοὺς πλουσίους ἀποβλέπειν
ζηλοῦνθ᾽, ἵν᾽ αὐτὸν χρημάτων ἔρως ἔχῃ,
τά τ᾽ οἰκτρὰ τοὺς μὴ δυστυχεῖς δεδορκέναι·
180 [τόν θ᾽ ὑμνοποιὸν αὐτὸς ἂν τίκτῃ μέλη
χαίροντα τίκτειν· ἢν δὲ μὴ πάσχῃ τόδε,
οὔτοι δύναιτ᾽ ἂν οἴκοθέν γ᾽ ἀτώμενος
τέρπειν ἂν ἄλλους· οὐδὲ γὰρ δίκην ἔχει.][1]

τάχ᾽ οὖν ἂν εἴποις, Πελοπίαν παρεὶς χθόνα
πῶς ταῖς Ἀθήναις τόνδε προστάσσεις πόνον;
ἐγὼ δίκαιός εἰμ᾽ ἀφηγεῖσθαι τάδε.
Σπάρτη μὲν ὠμὴ καὶ πεποίκιλται τρόπους,
τὰ δ᾽ ἄλλα μικρὰ κἀσθενῆ· πόλις δὲ σὴ
μόνη δύναιτ᾽ ἂν τόνδ᾽ ὑποστῆναι πόνον.
190 τά τ᾽ οἰκτρὰ γὰρ δέδορκε καὶ νεανίαν

[1] By most editors regarded as an irrelevant interpolation.

ADRASTUS

Even that hath ruined many a battle-chief.
O thou in prowess first all Hellas through,
O king of Athens, sore ashamed am I
To fall to earth, and to embrace thy knee,
A grey-haired king in time past prosperous.
Yet to mine evil plight I needs must bow.

Save thou my dead, compassionate my woes,
And these the mothers of the slaughtered sons
Whom hoary age hath found in childlessness, 170
Who have endured to come, on alien soil
To set their feet, who scarce for eld may creep;
No mission to Demeter's mysteries,
But seeking burial for their dead, a boon
Themselves should have obtained of young strong hands.
Wisely doth wealth consider poverty:
Wisely to wealth the poor uplifts his eyes
Aspiring, that desire of good may spur him:
So ought the prosperous to look on woe.
[The poet's self in gladness should bring forth 180
His offspring, song; if he attain not this,
He cannot from a heart distraught with pain
Gladden his fellows: reason sayeth nay.]

Perchance thou askest, "Why pass by the land
Of Pelops, and on Athens lay this charge?"
Sooth, right it is that I should answer this:—
Sparta is heartless, never at one stay;
The rest be small and weak: but this thy burg
Alone can stand beneath the mighty strain.
'Twas ever pitiful, and hath in thee 190

ἔχει σὲ ποιμέν' ἐσθλόν· οὗ χρείᾳ πόλεις
πολλαὶ διώλοντ' ἐνδεεῖς στρατηλάτου.

ΧΟΡΟΣ

κἀγὼ τὸν αὐτὸν τῷδέ σοι λόγον λέγω,
Θησεῦ, δι' οἴκτου τὰς ἐμὰς λαβεῖν τύχας.

ΘΗΣΕΥΣ

ἄλλοισι δὴ 'πόνησ' ἁμιλληθεὶς λόγῳ
τοιῷδ'. ἔλεξε γάρ τις ὡς τὰ χείρονα
πλείω βροτοῖσίν ἐστι τῶν ἀμεινόνων·
ἐγὼ δὲ τούτοις ἀντίαν γνώμην ἔχω
πλείω τὰ χρηστὰ τῶν κακῶν εἶναι βροτοῖς·
200 εἰ μὴ γὰρ ἦν τόδ', οὐκ ἂν ἦμεν ἐν φάει.
αἰνῶ δ' ὃς ἡμῖν βίοτον ἐκ πεφυρμένου
καὶ θηριώδους θεῶν διεσταθμήσατο,
πρῶτον μὲν ἐνθεὶς σύνεσιν, εἶτα δ' ἄγγελον
γλῶσσαν λόγων δούς, ὡς γεγωνίσκειν ὄπα,
τροφήν τε καρποῦ τῇ τροφῇ τ' ἀπ' οὐρανοῦ
σταγόνας ὑδρηλάς, ὡς τά γ' ἐκ γαίας τρέφῃ
ἄρδῃ τε νηδύν· πρὸς δὲ τοῖσι χείματος
προβλήματ', αἶθρον ἐξαμύνασθαι θεοῦ,
πόντου τε ναυστολήμαθ', ὡς διαλλαγὰς
210 ἔχοιμεν ἀλλήλοισιν ὧν πένοιτο γῆ.
ἃ δ' ἔστ' ἄσημα κοὐ σαφῶς γιγνώσκομεν,
εἰς πῦρ βλέποντες καὶ κατὰ σπλάγχνων πτυχὰς
μάντεις προσημαίνουσιν οἰωνῶν τ' ἄπο.
ἆρ' οὐ τρυφῶμεν θεοῦ κατασκευὴν βίῳ
δόντος τοιαύτην, οἶσιν οὐκ ἀρκεῖ τάδε;
ἀλλ' ἡ φρόνησις τοῦ θεοῦ μεῖζον σθένειν
ζητεῖ, τὸ γαῦρον δ' ἐν φρεσὶν κεκτημένοι
δοκοῦμεν εἶναι δαιμόνων σοφώτεροι.
ἧς καὶ σὺ φαίνει δεκάδος οὐ σοφὸς γεγώς,
220 ὅστις κόρας μὲν θεσφάτοις Φοίβου ζυγεὶς

A young and valorous chief, for lack of whom
To lead their hosts, have many cities fallen.

CHORUS

I too put up to thee the selfsame prayer,
Theseus, to have compassion on my lot.

THESEUS

With others oft in wrestle of argument
I have grappled touching this :—there be that say
That evil more abounds with men than good.
Opinion adverse unto these I hold,
That more than evil good abounds with men :
Were this not so, we were not of the light. 200

Praise to the God who shaped in order's mould
Our lives redeemed from chaos and the brute,
First, by implanting reason, giving then
The tongue, word-herald, to interpret speech ;
Earth's fruit for food, for nurturing thereof
Raindrops from heaven, to feed earth's fosterlings,
And water her green bosom ; therewithal
Shelter from storm, and shadow from the heat,
Sea-tracking ships, that traffic might be ours
With fellow-men of that which each land lacks ; 210
And, for invisible things or dimly seen,
Soothsayers watch the flame, the liver's folds,
Or from the birds divine the things to be.

Are we not arrogant then, when all life's needs
God giveth, therewith not to be content?
But our presumption stronger fain would be
Than God : we have gotten overweening hearts,
And dream that we be wiser than the Gods.
And thou art of this fellowship of folly,
Who didst by Phoebus' hest thy daughters wed, 220

ξένοισιν ᾧδ' ἔδωκας ὡς ζώντων θεῶν,
λαμπρὸν δὲ θολερῷ δῶμα συμμίξας τὸ σὸν
ἥλκωσας οἴκους· χρῆν γὰρ οὐδὲ σώματα
ἄδικα δικαίοις τὸν σοφὸν συμμιγνύναι,
εὐδαιμονοῦντας δ' εἰς δόμους κτᾶσθαι φίλους.
κοινὰς γὰρ ὁ θεὸς τὰς τύχας ἡγούμενος
τοῖς τοῦ νοσοῦντος πήμασιν διώλεσε
τὸν συννοσοῦντα κοὐδὲν ἠδικηκότα.
εἰς δὲ στρατείαν πάντας Ἀργείους ἄγων,
230 μάντεων λεγόντων θέσφατ', εἶτ' ἀτιμάσας
βίᾳ παρελθὼν θεοὺς ἀπώλεσας πόλιν,
νέοις παραχθείς, οἵτινες τιμώμενοι
χαίρουσι πολέμους τ' αὐξάνουσ' ἄνευ δίκης,
φθείροντες ἀστούς, ὁ μὲν ὅπως στρατηλατῇ,
ὁ δ' ὡς ὑβρίζῃ δύναμιν εἰς χεῖρας λαβών,
ἄλλος δὲ κέρδους εἵνεκ', οὐκ ἀποσκοπῶν
τὸ πλῆθος εἴ τι βλάπτεται πάσχον τάδε.
τρεῖς γὰρ πολιτῶν μερίδες· οἱ μὲν ὄλβιοι
ἀνωφελεῖς τε πλειόνων τ' ἐρῶσ' ἀεί·
240 οἱ δ' οὐκ ἔχοντες καὶ σπανίζοντες βίου,
δεινοί, νέμοντες τῷ φθόνῳ πλέον μέρος,
εἰς τοὺς ἔχοντας κέντρ' ἀφιᾶσιν κακά,
γλώσσαις πονηρῶν προστατῶν φηλούμενοι·
τριῶν δὲ μοιρῶν ἡ 'ν μέσῳ σῴζει πόλεις,
κόσμον φυλάσσουσ' ὅντιν' ἂν τάξῃ πόλις.
κἄπειτ' ἐγώ σοι σύμμαχος γενήσομαι;
τί πρὸς πολίτας τοὺς ἐμοὺς λέγων καλόν;
χαίρων ἴθ'· εἰ γὰρ μὴ βεβούλευσαι καλῶς,
αὐτὸς πιέζειν τὴν τύχην, ἡμᾶς δ' ἐᾶν.

ΧΟΡΟΣ

250 ἥμαρτεν· ἐν νέοισι δ' ἀνθρώπων τόδε
ἔνεστι· συγγνώμην δὲ τῷδ' ἔχειν χρεών.

To aliens—thus far recognising Gods ;—
Yet mingling thy clear blood with turbid, so
Didst mar thine house : thou oughtest ne'er to have
blent,
So thou wert wise, just lives with lives unjust,
But for thine house to have gotten heaven-blest
friends :
For God, adjudging fates joined hand in hand,
Destroyeth by the sinner's stroke whoe'er
Partaketh with him, though he have not sinned.
Thou leddest forth the Argives all to war, [naught
Though seers spake heaven's warning, setting at 230
These, flouting Gods, didst ruin so thy state,
By young men led astray, which love the praise
Of men, and multiply wars wrongfully,
Corrupting others, one, to lead the host,
One, to win power, and use it for his lust,
And one for lucre's sake, who recketh naught
Of mischief to a people thus misused.
For in a nation there be orders three :—
The highest, useless rich, aye craving more ;
The lowest, poor, aye on starvation's brink, 240
A dangerous folk, of envy overfull,
Which shoot out baleful stings at prosperous folk,
Beguiled by tongues of evil men, their "champions" :
But of the three the midmost saveth states,
Who keep the order which the state ordains.
Shall I then make me ally unto thee ?
How to my nation should I make defence ?
Depart in peace : if thou hast ill devised,
Face fortune's blows thyself ; drag us not down.

CHORUS

He erred ; yet on the young men rests the blame : 250
But meet it is that he find grace with thee.

ΑΔΡΑΣΤΟΣ

οὔτοι δικαστήν σ' εἱλόμην ἐμῶν κακῶν,
ἀλλ' ὡς ἰατρὸν τῶνδ', ἄναξ, ἀφίγμεθα,[1]
οὐδ', εἴ τι πράξας μὴ καλῶς εὑρίσκομαι,
τούτων κολαστὴν κἀπιτιμητήν, ἄναξ,
ἀλλ' ὡς ὀναίμην. εἰ δὲ μὴ βούλει τάδε,
στέργειν ἀνάγκη τοῖσι σοῖς· τί γὰρ πάθω;
ἄγ', ὦ γεραιαί, στείχετε, γλαυκὴν χλόην
αὐτοῦ λιποῦσαι φυλλάδος καταστεφῆ,
260 θεούς τε καὶ γῆν τήν τε πυρφόρον θεὰν
Δήμητρα θέμεναι μάρτυρ' ἡλίου τε φῶς,
ὡς οὐδὲν ἡμῖν ἤρκεσαν λιταὶ θεῶν.

ΧΟΡΟΣ

* * * * * * * * * * * *

ὃς Πέλοπος ἦν παῖς, Πελοπίας δ' ἡμεῖς χθονὸς
ταὐτὸν πατρῷον αἷμα σοὶ κεκτήμεθα.

ΑΙΘΡΑ[2]

τί δρᾷς; προδώσεις ταῦτα κἀκβαλεῖς χθονὸς
γραῦς οὐ τυχούσας οὐδὲν ὧν αὐτὰς ἐχρῆν;
μὴ δῆτ'· ἔχει γὰρ καταφυγὴν θὴρ μὲν πέτραν,
δοῦλος δὲ βωμοὺς θεῶν, πόλις δὲ πρὸς πόλιν
ἔπτηξε χειμασθεῖσα· τῶν γὰρ ἐν βροτοῖς
270 οὐκ ἔστιν οὐδὲν διὰ τέλους εὐδαιμονοῦν.

ΧΟΡΟΣ

στρ.

βᾶθι, τάλαιν', ἱερῶν δαπέδων ἄπο Περσεφονείας,
βᾶθι καὶ ἀντίασον γονάτων ἔπι χεῖρα βαλοῦσα,
τέκνων τεθνεώτων κομίσαι δέμας, ὦ μελέα 'γώ,
οὓς ὑπὸ τείχεσι Καδμείοισιν ἀπώλεσα κούρους.

[1] Placed by Barnes here, instead of after 251, as in MSS.
[2] So assigned by Paley, by other editors to Chorus.

ADRASTUS

Not for a judge I chose thee of mine ills,
But as to a healer of them, king, we come;
Nor, if I have calamitously sped,
Need I thy chastisement and chiding, king,
No, but thine aid. And if thou wilt not this,
I must content me with thy choice:—what help?
Come, agèd dames, depart:—yet leave ye here
The grey-green boughs to roof the altar o'er,[1]
Calling to witness heaven and earth, Demeter, 260
Fire-bearing Goddess, and the Sun-god's light,
That naught our prayers unto the Gods availed.

CHORUS

[On thine head be it, grandson thou of Pittheus]
Old Pelops' son! Lo, we of Pelops' land
The selfsame blood ancestral share with thee.

AETHRA

How?—wilt thou flout these prayers, cast forth the
land
Grey mothers, which have gained of their dues naught?
Nay, nay!—the beast finds refuge in the rock,
The slave at the Gods' altars; and a state
Storm-tossed must cower beneath another's lee;
For in man's lot naught prospereth to the end. 270

CHORUS

(*Str.*)

O thou afflicted, arise from Persephone's hallowèd floor;
Rise thou, and bow at his knees, flinging round them thine hands, and implore
That he rescue the clay of my dead, my beloved—ah, woe is me, woe!—
Of the sons I have lost, under ramparts of Cadmus in dust lying low.

[1] If the petitioner's prayer was granted, he carried away with him his suppliant-bough; if not, he left it on the altar.

ἰώ μοι· λάβετε φέρετε πέμπετε ἀείρετε[1] *μεσῳδ.*
ταλαίνας χέρας γεραιάς.
πρός σε γενειάδος, ὦ φίλος, ὦ δοκιμώτατος
Ἑλλάδι,
ἄντομαι ἀμφιπίτνουσα τὸ σὸν γόνυ καὶ χέρα
δειλαία·
280 οἴκτισαι ἀμφὶ τέκνων μ' ἱκέταν τιν' ἀλάταν
οἰκτρὸν ἰάλεμον οἰκτρὸν ἱεῖσαν,

ἀντ.

μηδ' ἀτάφους, τέκνον, ἐν χθονὶ Κάδμου χάρματα
θηρῶν
παῖδας ἐν ἁλικίᾳ τᾷ σᾷ κατίδῃς, ἱκετεύω.
βλέψον ἐμῶν βλεφάρων ἔπι δάκρυον, ἃ περὶ
σοῖσι
γούνασιν ὧδε πίτνω, τέκνοις τάφον ἐξανύσασθαι.

ΘΗΣΕΥΣ

μῆτερ, τί κλαίεις λέπτ' ἐπ' ὀμμάτων φάρη
βαλοῦσα τῶν σῶν; ἆρα δυστήνους γόους
κλύουσα τῶνδε; κἀμὲ γὰρ διῆλθέ τι.
ἔπαιρε λευκὸν κρᾶτα, μὴ δακρυρρόει
290 σεμναῖσι Δηοῦς ἐσχάραις παρημένη.

ΑΙΘΡΑ

αἰαῖ.

ΘΗΣΕΥΣ

τὰ τούτων οὐχὶ σοὶ στενακτέον.

ΑΙΘΡΑ

ὦ τλήμονες γυναῖκες.

[1] Hermann: for MSS. κρίνετε.

(*Mesode*)

Woe for me!—clasp me, uplift me, help onward, upholding
The palsied hand of the woe-forspent!
By thy beard, O thou chiefest of champions of Hellas, O friend, I beseech thee,
In the clasp of the wretched thy knees and thy fingers enfolding!
Pity me; for my children in suppliance bent 280
Like a beggar I bow: let my pitiful, pitiful outcryings reach thee!

(*Ant.*)

Ah, not unburied on Cadmus's soil, for a ravin and glee
Unto beasts of the wold do thou leave them, the young men like unto thee!
O look on the tears from mine eyes that are streaming!—and all that I crave
Falling low at thy knees, is a grave—that thou win for my sons but a grave!

THESEUS

Mother, why weepest thou, before thine eyes
Casting thy fine-spun veil? Dost weep to hear
Their mournful wails? Sooth, mine own heart was thrilled.
Raise thy white head; be not a fount of tears,
There sitting at Demeter's holy hearth. 290

AETHRA

Ah me!

THESEUS

'Tis not for thee to wail their woes.

AETHRA

Oh hapless dames!

ΘΗΣΕΥΣ

οὐ σὺ τῶνδ᾽ ἔφυς.

ΑΙΘΡΑ

εἴπω τι, τέκνον, σοί τε καὶ πόλει καλόν;

ΘΗΣΕΥΣ

ὡς πολλά γ᾽ ἐστὶ κἀπὸ θηλειῶν σοφά.

ΑΙΘΡΑ

ἀλλ᾽ εἰς ὄκνον μοι μῦθος ὃν κεύθω φέρει.

ΘΗΣΕΥΣ

αἰσχρόν γ᾽ ἔλεξας, χρήστ᾽ ἔπη κρύπτειν φίλους.

ΑΙΘΡΑ

οὔτοι σιωπῶσ᾽ εἶτα μέμψομαί ποτε
τὴν νῦν σιωπὴν ὡς ἐσιγήθη κακῶς,
οὐδ᾽ ὡς ἀχρεῖον τὰς γυναῖκας εὖ λέγειν
300 δείσασ᾽ ἀφήσω τῷ φόβῳ τοὐμὸν καλόν.
ἐγὼ δέ σ᾽, ὦ παῖ, πρῶτα μὲν τὰ τῶν θεῶν
σκοπεῖν κελεύω μὴ σφαλῇς ἀτιμάσας·
τἄλλ᾽ εὖ φρονῶν γάρ, ἐν μόνῳ τούτῳ 'σφάλης.
πρὸς τοῖσδε δ᾽, εἰ μὲν μὴ ἀδικουμένοις ἐχρῆν
τολμηρὸν εἶναι, κάρτ᾽ ἂν εἶχον ἡσύχως·
νυνὶ δὲ σοί τε τοῦτο τὴν τιμὴν φέρει
κἀμοὶ παραινεῖν οὐ φόβον φέρει, τέκνον,
ἄνδρας βιαίους καὶ κατείργοντας νεκροὺς
τάφου τε μοίρας καὶ κτερισμάτων λαχεῖν
310 εἰς τήνδ᾽ ἀνάγκην σῇ καταστῆναι χερί,
νόμιμά τε πάσης συγχέοντας Ἑλλάδος
παῦσαι· τὸ γάρ τοι συνέχον ἀνθρώπων πόλεις
τοῦτ᾽ ἔσθ᾽, ὅταν τις τοὺς νόμους σῴζῃ καλῶς.
ἐρεῖ δὲ δή τις ὡς ἀνανδρίᾳ χερῶν,
πόλει παρόν σοι στέφανον εὐκλείας λαβεῖν,
δείσας ἀπέστης, καὶ συὸς μὲν ἀγρίου

THESEUS

Thou art not of their blood.

AETHRA

Son, may I speak for thine and Athens' honour?

THESEUS

Yea, even from women's lips much wisdom flows.

AETHRA

Yet—yet, it gives me pause, the word I hide.

THESEUS

Nay, this were shame, to hide good rede from friends.

AETHRA

I will not hold my peace, to blame hereafter
Myself for coward silence of this day;
Nor, cowed by that taunt, "Woman's best advice
Is worthless," will refrain my lips from good. 300
My son, I bid thee look to this first, lest
Thou err, despising their appeal to heaven.
In this alone thou err'st, in all else wise.

Nay more—I had endured, and murmured not,
Wert thou not *bound* to champion the oppressed.
Lo, this is the foundation of thy fame;
Therefore I fear not to exhort thee, son,
That thou wouldst lay thy strong constraining hand
On men of violence which refuse the dead
The dues of burial and of funeral-rites, 310
And quell the folk that would confound all wont
Of Hellas: for the bond of all men's states
Is this, when they with honour hold by law.

Ay, some will say faint heart made feeble hand;
That to win Athens glory's crown was thine,
Yet didst thou flinch for fear; that thou didst close

ἀγῶνος ἧψω φαῦλον ἀθλήσας πόνον,
οὗ δ' εἰς κράνος βλέψαντα καὶ λόγχης ἀκμὴν
χρῆν ἐκπονῆσαι, δειλὸς ὢν ἐφηυρέθης.
320 μὴ δῆτ' ἐμός γ' ὤν, ὦ τέκνον, δράσῃς τάδε.
ὁρᾷς, ἄβουλος ὡς κεκερτομημένη
τοῖς κερτομοῦσι γοργὸν ὄμμ' ἀναβλέπει
σὴ πατρίς; ἐν γὰρ τοῖς πόνοισιν αὔξεται·
αἱ δ' ἥσυχοι σκοτεινὰ πράσσουσαι πόλεις
σκοτεινὰ καὶ βλέπουσιν εὐλαβούμεναι.
οὐκ εἶ νεκροῖσι καὶ γυναιξὶν ἀθλίαις
προσωφελήσων, ὦ τέκνον, κεχρημέναις;
ὡς οὔτε ταρβῶ σὺν δίκῃ σ' ὁρμώμενον,
Κάδμου θ' ὁρῶσα λαὸν εὖ πεπραγότα,
330 ἔτ' αὐτὸν ἄλλα βλήματ' ἐν κύβοις βαλεῖν
πέποιθ'· ὁ γὰρ θεὸς πάντ' ἀναστρέφει πάλιν.

ΧΟΡΟΣ

ὦ φιλτάτη μοι, τῷδέ τ' εἴρηκας καλῶς
κἀμοί· διπλοῦν δὲ χάρμα γίγνεται τόδε.

ΘΗΣΕΥΣ

ἐμοὶ λόγοι μέν, μῆτερ, οἱ λελεγμένοι
ὀρθῶς ἔχουσ' εἰς τόνδε, κἀπεφηνάμην
γνώμην ὑφ' οἵων ἐσφάλη βουλευμάτων·
ὁρῶ δὲ κἀγὼ ταῦθ' ἅπερ με νουθετεῖς,
ὡς τοῖς ἐμοῖσιν οὐχὶ πρόσφορον τρόποις
φεύγειν τὰ δεινά. πολλὰ γὰρ δράσας καλά,
340 ἔθος τόδ' εἰς Ἕλληνας ἐξεδειξάμην,
ἀεὶ κολαστὴς τῶν κακῶν καθεστάναι.
οὔκουν ἀπαυδᾶν δυνατόν ἐστί μοι πόνους.
τί γάρ μ' ἐροῦσιν οἵ γε δυσμενεῖς βροτῶν,
ὅθ' ἡ τεκοῦσα χὐπερορρωδοῦσ' ἐμοῦ

In strife of little toil with that wild swine,[1]
But when behoved to face the helm, bear brunt
Of the spear's point, a craven wert thou found.
Ah, do not so, my son, as thou art mine! 320
Hast marked—bemocked for reckless policy,
How on the mockers glares with fierce bright eyes
Thy country?—in her energy is her life.

But states which work in darkness, cautelous,
Grope in the darkness, for their caution's meed.
What, to the dead, and women misery-worn
Wilt thou not bring help, son, in this their strait?
I fear naught: justice is with thine essay;
And, though the folk of Cadmus prosper now,
Far otherwise yet for them the dice of doom 330
Shall fall, I trust:—God bringeth low the proud.

CHORUS

O best-beloved, well hast thou said, for him
And me alike; herein is twofold joy.

THESEUS

Mother, the words I spake were words of truth
Unto this man, wherein I showed my mind
Touching the counsels by the which he fell.
Yet these thy warnings—yea, I see their force,
That with my life's use it accordeth not
To flinch from peril. Many a glorious deed
Hath shown to sons of Hellas this my wont, 340
Ever to be a punisher of wrong.

Toil's challenge therefore cannot I refuse:
For what will they which hate me say of me,
When she that bare me—who, beyond all, fears

[1] Phaea, the wild sow of Krommyon, slain by Theseus.

πρώτη κελεύεις τόνδ' ὑποστῆναι πόνον;
δράσω τάδ'· εἶμι καὶ νεκροὺς ἐκλύσομαι
λόγοισι πείθων· εἰ δὲ μή, βίᾳ δορὸς
ἤδη τόδ' ἔσται κοὐχὶ σὺν φθόνῳ θεῶν.
δόξαι δὲ χρῄζω καὶ πόλει πάσῃ τόδε.
350 δόξει δ' ἐμοῦ θέλοντος· ἀλλὰ τοῦ λόγου
προσδοὺς ἔχοιμ' ἂν δῆμον εὐμενέστερον.
καὶ γὰρ κατέστησ' αὐτὸν εἰς μοναρχίαν
ἐλευθερώσας τήνδ' ἰσόψηφον πόλιν.
λαβὼν δ' Ἄδραστον δεῖγμα τῶν ἐμῶν λόγων,
εἰς πλῆθος ἀστῶν εἶμι· καὶ πείσας τάδε,
λεκτοὺς ἀθροίσας δεῦρ' Ἀθηναίων κόρους
ἥξω· παρ' ὅπλοις θ' ἥμενος πέμψω λόγους
Κρέοντι νεκρῶν σώματ' ἐξαιτούμενος.
ἀλλ' ὦ γεραιαί, σέμν' ἀφαιρεῖτε στέφη
360 μητρός, πρὸς οἴκους ὥς νιν Αἰγέως ἄγω,
φίλην προσάψας χεῖρα· τοῖς τεκοῦσι γὰρ
δύστηνος ὅστις μὴ ἀντιδουλεύει τέκνων.
κάλλιστον ἔρανον δοὺς γὰρ ἀντιλάζυται
παίδων παρ' αὐτοῦ τοιάδ' ἂν τοκεῦσι δῷ.

ΧΟΡΟΣ

στρ. α'

ἱππόβοτον Ἄργος, ὦ πάτριον ἐμὸν πέδον,
ἐκλύετε τάδ' ἐκλύετ' ἄνακτος
ὅσια περὶ θεοὺς καὶ μεγάλα Πελασγίᾳ
καὶ κατ' Ἄργος.

ἀντ. α'

εἰ γὰρ ἐπὶ τέρμα καὶ τὸ πλέον ἐμῶν κακῶν
370 ἱκόμενος ἔτι ματέρος ἄγαλμα
φόνιον ἐξέλοι, γᾶν δὲ φίλιον Ἰνάχου
θεῖτ' ὀνήσας.

For me,—first bids me undertake this toil?
I will unto the deed, redeem their dead
By fair words, if I may; if not, the might
Of spears shall do it, nor the Gods shall grudge.
Yet I require all Athens' sanction here.
My wish should win their sanction; yet, if I 350
Show cause withal, the loyaller shall they be.
For I have made the land one single realm,
A free state, with an equal vote for all.
Adrastus for my witness will I take,
And meet their concourse; their consenting won,
With muster of chosen youths Athenian
Will I return; and tarrying under arms,
Will send to Creon, asking back the dead.
But ye, grey women, from my mother take
The holy wreaths, that I may clasp her hand, 360
And lead to Aegeus' halls. A sorry son
Is he that pays not service-debt to parents.
Who giveth of love's best, by his own sons
For all he hath given his parents is repaid.

[*Exeunt* THESEUS *and* AETHRA.

CHORUS

(*Str.* 1)

O Argos, mead of the battle-steed, O land where my fathers abode of yore, [the hero-king,
Ye have heard it, heard in Heaven was the word of
His sacred plight in Pelasgia's sight, the pledge to be published all Argos o'er.

(*Ant.* 1)

O may he gain—yea, more than attain to the goal that seeth my miseries end! [mother to bring
Forth let him go, let him wrest from the foe, to the 370
Her darling's clay blood-stained, and for aye have our own dear Inachus' land to friend.

καλὸν δ' ἄγαλμα πόλεσιν εὐσεβὴς πόνος   στρ. β'
χάριν τ' ἔχει τὰν ἐς ἀεί.
τί μοι πόλις κρανεῖ ποτ'; ἆρα φίλιά μοι
τεμεῖ, καὶ τέκνοις ταφὰς ληψόμεσθα;

ἄμυνε ματρί, πόλις, ἄμυνε, Παλλάδος,   ἀντ. β'
νόμους βροτῶν μὴ μιαίνειν.
σύ τοι σέβεις δίκαν, τὸ δ' ἧσσον ἀδικίᾳ
380 νέμεις, δυστυχῆ τ' ἀεὶ πάντα ῥύει.

ΘΗΣΕΥΣ

τέχνην μὲν ἀεὶ τήνδ' ἔχων ὑπηρετεῖς
πόλει τε κἀμοί, διαφέρων κηρύγματα·
ἐλθὼν δ' ὑπέρ τ' Ἀσωπὸν Ἰσμηνοῦ θ' ὕδωρ
σεμνῷ τυράννῳ φράζε Καδμείων τάδε·
Θησεύς σ' ἀπαιτεῖ πρὸς χάριν θάψαι νεκρούς,
συγγείτον' οἰκῶν γαῖαν, ἀξιῶν τυχεῖν,
φίλον τε θέσθαι πάντ' Ἐρεχθειδῶν λεών.
κἂν μὲν θέλωσιν αἰνέσαι, παλίσσυτος
στεῖχ'· ἢν δ' ἀπιστῶσ', οἵδε δεύτεροι λόγοι·
390 κῶμον δέχεσθαι τὸν ἐμὸν ἀσπιδηφόρον.
στρατὸς δὲ θάσσει κἀξετάζεται παρὼν
Καλλίχορον ἀμφὶ σεμνὸν εὐτρεπὴς ὅδε.
καὶ μὴν ἑκοῦσά γ' ἀσμένη τ' ἐδέξατο
πόλις πόνον τόνδ', ὡς θέλοντά μ' ᾔσθετο.
ἔα· λόγων τίς ἐμποδὼν ὅδ' ἔρχεται;
Καδμεῖος, ὡς ἔοικεν οὐ σάφ' εἰδότι.

(*Str.* 2)

Memorial fair shall the cities share of the sacred labour
of love : evermore [lingering.
The grace thereof shall abide, and the love aye
Ah, what shall come of their rede ?—what doom ?—
shall Athens bestow the grace I implore ?
Shall she league her might with me, and the right of
the tomb to my slaughtered sons restore ?

(*Ant.* 2)

O Pallas' Town, for my help step down ; the holy
cause of the mother defend ; [thing.
So the laws of men shall be made not then a polluted
Thou reverencest great Justice' hest : injustice be-
neath thy yoke shall bend :
And through all the lands thy champion hands to the
helpless oppressed deliverance send. 380

Enter THESEUS *with* ATHENIAN HERALD.

THESEUS

O thou that usest still thine art to serve
Athens and me, wide publishing mine hests,
Pass thou Asopus and Ismenus' stream,
And to the proud Cadmean despot say :
" Theseus of grace asks corpses for the tomb :
He dwells thy neighbour, and he claims but right :
So make thou the Erechtheid folk thy friend."
If they consent to grant it, turn thou back.
If they refuse, my second message speak,
" Look for my shielded revel-rout of war !" 390
Mine host is camped and marshalled hard at hand
By sacred Callichorus for fight prepared.
Yea, Athens of good will, and glad withal,
Took up this task, made ware of my desire.
Ha !—breaking in upon my speech who comes ?
Theban, I deem, yet know not certainly :—

κῆρυξ. ἐπίσχες, ἤν σ' ἀπαλλάξῃ πόνου
μολὼν ὕπαντα τοῖς ἐμοῖς βουλεύμασιν.

ΚΗΡΥΞ

τίς γῆς τύραννος; πρὸς τίν' ἀγγεῖλαί με χρὴ
400 λόγους Κρέοντος, ὃς κρατεῖ Κάδμου χθονός,
Ἐτεοκλέους θανόντος ἀμφ' ἑπταστόμους
πύλας ἀδελφοῦ χειρὶ Πολυνείκους ὕπο;

ΘΗΣΕΥΣ

πρῶτον μὲν ἤρξω τοῦ λόγου ψευδῶς, ξένε,
ζητῶν τύραννον ἐνθάδ'· οὐ γὰρ ἄρχεται
ἑνὸς πρὸς ἀνδρός, ἀλλ' ἐλευθέρα πόλις.
δῆμος δ' ἀνάσσει διαδοχαῖσιν ἐν μέρει
ἐνιαυσίαισιν, οὐχὶ τῷ πλούτῳ διδοὺς
τὸ πλεῖστον, ἀλλὰ χὡ πένης ἔχων ἴσον.

ΚΗΡΥΞ

ἓν μὲν τόδ' ἡμῖν ὥσπερ ἐν πεσσοῖς δίδως
410 κρεῖσσον· πόλις γὰρ ἧς ἐγὼ πάρειμ' ἄπο
ἑνὸς πρὸς ἀνδρός, οὐκ ὄχλῳ κρατύνεται·
οὐδ' ἔστιν αὐτὴν ὅστις ἐκχαυνῶν λόγοις
πρὸς κέρδος ἴδιον ἄλλοτ' ἄλλοσε στρέφει·
ὁ δ' αὐτίχ' ἡδὺς καὶ διδοὺς πολλὴν χάριν,
εἰσαῦθις ἔβλαψ', εἶτα διαβολαῖς νέαις
κλέψας τὰ πρόσθε σφάλματ' ἐξέδυ δίκης.
ἄλλως τε πῶς ἂν μὴ διορθεύων λόγους
ὀρθῶς δύναιτ' ἂν δῆμος εὐθύνειν πόλιν;
ὁ γὰρ χρόνος μάθησιν ἀντὶ τοῦ τάχους
420 κρείσσω δίδωσι. γαπόνος δ' ἀνὴρ πένης
εἰ καὶ γένοιτο μὴ ἀμαθής, ἔργων ὕπο
οὐκ ἂν δύναιτο πρὸς τὰ κοίν' ἀποβλέπειν.
ἦ δὴ νοσῶδες τοῦτο τοῖς ἀμείνοσιν,
ὅταν πονηρὸς ἀξίωμ' ἀνὴρ ἔχῃ
γλώσσῃ κατασχὼν δῆμον, οὐδὲν ὢν τὸ πρίν.

A herald !—stay : thy toil perchance is spared.
His coming meets my purpose in mid way.

Enter THEBAN HERALD.

HERALD

Your despot, who ?—to whom must I proclaim
The words of Creon, lord of Cadmus' land 400
Since Eteocles by the hand was slain
Of Polyneices by the sevenfold gates ?

THESEUS

First, stranger, with false note thy speech began,
Seeking a despot here. Our state is ruled
Not of one only man : Athens is free.
Her people in the order of their course
Rule year by year, bestowing on the rich
Advantage none ; the poor hath equal right.

HERALD

One vantage hast thou given me, as to one
That playeth draughts :—the city whence I come 410
By one man, not by any mob, is swayed.
There is none there who, slavering them with talk,
This way and that way twists them for his gain,
Is popular now, and humours all their bent ;
Now, laying on others blame for mischief done,
He cloaks his faults, and slips through justice' net.

How should the mob which reason all awry
Have power to pilot straight a nation's course ?
For time bestoweth better lessoning
Than haste. But yon poor delver of the ground, 420
How shrewd soe'er, by reason of his toil
Can nowise oversee the general weal.
Realm-ruining in the wise man's sight is this,
When the vile tonguester getteth himself a name
By wooing mobs, who heretofore was naught.

ΘΗΣΕΥΣ

κομψός γ' ὁ κῆρυξ καὶ παρεργάτης λόγων.
ἐπεὶ δ' ἀγῶνα καὶ σὺ τόνδ' ἠγωνίσω,
ἄκου'· ἅμιλλαν γὰρ σὺ προὔθηκας λόγων.
οὐδὲν τυράννου δυσμενέστερον πόλει,
430 ὅπου τὸ μὲν πρώτιστον οὐκ εἰσὶν νόμοι
κοινοί, κρατεῖ δ' εἷς τὸν νόμον κεκτημένος
αὐτὸς παρ' αὑτῷ, καὶ τόδ' οὐκέτ' ἔστ' ἴσον.
γεγραμμένων δὲ τῶν νόμων ὅ τ' ἀσθενὴς
ὁ πλούσιός τε τὴν δίκην ἴσην ἔχει,
ἔστιν δ' ἐνισπεῖν τοῖσιν ἀσθενεστέροις
τὸν εὐτυχοῦντα ταὔθ', ὅταν κλύῃ κακῶς.
νικᾷ δ' ὁ μείων τὸν μέγαν δίκαι' ἔχων.
τοὐλεύθερον δ' ἐκεῖνο· Τίς θέλει πόλει
χρηστόν τι βούλευμ' εἰς μέσον φέρειν ἔχων;
440 καὶ ταῦθ' ὁ χρῄζων λαμπρός ἐσθ, ὁ μὴ θέλων
σιγᾷ. τί τούτων ἔστ' ἰσαίτερον πόλει;
καὶ μὴν ὅπου γε δῆμος εὐθυντὴς χθονός,
ὑποῦσιν ἀστοῖς ἥδεται νεανίαις·
ἀνὴρ δὲ βασιλεὺς ἐχθρὸν ἡγεῖται τόδε,
καὶ τοὺς ἀρίστους, οὓς ἂν ἡγῆται φρονεῖν
κτείνει, δεδοικὼς τῆς τυραννίδος πέρι.
πῶς οὖν ἔτ' ἂν γένοιτ' ἂν ἰσχυρὰ πόλις,
ὅταν τις ὡς λειμῶνος ἠρινοῦ στάχυν
τόλμας ἀφαιρῇ κἀπολωτίζῃ νέους;
450 κτᾶσθαι δὲ πλοῦτον καὶ βίον τί δεῖ τέκνοις,
ὡς τῷ τυράννῳ πλεῖον' ἐκμοχθῇ βίον;
ἢ παρθενεύειν παῖδας ἐν δόμοις καλῶς
τερπνὰς τυράννοις ἡδονάς, ὅταν θέλῃ,
δάκρυα δ' ἑτοιμάζουσι; μὴ ζῴην ἔτι,

THESEUS

An eloquent herald this, a speech-crammed babbler!
But, since thou hast plunged into this strife, hear me:— [parley:—
'Twas thou flung'st down this challenge unto
No worse foe than the despot hath a state,
Under whom, first, can be no common laws, 430
But one rules, keeping in his private hands
The law: so is equality no more.
But when the laws are written, then the weak
And wealthy have alike but equal right.
Yea, even the weaker may fling back the scoff
Against the prosperous, if he be reviled;
And, armed with right, the less o'ercomes the great.
Thus Freedom speaks[1]:—"What man desires to bring
Good counsel for his country to the people?"
Who chooseth this, is famous: who will not, 440
Keeps silence. Can equality further go?
More—when the people piloteth the land,
She joyeth in young champions native-born:
But in a king's eyes this is hatefullest;
Yea, the land's best, whose wisdom he discerns,
He slayeth, fearing lest they shake his throne.
How can a state be stablished then in strength,
When, even as sweeps the scythe o'er springtide mead,
One lops the brave young hearts like flower-blooms?
What boots it to win wealth and store for sons, 450
When all one's toil but swells a despot's hoard?
Or to rear maiden daughters virtuously
To be a king's sweet morsels at his will,
And tears to them that dressed this dish for him?

[1] He quotes the formula with which the herald opened the proceedings of the popular assembly at Athens.

εἰ τἀμὰ τέκνα πρὸς βίαν νυμφεύσεται.
καὶ ταῦτα μὲν δὴ πρὸς τὰ σὰ ἐξηκόντισα.
ἥκεις δὲ δὴ τί τῆσδε γῆς κεχρημένος ;
κλαίων γ' ἂν ἦλθες, εἴ σε μὴ 'πεμψεν πόλις,
περισσὰ φωνῶν· τὸν γὰρ ἄγγελον χρεὼν
460 λέξανθ' ὅσ' ἂν τάξῃ τις ὡς τάχος πάλιν
χωρεῖν. τὸ λοιπὸν δ' εἰς ἐμὴν πόλιν Κρέων
ἧσσον λάλον σου πεμπέτω τιν' ἄγγελον.

ΧΟΡΟΣ

φεῦ φεῦ· κακοῖσιν ὡς ὅταν δαίμων διδῷ
καλῶς, ὑβρίζουσ' ὡς ἀεὶ πράξοντες εὖ.

ΚΗΡΥΞ

λέγοιμ' ἂν ἤδη. τῶν μὲν ἠγωνισμένων
σοὶ μὲν δοκείτω ταῦτ', ἐμοὶ δὲ τἀντία.
ἐγὼ δ' ἀπαυδῶ πᾶς τε Καδμεῖος λεὼς
Ἄδραστον εἰς γῆν τήνδε μὴ παριέναι·
εἰ δ' ἔστιν ἐν γῇ, πρὶν θεοῦ δῦναι σέλας,
470 λύσαντα σεμνὰ στεμμάτων μυστήρια
τῆσδ' ἐξελαύνειν, μηδ' ἀναιρεῖσθαι νεκροὺς
βίᾳ, προσήκοντ' οὐδὲν Ἀργείων πόλει.
κἂν μὲν πίθῃ μοι, κυμάτων ἄτερ πόλιν
σὴν ναυστολήσεις· εἰ δὲ μή, πολὺς κλύδων
ἡμῖν τε καὶ σοὶ συμμάχοις τ' ἔσται δορός.
σκέψαι δὲ, καὶ μὴ τοῖς ἐμοῖς θυμούμενος
λόγοισιν, ὡς δὴ πόλιν ἐλευθέραν ἔχων,
σφριγῶντ' ἀμείψῃ μῦθον ἐκ βραχιόνων.
ἐλπὶς γάρ ἐστ' ἄπιστον, ἣ πολλὰς πόλεις
480 συνῆψ', ἄγουσα θυμὸν εἰς ὑπερβολάς.
ὅταν γὰρ ἔλθῃ πόλεμος εἰς ψῆφον λεώ,
οὐδεὶς ἔθ' αὑτοῦ θάνατον ἐκλογίζεται,
τὸ δυστυχὲς δὲ τοῦτ' ἐς ἄλλον ἐκτρέπει·
εἰ δ' ἦν παρ' ὄμμα θάνατος ἐν ψήφου φορᾷ,

May I die ere I see my daughters ravished!
Such answering shaft to thine do I hurl back.
But thou, what wouldst thou have of this our land?
Except thy state had sent thee, thou shouldst rue
Thine insolent prating! 'Tis the herald's part
To speak his message, and to get him back 460
With speed. Henceforth let Creon to my town
Send a less wordy messenger than thee.

CHORUS

Out on it! When God prospereth evil men,
Wanton they wax, as who should prosper aye.

HERALD

Now will I speak my charge. For our dispute,
Be this thy mind, contrariwise be mine.
But I and all the folk Cadmean warn thee—
Receive Adrastus not into this land.
If in the land he is, ere set of sun
Free from yon wreaths your sacred Mysteries, 470
And drive him forth, nor go about by force
To take those dead: ye have naught to do with Argos.
If thou obey me, thou by storm unscathed
Shalt helm thy city; if not, our great surge
Of war on thee and thine allies shall fall.

Look to it, nor, being chafed at these my words,—
Because forsooth a city free thou hast,—
Make arrogant answer from a weaker cause.
Hope is delusive: many a state hath this
Embroiled, by kindling it to mad emprise. 480
For, when for war a nation casteth votes,
Then of his own death no man taketh count,
But passeth on to his neighbour this mischance.
But, were death full in view when votes were cast,

οὐκ ἄν ποθ' Ἑλλὰς δοριμανὴς ἀπώλλυτο.
καίτοι δυοῖν γε πάντες ἄνθρωποι λόγοιν
τὸν κρείσσον' ἴσμεν καὶ τὰ χρηστὰ καὶ κακά,
ὅσῳ τε πολέμου κρεῖσσον εἰρήνη βροτοῖς·
ἣ πρῶτα μὲν Μούσαισι προσφιλεστάτη,
490 Ποιναῖσι δ' ἐχθρά, τέρπεται δ' εὐπαιδίᾳ,
χαίρει δὲ πλούτῳ. ταῦτ' ἀφέντες οἱ κακοὶ
πολέμους ἀναιρούμεσθα καὶ τὸν ἥσσονα
δουλούμεθ', ἄνδρες ἄνδρα καὶ πόλις πόλιν.
σὺ δ' ἄνδρας ἐχθροὺς καὶ θανόντας ὠφελεῖς,
θάπτων κομίζων θ' ὕβρις οὓς ἀπώλεσεν.
οὔ τἄρ' ἔτ' ὀρθῶς Καπανέως κεραύνιον
δέμας καπνοῦται, κλιμάκων ὀρθοστάτας
ὃς προσβαλὼν πύλαισιν ὤμοσεν πόλιν
πέρσειν θεοῦ θέλοντος ἤν τε μὴ θέλῃ,
500 οὐδ' ἥρπασεν χάρυβδις οἰωνοσκόπον,
τέθριππον ἅρμα περιβαλοῦσα χάσματι,
ἄλλοι τε κεῖνται πρὸς πύλαις λοχαγέται
πέτροις καταξανθέντες ὀστέων ῥαφάς.
ἢ νυν φρονεῖν ἄμεινον ἐξαύχει Διός,
ἢ θεοὺς δικαίως τοὺς κακοὺς ἀπολλύναι.
φιλεῖν μὲν οὖν χρὴ τοὺς σοφοὺς πρῶτον τέκνα,
ἔπειτα τοκέας πατρίδα θ', ἣν αὔξειν χρεὼν
καὶ μὴ κατᾶξαι. σφαλερὸν ἡγεμὼν θρασὺς
νεώς τε ναύτης· ἥσυχος καιρῷ σοφός.
510 καὶ τοῦτό τοι τἀνδρεῖον, ἡ προμηθία.

ΧΟΡΟΣ

ἐξαρκέσας ἦν Ζεὺς ὁ τιμωρούμενος,
ὑμᾶς δ' ὑβρίζειν οὐκ ἐχρῆν τοιάνδ' ὕβριν.

ΑΔΡΑΣΤΟΣ

ὦ παγκάκιστε—

Never war-frenzied Greece would rush on ruin.
Yet, of elections twain, we know—all know—
Whether is best, the blessing or the curse,
And how much better is peace for men than war;
Peace, she which is the Muses' chiefest friend,
But Retribution's foe, joys in fair children, 490
In wealth delights. Fools let these blessings slip,
And rush on war: man bringeth weaker man
To bondage; city is made city's thrall.
Thou helpest men our foes, and dead men they,
Wouldst win for graves them whom their insolence slew!
Good sooth, then, wrongfully did levin blast
Capaneus' frame upon yon ladder's height,
Which he had reared against our gates, and swore
To sack the town, whether God willed or no:
Wrongly earth's chasm snatched from sight the seer, 500
Shrouding with yawning gulf his four-horse car,
While other captains lie before our gates,
The knittings of whose bones great stones have shattered!
Or boast thee to surpass in wisdom Zeus,
Or grant that rightly Gods destroy the wicked.
Behoves the wise to love his children first,
Parents and country next,—to make her great,
Not break her down. Rash leaders, pilots heady,
Mean ruin: the wise in season sitteth still.
This too is manful valour, even discretion. 510

CHORUS

The punishment of Zeus might well suffice!
Shall ye insult with wanton arrogance?

ADRASTUS

Villain of villains!—

ΘΗΣΕΥΣ

σῖγ', Ἄδραστ', ἔχε στόμα
καὶ μὴ 'πίπροσθεν τῶν ἐμῶν τοὺς σοὺς λόγους
θῇς· οὐ γὰρ ἥκει πρὸς σὲ κηρύσσων ὅδε,
ἀλλ' ὡς ἔμ'· ἡμᾶς κἀποκρίνασθαι χρεών.
καὶ πρῶτα μέν σε πρὸς τὰ πρῶτ' ἀμείψομαι.
οὐκ οἶδ' ἐγὼ Κρέοντα δεσπόζοντ' ἐμοῦ
οὐδὲ σθένοντα μεῖζον, ὥστ' ἀναγκάσαι
520 δρᾶν τὰς Ἀθήνας ταῦτ'· ἄνω γὰρ ἂν ῥέοι
τὰ πράγμαθ' οὕτως, εἰ 'πιταξόμεσθα δή.
πόλεμον δὲ τοῦτον οὐκ ἐγὼ καθίσταμαι,
ὃς οὐδὲ σὺν τοῖσδ' ἦλθον εἰς Κάδμου χθόνα.
νεκροὺς δὲ τοὺς θανόντας, οὐ βλάπτων πόλιν
οὐδ' ἀνδροκμῆτας προσφέρων ἀγωνίας,
θάψαι δικαιῶ, τὸν Πανελλήνων νόμον
σῴζων. τί τούτων ἐστὶν οὐ καλῶς ἔχον;
εἰ γάρ τι καὶ πεπόνθατ' Ἀργείων ὕπο,
τεθνᾶσιν, ἠμύνασθε πολεμίους καλῶς,
530 αἰσχρῶς δ' ἐκείνοις, χἠ δίκη διοίχεται.
ἐάσατ' ἤδη γῇ καλυφθῆναι νεκρούς,
ὅθεν δ' ἕκαστον εἰς τὸ φῶς ἀφίκετο,
ἐνταῦθ' ἀπελθεῖν, πνεῦμα μὲν πρὸς αἰθέρα,
τὸ σῶμα δ' εἰς γῆν· οὔτι γὰρ κεκτήμεθα
ἡμέτερον αὐτὸ πλὴν ἐνοικῆσαι βίον,
κἄπειτα τὴν θρέψασαν αὐτὸ δεῖ λαβεῖν.
δοκεῖς κακουργεῖν Ἄργος οὐ θάπτων νεκρούς;
ἥκιστα· πάσης Ἑλλάδος κοινὸν τόδε,
εἰ τοὺς θανόντας νοσφίσας ὧν χρῆν λαχεῖν
540 ἀτάφους τις ἕξει· δειλίαν γὰρ εἰσφέρει
τοῖς ἀλκίμοισιν, οὗτος ἢν τεθῇ νόμος.
κἀμοὶ μὲν ἦλθες δείν' ἀπειλήσων ἔπη,
νεκροὺς δὲ ταρβεῖτ', εἰ κρυβήσονται χθονί;

THESEUS

Hold, Adrastus, peace,
And thrust not in before my words thine own;
For not to thee yon fellow doth his message,
But unto me: 'tis I must make reply.
Now, thy first utterance will I answer first:—
I know no Creon despot over me,
Nor more of might than I, that he should force
Athens to do this. Sourceward back should flow 520
The world's stream, if we brook such hest as his;
It is not I that launch upon this war,
Seeing with these I sought not Cadmus' land.

But lifeless bodies—harming not your state,
Nor thrusting man-destroying strife on her,—
I claim to bury: lo, all Hellas' law
Do I uphold. How is not this well done?
For if of Argives ye have suffered aught,
They are dead: with glory ye hurled back your foes,
With shame to them:—but there your right hath end. 530
Let now the dead be hidden in the earth,
And each part, whence it came forth to the light,
Thither return, the breath unto the air,
To earth the body; for we hold it not
In fee, but only to pass life therein;
Then she which fostered it must take it back.

Dost think thou woundest Argos through her dead?
Not so: the common cause of Greece is this,
If one shall rob the dead of rightful dues,
And hold them from the tomb: this shall unman 540
Even heroes, if such law shall be ordained.
And to me comest thou to bluster threats,
While ye fear corpses, if they be entombed?

τί μὴ γένηται; μὴ κατασκάψωσι γῆν
ταφέντες ὑμῶν; ἢ τέκν' ἐν μυχοῖς χθονὸς
φύσωσιν, ἐξ ὧν εἰσί τις τιμωρία;
σκαιόν γε τἀνάλωμα τῆς γλώσσης τόδε,
φόβους πονηροὺς καὶ κενοὺς δεδοικέναι.
ἀλλ' ὦ μάταιοι, γνῶτε τἀνθρώπων κακά·
550 παλαίσμαθ' ἡμῶν ὁ βίος· εὐτυχοῦσι δὲ
οἱ μὲν τάχ', οἱ δ' ἐσαῦθις, οἱ δ' ἤδη βροτῶν.
τρυφᾷ δ' ὁ δαίμων· πρός τε γὰρ τοῦ δυστυχοῦς,
ὡς εὐμενὴς ᾖ, τίμιος γεραίρεται,
ὅ τ' ὄλβιός νιν πνεῦμα δειμαίνων λιπεῖν
ὑψηλὸν αἴρει. γνόντας οὖν χρεὼν τάδε
ἀδικουμένους τε μέτρια μὴ θυμῷ φέρειν
ἀδικεῖν τε τοιαῦθ' οἷα μὴ βλάψει πόλιν.
πῶς οὖν ἂν εἴη; τοὺς ὀλωλότας νεκροὺς
θάψαι δόθ' ἡμῖν τοῖς θέλουσιν εὐσεβεῖν.
560 ἢ δῆλα τἀνθένδ'· εἶμι καὶ θάψω βίᾳ.
οὐ γάρ ποτ' εἰς Ἕλληνας ἐξοισθήσεται
ὡς εἰς ἔμ' ἐλθὼν καὶ πόλιν Πανδίονος
νόμος παλαιὸς δαιμόνων διεφθάρη.

ΧΟΡΟΣ

θάρσει· τὸ γάρ τοι τῆς Δίκης σῴζων φάος,
πολλοὺς ὑπεκφύγοις ἂν ἀνθρώπων ψόγους.

ΚΗΡΥΞ

βούλει συνάψω μῦθον ἐν βραχεῖ σέθεν;

ΘΗΣΕΥΣ

λέγ', εἴ τι βούλει· καὶ γὰρ οὐ σιγηλὸς εἶ.

ΚΗΡΥΞ

οὐκ ἄν ποτ' ἐκ γῆς παῖδας Ἀργείων λάβοις.

ΘΗΣΕΥΣ

κἀμοῦ νυν ἀντάκουσον, εἰ βούλει, πάλιν.

What fear ye? Lest they undermine your land,
There buried?—or in earth's dark womb beget
Children, of whom shall vengeance fall on you?
'Twere idle waste of speech, good sooth, to unmask
Your caitiff terrors and your empty fears!
O fools, learn ye the real ills of men:—
Our life is conflict all: of mortals some 550
Succeed ere long, some late, and straightway some;
While Fortune sits a queen: worship and honour
The unblest gives her, so to see good days;
The prosperous extols her, lest her breeze
Fail him one day. Remembering this, should we
Meet wrong with calmness, not with fury of rage,
Neither on one whole nation visit wrong.

How shall it be then?—grant to us, who are fain
To render heaven its due, to entomb the dead.
Else, clear is the issue: this will I by force. 560
Never to Greeks shall it be said, that when
It fell to me and Athens to uphold
Heaven's ancient law, that law was set at naught.

CHORUS

Fear not: while thou upholdest Justice' light,
Thou shalt not fear what men can say of thee.

HERALD

Wouldst thou I summed up this thy claim in brief?

THESEUS

Speak, an thou list: no tongue-tied wight art thou.

HERALD

Thou ne'er shalt win from our land Argos' sons.

THESEUS

Give ear to me in turn, then, if thou wilt.

ΚΗΡΥΞ

570 κλύοιμ' ἄν· οὐ γὰρ ἀλλὰ δεῖ δοῦναι μέρος.

ΘΗΣΕΥΣ

θάψω νεκροὺς γῆς ἐξελὼν Ἀσωπίας.

ΚΗΡΥΞ

ἐν ἀσπίσιν σοι πρῶτα κινδυνευτέον.

ΘΗΣΕΥΣ

πολλοὺς ἔτλην δὴ χἀτέρους ἄλλους πόνους.

ΚΗΡΥΞ

ἦ πᾶσιν οὖν σ' ἔφυσεν ἐξαρκεῖν πατήρ;

ΘΗΣΕΥΣ

ὅσοι γ' ὑβρισταί· χρηστὰ δ' οὐ κολάζομεν.

ΚΗΡΥΞ

πράσσειν σὺ πόλλ' εἴωθας ἥ τε σὴ πόλις.

ΘΗΣΕΥΣ

τοιγὰρ πονοῦσα πολλὰ πόλλ' εὐδαίμονα.

ΚΗΡΥΞ

ἔλθ', ὥς σε λόγχη σπαρτὸς ἐν πόλει λάβῃ.

ΘΗΣΕΥΣ

τίς δ' ἐκ δράκοντος θοῦρος ἂν γένοιτ' Ἄρης;

ΚΗΡΥΞ

580 γνώσει σὺ πάσχων· νῦν δ' ἔτ' εἶ νεανίας.

ΘΗΣΕΥΣ

οὔτοι μ' ἐπαρεῖς ὥστε θυμοῦσθαι φρένας
τοῖς σοῖσι κόμποις. ἀλλ' ἀποστέλλου χθονός,
λόγους ματαίους οὕσπερ ἠνέγκω λαβών.
περαίνομεν γὰρ οὐδέν. ὁρμᾶσθαι χρεὼν
πάντ' ἄνδρ' ὁπλίτην ἁρμάτων τ' ἐπεμβάτην,
μοναμπύκων τε φάλαρα κινεῖσθαι στόμα
ἀφρῷ καταστάζοντα, Καδμείαν χθόνα.
χωρήσομαι γὰρ ἑπτὰ πρὸς Κάδμου πύλας

HERALD

Yea—since I cannot choose but hear in turn. 570

THESEUS

From thy land will I take and bury them.

HERALD

First must thou face the hazard of the shield.

THESEUS

Full many a harder emprise have I dared.

HERALD

A champion born to match him with all men!

THESEUS

All arrogant tyrants: I scourge not the right.

HERALD

Ay, thou wilt still be meddling—thou and Athens.

THESEUS

Therefore, with much toil, much good speed is hers.

HERALD

Come!—let the Dragon-seed but find thee there!

THESEUS

What valorous host should spring from dragons' teeth?

HERALD

This shalt thou learn, and rue. Thou art yet but
young. 580

THESEUS

Tush, man, thou canst not move mine heart to wrath
With all thy vauntings. Get thee forth the land:
The idle words thou broughtest, bear them back.
Naught comes of wrangling. [*Exit* HERALD.
Let each man-at-arms,
Each chariot-rider, and each battle-steed,
Whose swinging cheek-plate dashes round his jaws
The foam, charge onward into Cadmus' land.
For on to Cadmus' seven gates will I march,

590 αὐτὸς σίδηρον ὀξὺν ἐν χεροῖν ἔχων
αὐτός τε κῆρυξ. σοὶ δὲ προστάσσω μένειν,
Ἄδραστε, κἀμοὶ μὴ ἀναμίγνυσθαι τύχας
τὰς σάς· ἐγὼ γὰρ δαίμονος τοὐμοῦ μέτα
στρατηλατήσω καινὸς ἐν καινῷ δορί.
ἑνὸς μόνου δεῖ, τοὺς θεοὺς ἔχειν, ὅσοι
δίκην σέβονται· ταῦτα γὰρ ξυνόνθ᾽ ὁμοῦ
νίκην δίδωσιν. ἀρετὴ δ᾽ οὐδὲν φέρει
βροτοῖσιν, ἢν μὴ τὸν θεὸν χρῄζοντ᾽ ἔχῃ.

ΗΜΙΧΟΡΙΟΝ α΄

ὦ μέλεαι μελέων ματέρες λοχαγῶν, στρ. α΄
ὥς μοι ὑφ᾽ ἥπατι δεῖμα χλοερὸν ταράσσει.

ΗΜΙΧΟΡΙΟΝ β΄

600 τίν᾽ αὐδὰν τάνδε προσφέρεις νέαν;

ΗΜΙΧΟΡΙΟΝ α΄

στράτευμα πᾷ Παλλάδος κριθήσεται.

ΗΜΙΧΟΡΙΟΝ β΄

διὰ δορὸς εἶπας ἢ λόγων ξυναλλαγαῖς;

ΗΜΙΧΟΡΙΟΝ α΄

γένοιτ᾽ ἂν κέρδος· εἰ δ᾽ ἀρείφατοι
φόνοι, μάχαι, στερνοτυπεῖς τ᾽ ἀνὰ τόπον
πάλιν φανήσονται κτύποι,
τίν᾽ ἂν λόγον, τάλαινα,
τίν᾽ ἂν τῶνδ᾽ αἰτία λάβοιμι;

ΗΜΙΧΟΡΙΟΝ β΄

ἀλλὰ τὸν εὐτυχίᾳ λαμπρὸν ἄν τις αἱροῖ ἀντ. α΄
μοῖρα πάλιν· τόδε μοι τὸ θράσος ἀμφιβαίνει.

ΗΜΙΧΟΡΙΟΝ α΄

610 δικαίους δαίμονας σύ γ᾽ ἐννέπεις.

Bearing myself the whetted steel in hand,
Myself mine herald. Thee I bid remain, 590
Adrastus : mingle not with mine thy fate.
For I 'neath mine own fortune's star will lead
Mine host, a taintless chief with taintless spear.
One only thing I need, all Gods to have
Which reverence right : for where these are, they give
Victory. Naked valour naught avails
To men, except it have the Gods' good will. [*Exit.*

HALF-CHORUS 1

(*Str.* 1)

Ye hapless mothers of hapless chieftains dead,
Ah, how is mine heart stormed-tossed with pale dismay—

HALF-CHORUS 2

What ominous word and strange of thee is said? 600

HALF-CHORUS 1

For the dread decision on Pallas' war-array!

HALF-CHORUS 2

Through battle, or peace-fraught parley, wouldst thou say?

HALF-CHORUS 1

Ay, this last should be well; but if warrior-quelling
Slaughters and battles again shall be seen,
With the beating of breasts in each desolate dwelling
Of the land, what reproaches bitter-keen
Should I win, through whom this sorrow hath been!

HALF-CHORUS 2

(*Ant.* 1)

Yet doom may the victor bring down low in dust;
This comforteth me, and bids be dauntless-souled.

HALF-CHORUS 1

Thou speakest of Gods that fail not, ever just. 610

ΗΜΙΧΟΡΙΟΝ β'

τίνες γὰρ ἄλλοι νέμουσι συμφοράς;

ΗΜΙΧΟΡΙΟΝ α'

διάφορα πολλὰ θεῶν βροτοῖσιν εἰσορῶ.

ΗΜΙΧΟΡΙΟΝ β'

φόβῳ γὰρ τῷ πάρος διόλλυσαι·
δίκα δίκαν δ' ἐκάλεσε καὶ φόνος
φόνον, κακῶν δ' ἀναψυχὰς
θεοὶ βροτοῖς νέμουσιν,
ἁπάντων τέρμ' ἔχοντες αὐτοί.

ΗΜΙΧΟΡΙΟΝ α'

τὰ καλλίπυργα πεδία πῶς ἱκοίμεθ' ἄν, στρ. β'
Καλλίχορον θεᾶς ὕδωρ λιποῦσαι;

ΗΜΙΧΟΡΙΟΝ β'

620 ποτανὰν εἴ μέ τις θεῶν κτίσαι,
διπόταμον ἵνα πόλιν μόλω.

ΗΜΙΧΟΡΙΟΝ α'

εἰδείης ἂν φίλων
εἰδείης ἂν τύχας.

ΗΜΙΧΟΡΙΟΝ β'

τίς ποτ' αἶσα, τίς ἄρα πότμος
ἐπιμένει τὸν ἄλκιμον
τᾶσδε γᾶς ἄνακτα;

ΗΜΙΧΟΡΙΟΝ α'

κεκλημένους μὲν ἀνακαλούμεθ' αὖ θεούς· ἀντ. β'
ἀλλὰ φόβων πίστις ἅδε πρῶτα.

ΗΜΙΧΟΡΙΟΝ β'

ἰὼ Ζεῦ, τᾶς παλαιομάτορος
παιδογόνε πόριος Ἰνάχου.

HALF-CHORUS 2

Of whom but of such be all our fates controlled?

HALF-CHORUS 1

Ah, many a change in God's ways I behold!

HALF-CHORUS 2

By the terrors o'erpast is the heart in thee stricken:
Yet justice aloud unto justice doth call;
Blood calleth for blood, and the Gods shall requicken
Our souls, for to mortals all blessings befall
From the hands that encompass the goal of all.

HALF-CHORUS 1

(*Str.* 2)

O might I speed from the Goddess's springs,
Even Callichorus, to the fair-towered plain!

HALF-CHORUS 2

O would the Gods but vouchsafe to me wings, 620
So to win to the city of rivers twain![1]

HALF-CHORUS 1

Ah then shouldst thou clearly discern—
How thy champions speed shouldst thou learn.

HALF-CHORUS 2

Ah God, what fate, what doom doth await
The king of the mighty hand,
The hero of Cecrops' land?

HALF-CHORUS 1

(*Ant.* 2)

We have cried to the Gods, and we cry once more
To the first best trust of the sore afraid.

HALF-CHORUS 2

Zeus, hear us, whose offspring was born of yore
Of Inachus' daughter, the heifer-maid!

[1] Thebes: round the old citadel flowed, on one side, the Ismenus, on the other, the Dirce.

ΗΜΙΧΟΡΙΟΝ α'

πόλει μοι ξύμμαχος
630 γενοῦ τᾷδ' εὐμενής.

ΗΜΙΧΟΡΙΟΝ β'

τὸ σὸν ἄγαλμα, τὸ σὸν ἵδρυμα
πόλεος ἐκκομίζομαι
πρὸς πυρὰν ὑβρισθέν.

ΑΓΓΕΛΟΣ

γυναῖκες, ἥκω πόλλ' ἔχων λέγειν φίλα,
αὐτός τε σωθείς, ᾑρέθην γὰρ ἐν μάχῃ,
ἣν οἱ θανόντων ἑπτὰ δεσποτῶν λόχοι
ἠγωνίσαντο ῥεῦμα Διρκαῖον πάρα,
νίκην τε Θησέως ἀγγελῶν. λόγου δέ σε
μακροῦ ἀποπαύσω· Καπανέως γὰρ ἦ λάτρις,
640 ὃν Ζεὺς κεραυνῷ πυρπόλῳ καταιθαλοῖ.

ΧΟΡΟΣ

ὦ φίλτατ', εὖ μὲν νόστον ἀγγέλλεις σέθεν
τήν τ' ἀμφὶ Θησέως βάξιν· εἰ δὲ καὶ στρατὸς
σῶς ἔστ' Ἀθηνῶν, πάντ' ἂν ἀγγέλλοις φίλα.

ΑΓΓΕΛΟΣ

σῶς, καὶ πέπραγεν ὡς Ἄδραστος ὤφελε
πρᾶξαι ξὺν Ἀργείοισιν, οὓς ἀπ' Ἰνάχου
στείλας ἐπεστράτευσε Καδμείων πόλιν.

ΧΟΡΟΣ

πῶς γὰρ τροπαῖα Ζηνὸς Αἰγέως τόκος
ἔστησεν οἵ τε συμμετασχόντες δορός;
λέξον· παρὼν γὰρ τοὺς παρόντας εὐφρανεῖς.

ΑΓΓΕΛΟΣ

650 λαμπρὰ μὲν ἀκτὶς ἡλίου, κανὼν σαφής,
ἔβαλλε γαῖαν· ἀμφὶ δ' Ἠλέκτρας πύλας
ἔστην θεατὴς πύργον εὐαγῆ λαβών.
ὁρῶ δὲ φῦλα τρία τριῶν στρατευμάτων·

HALF-CHORUS 1

Oh be our champion thou,
To our city be gracious now ! 630

HALF-CHORUS 2

Thy belovèd are we, it was planted of thee,
This city whose sons we would gain
For the tomb from the outrage-stain.

Enter MESSENGER.

MESSENGER

Women, I come with tidings full of joy,—
Myself escaped, for I was ta'en in fight,
What time those seven bands of chieftains slain
Hard by the fount of Dirce strove their strife,—
Tidings of Theseus' triumph. I will spare thee
Question :—a vassal I of Capaneus
Whom Zeus did blast with blazing levin-bolt. 640

CHORUS

Dear friend, glad tidings this of thy return,
Glad news of Theseus : but if Athens' host
Is safe withal, thou heraldest all joy.

MESSENGER

Safe : and hath fared—I would Adrastus so
Had fared with Argos' sons, whom forth he led
From Inachus to that Cadmean burg.

CHORUS

How then did Aegeus' son uprear to Zeus
The trophy, he and those his spear-allies ?
Tell ; thou wast there : them that were not make glad.

MESSENGER

Bright the sun's beam, true-levelled shaft of light, 650
Smote on the earth. Beside Electra's gate
On a far-looking tower I stood to watch.
And three tribes I beheld of war-bands three :

τευχεσφόρον μὲν λαὸν ἐκτείνοντ᾽ ἄνω
Ἰσμήνιον πρὸς ὄχθον, ὡς μὲν ἦν λόγος,
αὐτόν τ᾽ ἄνακτα, παῖδα κλεινὸν Αἰγέως,
καὶ τοὺς σὺν αὐτῷ, δεξιὸν τεταγμένους
κέρας, παλαιᾶς Κεκροπίας τ᾽ οἰκήτορας,
662 ἴσους ἀριθμόν· ἁρμάτων δ᾽ ὀχήματα
659 αὐτόν τε Πάραλον ἐστολισμένον δορί·
660 κρήνην παρ᾽ αὐτὴν Ἄρεος· ἱππότην δ᾽ ὄχλον
661 πρὸς κρασπέδοισι στρατοπέδου τεταγμένον.
664 Κάδμου δὲ λαὸς ἧστο πρόσθε τειχέων,
665 νεκροὺς ὄπισθεν θέμενος, ὧν ἔκειτ᾽ ἀγών.
663 ἔνερθε σεμνῶν μνημάτων Ἀμφίονος.[1]
ἱππεῦσι δ᾽ ἱππῆς ἦσαν ἀνθωπλισμένοι
τετραόροισί τ᾽ ἀντί᾽ ἅρμαθ᾽ ἅρμασιν.
κῆρυξ δὲ Θησέως εἶπεν εἰς πάντας τάδε·
σιγᾶτε, λαοί, σῖγα, Καδμείων στίχες,
670 ἀκούσαθ᾽· ἡμεῖς ἥκομεν νεκροὺς μέτα
θάψαι θέλοντες, τὸν Πανελλήνων νόμον
σῴζοντες, οὐδὲν δεόμενοι τεῖναι φόνον.
κοὐδὲν Κρέων τοῖσδ᾽ ἀντεκήρυξεν λόγοις,
ἀλλ᾽ ἧστ᾽ ἐφ᾽ ὅπλοις σῖγα. ποιμένες δ᾽ ὄχων
τετραόρων κατῆρχον ἐντεῦθεν μάχης·
πέραν δὲ διελάσαντες ἀλλήλων ὄχους,
παραιβάτας ἔστησαν εἰς τάξιν δορός.
χοὶ μὲν σιδήρῳ διεμάχονθ᾽, οἱ δ᾽ ἔστρεφον
πώλους ἐς ἀλκὴν αὖθις ἐς παραιβάτας.
680 ἰδὼν δὲ Φόρβας, ὃς μοναμπύκων ἄναξ
ἦν τοῖς Ἐρεχθείδαισιν, ἁρμάτων ὄχλον,
οἵ τ᾽ αὖ τὸ Κάδμου διεφύλασσον ἱππικόν,
συνῆψαν ἀλκὴν κἀκράτουν ἡσσῶντό τε.
λεύσσων δὲ ταῦτα κοὐ κλύων, ἐκεῖ γὰρ ἦ

[1] Murray's re-arrangement adopted.

A mail-clad host far-stretching up the slopes
Unto the height Ismenian, as men said;
I saw the king's self, Aegeus' glorious son,
And his own war-band, marshalled on the right
With all the folk of Cecrops' ancient land,
Equal by tale. And all the battle-cars
And Seaboard Men, arrayed with spears, were ranged
By Ares' fountain; and the clouds of horse 660
Were drawn out on the fringes of the host.
Before their walls were marshalled Cadmus' folk—
Behind them lay those corpses, cause of strife—
On levels 'neath Amphion's hallowed tomb.
So against horsemen panoplied horsemen stood,
And four-yoked chariots were by chariots faced.
Then Theseus' herald cried in all men's ears:
"Silence, ye people! Hush ye, ranks of Cadmus!
Hearken—we come but for the corpses' sake, 670
To bury them, and keep all Hellas' law
Inviolate; nor would lengthen bloodshed out."

But Creon let his herald answer not,
But silent under shield abode. Thereat
The four-horsed chariot-lords began the fray.
On, down the battle-lanes of foes they swept,
Set down their warriors, spear opposing spear,
And, while these strove with bickering steel, those wheeled
Their steeds about, to aid their fighting-men.
Then Phorbas, captain of the Erechtheid horse, 680
And they withal which led the Theban riders,
Marking the tumult of the battle-cars,
Down charging clashed, now triumphing, rolled back now.
This saw I, and not heard; for I was there,

ἔνθ' ἅρματ' ἠγωνίζεθ' οἵ τ' ἐπεμβάται.
τἀκεῖ παρόντα πολλὰ πήματ', οὐκ ἔχω
τί πρῶτον εἴπω, πότερα τὴν ἐς οὐρανὸν
κόνιν προσαντέλλουσαν, ὡς πολλὴ παρῆν,
ἢ τοὺς ἄνω τε καὶ κάτω φορουμένους
690 ἱμᾶσιν, αἵματός τε φοινίου ῥοάς,
τῶν μὲν πιτνόντων, τῶν δέ, θραυσθέντων δίφρων,
εἰς κρᾶτα πρὸς γῆν ἐκκυβιστώντων βίᾳ
πρὸς ἁρμάτων τ' ἀγαῖσι λειπόντων βίον.
νικῶντα δ' ἵπποις ὡς ὑπείδετο στρατὸν
Κρέων τὸν ἐνθένδ', ἰτέαν λαβὼν χερὶ
χωρεῖ, πρὶν ἐλθεῖν ξυμμάχοις δυσθυμίαν.
καὶ συμπατάξαντες μέσον πάντα στρατὸν
700 ἔκτεινον ἐκτείνοντο, καὶ παρηγγύων
κελευσμὸν ἀλλήλοισι σὺν πολλῇ βοῇ·
θεῖν', ἀντέρειδε τοῖς Ἐρεχθείδαις δορυ.
697 καὶ μὴν τὰ Θησέως γ' οὐκ ὄκνῳ διεφθάρη,
698 ἀλλ' ἵετ' εὐθὺς λάμπρ' ἀναρπάσας ὅπλα.[1]
703 λόχος δ' ὀδόντων ὄφεος ἐξηνδρωμένος
δεινὸς παλαιστὴς ἦν· ἔκλινε γὰρ κέρας
τὸ λαιὸν ἡμῶν· δεξιοῦ δ' ἡσσώμενον
φεύγει τὸ κείνων· ἦν δ' ἀγὼν ἰσόρροπος.
κἀν τῷδε τὸν στρατηγὸν αἰνέσαι παρῆν·
οὐ γὰρ τὸ νικῶν τοῦτ' ἐκέρδαινεν μόνον,
ἀλλ' ᾤχετ' εἰς τὸ κάμνον οἰκείου στρατοῦ.
710 ἔρρηξε δ' αὐδήν, ὥσθ' ὑπηχῆσαι χθόνα·
ὦ παῖδες, εἰ μὴ σχήσετε στερρὸν δόρυ
σπαρτῶν τόδ' ἀνδρῶν, οἴχεται τὰ Παλλάδος.
θάρσος δ' ἐνῶρσε παντὶ Κραναΐδων στρατῷ.
αὐτός θ' ὅπλισμα τοὐπιδαύριον λαβὼν
δεινῆς κορύνης διαφέρων ἐσφενδόνα,

[1] Murray's re-arrangement adopted.

There where the chariots and the warriors grappled.
Of thousand horrors there, which first to tell
I know not—or of dust that surged and soared
Upward unto the heavens, clouds on clouds,—
Of men, by tangling reins snatched from the cars,
Slung earthward,—of the murder-streams of gore,— 690
Men falling here, and there, as crashed the chariots,
With violence hurled head downwards to the earth,
And battered out of life by chariot-shards.

But Creon, marking how our horse prevailed
On one wing, grasped his buckler in his hand,
And vanward pressed, ere allies' hearts should faint.
All down the lines the fronts of battle clashed:
Men slew—were slain—a thunder of wild war-cries 700
Rang, roared, of men on-cheering each his fellow—
"Smite!"—"Drive the spear against Erechtheus' sons!"
Ha, but the heart of Theseus fainted not!
On charged he, tossing high his flaming shield.
But the host wrought to man of dragon-teeth
Was a grim wrestler: back it bowed our wing
Far on the left; but, by our right o'erborne,
Fled theirs: so equal-balanced was the fight.

Then did our captain well and worshipfully;
His triumph on the right sufficed him not,
But he to his hard-pressed half-array sped fast,
And sent a shattering shout,—earth rang again,— 710
"My sons, except ye stay the stubborn spear
Of the Dragon-seed, your Pallas' cause is lost!"
So thrilled with courage all his Cranaid host.
Himself that Epidaurian weapon seized,
The fearful mace, and slingwise swung it round,

ὁμοῦ τραχήλους κἀπικείμενον κάρα
κυνέας θερίζων κἀποκαυλίζων ξύλῳ.
μόλις δέ πως ἔτρεψεν εἰς φυγὴν πόδα.
ἐγὼ δ᾽ ἀνηλάλαξα κἀνωρχησάμην
720 κἄκρουσα χεῖρας. οἱ δ᾽ ἔτεινον εἰς πύλας.
βοὴ δὲ καὶ κωκυτὸς ἦν ἀνὰ πτόλιν
νέων, γερόντων, ἱερά τ᾽ ἐξεπίμπλασαν
φόβῳ. παρὸν δὲ τειχέων εἴσω μολεῖν,
Θησεὺς ἐπέσχεν· οὐ γὰρ ὡς πέρσων πόλιν
μολεῖν ἔφασκεν, ἀλλ᾽ ἀπαιτήσων νεκρούς.
τοιόνδε τοι στρατηγὸν αἱρεῖσθαι χρεών,
ὃς ἔν τε τοῖς δεινοῖσίν ἐστιν ἄλκιμος
μισεῖ θ᾽ ὑβριστὴν λαόν, ὃς πράσσων καλῶς
εἰς ἄκρα βῆναι κλιμάκων ἐνήλατα
730 ζητῶν ἀπώλεσ᾽ ὄλβον ᾧ χρῆσθαι παρῆν

ΧΟΡΟΣ

νῦν τήνδ᾽ ἄελπτον ἡμέραν ἰδοῦσ᾽ ἐγὼ
θεοὺς νομίζω, καὶ δοκῶ τῆς συμφορᾶς
ἔχειν ἔλασσον, τῶνδε τισάντων δίκην.

ΑΔΡΑΣΤΟΣ

ὦ Ζεῦ, τί δῆτα τοὺς ταλαιπώρους βροτοὺς
φρονεῖν λέγουσι; σοῦ γὰρ ἐξηρτήμεθα
δρῶμέν τε τοιαῦθ᾽ ἂν σὺ τυγχάνῃς θέλων.
ἡμῖν γὰρ ἦν τό τ᾽ Ἄργος οὐχ ὑποστατόν,
αὐτοί τε πολλοὶ καὶ νέοι βραχίοσιν·
Ἐτεοκλέους δὲ σύμβασιν ποιουμένου,
740 μέτρια θέλοντος, οὐκ ἐχρῄζομεν λαβεῖν,
κἄπειτ᾽ ἀπωλόμεσθ᾽. ὁ δ᾽ αὖ τότ᾽ εὐτυχής,
λαβὼν πένης ὣς ἀρτίπλουτα χρήματα,
ὕβριζ᾽, ὑβρίζων τ᾽ αὖθις ἀνταπώλετο
Κάδμου κακόφρων λαός. ὦ καιροῦ πέρα [1]

[1] Murray's transposition of κεν. βρ. and κ. περ. adopted.

Down-mowing and clean-lopping with his club
Alike their necks and heads in helmets cased :
And scarce even then those stubborn feet would fly.
And I, for joy I shouted, yea, I danced,
And clapped mine hands. On strained they to the gates. 720
Then rang a cry and wailing through the town
Of young and old : the panic-stricken thronged
The fanes. But, though the way within lay clear,
There Theseus stayed :—" Not to destroy the town
Came I," spake he, " but to reclaim the dead."
Well might men choose such battle-chief as this,
Who is in peril's midst a tower of strength,
But hates the scorners who, in fortune's hour
Seeking to mount the ladder's topmost round,
Let slip the bliss that lay within their hands. 730

CHORUS

Now I, beholding this unhoped-for day,
Know that Gods live, and feel my load of ill
Lighter, since these have paid the penalty.

ADRASTUS

Zeus, wherefore do they say that wretched man
Is wise ? For lo, we hang upon thy skirts,
And that we do, it is but as thou wilt.
We deemed before our Argos none might stand,
Ourselves, a countless host of lusty arms ;
And, when Eteocles proffered terms of peace,
Fair was his offer, yet we would not hear ; 740
So were undone. Now, prospering in their turn,
Like beggar-wight with sudden-gotten wealth,
Wanton they waxed, and perished in their pride
Cadmus' mad-hearted sons. O foolish men

τὸ τόξον ἐντείνοντες, ὦ κενοὶ βροτῶν,
καὶ πρὸς δίκης γε πολλὰ πάσχοντες κακά,
φίλοις μὲν οὐ πείθεσθε, τοῖς δὲ πράγμασι·
πόλεις τ', ἔχουσαι διὰ λόγου κάμψαι κακά,
φόνῳ καθαιρεῖσθ', οὐ λόγῳ, τὰ πράγματα.
750 ἀτὰρ τί ταῦτα; κεῖνο βούλομαι μαθεῖν,
πῶς ἐξεσώθης· εἶτα τἄλλ' ἐρήσομαι.

ΑΓΓΕΛΟΣ

ἐπεὶ ταραγμὸς πόλιν ἐκίνησεν δορί,
πύλας διῆλθον, ᾗπερ εἰσῄει στρατός.

ΑΔΡΑΣΤΟΣ

ὧν δ' εἵνεχ' ἁγὼν ἦν, νεκροὺς κομίζετε;

ΑΓΓΕΛΟΣ

ὅσοι γε κλεινοῖς ἑπτ' ἐφέστασαν λόχοις.

ΑΔΡΑΣΤΟΣ

πῶς φής; ὁ δ' ἄλλος ποῦ κεκμηκότων ὄχλος;

ΑΓΓΕΛΟΣ

τάφῳ δέδονται πρὸς Κιθαιρῶνος πτυχαῖς.

ΑΔΡΑΣΤΟΣ

τοὐκεῖθεν ἢ τοὐνθένδε; τίς δ' ἔθαψέ νιν;

ΑΓΓΕΛΟΣ

Θησεύς, σκιώδης ἔνθ' Ἐλευθερὶς πέτρα.

ΑΔΡΑΣΤΟΣ

760 οὓς δ' οὐκ ἔθαψε ποῦ νεκροὺς ἥκεις λιπών;

ΑΓΓΕΛΟΣ

ἐγγύς· πέλας γὰρ πᾶν ὅ τι σπουδάζεται.

ΑΔΡΑΣΤΟΣ

ἦ που πικρῶς νιν θέραπες ἦγον ἐκ φόνου;

Who strain the bow beyond the mark, and suffer
Much harm at justice' hand, and yield at last
Not to friends' mediation, but stern facts!
O foolish states, which might by parley end
Feuds, yet decide them in the field of blood!
Yet wherefore this?—fain would I know of thee 750
How thou didst 'scape; then will I ask the rest.

MESSENGER

When tumult's battle-earthquake shook the town,
Through that gate slipt I where the host poured in.

ADRASTUS

And the dead bring ye, cause of all the strife?

MESSENGER

Even all which captained those seven bands renowned.

ADRASTUS

Ha!—and the rest which perished, where be they?

MESSENGER

Laid in the tomb, hard by Cithaeron's folds.

ADRASTUS

On that side, or on this?[1]—who buried them?

MESSENGER

Theseus, where hangs Eleutherae's shadowing rock.

ADRASTUS

Where leftest thou those whom he buried not? 760

MESSENGER

At hand: for earnest haste brings all things near.

ADRASTUS

With loathing, surely, thralls took up the slain.

[1] *i.e.* On the Theban or the Attic side of the range: the tombs would be in the possession of the people in whose land they were. Eleutherae was in Attica.

ΑΓΓΕΛΟΣ

οὐδεὶς ἐπέστη τῷδε δοῦλος ὢν πόνῳ.

ΑΔΡΑΣΤΟΣ

* * * * * * * *

ΑΓΓΕΛΟΣ

φαίης ἄν, εἰ παρῆσθ' ὅτ' ἠγάπα νεκρούς.

ΑΔΡΑΣΤΟΣ

ἔνιψεν αὐτὸς τῶν ταλαιπώρων σφαγάς;

ΑΓΓΕΛΟΣ

κἄστρωσέ γ' εὐνὰς κἀκάλυψε σώματα.

ΑΔΡΑΣΤΟΣ

δεινὸν μὲν οὖν βάσταγμα κᾀσχύνην ἔχον.

ΑΓΓΕΛΟΣ

τί δ' αἰσχρὸν ἀνθρώποισι τἀλλήλων κακά;

ΑΔΡΑΣΤΟΣ

οἴμοι· πόσῳ σφιν συνθανεῖν ἂν ἤθελον.

ΑΓΓΕΛΟΣ

770 ἄκραντ' ὀδύρει ταῖσδέ τ' ἐξάγεις δάκρυ.

ΑΔΡΑΣΤΟΣ

δοκῶ μέν, αὗταί γ' εἰσὶν αἱ διδάσκαλοι.
ἀλλ' εἶεν· αἴρω χεῖρ' ἀπαντήσας νεκροῖς
Ἅιδου τε μολπὰς ἐκχέω δακρυρρόους,
φίλους προσαυδῶν, ὧν λελειμμένος τάλας
ἔρημα κλαίω· τοῦτο γὰρ μόνον βροτοῖς
οὐκ ἔστι τἀνάλωμ' ἀναλωθὲν λαβεῖν,
ψυχὴν βροτείαν· χρημάτων δ' εἰσὶν πόροι.

ΧΟΡΟΣ

τὰ μὲν εὖ, τὰ δὲ δυστυχῆ· στρ. α'
πόλει μὲν εὐδοξία
780 καὶ στρατηλάταις δορὸς
διπλάζεται τιμά·

MESSENGER

Never a slave set hand unto the toil.

ADRASTUS

[How ?—did the *king* endure this, of his love ?]

MESSENGER

Hadst thou but seen his ministry of love !

ADRASTUS

He washed, himself, the poor youths' slaughter-stains!

MESSENGER

And spread the biers, and veiled the bodies o'er.

ADRASTUS

An awful burden was it, fraught with shame!

MESSENGER

Nay, but what shame to men are brethren's ills?

ADRASTUS

Ah me, far liever had I died with them!

MESSENGER

Bootless thy mourning, stirring these to tears. 770

ADRASTUS

I trow themselves this mourning-lore have taught.
Enough : I raise mine hand to greet the dead,
And pour out songs of death with streaming eyes,
Hailing our loved, bereft of whom—ah me!—
Forlorn I weep : for the one loss is this
That never mortal maketh good again,—
The life of man, though wealth may be re-won.

CHORUS

(*Str.* 1)

There is joy, there is sorrow this day ; for our town
Hath a garland of glory ;
And the chiefs of the spear-host, lo, twofold renown 780
Maketh splendid their story.

ἐμοὶ δὲ παίδων μὲν εἰσιδεῖν μέλη
πικρόν, καλὸν θέαμα δ', εἴπερ ὄψομαι
τὰν ἄελπτον ἁμέραν,
ἰδοῦσα πάντων μέγιστον ἄλγος.

ἄγαμόν μ' ἔτι δεῦρ' ἀεὶ — ἀντ. α'
χρόνος παλαιὸς πατὴρ
ὤφελ' ἁμερᾶν κτίσαι.
τί γάρ μ' ἔδει παίδων;
790 τί μὲν γὰρ ἤλπιζον ἂν πεπονθέναι
πάθος περισσόν, εἰ γάμων ἀπεζύγην;
νῦν δ' ὁρῶ σαφέστατον
κακόν, τέκνων φιλτάτων στερεῖσθαι.

ἀλλὰ τάδ' ἤδη σώματα λεύσσω
τῶν οἰχομένων παίδων· μελέα
πῶς ἂν ὀλοίμην σὺν τοῖσδε τέκνοις
κοινὸν ἐς Ἅιδην καταβᾶσα;

ΑΔΡΑΣΤΟΣ

στεναγμόν, ὦ ματέρες, — στρ. β'
τῶν κατὰ χθονὸς νεκρῶν
800 ἀύσατ' ἀπύσατ' ἀντίφων' ἐμῶν
στεναγμάτων κλύουσαι.

ΧΟΡΟΣ

ὦ παῖδες, ὦ πικρὸν φίλων
προσηγόρημα ματέρων,
προσαυδῶ σε τὸν θανόντα.

ΑΔΡΑΣΤΟΣ

ἰὼ ἰώ,

ΧΟΡΟΣ

τῶν γ' ἐμῶν κακῶν ἐγώ.

But to see my sons' limbs!—sight bitter for me,
Yet proud, for the day that I hoped not to see
Hath uprisen before me,
Who have seen earth's ghastliest misery.

(*Ant.* 1)

Ah that Time the father, the ancient of days,
Had but caused me unmarried
To abide! Was I wholly in evil case
While childless I tarried?
Yea, what dark bodings of anguish broke 790
My peace, when I thought to refuse love's yoke?
But of dear sons harried
Now see I mine home, no visioned stroke.

Ah, yonder I see the forms draw nigh
Of our perished children; alas!
O but with these my belovèd to die,
Unto union in Hades to pass!

Enter THESEUS, *with Athenian soldiers marching in procession with corpses on biers.*

ADRASTUS

Mothers, ring out the moan (*Str.* 2)
For dear dead 'neath the ground;
Echo my crying with accordant groan 800
Of mournful-wailing sound.

CHORUS

O dead son!—bitter word
For mothers' lips to know!
I cry on thee, in ears that have not heard:
Ah for my woe!

ΑΔΡΑΣΤΟΣ

αἰαῖ.

ΧΟΡΟΣ

* * * * * * *

ΑΔΡΑΣΤΟΣ

ἐπάθομεν ὦ—

ΧΟΡΟΣ

τὰ κύντατ' ἄλγη κακῶν.

ΑΔΡΑΣΤΟΣ

ὦ πόλις Ἀργεία, τὸν ἐμὸν πότμον οὐκ ἐσορᾶτε;

ΧΟΡΟΣ

ὁρῶσιν ἐμὲ τὴν
810 τάλαιναν, τέκνων ἄπαιδα.

ΑΔΡΑΣΤΟΣ

προσάγετε τῶν δυσπότμων ἀντ. β′
σώμαθ' αἱματοσταγῆ,
σφαγέντας οὐκ ἄξι' οὐδ' ὑπ' ἀξίων,
ἐν οἷς ἀγὼν ἐκράνθη.

ΧΟΡΟΣ

δόθ', ὡς περιπτυχαῖσι δὴ
χέρας προσαρμόσασ' ἐμοῖς
ἐν ἀγκῶσι τέκνα θῶμαι.

ΑΔΡΑΣΤΟΣ

ἔχεις ἔχεις.

ΧΟΡΟΣ

πημάτων γ' ἅλις βάρος.

ΑΔΡΑΣΤΟΣ

αἰαῖ.

ΧΟΡΟΣ

τοῖς τεκοῦσι δ' οὐ λέγεις;

ΑΔΡΑΣΤΟΣ

ἀίετέ μου.

ADRASTUS

We suffered—

CHORUS

Deepest anguish!

ADRASTUS

Ah, fair town
Of Argos, see my fate!

CHORUS

O yea, upon our sorrows she looks down,
The childless desolate! 810

ADRASTUS

Bring them, the blood-besprent (*Ant.* 2)
Forms of the evil-starred,
When to unrighteous foes the victory went,
Slain, an unmeet reward!

CHORUS

Give them, that I may cast
Mine arms round these, and lull,
In death's sleep clasped, my children.

ADRASTUS

This thou hast.

CHORUS

Grief's cup is full!

ADRASTUS

Woe!

CHORUS

For these mothers wail!

ADRASTUS

Hear me!

ΧΟΡΟΣ

820 στένεις ἐπ' ἀμφοῖν ἄχη.

ΑΔΡΑΣΤΟΣ

εἴθε με Καδμείων ἔναρον στίχες ἐν κονίαισιν.

ΧΟΡΟΣ

ἐμὸν δὲ μήποτ' ἐζύγη
δέμας γ' ἐς ἀνδρὸς εὐνάν.

ΑΔΡΑΣΤΟΣ

ἴδετε κακῶν πέλαγος, ὦ
ματέρες τάλαιναι τέκνων.

ΧΟΡΟΣ

κατὰ μὲν ὄνυξιν ἠλοκίσμεθ', ἀμφὶ δὲ
σποδὸν κάρα κεχύμεθα.

ΑΔΡΑΣΤΟΣ

ἰὼ ἰώ μοί μοι·
κατά με πέδον γᾶς ἕλοι,
830 διὰ δὲ θύελλα σπάσαι,
πυρός τε φλογμὸς ὁ Διὸς ἐν κάρᾳ πέσοι.

ΧΟΡΟΣ

πικροὺς ἐσεῖδες γάμους,
πικρὰν δὲ Φοίβου φάτιν·
ἔρημά σ' ἁ πολύστονος Οἰδιπόδα
δώματα λιποῦσ' ἦλθ' Ἐρινύς.

ΘΗΣΕΥΣ

μέλλων σ' ἐρωτᾶν, ἡνίκ' ἐξήντλεις στρατῷ
γόους, ἀφήσω· τοὺς ἐκεῖ μὲν ἐκλιπὼν
840 εἴασα μύθους, νῦν δ' Ἄδραστον ἱστορῶ·
πόθεν ποθ' οἵδε διαπρεπεῖς εὐψυχίᾳ
θνητῶν ἔφυσαν; εἰπέ γ', ὡς σοφώτερος,
νέοισιν ἀστῶν τῶνδ'· ἐπιστήμων γὰρ εἶ.

CHORUS

Thy moan
For us, for thee, is sped. 820

ADRASTUS

Oh had the foe slain me!

CHORUS

Oh to have known
Never a husband's bed!

ADRASTUS

Ah mother!—ah, dead child!
Lo, what a trouble-sea!

CHORUS

Our cheeks are furrow-scarred, and our white heads are marred
With ashes all defiled.

ADRASTUS

Woe's me, ah woe is me!
Yawn for my grave, earth's floor!
Storm-blast, in pieces break! 830
O that on mine head dashed the flame of Zeus down flashed!

CHORUS

Ruin those bridals bore:
Thy ruin Phoebus spake.
The curse of Oedipus, with sighing fraught,
Childless hath left his house, and thee hath sought.

THESEUS (*to leader of* CHORUS)

Thee had I asked, but, for thy mourning poured
Forth to the host, refrain, and my request
To thee forgo, and ask Adrastus now:— 840
Of what race sprang these chiefs, above all men
Which shone in valour? To my young Athenians
Tell, of thy fuller wisdom; for thou know'st.

εἶδες[1] γὰρ αὐτῶν κρείσσον' ἢ λέξαι λόγῳ
τολμήμαθ', οἷς ἤλπιζον αἱρήσειν πόλιν.
ἓν δ' οὐκ ἐρήσομαί σε, μὴ γέλωτ' ὄφλω,
ὅτῳ ξυνέστη τῶνδ' ἕκαστος ἐν μάχῃ
ἢ τραῦμα λόγχης πολεμίων ἐδέξατο.
κοινοὶ[2] γὰρ οὗτοι τῶν τ' ἀκουόντων λόγοι
850 καὶ τοῦ λέγοντος· πῶς τις ἐν μάχῃ βεβὼς
λόγχης ἰούσης πρόσθεν ὀμμάτων πυκνῆς
σαφῶς ἀπήγγειλ' ὅστις ἐστὶν ἁγαθός;
οὐκ ἂν δυναίμην οὔτ' ἐρωτῆσαι τάδε
οὔτ' ἂν πιθέσθαι τοῖσι τολμῶσιν λέγειν·
μόλις γὰρ ἄν τις αὐτὰ τἀναγκαῖ' ὁρᾶν
δύναιτ' ἂν ἑστὼς πολεμίοις ἐναντίος.

ΑΔΡΑΣΤΟΣ

ἄκουε δή νυν· καὶ γὰρ οὐκ ἄκοντί μοι
δίδως ἔπαινον τῶνδ', ἐγώ τε βούλομαι
φίλων ἀληθῆ καὶ δίκαι' εἰπεῖν πέρι.
860 ὁρᾷς τὸ Δῖον οὗ βέλος διέπτατο;
Καπανεὺς ὅδ' ἐστίν· ᾧ βίος μὲν ἦν πολύς,
ἥκιστα δ' ὄλβῳ γαῦρος ἦν· φρόνημα δὲ
οὐδέν τι μεῖζον εἶχεν ἢ πένης ἀνήρ,
φεύγων τραπέζαις ὅστις ἐξογκοῖτ' ἄγαν
τἀρκοῦντ' ἀτίζων· οὐ γὰρ ἐν γαστρὸς βορᾷ
τὸ χρηστὸν εἶναι, μέτρια δ' ἐξαρκεῖν ἔφη.
φίλος τ' ἀληθὴς ἦν φίλοις παροῦσί τε
καὶ μὴ παροῦσιν· ὧν ἀριθμὸς οὐ πολύς.
ἀψευδὲς ἦθος, εὐπροσήγορον στόμα,
870 ἄκραντον οὐδὲν οὔτ' ἐς οἰκέτας ἔχων
οὔτ' εἰς πολίτας. τὸν δὲ δεύτερον λέγω

[1] Paley: for MSS. εἶδον.
[2] So MSS. Grotius, κενοί: "For this, for those that tell and those that hear, Were an idle tale."

Their gallant deeds, too great for words to speak,
Thou saw'st, whereby they hoped to win yon Thebes.

One question, meet for laughter, I ask not—
Whom each of these encountered in the strife,
Or from what foeman's spear received his wound.
For they that hear such tales as much could say
As he which tells. Who, that hath stood in fight, 850
When spear on spear is flying before men's eyes,
Can certainly report who bravely bears him?
I could not ask such vanity as this,
Nor them believe whose impudence would tell.
Scarce can a man see what needs must be seen,
What time he standeth foot to foot with foes.

ADRASTUS

Hear then. To no unwilling lips thou givest
The praise of these: full fain am I to speak
Both truth and justice touching men I loved.

Seest thou yon corpse wherethrough leapt Zeus's
bolt? 860
Capaneus he, a mighty man of wealth,
Yet naught thereby exalted, but he bare
A spirit no whit loftier than the poor,
Shunning the man whose pomp of banquets scorned
That which sufficeth. "Not in gluttony,"
Said he, "is good: enough is as a feast."
True friend to friends was he, alike when near
And far: of such is there no multitude.
A guileless heart, a mouth of gracious speech,
Who left no dues unrendered, or to servants 870
Or citizens. Now of the next I speak,

Ἐτέοκλον, ἄλλην χρηστότητ᾽ ἠσκηκότα·
νεανίας ἦν τῷ βίῳ μὲν ἐνδεής,
πλείστας δὲ τιμὰς ἔσχ᾽ ἐν Ἀργείᾳ χθονί.
φίλων δὲ χρυσὸν πολλάκις δωρουμένων
οὐκ εἰσεδέξατ᾽ οἶκον ὥστε τοὺς τρόπους
δούλους παρασχεῖν χρημάτων ζευχθεὶς ὕπο.
τοὺς δ᾽ ἐξαμαρτάνοντας, οὐχὶ τὴν πόλιν
ἤχθαιρ᾽· ἐπεί τοι κοὐδὲν αἰτία πόλις
880 κακῶς κλύουσα διὰ κυβερνήτην κακόν.
ὁ δ᾽ αὖ τρίτος τῶνδ᾽ Ἱππομέδων τοιόσδ᾽ ἔφυ·
παῖς ὢν ἐτόλμησ᾽ εὐθὺς οὐ πρὸς ἡδονὰς
Μουσῶν τραπέσθαι πρὸς τὸ μαλθακὸν βίου,
ἀγροὺς δὲ ναίων, σκληρὰ τῇ φύσει διδοὺς
ἔχαιρε πρὸς τἀνδρεῖον, εἴς τ᾽ ἄγρας ἰὼν
ἵπποις τε χαίρων τόξα τ᾽ ἐντείνων χεροῖν,
πόλει παρασχεῖν σῶμα χρήσιμον θέλων.
ὁ τῆς κυναγοῦ δ᾽ ἄλλος Ἀταλάντης γόνος,
παῖς Παρθενοπαῖος, εἶδος ἐξοχώτατος,
890 Ἀρκὰς μὲν ἦν, ἐλθὼν δ᾽ ἐπ᾽ Ἰνάχου ῥοὰς
παιδεύεται κατ᾽ Ἄργος. ἐκτραφεὶς δ᾽ ἐκεῖ
πρῶτον μέν, ὡς χρὴ τοὺς μετοικοῦντας ξένους,
λυπηρὸς οὐκ ἦν οὐδ᾽ ἐπίφθονος πόλει
οὐδ᾽ ἐξεριστὴς τῶν λόγων, ὅθεν βαρὺς
μάλιστ᾽ ἂν εἴη δημότης τε καὶ ξένος·
λόχοις δ᾽ ἐφεστὼς ὥσπερ Ἀργεῖος γεγὼς
ἤμυνε χώρᾳ, χὡπότ᾽ εὖ πράσσοι πόλις,
ἔχαιρε, λυπρῶς δ᾽ ἔφερεν, εἴ τι δυστυχοῖ.
πολλοὺς δ᾽ ἐραστὰς κἀπὸ θηλειῶν ὅσας
900 ἔχων, ἐφρούρει μηδὲν ἐξαμαρτάνειν.
Τυδέως δ᾽ ἔπαινον ἐν βραχεῖ θήσω μέγαν·
οὐκ ἐν λόγοις ἦν λαμπρός, ἀλλ᾽ ἐν ἀσπίδι
δεινὸς σοφιστὴς πολλά τ᾽ ἐξευρεῖν σοφός.

Eteoclus, graced, he too, with excellence.
A young man he, not rich in this world's goods,
But in the Argive land dowered rich with honour;
Who oft, when friends would lavish on him gold,
Received it not his doors within, to make
His life a slave bowed 'neath the yoke of wealth.
He loathed wrong-doers, not his erring country;
Seeing the guilt is nowise in the State
That through an evil pilot wins ill fame. 880
Such too Hippomedon was, the third with these.
From childhood up he deigned not turn aside
Unto the Muses' joys, for ease of life;
But in the field abode, enduring hardness
Gladly for valour's sake, and, hunting still,
Joyed in the steed and hands that strain the bow,
Eager to yield his land his body's best.

The fourth was huntress Atalanta's son,
Parthenopaeus, unmatched in goodlihead:
Arcadian he, but came to Inachus, 890
And lived his youth at Argos. Fostered there,
First, as beseems the sojourner in the land,
He vexed not, nor was jealous of the state,
Nor was a wrangler, whereby citizens
Or aliens most shall jar with fellow-men;
But in the ranks stood like an Argive born,
Fought for the land, and, whenso prospered Argos,
Rejoiced, and grieved when it went ill with her;—
Of many a man, of many a woman loved,
Yet from transgression did he keep him pure. 900

Tydeus' high praise next will I sum in brief.
In speech he shone not; a dread reasoner he
In logic of the shield, and war's inventions:

γνώμῃ δ' ἀδελφοῦ Μελεάγρου λελειμμένος,
ἴσον παρέσχεν ὄνομα, διὰ τέχνης δορὸς
εὑρὼν ἀκριβῆ μουσικὴν ἐν ἀσπίδι·
φιλότιμον ἦθος, πλούσιον φρόνημα δὲ
ἐν τοῖσιν ἔργοις, οὐχὶ τοῖς λόγοις ἴσον.
ἐκ τῶνδε μὴ θαύμαζε τῶν εἰρημένων,
910 Θησεῦ, πρὸ πύργων τούσδε τολμῆσαι θανεῖν.
τὸ γὰρ τραφῆναι μὴ κακῶς αἰδῶ φέρει·
αἰσχύνεται δὲ τἀγάθ' ἀσκήσας ἀνὴρ
κακὸς κεκλῆσθαι πᾶς τις. ἡ δ' εὐανδρία
διδακτός, εἴπερ καὶ βρέφος διδάσκεται
λέγειν ἀκούειν θ' ὧν μάθησιν οὐκ ἔχει.
ἃ δ' ἂν μάθῃ τις, ταῦτα σῴζεσθαι φιλεῖ
πρὸς γῆρας. οὕτω παῖδας εὖ παιδεύετε.

ΧΟΡΟΣ

ἰὼ τέκνον, δυστυχῆ σ'
ἔτρεφον, ἔφερον ὑφ' ἥπατος
920 πόνους ἐνεγκοῦσ' ἐν ὠδῖσι· καὶ νῦν
Ἅιδας τὸν ἐμὸν ἔχει
μόχθον ἀθλίας, ἐγὼ δὲ
γηροβοσκὸν οὐκ ἔχω
τεκοῦσ' ἁ τάλαινα παῖδα.

ΘΗΣΕΥΣ

καὶ μὴν τὸν Οἰκλέους γε γενναῖον τόκον
θεοὶ ζῶντ' ἀναρπάσαντες εἰς μυχοὺς χθονὸς
αὐτοῖς τεθρίπποις εὐλογοῦσιν ἐμφανῶς·
τὸν Οἰδίπου δὲ παῖδα, Πολυνείκην λέγω,
ἡμεῖς ἐπαινέσαντες οὐ ψευδοίμεθ' ἄν.
930 ξένος γὰρ ἦν μοι πρὶν λιπὼν Κάδμου πόλιν

In counsel not as his brother Meleager,
Yet of like fame, through science of the spear
Getting him ripest scholarship of war.
A soaring soul was his, a spirit rich
Where deeds might serve; in speech of less avail.

Hearing my words, O Theseus, marvel not
That these before yon towers feared not to die. 910
The fruit that noble nurture bears is honour;
And whosoe'er hath practised knightly deeds
Would blush to be called craven. Ye may teach
This chivalry; for even the babe is taught
To speak and hear things not yet understood;
And what one learneth, that he is wont to keep
To hoary hairs. Then train ye well the child.

CHORUS

O son, for thy sorrow I gave thee
Life of my life 'neath my zone,
And I bore for thee travail-pain: 920
And now is my loss death's gain;
Of my labours no fruit doth remain,
Nor to foster mine eld may I have thee.
Woe's me that I bare a son!

THESEUS

To Oecleus' noble son the very Gods,
Who whelmed him with his car down earth's abyss
Living, gave manifest token of their praise.[1]
But Oedipus' son—I tell of Polyneices—
Myself shall praise, nor falsely speak herein.
My guest was he, ere, leaving Cadmus' town 930

[1] As being rescued from pursuers, and entombed by the Gods.

φυγῇ πρὸς Ἄργος διαβαλεῖν αὐθαίρετος.
ἀλλ' οἶσθ' ὃ δρᾶσαι βούλομαι τούτων πέρι;

ΑΔΡΑΣΤΟΣ

οὐκ οἶδα πλὴν ἕν, σοῖσι πείθεσθαι λόγοις.

ΘΗΣΕΥΣ

τὸν μὲν Διὸς πληγέντα Καπανέα πυρί—

ΑΔΡΑΣΤΟΣ

ἦ χωρὶς ἱερὸν ὡς νεκρὸν θάψαι θέλεις;

ΘΗΣΕΥΣ

ναί· τοὺς δέ γ' ἄλλους πάντας ἐν μιᾷ πυρᾷ.

ΑΔΡΑΣΤΟΣ

ποῦ δῆτα θήσεις μνῆμα τῷδε χωρίσας;

ΘΗΣΕΥΣ

αὐτοῦ παρ' οἴκους τούσδε συμπήξας τάφον.

ΑΔΡΑΣΤΟΣ

οὗτος μὲν ἤδη δμωσὶν ἂν μέλοι πόνος.

ΘΗΣΕΥΣ

940 ἡμῖν δέ γ' οἵδε· στειχέτω δ' ἄχθη νεκρῶν.

ΑΔΡΑΣΤΟΣ

ἴτ', ὦ τάλαιναι μητέρες, τέκνων πέλας.

ΘΗΣΕΥΣ

ἥκιστ', Ἄδραστε, τοῦτο πρόσφορον λέγεις.

ΑΔΡΑΣΤΟΣ

πῶς; τὰς τεκούσας οὐ χρεὼν ψαῦσαι τέκνων;

ΘΗΣΕΥΣ

ὄλοιντ' ἰδοῦσαι τούσδ' ἂν ἠλλοιωμένους.

ΑΔΡΑΣΤΟΣ

πικρὰ γὰρ ὄψις αἷμα κὠτειλαὶ νεκρῶν.

ΘΗΣΕΥΣ

τί δῆτα λύπην ταῖσδε προσθεῖναι θέλεις;

Self-banished, unto Argos he crossed o'er.
But knowest thou my wish as touching these?

ADRASTUS

Naught know I, save one thing—to heed thy words.

THESEUS

Capaneus, stricken by the fire of Zeus—

ADRASTUS

Wouldst bury him apart, a hallowed corpse?

THESEUS

Yea, but the rest all on one funeral-pyre.

ADRASTUS

Where wilt thou set for him that several tomb?

THESEUS

Here, by these halls I have built his sepulchre.

ADRASTUS

Our servants' tendance shall he straightway have.

THESEUS

These, mine. Now let the biers of death move on. 940

ADRASTUS

Come, hapless mothers, to your sons draws nigh.

THESEUS

Adrastus, this thou say'st were all unmeet.

ADRASTUS

How should the mothers choose but touch their sons?

THESEUS

'Twere death to look on them so sorely marred.

ADRASTUS

Bitter to see are slain men's blood and wounds.

THESEUS

Why then wouldst add fresh anguish to their grief?

ΑΔΡΑΣΤΟΣ

νικᾷς· μένειν χρὴ τλημόνως· λέγει γὰρ εὖ
Θησεύς. ὅταν δὲ τούσδε προσθῶμεν πυρί,
ὀστᾶ προσάξεσθ'. ὦ ταλαίπωροι βροτῶν,
950 τί κτᾶσθε λόγχας καὶ κατ' ἀλλήλων φόνους
τίθεσθε; παύσασθ', ἀλλὰ λήξαντες πόνων
ἄστη φυλάσσεθ' ἥσυχοι μεθ' ἡσύχων.
σμικρὸν τὸ χρῆμα τοῦ βίου· τοῦτον δὲ χρὴ
ὡς ῥᾷστα καὶ μὴ σὺν πόνοις διεκπερᾶν.

ΧΟΡΟΣ

οὐκέτ' εὔτεκνος, οὐκέτ' εὔπαις, *στρ.*
οὐδ' εὐτυχίας μετεστίν μοι
κουροτόκοις ἐν Ἀργείαις·
οὐδ' Ἄρτεμις λοχία
προσφθέγξαιτ' ἂν τὰς ἀτέκνους.
960 δυσαίων δ' ὁ βίος,
πλαγκτὰ δ' ὡσεί τις νεφέλα,
πνευμάτων ὑπὸ δυσχίμων ἀίσσω.

ἑπτὰ ματέρες ἑπτὰ κούρους *ἀντ.*
ἐγεινάμεθ' αἱ ταλαίπωροι
κλεινοτάτους ἐν Ἀργείοις·
καὶ νῦν ἄπαις ἄτεκνος
γηράσκω δυστηνοτάτως,
οὔτ' ἐν φθιμένοις
οὔτ' ἐν ζῶσιν κρινομένα,
970 χωρὶς δή τινα τῶνδ' ἔχουσα μοῖραν.

ὑπολελειμμένα μοι δάκρυα· *ἐπῳδ.*
μέλεα παιδὸς ἐν οἴκοις
κεῖται μνήματα, πένθιμοι
κουραὶ καὶ στέφανοι κόμας,

ADRASTUS

Well said. Ye, tarry patiently, for well
Speaks Theseus. When to fire we have given these,
Yourselves the bones shall gather. Hapless mortals!
Why do ye get you spears and deal out death 950
To fellow-men? Stay, from such toils forbear,
And peaceful mid the peaceful ward your towns.
Short is life's span: behoves to pass through this
Softly as may be, not with travail worn.

The funeral procession passes on to the pyres, which are kindled in sight of the stage.

CHORUS

Crowned with fair sons above others (*Str.*)
No more am I seen,
Neither blessèd mid Argive mothers;
Nor the Travail-queen
To the childless shall give fair greeting!
Forlorn is my life, as a fleeting 960
Lone cloud that flees from the beating
Of storm-scourges keen.

Seven mothers—and heroes seven (*Ant.*)
To our sorrow we bare:
None princelier to Argos were given.
Now in childless despair
Drear old age creepeth upon me;
Yet the ranks of the dead have not known me,
Nor the count of the living may own me;
But an outcast I fare. 970

For me are but tears remaining: (*Epode*)
Saddest memorials rest
In mine halls of my son—shorn hair
And garlands of mourning are there;

λοιβαί τε νεκύων φθιμένων,
ἀοιδαί θ' ἃς χρυσοκόμας
Ἀπόλλων οὐκ ἐνδέχεται·
γόοισιν δ' ὀρθρευομένα
δάκρυσι νοτερὸν ἀεὶ πέπλων
πρὸς στέρνῳ πτύχα τέγξω.

980 καὶ μὴν θαλάμας τάσδ' ἐσορῶ δὴ
Καπανέως ἤδη τύμβον θ' ἱερὸν
μελάθρων τ' ἐκτὸς
Θησέως ἀναθήματα νεκροῖς,
κλεινήν τ' ἄλοχον τοῦ καταφθιμένου
τοῦδε κεραυνῷ πέλας Εὐάδνην,
ἣν Ἶφις ἄναξ παῖδα φυτεύει.
τί ποτ' αἰθερίαν ἔστηκε πέτραν,
ἣ τῶνδε δόμων ὑπερακρίζει,
τήνδ' ἐμβαίνουσα κέλευθον;

ΕΥΑΔΝΗ

990 τί φέγγος, τίν' αἴγλαν *στρ.*
ἐδίφρευε τόθ' ἅλιος
σελάνα τε κατ' αἰθέρα,
λαμπάσιν ὠκυθόαις λυγρᾶς[1]
ἱππεύουσα δι' ὄρφνας,
* * ἁνίκα γάμων
τῶν ἐμῶν πόλις Ἄργους
ἀοιδὰς εὐδαιμονίας
ἐπύργωσε καὶ γαμέτα
χαλκεοτευχοῦς τε Καπανέως;
1000 δρομὰς ἐξ ἐμῶν πρός σ' ἔβαν
οἴκων ἐκβακχευσαμένα,

[1] Text corrupt. Paley's reading and interpretation.

Libations—for dead lips' draining;
Songs—which the golden-tressed
Apollo shall turn from in scorn;
And with wails shall I greet each morn,
Ever drenching with tears fast raining
The vesture-folds on my breast.

Lo, yonder the fiery bower, 980
Even Capaneus' sacred pyre:
I see it without the fane,
With Theseus' gifts to the slain.
Ha! the wife draweth nigh in this hour
To the slain of the levin-fire,
Evadne the princess renowned!
On yon cliff why is she found
Whose crags above this fane tower?
And she climbs, and she climbs ever higher!

EVADNE *appears on the cliff above the pyre of Capaneus, dressed in festal attire.*

EVADNE

What light ill-omened shone (*Str.*) 990
When flashed thy wheels, O Sun,
And when the moon raced on,
And star-lamps glancing
Raced through a lowering sky,
When Argos tossed on high
The gladsome bridal-cry,
And throbbed with dancing,
And thrilled with song, to see
Mine hero wed with me?
O love, I rush to thee 1000
From mine home, raving,

πυρὸς φῶς τάφον τε
ματεύουσα τὸν αὐτόν,
ἐς Ἅιδαν καταλύσουσ' ἔμμοχθον
βίοτον αἰῶνός τε πόνους·
ἥδιστος γάρ τοι θάνατος
συνθνῄσκειν θνῄσκουσι φίλοις,
εἰ δαίμων τάδε κραίνοι.

ΧΟΡΟΣ

καὶ μὴν ὁρᾷς τήνδ' ἧς ἐφέστηκας πέλας
1010 πυράν, Διὸς θησαυρόν, ἔνθ' ἔνεστι σὸς
πόσις δαμασθεὶς λαμπάσιν κεραυνίοις.

ΕΥΑΔΝΗ

ὁρῶ δὴ τελευτάν, ἀντ.
ἵν' ἕστακα· τύχα δέ μοι
ξυνάπτει ποδός· ἀλλὰ τῆς
εὐκλείας χάριν ἔνθεν ὁρ-
μάσω τᾶσδ' ἀπὸ πέτρας
πηδήσασα πυρὸς ἔσω,
σῶμά τ' αἴθοπι φλογμῷ
1020 πόσει συμμίξασα φίλον,
χρῶτα χρωτὶ πέλας θεμένα
Περσεφονείας ἥξω θαλάμους,
σὲ τὸν θανόντ' οὔποτ' ἐμᾷ
προδοῦσα ψυχᾷ κατὰ γᾶς.
ἴτω φῶς γάμοι τε.
†εἴθ' ἀμείνονες εὐναὶ
δικαίων ὑμεναίων ἐν Ἄργει
φανεῖεν τέκνοισιν ἐμοῖς,
εἴη δ' εὐναῖος γαμέτας†[1]

[1] Text uncertain. Paley's reading and interpretation.

Seeking thy tomb, thy pyre,
Longing with strong desire
To end in that same fire
    Mine anguish, braving
Hades—to end life's woe ;
For death is sweetest so
With dear dead to lie low :—
    God grant my craving !

CHORUS

Lo, the pyre nigh,—above it dost thou stand,—
Zeus' own possession, on the which is laid 1010
Thy lord, o'erthrown by flash of levin-bolt.

EVADNE

The end !—I see it now, (*Ant.*)
Here standing. Friend art thou,
Fortune ! From this cliff's brow,
    For wifehood's glory,
With spurning feet I dart
Down into yon fire's heart
To meet him, ne'er to part,—
    Flames reddening o'er me,— 1020
To nestle to his side,
In Cora's [1] bowers a bride !
O love, though thou hast died,
    I'll not forsake thee.
Farewell life, bridal bed !
By happier omens led,
Ah, be our children wed !
    May leal love make ye,
Bridegrooms to be, life through
Unto my daughters true :

[1] Persephone, queen of Hades.

συντηχθεὶς αὔραις ἀδόλοις
1030 γενναίας ψυχᾶς ἀλόχῳ.

ΧΟΡΟΣ

καὶ μὴν ὅδ' αὐτὸς σὸς πατὴρ βαίνει πέλας,
γεραιὸς Ἶφις εἰς νεωτέρους λόγους,
οὓς οὐ κατειδὼς πρόσθεν ἀλγήσει κλύων.

ΙΦΙΣ

ὦ δυστάλαιναι, δυστάλας δ' ἐγὼ γέρων,
ἥκω διπλοῦν πένθημ' ὁμαιμόνων ἔχων,
τὸν μὲν θανόντα παῖδα Καδμείων δορὶ
Ἐτέοκλον εἰς γῆν πατρίδα ναυσθλώσων νεκρόν,
ζητῶν δ' ἐμὴν παῖδ', ἣ δόμων ἐξώπιος
βέβηκε πηδήσασα Καπανέως δάμαρ,
1040 θανεῖν ἐρῶσα σὺν πόσει. χρόνον μὲν οὖν
τὸν πρόσθ' ἐφρουρεῖτ' ἐν δόμοις· ἐπεὶ δ' ἐγὼ
φυλακὰς ἀνῆκα τοῖς παρεστῶσιν κακοῖς,
βέβηκεν, ἀλλὰ τῇδέ νιν δοξάζομεν
μάλιστ' ἂν εἶναι· φράζετ' εἰ κατείδετε.

ΕΥΑΔΝΗ

τί τάσδ' ἐρωτᾷς; ἥδ' ἐγὼ πέτρας ἔπι
ὄρνις τις ὡσεὶ Καπανέως ὑπὲρ πυρᾶς
δύστηνον αἰώρημα κουφίζω, πάτερ.

ΙΦΙΣ

τέκνον, τίς αὔρα; τίς στόλος; τίνος χάριν
δόμων ὑπερβᾶσ' ἦλθες εἰς τήνδε χθόνα;

ΕΥΑΔΝΗ

1050 ὀργὴν λάβοις ἂν τῶν ἐμῶν βουλευμάτων
κλύων· ἀκοῦσαι δ' οὔ σε βούλομαι, πάτερ.

ΙΦΙΣ

τί δ'; οὐ δίκαιον πατέρα τὸν σὸν εἰδέναι;

One love-breath breathe in you.
Now, Death, come—take me! 1030

CHORUS

Lo, here himself, thy sire, is drawing nigh,
Old Iphis, within sound of thy strange speech,
Which, heard not yet, shall wring his heart to hear.

Enter IPHIS.

IPHIS

O hapless ye!—O hapless ancient I!
Burdened with twofold grief for kin I came,
To bear unto his fatherland oversea
My son Eteoclus, slain by Theban spear,
And seeking for my daughter, who hath fled
Forth of mine halls, the wife of Capaneus,
Longing with him to die. Through days o'erpast 1040
Guarded she was at home: but soon as I
Slackened the watch, for ills that pressed on me,
Forth did she pass. Howbeit here, methinks,
Is she most like to be. Say, have ye seen her?

EVADNE

Wherefore ask these? Here am I on the rock.
Even as a bird, my father, hang I poised
In misery o'er the pyre of Capaneus.

IPHIS

My child, what wind hath blown, what journeying
led thee?
Why flee thine home and come unto this land?

EVADNE

Thou wouldst be wroth to hear my purposes. 1050
O father, I would not that thou shouldst hear.

IPHIS

How?—were't not just thy very father knew?

ΕΥΑΔΝΗ

κριτὴς ἂν εἴης οὐ σοφὸς γνώμης ἐμῆς.

ΙΦΙΣ

σκευῇ δὲ τῇδε τοῦ χάριν κοσμεῖς δέμας;

ΕΥΑΔΝΗ

θέλει τι κλεινὸν οὗτος ὁ στολμός, πάτερ.

ΙΦΙΣ

ὡς οὐκ ἐπ' ἀνδρὶ πένθιμος πρέπεις ὁρᾶν.

ΕΥΑΔΝΗ

εἰς γάρ τι πρᾶγμα νεοχμὸν ἐσκευάσμεθα.

ΙΦΙΣ

κᾄπειτα τύμβῳ καὶ πυρᾷ φαίνει πέλας;

ΕΥΑΔΝΗ

ἐνταῦθα γὰρ δὴ καλλίνικος ἔρχομαι.

ΙΦΙΣ

1060 νικῶσα νίκην τίνα; μαθεῖν χρῄζω σέθεν.

ΕΥΑΔΝΗ

πάσας γυναῖκας ἃς δέδορκεν ἥλιος.

ΙΦΙΣ

ἔργοις Ἀθάνας ἢ φρενῶν εὐβουλίᾳ;

ΕΥΑΔΝΗ

ἀρετῇ· πόσει γὰρ συνθανοῦσα κείσομαι.

ΙΦΙΣ

τί φῄς; τί τοῦτ' αἴνιγμα σημαίνεις σαθρόν;

ΕΥΑΔΝΗ

ᾄσσω θανόντος Καπανέως τήνδ' εἰς πυράν.

ΙΦΙΣ

ὦ θύγατερ, οὐ μὴ μῦθον εἰς πολλοὺς ἐρεῖς;

ΕΥΑΔΝΗ

τοῦτ' αὐτὸ χρῄζω, πάντας Ἀργείους μαθεῖν.

ΙΦΙΣ

ἀλλ' οὐδέ τοί σοι πείσομαι δρώσῃ τάδε.

EVADNE
Thou wouldst be no wise judge of my resolve.

IPHIS
And why in this attire array thy form?

EVADNE
Father, this vesture glorious meaning hath.

IPHIS
Thou seemest not as one that mourns her lord.

EVADNE
For deed unheard-of have I decked me thus.

IPHIS
By tomb and pyre appear'st thou in such guise?

EVADNE
Yea, I for victory's triumph hither come.

IPHIS
What victory this? Fain would I learn of thee. 1060

EVADNE
Over all wives on whom the sun looks down.

IPHIS
In works by Pallas taught, or prudent wit?

EVADNE
In courage. With my lord will I lie dead.

IPHIS
How sayest thou?—what sorry riddle this?

EVADNE
I plunge to yon pyre of dead Capaneus.

IPHIS
O daughter, speak not so before a throng!

EVADNE
Even this would I, that all the Argives hear.

IPHIS
Nay, surely will I let thee from this deed.

ΕΥΑΔΝΗ

ὅμοιον· οὐ γὰρ μή κίχῃς μ' ἑλὼν χερί.
1070 καὶ δὴ παρεῖται σῶμα, σοὶ μὲν οὐ φίλον,
ἡμῖν δὲ καὶ τῷ συμπυρουμένῳ πόσει.

ΧΟΡΟΣ

ἰώ, γύναι, δεινὸν ἔργον ἐξειργάσω.

ΙΦΙΣ

ἀπωλόμην δύστηνος, Ἀργείων κόραι.

ΧΟΡΟΣ

ἒ ἔ, σχέτλια τάδε παθών,
τὸ πάντολμον ἔργον ὄψει τάλας.

ΙΦΙΣ

οὐκ ἄν τιν εὕροιτ' ἄλλον ἀθλιώτερον.

ΧΟΡΟΣ

ἰὼ τάλας·
μετέλαχες τύχας Οἰδιπόδα, γέρον,
μέρος καὶ σὺ καὶ πόλις ἐμὰ τλάμων.

ΙΦΙΣ

1080 οἴμοι· τί δὴ βροτοῖσιν οὐκ ἔστιν τόδε,
νέους δὶς εἶναι καὶ γέροντας αὖ πάλιν;
ἀλλ' ἐν δόμοις μὲν ἤν τι μὴ καλῶς ἔχῃ,
γνώμαισιν ὑστέραισιν ἐξορθούμεθα,
αἰῶνα δ' οὐκ ἔξεστιν. εἰ δ' ἦμεν νέοι
δὶς καὶ γέροντες, εἴ τις ἐξημάρτανε,
διπλοῦ βίου τυχόντες ἐξωρθούμεθ' ἄν.
ἐγὼ γὰρ ἄλλους εἰσορῶν τεκνουμένους
παίδων τ' ἐραστὴς ἦ πόθῳ τ' ἀπωλλύμην.
εἰ δ' εἰς τόδ' ἦλθον κἀξεπειράθην παθὼν[1]
1090 οἷον στέρεσθαι πατέρα γίγνεται τέκνων,
οὐκ ἄν ποτ' εἰς τόδ' ἦλθον εἰς ὃ νῦν κακόν·

[1] Paley; for MSS. τέκνων.

EVADNE

Let or let not—thou canst not reach nor seize me.
Lo, hurled my body falls, for grief to thee, 1070
For joy to me and him with me consumed.

Throws herself from the cliff on to the pyre.

CHORUS

O lady, what awful deed hath been compassed of thee!

IPHIS

O Argos' daughters, wretched I!—undone!

CHORUS

Woe for thee, woe, who hast borne this misery!
Yet its fulness of horror remaineth for thee to see.

IPHIS

None other shall ye find more sorrow-crushed.

CHORUS

O ancient, O sore-stricken heart,
In the fortune partaker thou art
Of Oedipus: thou and mine hapless city therein have part.

IPHIS

Ah me, why is not this to men vouchsafed, 1080
Twice to see youth, and twice withal old age?
Now in our homes, if aught shall fall out ill,
By wisdom's second thoughts this we amend;
Life lived we may not. Might we but be young
And old twice o'er, if any man should err,
We would amend us in that second life.
For I, beholding others rich in sons,
For children yearned, and by my longing perished.
Had I to that come first,—by suffering proved
What to a father child-bereavement means, 1090
I had never come to this, to this day's woe,

ὅστις φυτεύσας καὶ νεανίαν τεκὼν
ἄριστον, εἶτα τοῦδε νῦν στερίσκομαι.
εἶεν· τί δὴ χρὴ τὸν ταλαίπωρόν με δρᾶν;
στείχειν πρὸς οἴκους; κᾆτ᾽ ἐρημίαν ἴδω
πολλὴν μελάθρων ἀπορίαν τ᾽ ἐμῷ βίῳ;
ἢ πρὸς μέλαθρα τοῦδε Καπανέως μόλω;
ἥδιστα πρίν γε δῆθ᾽, ὅτ᾽ ἦν παῖς ἥδε μοι.
ἀλλ᾽ οὐκέτ᾽ ἔστιν· ἥ γ᾽ ἐμὴν γενειάδα
1100 προσήγετ᾽ ἀεὶ στόματι καὶ κάρα τόδε
κατεῖχε χερσίν· οὐδὲν ἥδιον πατρὶ [1]
γέροντι θυγατρός· ἀρσένων δὲ μείζονες
ψυχαί, γλυκεῖαι δ᾽ ἧσσον εἰς θωπεύματα.
οὐχ ὡς τάχιστα δῆτά μ᾽ ἄξετ᾽ εἰς δόμους
σκότῳ τε δώσετ᾽; ἔνθ᾽ ἀσιτίαις ἐμὸν
δέμας γεραιὸν συντακεὶς ἀποφθερῶ.
τί μ᾽ ὠφελήσει παιδὸς ὀστέων θιγεῖν;
ὦ δυσπάλαιστον γῆρας, ὡς μισῶ σ᾽ ἔχων.
μισῶ δ᾽ ὅσοι χρῄζουσιν ἐκτείνειν βίον,
1110 βρωτοῖσι καὶ ποτοῖσι καὶ μαγεύμασι
παρεκτρέποντες ὀχετὸν ὥστε μὴ θανεῖν·
οὓς χρῆν, ἐπειδὰν μηδὲν ὠφελῶσι γῆν,
θανόντας ἔρρειν κἀκποδὼν εἶναι νέοις.

ΧΟΡΟΣ

ἰώ, τάδε δὴ παίδων φθιμένων
ὀστᾶ φέρεται. λάβετ᾽, ἀμφίπολοι
γραίας ἀμενοῦς· οὐ γὰρ ἔνεστιν
ῥώμη παίδων ὑπὸ πένθους,

[1] Burney: for MSS. χειρί· πατρὶ δ᾽ οὐδὲν ἥδιον.

I, who begat a young son of my loins
Most goodly, and am now of him bereft!
No more!—what must I do, the sorrow-fraught?
Wend home?—and filled with desolation see
Home—for my life the hunger of despair?
Or seek the mansion of yon Capaneus?—
Once sweet, O sweet, when this my daughter lived!
Ah, but she is no more, who wont to draw
Down to her lips my face, fold in her arms 1100
Mine head:—naught sweeter than a daughter is
To grey-haired sire; sons' hearts be greater-framed,
But not, not theirs the dear caressing wiles!
Lead me, with speed O lead me to mine home,
And hide in darkness, there to make an end
Of this old frame, by fasting pined away.
What profit if I touch my daughter's bones?
Strong wrestler Eld, O how I loathe thy grasp—
Loathe them which seek to lengthen out life's span,
By meats and drinks and magic philtre-spells 1110
To turn life's channel, that they may not die,
Who, when they are but cumberers of the ground,
Should hence, and die, and make way for the young.

The stage gradually fills with a procession, in which the SONS *of the dead chiefs bear the urns containing their ashes. The members of the* CHORUS *advance to meet them.*

CHORUS

Woe is me, woe!
Onward, onward the bones of sons, sons dead,
Are borne: O lend me your hands; my strength is
sped,
Handmaids: stricken with eld, in childless pain
I faint for my dear sons slain,

πολλοῦ τε χρόνου ζώσης μέτα δή,
καταλειβομένης τ' ἄλγεσι πολλοῖς.
1120 τί γὰρ ἂν μεῖζον τοῦδ' ἔτι θνητοῖς
πάθος ἐξεύροις
ἢ τέκνα θανόντ' ἐσιδέσθαι;

ΠΑΙΔΕΣ

φέρω φέρω,[1] στρ. α
τάλαινα μᾶτερ, ἐκ πυρᾶς πατρὸς μέλη,
βάρος μὲν οὐκ ἀβριθὲς ἀλγέων ὕπερ,
ἐν δ' ὀλίγῳ τἀμὰ πάντα συνθείς.

ΧΟΡΟΣ

ἰὼ ἰώ·
πᾷ δάκρυα φέρεις φίλᾳ
ματρὶ τῶν ὀλωλότων,
1130 σποδοῦ τε πλῆθος ὀλίγον ἀντὶ σωμάτων
εὐδοκίμων δήποτ' ἐν Μυκήναις;

ΠΑΙΣ α'

παπαῖ παπαῖ· ἀντ. α'
ἐγὼ δ' ἔρημος ἀθλίου πατρὸς τάλας
ἔρημον οἶκον ὀρφανεύσομαι λαβών,
οὐ πατρὸς ἐν χερσὶ τοῦ τεκόντος.

ΧΟΡΟΣ α'

ἰὼ ἰώ·
ποῦ δὲ πόνος ἐμῶν τέκνων,
ποῦ λοχευμάτων χάρις
τροφαί τε ματρὸς ἄυπνά τ' ὀμμάτων τέλη
καὶ φίλιαι προσβολαὶ προσώπων;

[1] Paley's arrangement of this *Commos* adopted.

Bowed down under the load of years on years,
Wasted ever with sorrows, aye with tears.
Couldst thou tell of a harder, sorer stroke 1120
That lighteth on mortal folk,
Than when mothers behold their dead sons' biers?

CHORUS OF CHILDREN

I bear, O I bear, (*Str.* 1)
Sad mother, the limbs of my sire from the burning,— [there,—
A burden not light, for the weight of my sorrow is
All that I love in this little vial inurning.

CHORUS OF MOTHERS

Woe is me, woe!
Is it all that thou bringest, the salt tears' flow,
To the dead man's mother?—naught else canst thou show? [the men of renown
To a handful of dust brought down are the forms of 1130
So glorious erewhile in Mycenae-town?

FIRST CHILD

Alas for my doom. (*Ant.* 1)
Sad son by an ill-starred father forsaken,
Henceforth I inherit the orphan's desolate home,
Unsheltered by arms of the sire from whose loins I was taken.

FIRST MOTHER

Woe for my plight!
Whitherward hath my toil for my babes taken flight?
What now doth the pain of my travail requite?
What reward hath the mother's breast, and the eyes that would take no rest, [pressed?
And the face to the dear little babe-face

ΠΑΙΣ β′

βεβᾶσιν, οὐκέτ' εἰσίν· οἴμοι πάτερ· στρ. β′

1140 βεβᾶσιν· αἰθὴρ ἔχει νιν ἤδη,

ΧΟΡΟΣ β′

πυρὸς τετακότας σποδῷ·

ποτανοὶ δ' ἤνυσαν τὸν Ἅιδαν.

ΠΑΙΣ γ′

πάτερ, μῶν σῶν κλύεις τέκνων γόους;

ἆρ' ἀσπιδοῦχος ἔτι ποτ' ἀντιτίσομαι σὸν φόνον;

ΧΟΡΟΣ γ′

εἰ γὰρ γένοιτο, τέκνον.

ΠΑΙΣ δ′

ἔτ' ἂν θεοῦ θέλοντος ἔλθοι δίκα ἀντ. β′

πατρῷος· οὔπω κακὸν τόδ' εὕδει.

ΧΟΡΟΣ δ′

ἅλις γόων, ἅλις τύχας,

ἅλις δ' ἀλγέων ἐμοὶ πάρεστιν.

ΠΑΙΣ ε′

1150 ἔτ' Ἀσωποῦ με δέξεται γάνος

χαλκέοις ἐν ὅπλοις Δαναϊδῶν στρατηλάταν.

ΧΟΡΟΣ ε′

τοῦ φθιμένου πατρὸς ἐκδικαστάν.

ΠΑΙΣ ϛ′

στρ. γ′

ἔτ' εἰσορᾶν σε, πάτερ, ἐπ' ὀμμάτων δοκῶ—

ΧΟΡΟΣ ϛ′

φίλον φίλημα παρὰ γένυν τιθέντα σόν.

SECOND CHILD

(*Str.* 2)

They are gone! No sons hast thou any more—they are lost!— [ghost.
Alas for my father!—through void air drifts each 1140

SECOND MOTHER

They crumbled to ashes mid flame as they lay,
And to Hades now have they winged their way.

THIRD CHILD

O my father, the wail of thy sons ringeth down unto thee.
Ah shall I ever bear shield, an avenger to be
Of thy blood?

THIRD MOTHER

God grant it, my child, to thy destiny!

FOURTH CHILD

(*Ant.* 2)

My father's avenging!—one day unto me shall it come, [the tomb.
If God will:—the wrong sleepeth not by his side in

FOURTH MOTHER

Ah, to-day's disaster and sorrow suffice:
Sufficeth the grief on mine heart that lies! 1150

FIFTH CHILD

Ha, yet shall they greet me, Asopus' ripples of light,
Leading the Danaans onward in brass-mail dight!

FIFTH MOTHER

A champion thou of thy perished father's right.

SIXTH CHILD

O father mine, methinks I see thee now— (*Str.* 3)

SIXTH MOTHER

Laying the kiss of love upon thy brow.

ΠΑΙΣ ϛʹ

λόγων δὲ παρακέλευσμα σῶν
ἀέρι φερόμενον οἴχεται.

ΧΟΡΟΣ ϛʹ

δυοῖν δ' ἄχη, ματέρι τ' ἔλιπε—
σέ τ' οὔποτ' ἄλγη πατρῷα λείψει.

ΠΑΙΣ ζʹ

ἔχω τοσόνδε βάρος ὅσον μ' ἀπώλεσεν. **ἀντ. γʹ**

ΧΟΡΟΣ ζʹ

1160 φέρ', ἀμφὶ μαστὸν ὑποβάλω σποδόν.

ΠΑΙΣ ζʹ

ἔκλαυσα τόδε κλύων ἔπος
στυγνότατον· ἔθιγέ μου φρενῶν.

ΧΟΡΟΣ ζʹ

ὦ τέκνον, ἔβας· οὐκέτι φίλον
φίλας ἄγαλμ' ὄψομαί σε ματρός.

ΘΗΣΕΥΣ

Ἄδραστε καὶ γυναῖκες Ἀργεῖαι γένος,
ὁρᾶτε παῖδας τούσδ' ἔχοντας ἐν χεροῖν
πατέρων ἀρίστων σώμαθ' ὧν ἀνειλόμην·
τούτοις ἐγώ σφε καὶ πόλις δωρούμεθα.
ὑμᾶς δὲ τῶνδε χρὴ χάριν μεμνημένους
1170 σῴζειν, ὁρῶντας ὧν ἐκύρσατ' ἐξ ἐμοῦ.
παισὶν δ' ὑπεῖπον τοῖσδε τοὺς αὐτοὺς λόγους,
τιμᾶν πόλιν τήνδ', ἐκ τέκνων ἀεὶ τέκνοις
μνήμην παραγγέλλοντας ὧν ἐκύρσατε.
Ζεὺς δὲ ξυνίστωρ οἵ τ' ἐν οὐρανῷ θεοὶ
οἵων ὑφ' ἡμῶν στείχετ' ἠξιωμένοι.

ΑΔΡΑΣΤΟΣ

Θησεῦ, ξύνισμεν πάνθ' ὅσ' Ἀργείαν χθόνα
δέδρακας ἐσθλὰ δεομένην εὐεργετῶν,

SIXTH CHILD

But thy words of exhorting are come to naught;
They are wafted afar on the wind's wing caught.

SIXTH MOTHER

Unto twain is anguish bequeathed, unto me,
And grief for thy father shall ne'er leave thee.

SEVENTH CHILD

By this my burden am I all undone! (*Ant.* 3) 1160

SEVENTH MOTHER

Let me embrace the ashes of my son!

SEVENTH CHILD

I weep to hearken thy piteous word,
Most piteous—the depths of mine heart hath it stirred.

SEVENTH MOTHER

O son, thou art gone: never more shall I gaze
On the light of thy mother, thy glorious face!

THESEUS

Adrastus, and ye dames of Argive race,
Ye see these children bearing in their hands
The dust of gallant sires whom I redeemed:
That dust do I and Athens give to these.
But ye must guard the memory of this grace,
Keeping my boon for aye before your eyes; 1170
And on these boys I lay the selfsame charge,
To honour Athens, and from son to son
To pass on like a watchword this our boon.
Lo, Zeus is witness, and the Gods in heaven,
How honoured and how favoured hence ye pass.

ADRASTUS

Theseus, our hearts know all thy noble deeds
To Argos, and thy kindness in her need.

χάριν τ' ἀγήρων ἕξομεν· γενναῖα γὰρ
παθόντες ὑμᾶς ἀντιδρᾶν ὀφείλομεν.

ΘΗΣΕΥΣ

1180 τί δῆτ' ἔθ' ὑμῖν ἄλλ' ὑπουργῆσαί με χρή;

ΑΔΡΑΣΤΟΣ

χαῖρ'· ἄξιος γὰρ καὶ σὺ καὶ πόλις σέθεν.

ΘΗΣΕΥΣ

ἔσται τάδ'· ἀλλὰ καὶ σὺ τῶν αὐτῶν τυχοις.

ΑΘΗΝΑ

ἄκουε, Θησεῦ, τούσδ' Ἀθηναίας λόγους,
ἃ χρή σε δρᾶσαι, δρῶντα δ' ὠφελεῖν τάδε.
μὴ δῷς τάδ' ὀστᾶ τοῖσδ' ἐς Ἀργείαν χθόνα
παισὶν κομίζειν ῥᾳδίως οὕτω μεθείς,
ἀλλ' ἀντὶ τῶν σῶν καὶ πόλεως μοχθημάτων
πρῶτον λάβ' ὅρκον. τόνδε δ' ὀμνύναι χρεὼν
Ἄδραστον· οὗτος κύριος, τύραννος ὤν,
1190 πάσης ὑπὲρ γῆς Δαναϊδῶν ὁρκωμοτεῖν.
ὁ δ' ὅρκος ἔσται, μήποτ' Ἀργείους χθόνα
εἰς τήνδ' ἐποίσειν πολέμιον πανευχίαν,
ἄλλων τ' ἰόντων ἐμποδὼν θήσειν δόρυ.
ἢν δ' ὅρκον ἐκλιπόντες ἔλθωσιν πόλιν,
κακῶς ὀλέσθαι πρόστρεπ' Ἀργείων χθόνα.
ἐν ᾧ δὲ τέμνειν σφάγια χρή σ', ἄκουέ μου.
ἔστιν τρίπους σοι χαλκόπους εἴσω δόμων,
ὃν Ἰλίου ποτ' ἐξαναστήσας βάθρα
σπουδὴν ἐπ' ἄλλην Ἡρακλῆς ὁρμώμενος
1200 στῆσαί σ' ἐφεῖτο Πυθικὴν πρὸς ἐσχάραν.
ἐν τῷδε λαιμοὺς τρεῖς τριῶν μήλων τεμὼν
ἔγγραψον ὅρκους τρίποδος ἐν κοίλῳ κύτει,
κἄπειτα σῴζειν θεῷ δὸς ᾧ Δελφῶν μέλει,
μνημεῖά θ' ὅρκων μαρτύρημά θ' Ἑλλάδι.
ᾗ δ' ἂν διοίξῃς σφάγια καὶ τρώσῃς φόνον,

Our love shall ne'er wax old : ye have dealt with us
Nobly : your debtors owe you like for like.

THESEUS

What service yet remains that I may render? 1180

ADRASTUS

Fare well : for thou art worthy—thou and Athens.

THESEUS

So be it. The same fortune light on thee.

ATHENA *appears in her chariot above the temple-roof.*

ATHENA

Give ear, O Theseus, to Athena's hest
What thou must do—for Athens' service do :—
Yield thou not up thus lightly yonder bones
For these their sons to bear to Argive land.
Nay, first, for thine and Athens' travail's sake,
An oath take of them. Let Adrastus swear—
He answereth for them, despot of their folk,
For all troth of the land of Danaus' sons :— 1190
Be this the oath,—that never Argive men
Shall bear against this land array of war ;
If others come, their spear shall bar the way.
If they break oath, and come against our town,
Call down on Argos miserable ruin.

And where to slay the victims hear me tell :
Thou hast a brazen tripod in thine halls,
Which Hercules, from Ilium's overthrow
Hasting upon another mighty task,
Bade thee to set up at the Pythian hearth. 120
O'er this three throats of three sheep sever thou,
And in the tripod's hollow grave the oath.
Then give it to the Delphian God to guard,
Token of oaths and witness unto Hellas. [gashed
And that keen knife, wherewith thou shalt have

ὀξύστομον μάχαιραν ἐς γαίας μυχοὺς
κρύψον παρ' αὐτὰς ἑπτὰ πυρκαιὰς νεκρῶν·
φόβον γὰρ αὐτοῖς, ἤν ποτ' ἔλθωσιν πόλιν,
δειχθεῖσα θήσει καὶ κακὸν νόστον πάλιν.
1210 δράσας δὲ ταῦτα πέμπε γῆς ἔξω νεκρούς.
τεμένη δ', ἵν' αὐτῶν σώμαθ' ἡγνίσθη πυρί,
μέθες παρ' αὐτὴν τρίοδον Ἰσθμίαν θεῷ.
σοὶ μὲν τάδ' εἶπον· παισὶ δ' Ἀργείων λέγω·
πορθήσεθ' ἡβήσαντες Ἰσμηνοῦ πόλιν,
πατέρων θανόντων ἐκδικάζοντες φόνον,
σύ τ' ἀντὶ πατρός, Αἰγιαλεῦ, στρατηλάτης
νέος καταστάς, παῖς τ' ἀπ' Αἰτωλῶν μολὼν
Τυδέως, ὃν ὠνόμαζε Διομήδην πατήρ.
ἀλλ' οὐ φθάνειν χρὴ συσκιάζοντας γένυν
1220 καὶ χαλκοπληθῆ Δαναϊδῶν ὁρμᾶν στρατὸν
ἑπτάστομον πύργωμα Καδμείων ἔπι.
πικροὶ γὰρ αὐτοῖς ἥξετ', ἐκτεθραμμένοι
σκύμνοι λεόντων, πόλεος ἐκπορθήτορες.
κοὐκ ἔστιν ἄλλως· Ἐπίγονοι δ' ἀν' Ἑλλάδα
κληθέντες ᾠδὰς ὑστέροισι θήσετε·
τοῖον στράτευμα σὺν θεῷ πορεύσετε.

ΘΗΣΕΥΣ

δέσποιν' Ἀθάνα, πείσομαι λόγοισι σοῖς·
σὺ γάρ μ' ἀνορθοῖς, ὥστε μὴ 'ξαμαρτάνειν·
καὶ τόνδ' ἐν ὅρκοις ζεύξομαι· μόνον σύ με
1230 εἰς ὀρθὸν ἵστη· σοῦ γὰρ εὐμενοῦς πόλει
οὔσης τὸ λοιπὸν ἀσφαλῶς οἰκήσομεν.

ΧΟΡΟΣ

στείχωμεν, Ἄδρασθ', ὅρκια δῶμεν
τῷδ' ἀνδρὶ πόλει τ'· ἄξια δ' ἡμῖν
προμεμοχθήκασι σέβεσθαι.

The victims with the death-wound, bury thou
In the earth's depths hard by the seven pyres.
For, if they march on Athens ever, this, [shame.
Shown them, shall daunt, and turn them back with
This done, then send the dead dust forth the land. 1210
The precinct where fire purified their limbs
Be the God's Close, by those three Isthmian ways.
This to thee: now to the Argives' sons I speak.
Ye shall, to man grown, waste Ismenus' town
In vengeance for the slaughter of dead sires.
Thou in thy sire's stead, Aegialeus,[1] shalt be
Their young chief: from Aetolia Tydeus' son,
Named Diomedes of his sire, shall come.
When beards your cheeks are shadowing, tarry not
To hurl a brazen-harnessed Danaïd host 1220
On the Cadmean seven-gated hold.
Bitter to them, the lions' whelps full-grown
To strength, to sack their city shall ye come.
This is sure doom. "The After-born" through
Hellas
Named, shall ye kindle song in days to be;
Such war-array with God's help shall ye lead.

THESEUS

Athena, Queen, thy words will I obey:
Thou guid'st me ever that I may not err.
Him will I bind with oaths: only do thou
Still lead me aright; for, gracious while thou art 1230
To Athens, shall we ever safely dwell.

CHORUS

On pass we, Adrastus, and take oath-plight
Unto Theseus and Athens. That worship requite
Their travail for us, is meet and right.

[*Exeunt* OMNES.

[1] Son of Adrastus.

END OF VOL. III

Printed in Great Britain
at the Windmill Press,
Kingswood, Surrey

THE LOEB CLASSICAL LIBRARY

VOLUMES ALREADY PUBLISHED

LATIN AUTHORS

AMMIANUS MARCELLINUS. J. C. Rolfe. 3 Vols. (Vols. I and II *2nd Imp. revised.*)
APULEIUS: THE GOLDEN ASS (METAMORPHOSES). W. Adlington (1566). Revised by S. Gaselee. (*7th Imp.*)
ST. AUGUSTINE, CONFESSIONS OF. W. Watt (1631). 2 Vols. (Vol. I *7th Imp.*, Vol. II *6th Imp.*)
ST. AUGUSTINE, SELECT LETTERS. J. H. Baxter.
AUSONIUS. H. G. Evelyn White. 2 Vols. (Vol. II *2nd Imp.*)
BEDE. J. E. King. 2 Vols.
BOETHIUS: TRACTS AND DE CONSOLATIONE PHILOSOPHIAE. Rev. H. F. Stewart and E. K. Rand. (*4th Imp.*)
CAESAR: CIVIL WARS. A. G. Peskett. (*4th Imp.*)
CAESAR: GALLIC WAR. H. J. Edwards. (*9th Imp.*)
CATO AND VARRO: DE RE RUSTICA. H. B. Ash and W. D. Hooper. (*2nd Imp.*)
CATULLUS. F. W. Cornish; TIBULLUS. J. B. Postgate; and PERVIGILIUM VENERIS. J. W. Mackail. (*12th Imp.*)
CELSUS: DE MEDICINA. W. G. Spencer. 3 Vols. (Vol. I *3rd Imp. revised.*)
CICERO: BRUTUS AND ORATOR. G. L. Hendrickson and H. M. Hubbell. (*2nd Imp.*)
CICERO: DE FATO; PARADOXA STOICORUM; DE PARTITIONE ORATORIA. H. Rackham. (With De Oratore, Vol. II.) (*2nd Imp.*)

U

Cicero : De Finibus. H. Rackham. (*3rd Imp. revised.*)
Cicero : De Inventione, etc. H. M. Hubbell.
Cicero : De Natura Deorum and Academica. H. Rackham.
Cicero : De Officiis. Walter Miller. (*4th Imp.*)
Cicero : De Oratore. E. W. Sutton and H. Rackham. 2 Vols. (*2nd Imp.*)
Cicero : De Republica and De Legibus. Clinton W. Keyes. (*3rd Imp.*)
Cicero : De Senectute, De Amicitia, De Divinatione. W. A. Falconer. (*5th Imp.*)
Cicero : In Catilinam, Pro Murena, Pro Sulla, Pro Flacco. Louis E. Lord. (*2nd Imp. revised.*)
Cicero : Letters to Atticus. E. O. Winstedt. 3 Vols. (Vol. I *6th Imp.*, Vols. II and III *3rd Imp.*)
Cicero : Letters to his Friends. W. Glynn Williams. 3 Vols. (Vols. I and II *2nd Imp.*)
Cicero : Philippics. W. C. A. Ker. (*2nd Imp.*)
Cicero : Pro Archia, Post Reditum, De Domo, De Haruspicum Responsis, Pro Plancio. N. H. Watts. (*2nd Imp.*)
Cicero : Pro Caecina, Pro Lege Manilia, Pro Cluentio, Pro Rabirio. H. Grose Hodge. (*2nd Imp.*)
Cicero : Pro Milone, In Pisonem, Pro Scauro, Pro Fonteio, Pro Rabirio Postumo, Pro Marcello, Pro Ligario, Pro Rege Deiotaro. N. H. Watts.
Cicero : Pro Quinctio, Pro Roscio Amerino, Pro Roscio Comoedo, Contra Rullum. J. H. Freese. (*2nd Imp.*)
Cicero : Tusculan Disputations. J. E. King. (*3rd Imp.*)
Cicero : Verrine Orations. L. H. G. Greenwood. 2 Vols. (Vol. I *2nd Imp.*)
Claudian. M. Platnauer. 2 Vols.
Columella : De Re Rustica. H. B. Ash. 2 Vols. Vol. I. Books I-IV. (*2nd Imp.*)
Curtius, Q. : History of Alexander. J. C. Rolfe. 2 Vols.
Florus. E. S. Forster ; and Cornelius Nepos. J. C. Rolfe. (*2nd Imp.*)
Frontinus : Stratagems and Aqueducts. C. E. Bennett and M. B. McElwain. (*2nd Imp.*)
Fronto : Correspondence. C. R. Haines. 2 Vols.
Gellius. J. C. Rolfe. 3 Vols. (Vols. I and II *2nd Imp.*)
Horace : Odes and Epodes. C. E. Bennett. (*13th Imp. revised.*)

HORACE: SATIRES, EPISTLES, ARS POETICA. H. R. Fairclough. (*8th Imp. revised.*)
JEROME: SELECT LETTERS. F. A. Wright.
JUVENAL AND PERSIUS. G. G. Ramsay. (*7th Imp.*)
LIVY. B. O. Foster, F. G. Moore, Evan T. Sage and A. C. Schlesinger. 13 Vols. Vols. I-XII. (Vol. I *3rd Imp.*, Vols. II-V, VII, IX-XII *2nd Imp. revised.*)
LUCAN. J. D. Duff. (*2nd Imp.*)
LUCRETIUS. W. H. D. Rouse. (*6th Imp. revised.*)
MARTIAL. W. C. A. Ker. 2 Vols. (Vol. I *5th Imp.*, Vol. II *4th Imp. revised.*)
MINOR LATIN POETS: from PUBLILIUS SYRUS to RUTILIUS NAMATIANUS, including GRATTIUS, CALPURNIUS SICULUS, NEMESIANUS, AVIANUS, with "Aetna," "Phoenix" and other poems. J. Wight Duff and Arnold M. Duff. (*2nd Imp.*)
OVID: THE ART OF LOVE AND OTHER POEMS. J. H. Mozley. (*3rd Imp.*)
OVID: FASTI. Sir James G. Frazer. (*2nd Imp.*)
OVID: HEROIDES AND AMORES. Grant Showerman. (*4th Imp.*)
OVID: METAMORPHOSES. F. J. Miller. 2 Vols. (Vol. I *9th Imp.*, Vol. II *7th Imp.*)
OVID: TRISTIA AND EX PONTO. A. L. Wheeler. (*2nd Imp.*)
PETRONIUS. M. Heseltine; SENECA: APOCOLOCYNTOSIS. W. H. D. Rouse. (*7th Imp. revised.*)
PLAUTUS. Paul Nixon. 5 Vols. (Vol. I *5th Imp.*, Vols. II and III *4th Imp.*)
PLINY: LETTERS. Melmoth's translation revised by W. M. L. Hutchinson. 2 Vols. (Vol. I *5th Imp.*, Vol. II *4th Imp.*)
PLINY: NATURAL HISTORY. H. Rackham and W. H. S. Jones. 10 Vols. Vols. I-V. (Vols. I-III *2nd Imp.*)
PROPERTIUS. H. E. Butler. (*5th Imp.*)
PRUDENTIUS. H. J. Thomson. 2 Vols. Vol. I.
QUINTILIAN. H. E. Butler. 4 Vols. (*2nd Imp.*)
REMAINS OF OLD LATIN. E. H. Warmington. 4 Vols. Vol. I (Ennius and Caecilius). Vol. II (Livius, Naevius, Pacuvius, Accius). Vol. III (Lucilius, Laws of the XII Tables). Vol. IV (Archaic Inscriptions). (Vol. IV *2nd Imp.*)
SALLUST. J. C. Rolfe. (*3rd Imp. revised.*)

SCRIPTORES HISTORIAE AUGUSTAE. D. Magie. 3 Vols. (Vol. I *2nd Imp. revised.*)
SENECA: APOCOLOCYNTOSIS. *Cf.* PETRONIUS.
SENECA: EPISTULAE MORALES. R. M. Gummere. 3 Vols. (Vol. I *3rd Imp.*, Vols. II and III *2nd Imp. revised.*)
SENECA: MORAL ESSAYS. J. W. Basore. 3 Vols. (Vol. II *3rd Imp. revised*, Vol. III *2nd Imp. revised.*)
SENECA: TRAGEDIES. F. J. Miller. 2 Vols. (Vol. I *3rd Imp.*, Vol. II *2nd Imp. revised.*)
SIDONIUS: POEMS AND LETTERS. W. B. Anderson. 2 Vols. Vol. I.
SILIUS ITALICUS. J. D. Duff. 2 Vols. (Vol. I *2nd Imp.*, Vol. II *3rd Imp.*)
STATIUS. J. H. Mozley. 2 Vols.
SUETONIUS. J. C. Rolfe. 2 Vols. (Vol. I *7th Imp.*, Vol. II *6th Imp.*)
TACITUS: DIALOGUS. Sir Wm. Peterson; and AGRICOLA AND GERMANIA. Maurice Hutton. (*6th Imp.*)
TACITUS: HISTORIES AND ANNALS. C. H. Moore and J. Jackson. 4 Vols. (Vols. I and II *2nd Imp.*)
TERENCE. John Sargeaunt. 2 Vols. (Vol. I *6th Imp.*, Vol. II *5th Imp.*)
TERTULLIAN: APOLOGIA AND DE SPECTACULIS. T. R. Glover; MINUCIUS FELIX. G. H. Rendall.
VALERIUS FLACCUS. J. H. Mozley. (*2nd Imp. revised.*)
VARRO: DE LINGUA LATINA. R. G. Kent. 2 Vols. (*2nd Imp. revised.*)
VELLEIUS PATERCULUS AND RES GESTAE DIVI AUGUSTI. F. W. Shipley.
VIRGIL. H. R. Fairclough. 2 Vols. (Vol. I *17th Imp.*, Vol. II *13th Imp. revised.*)
VITRUVIUS: DE ARCHITECTURA. F. Granger. 2 Vols. (Vol. I *2nd Imp.*)

GREEK AUTHORS

ACHILLES TATIUS. S. Gaselee. (*2nd Imp.*)
AENEAS TACTICUS, ASCLEPIODOTUS AND ONASANDER. The Illinois Greek Club. (*2nd Imp.*)
AESCHINES. C. D. Adams. (*2nd Imp.*)

THE LOEB CLASSICAL LIBRARY

AESCHYLUS. H. Weir Smyth. 2 Vols. (Vol. I *5th Imp.*, Vol. II *4th Imp.*)
ALCIPHRON, AELIAN AND PHILOSTRATUS: LETTERS. A. R. Benner and F. H. Fobes.
APOLLODORUS. Sir James G. Frazer. 2 Vols. (*2nd Imp.*)
APOLLONIUS RHODIUS. R. C. Seaton. (*4th Imp.*)
THE APOSTOLIC FATHERS. Kirsopp Lake. 2 Vols. (*7th Imp.*)
APPIAN'S ROMAN HISTORY. Horace White. 4 Vols. (Vol. I *3rd Imp.*, Vols. II, III and IV *2nd Imp.*)
ARATUS. *Cf.* CALLIMACHUS.
ARISTOPHANES. Benjamin Bickley Rogers. 3 Vols. (Vols. I and II *5th Imp.*, Vol. III *4th Imp.*) Verse trans.
ARISTOTLE: ART OF RHETORIC. J. H. Freese. (*3rd Imp.*)
ARISTOTLE: ATHENIAN CONSTITUTION, EUDEMIAN ETHICS, VIRTUES AND VICES. H. Rackham. (*2nd Imp.*)
ARISTOTLE: GENERATION OF ANIMALS. A. L. Peck. (*2nd Imp.*)
ARISTOTLE: METAPHYSICS. H. Tredennick. 2 Vols. (*3rd Imp.*)
ARISTOTLE: MINOR WORKS. W. S. Hett. "On Colours," "On Things Heard," "Physiognomics," "On Plants," "On Marvellous Things Heard," "Mechanical Problems," "On Indivisible Lines," "Situations and Names of Winds," "On Melissus, Xenophanes, and Gorgias."
ARISTOTLE: NICOMACHEAN ETHICS. H. Rackham. (*5th Imp. revised.*)
ARISTOTLE: OECONOMICA AND MAGNA MORALIA. G. C. Armstrong. (With Metaphysics, Vol. II.) (*3rd Imp.*)
ARISTOTLE: ON THE HEAVENS. W. K. C. Guthrie. (*2nd Imp.*)
ARISTOTLE: ON THE SOUL, PARVA NATURALIA, ON BREATH. W. S. Hett. (*2nd Imp. revised.*)
ARISTOTLE: ORGANON. H. P. Cooke and H. Tredennick. 3 Vols. Vol. I. (*2nd Imp.*)
ARISTOTLE: PARTS OF ANIMALS. A. L. Peck; MOTION AND PROGRESSION OF ANIMALS. E. S. Forster. (*2nd Imp.*)
ARISTOTLE: PHYSICS. Rev. P. Wicksteed and F. M. Cornford. 2 Vols. (*2nd Imp.*)
ARISTOTLE: POETICS and LONGINUS. W. Hamilton Fyfe; DEMETRIUS ON STYLE. W. Rhys Roberts. (*4th Imp. revised.*)

Aristotle: Politics. H. Rackham. (*4th Imp.*)
Aristotle: Problems. W. S. Hett. 2 Vols. (Vol. I *2nd Imp. revised.*)
Aristotle: Rhetorica ad Alexandrum. H. Rackham. (With Problems, Vol. II.)
Arrian: History of Alexander and Indica. Rev. E. Iliffe Robson. 2 Vols. (*2nd Imp.*)
Athenaeus: Deipnosophistae. C. B. Gulick. 7 Vols. (Vols. I, V and VI *2nd Imp.*)
St. Basil: Letters. R. J. Deferrari. 4 Vols. (Vols. I, II and IV *2nd Imp.*)
Callimachus and Lycophron. A. W. Mair; Aratus. G. R. Mair.
Clement of Alexandria. Rev. G. W. Butterworth. (*2nd Imp.*)
Colluthus. *Cf.* Oppian.
Daphnis and Chloe. *Cf.* Longus.
Demosthenes I: Olynthiacs, Philippics and Minor Orations: I-XVII and XX. J. H. Vince.
Demosthenes II: De Corona and De Falsa Legatione. C. A. Vince and J. H. Vince. (*2nd Imp. revised.*)
Demosthenes III: Meidias, Androtion, Aristocrates, Timocrates, Aristogeiton. J. H. Vince.
Demosthenes IV-VI: Private Orations and In Neaeram. A. T. Murray. (Vol. IV *2nd Imp.*)
Demosthenes VII: Funeral Speech, Erotic Essay, Exordia and Letters. N. W. and N. J. DeWitt.
Dio Cassius: Roman History. E. Cary. 9 Vols. (Vols. I and II *2nd Imp.*)
Dio Chrysostom. 5 Vols. Vols I and II. J. W. Cohoon. Vol. III. J. W. Cohoon and H. Lamar Crosby. Vol. IV. H. Lamar Crosby. (Vols. I and II *2nd Imp.*)
Diodorus Siculus. 12 Vols. Vols. I-IV. C. H. Oldfather. Vol. IX. Russel M. Geer. (Vol. I *2nd Imp.*)
Diogenes Laertius. R. D. Hicks. 2 Vols. (Vol. I *4th Imp.*, Vol. II *3rd Imp.*)
Dionysius of Halicarnassus: Roman Antiquities. Spelman's translation revised by E. Cary. 7 Vols. Vols. I-VI. (Vol. IV *2nd Imp.*)
Epictetus. W. A. Oldfather. 2 Vols. (Vol. I *2nd Imp.*)
Euripides. A. S. Way. 4 Vols. (Vol. I *7th Imp.*, Vols. II-IV *6th Imp.*) Verse trans.

EUSEBIUS: ECCLESIASTICAL HISTORY. Kirsopp Lake and J. E. L. Oulton. 2 Vols. (Vol. I *2nd Imp.*, Vol. II *3rd Imp.*)
GALEN: ON THE NATURAL FACULTIES. A. J. Brock. (*3rd Imp.*)
THE GREEK ANTHOLOGY. W. R. Paton. 5 Vols. (Vols. I and II *4th Imp.*, Vols. III and IV *3rd Imp.*)
THE GREEK BUCOLIC POETS (THEOCRITUS, BION, MOSCHUS). J. M. Edmonds. (*7th Imp. revised.*)
GREEK ELEGY AND IAMBUS WITH THE ANACREONTEA. J. M. Edmonds. 2 Vols. (Vol. I *2nd Imp.*)
GREEK MATHEMATICAL WORKS. Ivor Thomas. 2 Vols. (*2nd Imp.*)
HERODES. *Cf.* THEOPHRASTUS: CHARACTERS.
HERODOTUS. A. D. Godley. 4 Vols. (Vols. I-III *4th Imp.*, Vol. IV *3rd Imp.*)
HESIOD AND THE HOMERIC HYMNS. H. G. Evelyn White. (*7th Imp. revised and enlarged.*)
HIPPOCRATES AND THE FRAGMENTS OF HERACLEITUS. W. H. S. Jones and E. T. Withington. 4 Vols. (Vol. I *3rd Imp.*, Vols. II-IV *2nd Imp.*)
HOMER: ILIAD. A. T. Murray. 2 Vols. (*6th Imp.*)
HOMER: ODYSSEY. A. T. Murray. 2 Vols. (*7th Imp.*)
ISAEUS. E. S. Forster. (*2nd Imp.*)
ISOCRATES. George Norlin and LaRue Van Hook. 3 Vols.
ST. JOHN DAMASCENE: BARLAAM AND IOASAPH. Rev. G. R. Woodward and Harold Mattingly. (*2nd Imp. revised.*)
JOSEPHUS. H. St. J. Thackeray and Ralph Marcus. 9 Vols. Vols. I-VII. (Vols. I, V and VI *2nd Imp.*)
JULIAN. Wilmer Cave Wright. 3 Vols. (Vol. I *2nd Imp.*, Vol. II *3rd Imp.*)
LONGUS: DAPHNIS AND CHLOE. Thornley's translation revised by J. M. Edmonds; and PARTHENIUS. S. Gaselee. (*3rd Imp.*)
LUCIAN. A. M. Harmon. 8 Vols. Vols. I-V. (Vols. I and II *2nd Imp.*, Vol. III *3rd Imp.*)
LYCOPHRON. *Cf.* CALLIMACHUS.
LYRA GRAECA. J. M. Edmonds. 3 Vols. (Vol. I *3rd Imp.*, Vol. II *2nd Ed. revised and enlarged*, Vol. III *3rd Imp. revised.*)
LYSIAS. W. R. M. Lamb. (*2nd Imp.*)
MANETHO. W. G. Waddell; PTOLEMY: TETRABIBLOS. F. E. Robbins. (*2nd Imp.*)

MARCUS AURELIUS. C. R. Haines. (*3rd Imp. revised.*)
MENANDER. F. G. Allinson. (*2nd Imp. revised.*)
MINOR ATTIC ORATORS. 2 Vols. Vol. I (Antiphon, Andocides). K. J. Maidment.
NONNOS: DIONYSIACA. W. H. D. Rouse. 3 Vols. (Vol. III *2nd Imp.*)
OPPIAN, COLLUTHUS, TRYPHIODORUS. A. W. Mair.
PAPYRI. NON-LITERARY SELECTIONS. A. S. Hunt and C. C. Edgar. 2 Vols. (Vol. I *2nd Imp.*) LITERARY SELECTIONS. Vol. I (Poetry). D. L. Page. (*3rd Imp.*)
PARTHENIUS. *Cf.* LONGUS.
PAUSANIAS: DESCRIPTION OF GREECE. W. H. S. Jones. 5 Vols. and Companion Vol. arranged by R. E. Wycherley. (Vols. I and III *2nd Imp.*)
PHILO. 11 Vols. Vols. I-V. F. H. Colson and Rev. G. H. Whitaker; Vols. VI-IX. F. H. Colson. (Vols. I, II, V, VI and VII *2nd Imp.*, Vol. IV *3rd Imp. revised.*)
PHILOSTRATUS: THE LIFE OF APOLLONIUS OF TYANA. F. C. Conybeare. 2 Vols. (*3rd Imp.*)
PHILOSTRATUS: IMAGINES; CALLISTRATUS: DESCRIPTIONS. A. Fairbanks.
PHILOSTRATUS AND EUNAPIUS: LIVES OF THE SOPHISTS. Wilmer Cave Wright. (*2nd Imp.*)
PINDAR. Sir J. E. Sandys. (*7th Imp. revised.*)
PLATO: CHARMIDES, ALCIBIADES, HIPPARCHUS, THE LOVERS, THEAGES, MINOS AND EPINOMIS. W. R. M. Lamb.
PLATO: CRATYLUS, PARMENIDES, GREATER HIPPIAS, LESSER HIPPIAS. H. N. Fowler. (*3rd Imp.*)
PLATO: EUTHYPHRO, APOLOGY, CRITO, PHAEDO, PHAEDRUS. H. N. Fowler. (*9th Imp.*)
PLATO: LACHES, PROTAGORAS, MENO, EUTHYDEMUS. W. R. M. Lamb. (*2nd Imp. revised.*)
PLATO: LAWS. Rev. R. G. Bury. 2 Vols. (*2nd Imp.*)
PLATO: LYSIS, SYMPOSIUM, GORGIAS. W. R. M. Lamb. (*4th Imp. revised.*)
PLATO: REPUBLIC. Paul Shorey. 2 Vols. (Vol. I *4th Imp.*, Vol. II *3rd Imp.*)
PLATO: STATESMAN, PHILEBUS. H. N. Fowler; ION. W. R. M. Lamb. (*3rd Imp.*)
PLATO: THEAETETUS AND SOPHIST. H. N. Fowler. (*3rd Imp.*)
PLATO: TIMAEUS, CRITIAS, CLITOPHO, MENEXENUS, EPISTULAE. Rev. R. G. Bury. (*2nd Imp.*)

PLUTARCH: MORALIA. 14 Vols. Vols. I-V. F. C. Babbitt; Vol. VI. W. C. Helmbold; Vol. X. H. N. Fowler. (Vols. I, III and X *2nd Imp.*)
PLUTARCH: THE PARALLEL LIVES. B. Perrin. 11 Vols. (Vols. I, II and VII *3rd Imp.*, Vols. III, IV, VI, VIII-XI *2nd Imp.*)
POLYBIUS. W. R. Paton. 6 Vols.
PROCOPIUS: HISTORY OF THE WARS. H. B. Dewing. 7 Vols. (Vol. I *2nd Imp.*)
PTOLEMY: TETRABIBLOS. *Cf.* MANETHO.
QUINTUS SMYRNAEUS. A. S. Way. (*2nd Imp.*) Verse trans.
SEXTUS EMPIRICUS. Rev. R. G. Bury. 4 Vols. (Vols. I and III *2nd Imp.*)
SOPHOCLES. F. Storr. 2 Vols. (Vol. I *8th Imp.*, Vol. II *5th Imp.*) Verse trans.
STRABO: GEOGRAPHY. Horace L. Jones. 8 Vols. (Vols. I and VIII *3rd Imp.*, Vols. II, V and VI *2nd Imp.*)
THEOPHRASTUS: CHARACTERS. J. M. Edmonds; HERODES, etc. A. D. Knox. (*2nd Imp.*)
THEOPHRASTUS: ENQUIRY INTO PLANTS. Sir Arthur Hort. 2 Vols. (*2nd Imp.*)
THUCYDIDES. C. F. Smith. 4 Vols. (Vol. I *3rd Imp.*, Vols. II-IV *2nd Imp. revised.*)
TRYPHIODORUS. *Cf.* OPPIAN.
XENOPHON: CYROPAEDIA. Walter Miller. 2 Vols. (Vol. I *2nd Imp.*, Vol. II *3rd Imp.*)
XENOPHON: HELLENICA, ANABASIS, APOLOGY, AND SYMPOSIUM. C. L. Brownson and O. J. Todd. 3 Vols. (Vols. I and III *3rd Imp.*, Vol. II *4th Imp.*)
XENOPHON: MEMORABILIA AND OECONOMICUS. E. C. Marchant. (*2nd Imp.*)
XENOPHON: SCRIPTA MINORA. E. C. Marchant. (*2nd Imp.*)

VOLUMES IN PREPARATION

GREEK AUTHORS

ARISTOTLE: DE MUNDO, etc. D. Furley and E. S. Forster.
ARISTOTLE: HISTORY OF ANIMALS. A. L. Peck.

ARISTOTLE: METEOROLOGICA. H. D. P. Lee.
PLOTINUS.

LATIN AUTHORS

ST. AUGUSTINE: CITY OF GOD.
[CICERO:] AD HERENNIUM. H. Caplan.
CICERO: PRO SESTIO, IN VATINIUM, PRO CAELIO, DE PROVINCIIS CONSULARIBUS, PRO BALBO. J. H. Freese and R. Gardner.
PHAEDRUS AND OTHER FABULISTS. B. E. Perry.

DESCRIPTIVE PROSPECTUS ON APPLICATION

CAMBRIDGE, MASS.
HARVARD UNIV. PRESS
Cloth $ 3.00

LONDON
WILLIAM HEINEMANN LTD
Cloth 15s.